ANCIENT ITALY

SCALE OF STATUTE MILES

𝔅𝔢𝔫𝔫𝔢𝔱𝔱'𝔰 𝔏𝔞𝔱𝔦𝔫 𝔖𝔢𝔯𝔦𝔢𝔰

SELECTIONS FROM

CICERO

ORATIONS, LETTERS, AND DE SENECTUTE

WITH INTRODUCTION, NOTES
AND VOCABULARY

BY

CHARLES E. BENNETT

FORMERLY GOLDWIN SMITH PROFESSOR OF LATIN
IN CORNELL UNIVERSITY

1960

ALLYN AND BACON

| BOSTON | NEW YORK | CHICAGO |
| ATLANTA | SAN FRANCISCO | DALLAS |

PREFATORY NOTE

PROFESSOR Bennett, distinguished scholar, able and enthusiastic teacher, widely known for his excellent and eminently sensible text-books, died on May 2, 1921. At the time of his death he had finished the new edition of his CICERO, in which he had added to the six *Orations* a number of selected *Letters* and the entire *Essay on Old Age (De Senectute)*. It is therefore entirely his work, but for any purely typographical errors the undersigned must be held responsible. The number of these has been greatly reduced by the valuable assistance rendered by Professor Mary B. McElwain, of Smith College, a former student of Professor Bennett's in the Graduate School of Cornell University and, like myself, his devoted friend.

JOHN C. ROLFE.

AUGUST, 1922.

TABLE OF CONTENTS

MAPS

ILLUSTRATIONS

vii

INTRODUCTION

OUTLINE OF CICERO'S LIFE

Marcus Tullius Cicero was born January 3, 106 B.C., a few miles from Arpinum, a small town of southeastern Latium. His family was of merely equestrian rank; no one of his ancestors had ever held a Roman magistracy. Cicero and his brother Quintus both evinced such fondness for study that they were early taken to Rome by their father to enjoy the best instruction afforded by the capital.

One of Cicero's teachers at this period was the poet Archias, who had come to Rome in 102 B.C. In the celebrated oration (*pro Archia Poeta*) which Cicero delivered in 62 B.C., defending the citizenship of his former teacher, he gratefully refers to Archias as the source of his interest in the fields of philosophy and literature.

His studies were interrupted by the Social War (91–89 B.C.), after which he devoted himself to the study of law, under the guidance of Q. Mucius Scaevola, the augur, one of the foremost jurists of the day. Scaevola died in 87 B.C., and Cicero continued his legal studies for a while under the direction of Q. Mucius Scaevola, *pontifex maximus*, a cousin of the augur. At this time and for some years afterwards, he was also a diligent attendant upon the courts and the legislative assemblies, studying the oratory of the great leaders at the bar and on the Rostra, among whom Hortensius was the most eminent.

Cicero's first appearance as an advocate was in 81 B.C., when he was twenty-five years old. The speech, *pro Quinctio*, which he delivered on that occasion, was unimportant. Of great significance, however, was the oration *pro Roscio Amerino*, delivered in the following year.

Roscius was a respectable young man of a wealthy country family. In the era of disorder following the Sullan proscriptions, Roscius's father had been murdered by private enemies. Chrysogonus, a freedman and worthless favorite of Sulla, thereupon secured the insertion of the elder Roscius's name among the list of the proscribed, and when the valuable property was sold at auction, bought it in himself for a trifling sum. Later he attempted to fasten the guilt of Roscius's murder upon the son.

It was a bold and dangerous step to reveal in a public speech the details of Chrysogonus's villainy. Few would have ventured to risk incurring the displeasure of Sulla by attacking his favorite; yet Cicero fearlessly undertook the defense of Roscius and conducted it with such success as to establish immediately his reputation and standing as a forensic leader.

The next two years Cicero spent abroad, pursuing philosophical and oratorical studies at Athens, in Asia Minor, and at Rhodes, where he enjoyed the instruction of Molo, also the teacher of Caesar. Returning to Rome in 77 B.C., he resumed his profession of advocate with great distinction, and began his political career. In order to reach the consulship, the highest ambition of every Roman, it was necessary to pass through the lower offices of quaestor and praetor; often the curule aedileship was also included, though this was optional. A fixed interval between these offices was prescribed by law; thus forty-three was the earliest legal age at which the consulship could be attained. Cicero prided himself on filling all the magistracies at the earliest age compatible with law. His quaestorship fell in the year 75 B.C., and he was assigned to duty in the province of Sicily, with headquarters at Lilybaeum, where he distinguished himself by sending supplies of grain to Rome at a time of great scarcity.

The most noteworthy event in the orator's career in the course of the next few years was his impeachment of Verres in 70 B.C. Verres had been governor of the province of Sicily and had pursued a career of tyranny and extortion phenomenal even among provincial governors. Cicero's prosecution of this offender was so vigorous and aggressive that his preliminary statement of the case forced Hortensius, Verres's legal adviser, to throw up the defense, whereupon Verres himself withdrew into voluntary exile.

Cicero held the aedileship in 69 B.C., and two years later was elected praetor. It was in his praetorship that he lent his support to the bill of Manilius, investing Pompey with supreme command in the Mithridatic War. In 63 B.C. he held the consulship and signalized his year of office by his energy in crushing the Conspiracy of Catiline. Several of the ringleaders of the Conspiracy were captured and executed in the city, while the rest of Catiline's followers were defeated and slain in battle, their leader at their head. Honors were heaped upon Cicero without stint for his services at this juncture. He was called *pater patriae*, and a special *supplicatio* or thanksgiving was decreed in his honor.

Had it not been for one serious error committed in connection with the suppression of the Conspiracy, Cicero's future would have been more secure. Roman law provided that no citizen should be put to death without the privilege of final appeal to the people. Cicero in the Senate debate on the punishment of the detected conspirators (see the Fourth Oration against Catiline) had taken the unjustifiable position that men who had plotted against their country were not citizens and consequently were not entitled to claim this privilege of appeal. His urgency in pressing this arbitrary and unjust interpretation of the law was largely instrumental in inducing the Senate to decree the death of the captured conspirators. At the same time it proved his own political ruin.

Cicero had begun his public career as a man of the people. It was the people's cause he had championed in the prosecution of Verres and in his effective support of Pompey's appointment against Mithridates. His consulship marked a profound change of attitude and of political associations. It was as the candidate of the aristocrats that he had stood for the consulship, and it was as their representative that he filled the office. His conduct with regard to the conspirators evoked the severest condemnation at the hands of the popular party, since Cicero was not merely known to have advocated in the Senate the immediate execution of the conspirators, but as consul was the executive agent of the state in inflicting the death penalty.

The storm of popular indignation, however, did not break till four years later (58 B.C.). At that time Clodius, a young demagogue of the worst type, impelled by a private feud with Cicero, introduced a bill providing " that any one who had put Roman citizens to death without trial should be outlawed." Cicero's name was not mentioned in the bill, but it was perfectly obvious that Clodius's purpose was directed against him. In vain did he appeal to Pompey to assist him at this juncture in return for former favors; Pompey was now bound up with Crassus and Caesar in the Triumvirate formed in the year 60, and Caesar had not only opposed the execution of the conspirators, but was the acknowledged leader of the democracy and in close political alliance with Clodius.

All attempts to prevent the enactment of Clodius's bill proved futile, and Cicero mournfully withdrew into exile. Subsequently his house on the Palatine was razed to the ground, and on its site was erected a temple to Libertas. His wife, Terentia, was also made the object of wanton persecution. The decree of banishment forbade Cicero's presence within a radius of four hundred miles of the city, and imposed penalties upon all who received or sheltered him within these limits. He accordingly retired to Thessalonica in Macedonia, where he arrived in May, 58 B.C. Later he changed his residence to Epirus.

But active efforts for his recall began soon after he left Italy. For a time these were effectively thwarted by the fierce opposition of Clodius, who hesitated at no violence and no bloodshed in the execution of his purposes. In August, 57 B.C., nearly eighteen months after Cicero's banishment, the bill for his recall finally became a law. His return was a perfect ovation from the time of his landing at Brundisium to his triumphal entry into the city and the Forum, — an instructive illustration of the temper of democracies, and in some respects a close parallel to the return of Alcibiades to Athens.

From 57 to 49 B.C., Cicero lived comparatively retired from public life, devoting himself largely to the prosecution of his rhetorical and philosophical studies and to the composition of treatises in these fields. The years 51 and 50 B.C., he spent as governor of Cilicia. His administration of this province was characterized by justice, humanity, and a sincere desire to improve the condition of the provincials, who had been almost impoverished under previous governors.

He was also successful in some military operations against the wild mountaineers of this region.

Returning to Rome toward the close of the year 50 B.C., he found the country fast approaching the throes of civil war. With much hesitation, Cicero finally attached himself to the senatorial party headed by Pompey, but after the Battle of Pharsalus (48 B.C.), convinced of the futility of further resistance, he returned to Italy, where he was generously pardoned by Caesar.

The next few years were spent in the seclusion of private life, and were devoted mainly to the composition of philosophical works. In 46 B.C. he was divorced from his wife, Terentia, and in the next year suffered bereavement in the loss of his daughter, Tullia, to whom he was devotedly attached. He was drawn once more into public life by the high-handed acts of Antony after the assassination of Caesar. Caesar's death had been hailed by Cicero with no small satisfaction. The event gave him new hope for a restoration of the freedom of the republic. Later, as he saw these prospects shattered by Antony's measures, he threw himself, at the age of sixty-three, into the final struggle for the preservation of the old constitution.

Never had he shown more energy or greater disinterestedness. With unmeasured bitterness he denounced Antony in his famous Philippics. Yet his efforts were unavailing, and with the formation of the Second Triumvirate in 43 B.C., Cicero's name was put upon the list of the proscribed. He seems to have been tired of life, for though he might have escaped, he suffered himself to be overtaken, and even forbade his slaves to raise a hand in his defense. He was put to death by emissaries of Antony, near Cajeta, December 7, 43 B.C., when he had almost completed his sixty-fourth year. At Antony's direction his head and hands were

Antony

cut off and fastened to the Rostra, in mockery of his former triumphs.

CICERO AS A MAN OF LETTERS

Cicero's chief title to fame is as a man of letters. Of all Latin writers, he is the most versatile, and the greatest master of style; he is also one of the most voluminous. His eminence is shown not only by the number of subjects treated and the success with which this has been done, but by the great extent of his preserved works. Very little of importance from his hand has failed to come down to us through the centuries. His complete writings, as we have them today, fill ten duodecimo volumes containing nearly five thousand pages. These works may be classified under the following heads: orations, rhetorical works, philosophical works, letters, poems.

Orations

Of Cicero's orations we have fifty-seven preserved entire, or practically so, along with fragments of some twenty others. These cover a period of almost forty years, from the Defence of Quinctius, delivered in 81 B.C., to the Philippics, delivered in 43. Their subject-matter is most varied. Many, like the orations against Verres, the orations against Catiline, and the Philippics, are closely bound up with the political life of the day. Others are speeches of defense or accusation in civil or criminal suits.

With the exception of the orations against Verres and the Second Philippic, these were all actually delivered and then revised for publication, though probably with unessential changes. Of the Verrine orations, only the first was delivered. The effect of this was so decisive that there was no occasion for further pressing the case; yet Cicero published his extensive material as an indication of the overwhelming evidence against the criminal.

Oratory was Cicero's greatest province. Nature had endowed him with rare qualifications in this respect. He was easily impressible, had a vivid imagination and a strong emotional nature. Added to this, he possessed unusual talent for the presentation of his theme. He was never at a loss for words to give exact expression to his thought, and was clear and logical in the arrangement of his topics. His voice and bearing, too, were commanding and winning. To these natural gifts, he had added the advantages of years of discipline and study under the best masters, while even after his repeated oratorical triumphs he still continued his studies, ambitious to attain yet greater perfection and power as a public speaker.

A defect in his oratory was his tendency to become verbose. This fault was one of which Cicero himself was conscious, and which, prompted by his teachers, he strove to correct, though he never succeeded in eradicating it. Like most orators, too, he is essentially an advocate, pledged to a cogent presentation of one side of the case at issue. His aim was to persuade, — either a legislative assembly, a jury court, the Senate, or some other body of his fellow-citizens.

Hence we can seldom look to his utterances for a temperate and judicial statement of facts; he gives us the side which conviction or expediency suggests to him as the better, and defends this with all the resources of his oratorical art, often exaggerating, often suppressing, often evading, dealing largely in superlatives and brilliant antithesis, dazzling his auditors with wit and pathos, and effectively impressing them with evidences of his own sincerity and depth of conviction. Yet he was usually scrupulous as to the character of the cases he undertook, and it is to his lasting credit that he rarely, if ever, employed his great powers in a case that was thoroughly bad.

Rhetorical Works

Cicero's own thorough discipline in the theory of rhetoric and oratory, combined with his wide practical experience as a public speaker, made him a specially competent authority to present these subjects to the attention of Roman readers. His most important works under this head are the *de Oratore*, the *Brutus*, and the *Orator*. The *de Oratore* is in three books, and treats in dialogue form of the education of an orator, the treatment of material, and oratorical delivery. The chief speakers are Crassus and Antonius, two famous orators of Cicero's boyhood, but the ideas, of course, are Cicero's own. Like most of his works in this field, the *de Oratore* was written in the full maturity of Cicero's powers, and ranks high not only for the soundness of the views presented, but also for its elegant and polished style.

The *Brutus* is a history of Roman oratory, giving a sketch of the development of oratory itself and descriptions of individual orators down to Cicero; it even includes an interesting description of his own style. In his characteristic way, he says that he cannot speak of *himself*, but he will venture to say *of others* that he knew no one who had made such an exhaustive study of literature as he himself had made, no one who had dipped so deeply into philosophy or so thoroughly mastered the subtleties of Roman law, no one who was better informed in Roman history, who could more successfully sway the feelings of a jury, turning them gradually from sternness to jollity and laughter, — no one, in short, who could so move to anger or tears, or turn their feelings whithersoever he wished. From all we know, there is every

reason to believe that this description of Cicero's style as an
orator, though emanating from his own hand, is in all essential respects a true one.

Cicero's *Orator* is a discussion of the ideal orator. It contains an elaborate defense of his own style of eloquence, with
a famous discussion on the essential qualifications of an artis-
tic prose style, — rhythm, euphony, word order, *etc.*

Philosophical Works

The philosophical works were almost all written in the last
years of Cicero's life, during the leisure following Caesar's
rise to power, *i.e.* in the years 46–44 B.C., just before the final
struggle against Antony. In this brief period of three years,
Cicero produced some fifteen works on philosophical subjects.
As a consequence, it will be readily understood what a super-
ficial character these must have. They consist mainly of
the reproduction of Greek writings on the same subjects,
often drawn from different sources and cleverly combined.
Although somewhat of a student of Greek philosophy, Cicero
had never pretended to master its details, and hence commits
many errors in handling the topics which he undertakes to
treat. He possessed no thorough knowledge of Plato and
Aristotle at first hand, but relied for his knowledge of these
upon the later representatives of the Greek schools. Personally he was an adherent of no school, but an eclectic. He
drew mostly from the so-called New Academy and from
Stoicism.

The great merit of Cicero's activity in the field of philosophical writing was the popularizing of philosophical study
among his countrymen. While not a deep or original thinker
himself upon such questions, he succeeded in creating a
healthy interest in them and deserves credit as the creator

of a choice philosophical vocabulary, which greatly enriched and strengthened the Latin language.

Of the many philosophical writings of Cicero, the most important are the *de Republica* and the *de Legibus*, on political philosophy, the theory and constitution of the State; the *de Officiis*, a treatise on morals, written for his son Marcus, then a student at Athens; the *de Amicitia* and *de Senectute*, two charming essays on friendship and old age; the *Tusculan Disputations* and *de Finibus*, on various questions of speculative philosophy; the *de Natura Deorum* and *de Divinatione*, on the nature of the gods, and the question of their communication by signs with mortals.

In all of these the tone is serious and impressive, and the sentiments set forth not infrequently rise to the loftiness of those inculcated by Christian teaching.

The Letters

Of these we have nearly nine hundred, inclusive of ninety addressed to Cicero by various correspondents. They are not only personal, but largely political in their contents, and furnish an almost inexhaustible mine of information for contemporary history. Their perusal does not always add to our respect for the writer. The revelations which they bring are often damaging to Cicero's character and have furnished his detractors with ample materials for accusation.

Thus we are told in one letter that in the year 65 B.C. Cicero was intending to undertake the defense of Catiline, who was then under accusation on the charge of extortion while governor of Africa. Cicero in another letter declares his conviction of Catiline's guilt, and yet we find him not only meditating Catiline's defense, but even planning to make him his political ally in the approaching canvass for the consulship.

In the Oration on Pompey's Appointment, Cicero in his concluding remarks calls the gods to witness that he has advocated the bill before the assembly simply from patriotic motives and for the highest good of the State. Yet in a letter to Atticus he frankly admits that his object was to secure the powerful support of Pompey for his own political advancement, and confesses his keen disappointment at Pompey's lack of gratitude.

The letters are distributed over a period of twenty-five years, from 68 to 43 B.C., the year of Cicero's death, and fall into four groups:

a) *Epistulae ad Familiares,* sixteen books of letters addressed to different friends, including one entire book of those addressed to his wife and children, and another to his faithful freedman Tiro.

b) *Epistulae ad Atticum,* sixteen books of letters addressed to Cicero's lifelong friend, T. Pomponius Atticus.

c) *Epistulae ad Q. Fratrem,* three books.

d) *Epistulae ad M. Brutum,* two short books addressed to the assassin of Caesar.

These letters were first published after Cicero's death, by his freedman Tiro, who had for years been Cicero's trusted amanuensis and who by nature and training was thoroughly competent to act as literary executor. They cover almost every conceivable phase of Cicero's activity and relations for a quarter of a century, and are of inestimable value as throwing light not only on Cicero's own character, but on the times in which he lived.

Poems

Cicero also essayed to be a poet, but with no success. He possessed the knack of writing verse, but lacked poetic inspiration. Of his efforts in this field, little has come down to us, though his works in verse were numerous. The best known was a poem on the suppression of the Catilinarian Conspiracy (*de Consulatu Meo*), in which he sings anew the praises of his own illustrious services. The poem was coldly received, and men even ridiculed certain lines, particularly the verse:

O fortunatam natam me consule Romam,

in which the unlucky assonance *fortunatam natam* and the vanity of the sentiment combined to provoke mirth and derision.

CICERO'S CHARACTER

Blame and praise must be mingled in any just estimate of Cicero's character. In private life he was most amiable and virtuous. Though divorced from his wife Terentia late in life, he seems to have been a devoted husband, as he was also an affectionate father. To his slaves he was humane and considerate; to his friends loyal and true, as shown by his lifelong friendship with Atticus, and by his devotion to Pompey even after the latter had failed to aid him at the time of his banishment.

So also in public life he possessed many sterling qualities. He was intensely patriotic and devoted to the maintenance of constitutional freedom. In an age when provincial governorships were regarded as an almost legitimate means of private gain, he gave to the impoverished Cilicians an administration marked by strict honesty, by sympathy, and practical help. At times also he exhibited admirable courage, as illustrated by his defense of Roscius, an act likely to be interpreted as a defiance of Sulla; by the prosecution of Verres, who was supported by the sympathy and resources of the entire aristocratic party; and most of all perhaps by his vigorous and unselfish opposition to Antony in the closing months of his career.

On the other hand, he was markedly deficient in some of the qualities most essential to the large rôle he essayed to play in the public life of his day. He suffered from intense conservatism, from too tenacious an adherence to the existing order of things, and failed utterly to grasp the supreme political problem of his time. The old constitution had become unworkable, and Cicero not only showed none of the constructive ability of the statesman in providing something better, but he seems not to have recognized that anything better was needed. Another serious defect was his irresolute and vacillating disposition, as seen in his long hesitation at the outbreak of the Civil War and his final half-hearted adhesion to the senatorial party.

Disappointing also is his excessive vanity over his own achievements. To these he perpetually recurs in the orations composed subsequent to the suppression of the Catilinarian Conspiracy, until the reader becomes weary and well-nigh nauseated by his endless heralding of his own praises. Equally disappointing is the moral weakness he exhibited when driven into exile. His own philosophical works breathe the loftiest moral spirit and abound in eloquent praises of patience, fortitude, and other heroic qualities. Yet when banished from Rome he reveals none of these virtues. Instead, as his letters show, he breaks out into miserable lamentation over his misfortunes.

It is wrong, therefore, in estimating Cicero's character either to allot him unstinted praise, as some have done, or to visit him with unmeasured condemnation, as has been done by others. If he suffered from certain defects, he as surely possessed many most admirable traits. If he was weak, vainglorious, and vacillating, let us remember, on the other hand, his sincere devotion to his country, his humanity, his justice, his high-mindedness, and the imperishable worth of his written works. These qualities have kept his memory fresh for ages past; it is no rash prophecy to predict that they will continue to keep it fresh for ages to come.

ROMAN PUBLIC ANTIQUITIES

THE MAGISTRATES

On Magistracy in General

Besides the special functions inhering in the individual magistrates, there were certain fundamental prerogatives belonging to all alike :

1. The *jus edicendi*, or right of issuing written edicts or proclamations. These edicts, of course, were confined to the magistrate's own sphere, and were valid only for his term of office. They did not bind his successor.

2. The *jus contionem habendi*, or right of calling the people together and addressing them. The word *contio* was by origin the same word as *conventio*, and meant primarily ' a meeting,' ' an assembly.' Then it came to include also the address, or speech, delivered at such a meeting.

3. The *jus auspiciorum*, or right to take the auspices.

4. The right of collegiate intercession (*intercessio*). This was something quite different from the veto power of the tribunes. The veto power of the tribunes was general; the collegiate intercession of other magistrates was confined to the special board (*collegium*) to which each belonged. Every

Roman magistrate (except the dictator) was a member of a *collegium*. Usually the *collegium* was small. Thus in the case of the consuls, censors, and aediles, the *collegium* consisted of only two members. Yet either of these could intercede against (*i.e.* veto) the action of the other. Hence, joint action of all the members of a *collegium* became a necessity.

Classification of Magistrates. — Magistrates fall into various classes according to the principle of division. Thus we have:

1. *Magistratus majores* (consul, praetor, censor) and *magistratus minores* (aedile, quaestor, tribune).

2. *Magistratus cum imperio* and *magistratus sine imperio*. The former embraced the consul, praetor, and dictator. These were formally invested with the *imperium* or supreme authority, by virtue of which they were competent:

a) To call out and command the troops;

b) To consult the Senate;

c) To restrict within limits the activity of the lower magistrates;

d) To be attended by a body-guard of lictors carrying the fasces.

3. *Magistratus curules* and *non curules*. The curule magistrates included the consul, praetor, curule aedile, and censor. All others were non-curule. The curule magistrates sat on the curule chair or *sella curulis* (see illustration, page 246) when performing their official duties. This was a square seat, without back or side rests, made of ivory. Curule magistrates also wore as their official dress the *toga praetexta*, a white toga with a purple border. The toga of the ordinary Roman citizen was without this border.

Sequence of Offices. — By the *Lex Villia Annalis* of 180 B.C., the sequence of the Roman magistracies was definitely

laid down. This law prescribed that the praetorship must
be held before the consulship, and the quaestorship before
the praetorship. Between the quaestorship and the praetorship an aspirant to higher honors often held the tribunate of
the plebs or curule aedileship or both. But these offices
were entirely optional.

Besides the sequence of the magistracies, the intervals
which must elapse between them were also prescribed by
the *Lex Villia Annalis*. Originally there had been nothing
to prevent the holding of magistracies in immediate succession, but after the Second Punic War this continuousness
was forbidden by law. The object was probably to facilitate
legal proceedings against magistrates who had been guilty
of maladministration. In the lack of any interval between
successive magistracies, it would have been possible for an
official guilty of serious crimes to go unpunished for years,
since Roman custom forbade the arraignment of any magistrate until the expiration of his term of office. Accordingly,
by the *Lex Villia Annalis*, it was ordained that an interval
of two years between successive magistracies should be
required.

Besides determining the sequence of magistracies and the
intervals which should elapse between them, the *Lex Villia
Annalis* also prescribed the ages at which the different offices
might be held. Sulla (81 B.C.) subsequently modified these
ages, and from his time on the earliest age at which the consulship could legally be held was the forty-third year. This
made it possible to hold the praetorship at forty and the
quaestorship at thirty-seven. For those who pledged themselves to stand for the tribunate or aedileship after the quaestorship, an exception was sometimes made, whereby candidacy for the quaestorship was authorized at the age of
thirty. Cicero availed himself of this privilege.

In great emergencies, the foregoing ordinances were naturally sometimes ignored. Thus, Scipio Africanus the
Younger held the consulship (147 B.C.) without having held
the praetorship, and in 133 B.C. was elected consul a second
time, although a second tenure of the consulship was at this
time forbidden. So also Marius at the crisis of the barbarian invasion was chosen consul for five years in succession
(104–100 B.C.).

Prorogation of Magistracies. — Theoretically, the Roman
constitution did not recognize the possibility of prolonging
the period for which a magistrate had been elected. Yet
practically such prolongation did frequently occur. Thus,
for example, a consul might have taken the field and might
happen to be in the midst of important military operations
at the very expiration of his term. Ordinary prudence forbade jeopardizing the interests of the state by recalling him
to Rome at such a juncture. It became customary, therefore, to prolong the term of service of a magistrate, whenever this seemed desirable, without prolonging the office
itself. Thus, while no man could hold his consulship after
the expiration of his annual term, he might continue any
necessary public service as proconsul. The technical name
of such prolongation was ' prorogation.'

The Separate Magistracies

The Consulship. — Two consuls were regularly elected in
July of each year. In Cicero's day they took office on the
1st of January.

The highest function enjoyed by the consul was the exercise of the military *imperium*. By virtue of this he levied
troops without the necessity of any special authorization
from the legislative assemblies. These troops he compelled

to take the oath of personal allegiance to himself, and became their natural commander in the field. Originally the
sphere of the consul's military command was the entire
Roman dominion, but as time went on and the Roman world
came to be divided up into provinces, each under the command of its proconsul or propraetor, the military sphere of
the consuls was restricted to Italy and to such portions of
the world as had not yet been incorporated into the provincial system.   Hence, in Cicero's time it was unusual for the
consul to take the field at all.

In times of public danger when insurrection or revolution
threatened, it was the consul's duty to inform the Senate
officially of the existing condition and to suggest the pro-
priety of investing the consuls with discretionary power.
The technical name of this act was *senatus consultum ulti-
mae necessitatis* or *senatus consultum ultimum,* and it was
couched in these words : *videant consules ne quid res publica
detrimenti capiat.*

The consul also possessed the right to introduce bills for
enactment by the *Comitia Tributa,* while by the *jus edicendi,*
which he enjoyed in common with all magistrates (see page
xxiii), he could issue edicts that had the binding force of law
for his term of office.   He also regularly presided over the
Comitia Centuriata when it met to choose the *magistratus
majores* (consuls, praetors, censors), and over the *Comitia
Tributa* when it met to elect quaestors, tribunes, and aediles.
The consul was also empowered to convene the Senate for
the purpose of securing its advice on public matters, and was
the regular presiding officer of that body for all sessions
which he called.

Theoretically the two consuls were of equal power.   To
avoid friction, however, they exercised their authority in
alternate monthly turns.   The older of the two served first.

As already explained (page xxvi), a proconsul was a consul whose term of authority was prolonged after the expiration of his office. In the time of Cicero proconsuls were not employed except as provincial governors. In this capacity their ordinary term of service was for one year, but extraordinary commands for longer periods were sometimes voted. Thus Caesar, in 59 B.C., received a five-year command as proconsul of Gaul, while Pompey received a similar appointment in Spain.

Originally the consuls went to their provinces immediately after their year of office, but in 52 B.C. the custom was established of requiring an interval of five years between the consulship and the proconsulship.

The Praetorship. — The praetors of Cicero's time were exclusively judicial officers. Like the consuls, they were elected by the *Comitia Centuriata*. Of the eight praetors annually chosen in Cicero's day, one was the *praetor urbanus*, charged with the adjudication of civil suits between citizens; another was the *praetor inter peregrinos*, charged with the trial of cases in which one or both parties to the suit were foreigners resident at Rome. The other six praetors presided over standing courts established for the trial of special offenses. These standing courts were technically designated *quaestiones perpetuae*. One was charged with the trial of cases of provincial extortion; others were concerned with cases of electoral bribery, acts of violence, etc. The verdict was rendered by a jury. The duties of the different praetors were determined by lot.

Like the ex-consuls, the ex-praetors often served in Cicero's day as provincial governors, with the title of *propraetor*.

The Censorship. — There were two censors, elected by the *Comitia Centuriata* at intervals of five years, but holding office for only eighteen months. They were originally appointed simply for the purpose of taking the census and assessing the property of citizens, but as time went on other duties came to be attached to their office. Thus they exercised the right of revising the list of persons of equestrian and senatorial rank. By virtue of this authority they could exclude the unworthy. Thus in 70 B.C. sixty-four senators were expelled from the Senate by the censors. From this control of the membership of the equestrian and senatorial orders, grew up the right of the general direction of public morals. This authority was enforced by the issuance of edicts against practices injurious to public morality, and by degrading individuals guilty of specially serious offences.

The censors also performed certain financial duties. Thus, they were charged with the farming of the provincial revenues, which were regularly put up at auction and sold to the highest bidder.

As agents of the Senate, the censors also let contracts for public works and were charged with the supervision of public buildings, such as temples, aqueducts, bridges, etc.

The Quaestorship. — From Sulla's time on, twenty quaestors were chosen annually by the *Comitia Tributa*. All were financial officers. Two, designated *quaestores urbani*, were charged with the management of the state treasury at Rome, which was in the Temple of Saturn (page xli). They also acted as the custodians of various public documents. Thus, they kept the census lists and the contracts made by the censors for the erection of buildings or the execution of other public improvements. They also kept the engrossed resolutions of the Senate, copies of laws, and lists of jurymen in the *quaestiones perpetuae* (page xxviii).

Most of the quaestors were stationed in the provinces as assistants of proconsuls or propraetors. Usually a province had but one quaestor; Sicily had two, one stationed at Syracuse, the other at Lilybaeum. Cicero's year as quaestor was spent at the latter post.

All the quaestors entered upon their duties December 5.

The Tribunate. — There were ten tribunes, elected annually by the *Comitia Tributa*. Their functions were as follows:

1. They possessed the *jus auxili*, or right of defending individuals against the special acts of magistrates. This prerogative dated from the early republic, when the plebeians were subject to the arbitrary oppression of patrician officials. Though still recognized as operative in Cicero's day, it is unlikely that it was often utilized.

2. The tribunes possessed the *jus intercedendi*, or veto power. By this a tribune could prevent the enactment of resolutions by the Senate, also the passage of laws or the election of magistrates by the assemblies. Theoretically, the veto was never directed against the Senate or the assembly itself, but against the magistrate who was presiding over the meeting.

3. The tribunes, as well as the consuls, could introduce bills before the *Comitia Tributa*, and they conducted the elections for plebeian magistrates (tribunes and plebeian aediles), who were chosen by the same assembly.

4. They enjoyed the right of convening the Senate and of consulting it with regard to important measures.

The Aedileship. — There were four aediles, two plebeian and two curule, chosen by the *Comitia Tributa*, the former under a tribune, the latter under a consul. The duties of the two classes were in part identical. Thus .

1. They were charged with the supervision of streets, the maintenance of public order, the control of the public water supply. For these purposes the city was divided into four districts, of which each aedile took charge of one.

2. They exercised supervision of the markets, and in particular were charged with maintaining at all times an adequate supply of grain in the city.

3. They supervised the public games. A certain sum was appropriated for this purpose by the state, but the natural desire to surpass the games of preceding years often prompted the aediles to exceed largely the state appropriation. Thus, vast sums were often lavished upon the games by aediles ambitious of subsequent preferment at the hands of the people, and heavy debts were often incurred, to be wiped out, if at all, only by heavy oppression of the poor provincials.

THE ROMAN ASSEMBLIES

There were three Roman assemblies, which convened for the transaction of all business: the *Comitia Curiata*, the *Comitia Centuriata*, and the *Comitia Tributa*.

1. **Comitia Curiata.** — This assembly was so designated because it was organized by *curiae*. It was confined practically to the regal period of Roman history, and in Cicero's day had long been virtually extinct. Almost its only function in his time was the enactment of the *Lex Curiata de Imperio*, whereby the newly elected consuls and praetors were formally invested with the *imperium* belonging to their office. The *Comitia* assembled for this purpose consisted simply of thirty *lictores*, who represented the thirty *curiae* of the regal period.

2. **The Comitia Centuriata** was so called because it was organized by centuries. In Cicero's day there were 373 of

these.   A majority elected.   The assembly was convoked in
ordinary times only by the consul or praetor.   The place of
meeting was regularly the Campus Martius.

The *Comitia Centuriata* possessed powers of three kinds :
legislative, electoral, and judicial.

a) Legislative powers.   In the earlier days of the republic, the *Comitia Centuriata* had been the chief legislative organ
of the people, but in Cicero's day its legislative functions
had long since been abandoned, and transferred to the *Comitia
Tributa.*

b) Electoral functions.   In its electoral capacity, the
Comitia Centuriata chose consuls and praetors annually,
while every five years it chose censors.

c) Judicial functions.   The judicial functions of the *Comitia Centuriata* were confined to the consideration of appeals
in capital cases.

3. **The Comitia Tributa.** — This was so called because it
was organized by tribes, of which there were thirty-five.   It
met either in the Forum or the Campus Martius.   The presiding official might be either a consul, praetor, tribune, or
curule aedile.   Like the *Comitia Centuriata*, it exercised legislative, electoral, and judicial functions.   In Cicero's day it
had become much more important as a legislative assembly
than the *Comitia Centuriata*, inasmuch as its constituency
was more popular, and particularly because under the influence and direction of the tribunes, it served admirably to
voice and enact the will of the plebeian elements of whom the
tribunes were officially representative.

In its electoral capacity, the *Comitia Tributa* chose quaestors, aediles (both curule and plebeian), *tribuni plebis, tribuni
militum*, along with certain boards of petty officials.   It also
elected certain priests.

As a judicial body it was convened and presided over by
a curule aedile. In Cicero's day its judicial duties were not
often exercised. Most of its functions in this field had long
since devolved on the *quaestiones perpetuae,* or standing courts
(see page xxviii). Yet Cicero defended a case before it as late
as 63 B.C. This was the trial of Gaius Rabirius, who had
been charged with murder.

THE SENATE

In Cicero's day all who had been elected to the office of
quaestor became *ex officio* life-members of the Senate. Entrance to this body was, however, guarded by the censors,
who possessed the privilege of excluding men of notoriously
bad character (see page xxviii). While in Cicero's time, there
was no legal property requirement for senators, yet it is safe
to assume that a senator possessed at least the minimum fortune prescribed for the equestrian order, *viz.* 400,000 sesterces
(about $20,000). As a special badge of their rank, the sena-
tors wore a broad purple vertical stripe (*latus clavus*) on the
front of the tunic, a gold ring, and a special shoe of red leather,
laced high. After Sulla's day the Senate consisted of 600
members.

The right of summoning the Senate was possessed by consuls, praetors, and tribunes, and these also presided over its
meetings. The regular place for its deliberations was the
Curia Hostilia, but any *templum* might be used for the purpose. Thus Cicero delivered his First Oration against Catiline in the Temple of Jupiter Stator, the Fourth Oration in
the Temple of Concord. Only senators were admitted to
the place of meetings, though others might listen to the proceedings from the entrance.

The presiding magistrate introduced the business of the
meeting and called upon individual senators in turn to ex-

Capitolium

Tabularium   Arx   Temple of Juno Moneta
Temple of Saturn   Temple of Concord   Basilica Opimia   Carcer   Basilica Porcia

                                     Curia Hostilia

                 Rostra   Comitium   Private Houses
                           Basilica Aemilia
      Basilica Sempronia   Fornix Fabianus
Temple of Castor and Pollux   Regia
          Temple of Vesta

THE ROMAN FORUM IN CICERO'S TIME

xxxiv

GROUND PLAN OF FORUM IN CICERO'S TIME

press their opinions. Those first called upon were the consuls-elect, then the ex-consuls in the order of seniority, afterwards the other senators in order of their official experience, praetors and ex-praetors first, then tribunes, aediles, and quaestors. Each senator gave his opinion briefly or at length, as he chose. The presiding magistrate had the right at any time in the course of debate to take the floor and express his own opinion. The action of the Senate was finally determined by a formal division, and was called a *senatus consultum*. To be valid, a *senatus consultum* must have the approval of the presiding magistrate, and must be passed before sunset.

Although primarily only an advisory body, the Senate had early come to possess virtual legislative authority, and to be the guiding force of the Roman state. Its permanent character and the ripe experience of its members gave it a power and authority which the annual magistrates could not hope to attain.

As special functions of the Senate may be mentioned:

1. The conduct of foreign affairs, such as the making of treaties, negotiations with other nations, the conferring of titles upon foreign personages.

2. The assignment of troops and military commands in time of war; also the awarding of the title *imperator* and the granting of a triumph.

3. The preliminary consideration of bills which any magistrate might contemplate bringing before the legislative assemblies.

4. The control of the revenues and disbursements of the state. The actual bookkeeping for the state accounts was conducted by the quaestors and their subordinates, but the Senate exercised control over the appropriations.

5. The voting of a thanksgiving (*supplicatio*), and the consultation of the soothsayers or of the Sibylline books, in time of great public peril.

THE ROMAN FORUM AND ITS SURROUNDINGS IN CICERO'S DAY.

The Roman Forum occupied the depression lying between the hills on which the city was built. Its dimensions were not large, — about 500 by 160 feet, — but its importance at all periods of Roman history was very great. The Forum was the centre of the public life of the city in all its phases. In it met the popular assemblies. On its borders were the Curia, in which the Senate met for deliberation, and the Rostra from which the orators addressed the people. Through it, along the Sacred Way, passed the great triumphal processions of victorious generals. The Forum, too, was the centre of legal activity. Around it were grouped the great basilicas, or law courts, in which justice was administered. It was also the religious centre of the city. Here from the earliest times had stood the great sanctuaries of Rome, the Temple of Saturn, the Temple of Vesta with its eternal fire, symbolic of the perpetuity of the city. Here too, were the official headquarters of the *pontifex maximus*, the chief dignitary of the Roman religion. It is these historic associations which make the Forum for us a locality of such supreme interest and importance.

The Curia Hostilia. — In Cicero's time the Curia, or senate house, was situated on the north side of the Comitium. Legend attributed its original construction to the third king of Rome, Tullus Hostilius; hence the name. In 29 B.C. Augustus changed the location of the Curia, placing it nearer the Forum on the site of the earlier Rostra (see page xxxviii).

The Comitium. — This was a small square adjacent to the Forum on its north side.

In the earlier days it had been used for the meetings of the public assemblies. But by Cicero's time it had been out-

The Forum To-day, Looking East

grown, and the assemblies that had formerly met there now gathered in the Forum or Campus Martius.

The Rostra. — Between the Forum and Comitium lay the Rostra. This was simply a large platform for public speaking. It took its name from the ships' beaks (*rostra*) suspended as trophies along its front. These were said to have been captured at Antium in 338 B.C. About 42 B.C. the Rostra was moved to the west end of the Forum and re-erected in front of the Temple of Concord.

Carcer and Tullianum. — These are situated at the northwest corner of the Roman Forum and exist to-day. The Tullianum is below the Carcer and is an older structure. Legend associated its name with Servius Tullius, the sixth king of Rome, but there can be little doubt that the original meaning of Tullianum was 'well house,' from *tullus*, 'jet' or 'spring of water.' From time immemorial there has been a spring on this site, and the Tullianum was presumably originally nothing but a well house, designed to protect the purity of the water. Later a prison, Carcer, was built over the Tullianum. This prison probably consisted of a number of apartments; of these only one exists to-day. See the cross section opposite page 61. The upper chamber, or Carcer proper, was used for the detention of criminals. The lower chamber, or Tullianum, was used for executions. Sallust describes this place as damp and loathsome. It was here that the detected Catilinarian conspirators were strangled by vote of the Senate.

Temple of Concord. — This was situated at the extreme west end of the Forum. The original structure is said to have been erected in 367 B.C., after the passage of the Licinian Rogations, to commemorate the final establishment of concord between patricians and plebeians. The structure standing in Cicero's day dated from 121 B.C. Practically no remains of this temple exist to-day.

The Tabularium. — This stood back of the Temples of Saturn and Concord on the rising ground of the Capitoline Hill. The building seems to have served as a record office or repository of public documents; hence the name, — from *tabulae*, ' records,' ' accounts.' It was erected in 78 B.C. The original structure is still standing, but extensive additions have been made to it in mediaeval and modern times.

The Temple of Saturn. — This stood at the extreme west end of the Forum, in front of the Tabularium and south of the Temple of Concord. The original temple is said to have dated from 497 B.C., but it was often rebuilt. A few picturesque columns of the last restoration, made under Diocletian, are still standing. This temple served as the *aerarium* or treasury of the Roman state.

The Temple of Castor and Pollux. — This was situated on the south side of the Forum. According to tradition it was founded in 482 B.C., fourteen years after the Battle of Lake Regillus, in commemoration of the assistance rendered to the Romans in this fight by Castor and Pollux. Three columns of the last restoration of this temple, erected in 6 A.D., under Augustus, are still standing.

The Temple of Vesta. — Adjacent to the Temple of Castor and Pollux was the Temple of Vesta. This contained the hearth on which the eternal fire of the goddess was maintained by the vestals. Only the foundation remains.

The Regia. — At the extreme east end of the Forum was the *Regia*. According to some this was the official resi-

dence of the *pontifex maximus*, according to others, merely
the official headquarters of the *pontifex* and his assistants.
Some remains of this building have been brought to light in
recent years.

Fornix Fabianus. — Near the *Regia* stood the *Fornix
Fabianus*, a triumphal arch erected in honor of Q. Fabius
Maximus to commemorate his victories over the Allobroges
and Arverni in 121 B.C.

Basilica Aemilia. — This was a law court, built originally
in 179 B.C., on the north side of the Forum.   Some interesting remains of a reconstruction by Augustus about
14 B.C. have recently been brought to light.   Other law courts
were the *Basilica Sempronia,* the *Basilica Porcia,* and the
Basilica Opimia.

Tabernae. — On the north and south borders of the Forum
were rows of shops.   Those on the north side were called
Tabernae Novae, those on the south side, *Tabernae Veteres.*

SELECTIONS FROM CICERO

CICERO

M. TULLI CICERONIS
ORATIO IN CATILINAM PRIMA
IN SENATU HABITA

Catiline's effrontery

I. **1.** Quō ūsque tandem abūtēre, Catilīna, patientiā
nostrā? Quam diū etiam furor iste tuus nōs ēlūdet?
Quem ad fīnem sēsē effrēnāta jactābit audācia? Nihilne
tē nocturnum praesidium Palātī, nihil urbis vigiliae, nihil
timor populī, nihil concursus bonōrum omnium, nihil 5
hīc mūnītissimus habendī senātūs locus, nihil hōrum ōra
vultùsque mōvērunt? Patēre tua cōnsilia nōn sentīs?
Cōnstrictam jam hōrum omnium scientiā tenērī conjūrātiōnem tuam nōn vidēs? Quid proximā, quid superiōre
nocte ēgerīs, ubi fuerīs, quōs convocāverīs, quid cōnsilī 10
cēperīs, quem nostrum ignōrāre arbitrāris? **2.** Ō tempora, ō mōrēs! Senātus haec intellegit, cōnsul videt;
hīc tamen vīvit. Vīvit? Immō vērō etiam in senātum
venit, fit pūblicī cōnsilī particeps, notat et dēsignat oculīs ad caedem ūnum quemque nostrum. Nōs autem, fortēs 15
virī, satis facere reī pūblicae vidēmur, sī istīus furōrem
ac tēla vītēmus. Ad mortem tē, Catilīna, dūcī jussū cōnsulis jam prīdem oportēbat; in tē cōnferrī pestem, quam
tū in nōs māchināris.

The fate of previous revolutionists

3. An vērō vir amplissimus, P. Scīpiō, pontifex maxi- 20
mus, Ti. Gracchum mediocriter labefactantem statum

1

reī pūblicae prīvātus interfēcit; Catilīnam orbem terrae
caede atque incendiīs vāstāre cupientem nōs cōnsulēs
perferēmus? Nam illa nimis antīqua praetereō, quod
C. Servīlius Ahāla Sp. Maelium novīs rēbus studentem
5 manū suā occ dit. Fuit, fuit ista quondam in hāc rē
pūblicā virtūs, ut virī fortēs ācriōribus suppliciīs cīvem
perniciōsum quam acerbissimum hostem coērcērent. Habēmus senātūs cōnsultum in tē, Catilīna, vehemēns et
grave; nōn deest reī pūblicae cōnsilium neque auctōritās
10 hūjus ōrdinis; nōs nōs, dīcō apertē, cōnsulēs dēsumus.

II. 4. Dēcrēvit quondam senātus, ut L. Opīmius cōnsul vidēret, nē quid rēs pūblica dētrīmentī caperet; nox
nūlla intercessit; interfectus est propter quāsdam sēdi-
tiōnum suspīciōnēs C. Gracchus, clārissimō patre, avō,
15 majōribus; occīsus est cum līberīs M. Fulvius cōnsulāris.
Similī senātūs cōnsultō C. Mariō et L. Valeriō cōnsulibus
est permissa rēs pūblica; num ūnum diem posteā L. Sā-
turnīnum tribūnum plēbis et C. Servīlium praetōrem
mors ac reī pūblicae poena remorāta est?

Remissness of the present consuls

20   At nōs vīcēsimum jam diem patimur hebēscere aciem
hōrum auctōritātis. Habēmus enim hūjusce modī senātūs cōnsultum, vērum inclūsum in tabulīs tamquam in
vāgīnā reconditum, quō ex senātūs cōnsultō cōnfestim tē
interfectum esse, Catilīna, convēnit. Vīvis, et vīvis nōn
25 ad dēpōnendam, sed ad cōnfirmandam audāciam. Cupiō,
patrēs cōnscrīptī, mē esse clēmentem, cupiō in tantīs reī
pūblicae perīculīs mē nōn dissolūtum vidērī, sed jam mē
ipse inertiae nēquitiaeque condemnō. 5. Castra sunt
in Italiā contrā populum Rōmānum in Etrūriae faucibus

collocāta; crēscit in diēs singulōs hostium numerus,
eōrum autem castrōrum imperātōrem ducemque hostium
intrā moenia atque adeō in senātū vidēmus intestīnam
aliquam cottīdiē perniciem reī pūblicae mōlientem. Sī
tē jam, Catilīna, comprehendī, sī interficī jusserō, crēdō, 5
erit verendum mihi, nē nōn potius hōc omnēs bonī sērius
ā mē quam quisquam crūdēlius factum esse dīcat.

Reasons for Cicero's forbearance

Vērum ego hōc, quod jam prīdem factum esse oportuit, certā dē causā nōndum addūcor ut faciam. Tum
dēnique interficiēre, cum jam nēmō tam improbus, tam 1c
perditus, tam tuī similis invenīrī poterit, quī id nōn jūre
factum esse fateātur.
  6. Quamdiū quisquam erit, quī tē dēfendere audeat,
vīvēs, et vīvēs ita ut vīvis, multīs meīs et fīrmīs praesidiīs obsessus, nē commovēre tē contrā rem pūblicam possīs. 15
Multōrum tē etiam oculī et aurēs nōn sentientem, sīcut
adhūc fēcērunt, speculābuntur atque cūstōdient.

The consul has full knowledge of Catiline's every movement

  III. Etenim quid est, Catilīna, quod jam amplius ex-
spectēs, sī neque nox tenebrīs obscūrāre coetūs nefāriōs
nec prīvāta domus parietibus continēre vōcēs conjūrā- 20
tiōnis tuae potest, sī illūstrantur, sī ērumpunt omnia?
Mūtā jam istam mentem; mihi crēde, oblīvīscere caedis
atque incendiōrum. Tenēris undique; lūce sunt clāriōra
nōbīs tua cōnsilia omnia; quae jam mēcum licet recog-
nōscās. **7.** Meministīne mē ante diem XII Kalendās 25
Novembrīs dīcere in senātū fore in armīs certō diē, quī
diēs futūrus esset ante diem VI Kalendās Novembrīs,

C. Mānlium, audāciae satellitem atque administrum
tuae? Num mē fefellit, Catilīna, nōn modo rēs tanta,
tam atrōx tamque incrēdibilis, vērum, id quod multō
magis est admīrandum, diēs? Dīxī ego īdem in senātū
5 caedem tē optimātium contulisse in ante diem v Kalendās
Novembrīs, tum cum multī prīncipēs cīvitātis Rōmā nōn
tam suī cōnservandī quam tuōrum cōnsiliōrum reprimen-
dōrum causā profūgērunt. Num īnfitiārī potes tē illō
ipsō diē meīs praesidiīs, meā dīligentiā circumclūsum,
10 commovēre tē contrā rem pūblicam nōn potuisse, cum tū
discessū cēterōrum nostrā tamen, quī remānsissēmus,
caede tē contentum esse dīcēbās? **8.** Quid? Cum tē
Praeneste Kalendīs ipsīs Novembribus occupātūrum nocturnō impetū esse cōnfīderēs, sēnsistīne illam colōniam
15 meō jussū meīs praesidiīs, cūstōdiīs, vigiliīs esse mūnītam? Nihil agis, nihil mōlīris, nihil cōgitās, quod nōn ego
nōn modo audiam, sed etiam videam plānēque sentiam.

IV.   Recognōsce tandem mēcum noctem illam superiōrem; jam intellegēs multo mē vigilāre ācrius ad salūtem
20 quam tē ad perniciem reī pūblicae. Dīcō tē priōre nocte
vēnisse inter falcāriōs (nōn agam obscūrē) in M. Laecae
domum; convēnisse eōdem complūrēs ejusdem āmentiae
scelerisque sociōs. Num negāre audēs? Quid tacēs?
Convincam, sī negās. Videō enim esse hīc in senātū
25 quōsdam, quī tēcum ūnā fuērunt. **9.** Ō dī immortālēs!
Ubinam gentium sumus? In quā urbe vīvimus? Quam
rem pūblicam habēmus? Hīc, hīc sunt in nostrō numerō,
patrēs cōnscrīptī, in hōc orbis terrae sānctissimō gravis-
simōque cōnsiliō, quī dē nostrō omnium interitū, quī dē
30 hūjus urbis atque adeō dē orbis terrārum exitiō cōgitent!
Hōs ego videō cōnsul et dē rē pūblicā sententiam rogō et,

quōs ferrō trucīdārī oportēbat, eōs nōndum vōce vulnerō!
Fuistī igitur apud Laecam illā nocte, Catilīna; distribuistī
partēs Italiae; statuistī, quō quemque proficīscī placēret;
dēlēgistī, quōs Rōmae relinquerēs, quōs tēcum ēdūcerēs;
discrīpsistī urbis partēs ad incendia, cōnfīrmāstī tē ipsum 5
jam esse exitūrum; dīxistī paulum tibi esse etiam nunc
morae, quod ego vīverem. Repertī sunt duo equitēs Rōmānī, quī tē istā cūrā līberārent et sēsē illā ipsā nocte
paulō ante lūcem mē in meō lectulō interfectūrōs pollicē-
rentur. **10**. Haec ego omnia vixdum etiam coetū vestrō 10
dīmissō comperī; domum meam majōribus praesidiīs
mūnīvī atque fīrmāvī, exclūsī eōs, quōs tū ad mē salūtā-
tum māne mīserās, cum illī ipsī vēnissent, quōs ego jam
multīs ac summīs virīs ad mē id temporis ventūrōs esse
praedīxeram. 15

Catiline is urged to leave Rome and unite with Manlius

V. Quae cum ita sint, Catilīna, perge, quō coepistī,
ēgredere aliquandō ex urbe; patent portae; proficīscere.
Nimium diū tē imperātōrem tua illa Mānliāna castra
dēsīderant. Ēdūc tēcum etiam omnēs tuōs; sī minus,
quam plūrimōs; pūrgā urbem. Magnō mē metū līberābis, 20
dum modo inter mē atque tē mūrus intersit. Nōbīscum
versārī jam diūtius nōn potes; nōn feram, nōn patiar,
nōn sinam. **11**. Magna dīs immortālibus habenda est
atque huic ipsī Jovī Statōrī, antīquissimō cūstōdī hūjus
urbis, grātia, quod hanc tam taetram, tam horribilem 25
tamque īnfēstam reī pūblicae pestem totiēns jam effūgi-
mus. Nōn est saepius in ūnō homine summa salūs perī-
clitanda reī pūblicae. Quamdiū mihi cōnsulī dēsignātō,
Catilīna, īnsidiātus es, nōn pūblicō mē praesidiō, sed

prīvātā dīligentiā dēfendī. Cum proximīs comitiīs cōnsulāribus mē cōnsulem in Campō et competītōrēs tuōs
interficere voluistī, compressī cōnātūs tuōs nefāriōs amīcōrum praesidiō et cōpiīs, nūllō tumultū pūblicē conci-
5 tātō; dēnique, quotiēnscumque mē petīstī, per mē tibi
obstitī, quamquam vidēbam perniciem meam cum magnā
calamitāte reī pūblicae esse conjūnctam. 12. Nunc jam
apertē rem pūblicam ūniversam petis, templa deōrum
immortālium, tēcta urbis, vītam omnium cīvium, Italiam
10 tōtam ad exitium et vāstitātem vocās. Quārē, quoniam
id, quod est prīmum, et quod hūjus imperī disciplīnaeque
majōrum proprium est, facere nōndum audeō, faciam id,
quod est ad sevēritātem lēnius et ad commūnem salūtem
ūtilius. Nam sī tē interficī jusserō, residēbit in rē pūb-
15 licā reliqua conjūrātōrum manus : sīn tū, quod tē jam
dūdum hortor, exieris, exhauriētur ex urbe tuōrum comitum magna et perniciōsa sentīna reī pūblicae. 13. Quid
est, Catilīna? Num dubitās id mē imperante facere,
quod jam tuā sponte faciēbās? Exīre ex urbe jubet cōn-
20 sul hostem. Interrogās mē, num in exsilium; nōn jubeō,
sed, sī mē cōnsulis, suādeō.

*Catiline, by his career of crime, has incurred the hatred of all
citizens*

VI.   Quid est enim, Catilīna, quod tē jam in hāc urbe
dēlectāre possit? in quā nēmō est extrā istam conjūrātiōnem perditōrum hominum, quī tē nōn metuat, nēmō,
25 quī nōn ōderit. Quae nota domesticae turpitūdinis nōn
inūsta vītae tuae est? Quod prīvātārum rērum dēdecus
nōn haeret in fāmā? Quae libīdō ab oculīs, quod facinus
ā manibus umquam tuīs, quod flāgitium ā tōtō corpore

āfuit? Cui tū adulēscentulō, quem corruptēlārum illecebrīs irrētīssēs, nōn aut ad audāciam ferrum aut ad libīdinem facem praetulistī? **14.** Quid vērō? Nūper cum
morte superiōris uxōris novīs nūptiīs domum vacuēfē-
cissēs, nōnne etiam aliō incrēdibilī scelere hōc scelus 5
cumulāstī? Quod ego praetermittō et facile patior silērī,
nē in hāc cīvitāte tantī facinoris immānitās aut exstitisse
aut nōn vindicāta esse videātur. Praetermittō ruīnās
fortūnārum tuārum, quās omnīs impendēre tibi proximīs
Īdibus sentiēs; ad illa veniō, quae nōn ad prīvātam ignō- 10
miniam vitiōrum tuōrum, nōn ad domesticam tuam difficultātem ac turpitūdinem, sed ad summam rèm pūblicam
atque ad omnium nostrum vītam salūtemque pertinent.
15. Potestne tibi haec lūx, Catilīna, aut hūjus caelī
spīritus esse jūcundus, cum sciās esse hōrum nēminem, 15
quī nesciat tē prīdiē Kalendās Jānuāriās Lepidō et Tullō
cōnsulibus stetisse in Comitiō cum tēlō, manum cōnsulum
et prīncipum cīvitātis interficiendōrum causā parāvisse,
scelerī ac furōrī tuō nōn mentem aliquam aut timōrem
tuum, sed fortūnam populī Rōmānī obstitisse? Ac jam 20
illa omittō (neque enim sunt aut obscūra aut nōn multa
commissa posteā); quotiēns tū mē dēsignātum, quotiēns
cōnsulem ınterficere cōnātus es! Quot ego tuās petītiōnēs
ita conjectās, ut vītārī posse nōn vidērentur, parvā quādam
dēclīnātiōne et, ut ajunt, corpore effūgī! Nihil assequeris 25
neque tamen cōnārī ac velle dēsistis. **16.** Quotiēns tibi
jam extorta est ista sīca dē manibus, quotiēns excidit
cāsū aliquō et ēlāpsa est! Quae quidem quibus abs tē
initiāta sacrīs ac dēvōta sit, nesciō, quod eam necesse
putās esse in cōnsulis corpore dēfīgere.   **3**

The verdict of Catiline's fellow-senators

VII.   Nunc vērō quae tua est ista vīta? Sīc enim jam
tēcum loquar, nōn ut odiō permōtus esse videar, quō
dēbeō, sed ut misericordiā, quae tibi nūlla dēbētur.
Vēnistī paulō ante in senātum. Quis tē ex hāc tantā
5 frequentiā totque tuīs amīcīs ac necessāriīs salūtāvit?
Sī hōc post hominum memoriam contigit nēminī, vōcis
exspectās contumēliam, cum sīs gravissimō jūdiciō taci-
turnitātis oppressus? Quid, quod adventū tuō ista sub-
sellia vacuēfacta sunt, quod omnēs cōnsulārēs, quī tibi
10 persaepe ad caedem cōnstitūtī fuērunt, simul atque assē-
distī, partem istam subselliōrum nūdam atque inānem
relīquērunt, quō tandem animō tibi ferendum putās?
17. Servī mehērculē meī sī mē istō pactō metuerent, ut
tē metuunt omnēs cīvēs tuī, domum meam relinquendam
15 putārem; tū tibi urbem nōn arbitrāris? Et, sī mē meīs
cīvibus injūriā suspectum tam graviter atque offēnsum
vidērem, carēre mē aspectū cīvium quam īnfēstīs omnium
oculīs cōnspicī māllem; tū cum cōnscientiā scelerum
tuōrum agnōscās odium omnium jūstum et jam diū tibi
20 dēbitum, dubitās, quōrum mentēs sēnsūsque vulnerās,
eōrum aspectum praesentiamque vītāre? Sī tē parentēs
timērent atque ōdissent tuī neque eōs ūllā ratiōne plācāre
possēs, ut opīnor, ab eōrum oculīs aliquō concēderēs.
Nunc tē patria, quae commūnis est parēns omnium nos-
25 trum, ōdit ac metuit et jam diū nihil tē jūdicat nisi dē
parricīdiō suō cōgitāre; hūjus tū neque auctōritātem
verēbere nec jūdicium sequēre nec vim pertimēscēs?
18. Quae tēcum, Catilīna, sīc agit et quōdam modō tacita
loquitur:

Cicero Delivering His First Oration Against Catiline

The voice of the country

'Nūllum jam aliquot annīs facinus exstitit nisi per
tē, nūllum flāgitium sine tē; tibi ūnī multōrum cīvium
necēs, tibi vexātiō dīreptiōque sociōrum impūnīta fuit
ac lībera; tū nōn sōlum ad neglegendās lēgēs et
quaestiōnēs, vērum etiam ad ēvertendās perfringendās- 5
que valuistī. Superiōra illa, quamquam ferenda nōn
fuērunt, tamen, ut potuī, tulī; nunc vērō mē tōtam
esse in metū propter ūnum tē; quicquid increpuerit,
Catilīnam timērī; nūllum vidērī contrā mē cōnsilium
inīrī posse, quod ā tuō scelere abhorreat, nōn est 10
ferendum. Quam ob rem discēde atque hunc mihi
timōrem ēripe; sī est vērus, nē opprimar, sīn falsus,
ut tandem aliquandō timēre dēsinam.'

VIII. **19.** Haec sī tēcum, ita ut dīxī, patria loquātur,
nōnne impetrāre dēbeat, etiamsī vim adhibēre nōn 15
possit?

Catiline's proposal to put himself in custody

Quid, quod tū tē ipse in cūstōdiam dedistī, quod
vītandae suspīciōnis causā ad M'. Lepidum tē habitāre
velle dīxistī? Ā quō nōn receptus etiam ad mē venīre
ausus es atque, ut domī meae tē asservārem, rogāstī. 20
Cum ā mē quoque id respōnsum tulissēs, mē nūllō modō
posse īsdem parietibus tūtō esse tēcum, quī magnō in
perīculō essem, quod isdem moenibus continērēmur, ad
Q. Metellum praetōrem vēnistī. Ā quō repudiātus ad
sodālem tuum, virum optimum, M. Metellum, dēmi- 25
grāstī; quem tū vidēlicet et ad cūstōdiendum dīligentissimum et ad suspicandum sagācissimum et ad vindican-
dum fortissimum fore putāstī. Sed quam longē vidētur

ā carcere atque ā vinculīs abesse dēbēre, quī sē ipse
jam dignum cūstōdiā jūdicārit! **20.** Quae cum ita
sint, Catilīna, dubitās, sī ēmorī aequō animō nōn potes,
abīre in aliquās terrās et vītam istam multīs sup-
5 pliciīs jūstīs dēbitīsque ēreptam fugae sōlitūdinīque
mandāre?

The judgment of the senate is obvious

'Refer,' inquis, 'ad senātum'; id enim postulās et,
sī hīc ōrdō placēre dēcrēverit tē īre in exsilium, obtem-
perātūrum tē esse dīcis. Nōn referam, id quod abhorret
10 ā meīs mōribus, et tamen faciam, ut intellegās, quid hī dē
tē sentiant. Ēgredere ex urbe, Catilīna, līberā rem pūblicam metū; in exsilium, sī hanc vōcem exspectās, proficīscere. Quid est, Catilīna? Ecquid attendis, ecquid
animadvertis hōrum silentium? Patiuntur, tacent. Quid
15 exspectās auctōritātem loquentium, quōrum voluntātem
tacitōrum perspicis? **21.** At sī hōc idem huic adulē-
centī optimō, P. Sēstiō, sī fortissimō virō, M. Mārcellō,
dīxissem, jam mihi cōnsulī hōc ipsō in templō jūre
optimō senātus vim et manūs intulisset. Dē tē autem,
20 Catilīna, cum quiēscunt, probant; cum patiuntur, dēcer-
nunt; cum tacent, clāmant; neque hī sōlum, quōrum tibi
auctōritās est vidēlicet cāra, vīta vīlissima, sed etiam illī
equitēs Rōmānī, honestissimī atque optimī virī, cēterīque
fortissimī cīvēs, quī circumstant senātum, quōrum tū et
25 frequentiam vidēre et studia perspicere et vōcēs paulō
ante exaudīre potuistī. Quōrum ego vix abs tē jam diū
manūs ac tēla contineō, eōsdem facile addūcam, ut tē
haec, quae vāstāre jam prīdem studēs, relinquentem
ūsque ad portās prōsequantur.

The uselessness of pleading with Catiline

IX. **22.** Quamquam quid loquor? Tē ut ūlla rēs
frangat, tū ut umquam tē corrigās, tū ut ūllam fugam
meditēre, tū ut ūllum exsilium cōgitēs? Utinam tibi
istam mentem dī immortālēs duint! Tametsī videō,
sī meā vōce perterritus īre in exsilium animum indūx- 5
eris, quanta tempestās invidiae nōbīs, sī minus in
praesēns tempus recentī memoriā scelerum tuōrum, at
in posteritātem impendeat. Sed est tantī, dum modo
ista sit prīvāta calamitās et ā reī pūblicae perīculīs
sējungātur. Sed tū ut vitiīs tuīs commoveāre, ut 10
lēgum poenās pertimēscās, ut temporibus reī pūblicae
cēdās, nōn est postulandum. Neque enim is es, Catilīna, ut tē aut pudor umquam ā turpitūdine aut metus
ā perīculō aut ratiō ā furōre revocārit. **23.** Quam ob
rem, ut saepe jam dīxī, proficīscere ac, sī mihi ini- 15
mīcō, ut praedicās, tuō cōnflāre vīs invidiam, rēctā
perge in exsilium; vix feram sermōnēs hominum, sī id
fēceris; vix mōlem istīus invidiae, sī in exsilium jussū
cōnsulis ieris, sustinēbō. Sīn autem servīre meae
laudī et glōriae māvīs, ēgredere cum importūnā scele- 20
rātōrum manū, cōnfer tē ad Mānlium, concitā perditōs
cīvēs, sēcerne tē ā bonīs, īnfer patriae bellum, exsultā
impiō latrōciniō, ut ā mē nōn ējectus ad aliēnōs sed
invītātus ad tuōs īsse videāris. **24.** Quamquam quid
ego tē invītem, ā quō jam sciam esse praemissōs, quī 25
tibi ad Forum Aurēlium praestōlārentur armātī, cui
jam sciam pactam et cōnstitūtam cum Mānliō diem,
ā quō etiam aquilam illam argenteam, quam tibi ac
tuīs omnibus cōnfīdō perniciōsam ac fūnestam futūram,
cui domī tuae sacrārium cōnstitūtum fuit, sciam esse 30

praemissam? Tū ut illā carēre diūtius possīs, quam
venerārī ad caedem proficīscēns solēbās, ā cūjus altāribus
saepe istam impiam dexteram ad necem cīvium trāns-
tulistī?

5 X. **25**. Ībis tandem aliquandō, quō tē jam prīdem
ista tua cupiditās effrēnāta ac furiōsa rapiēbat; neque
enim tibi haec rēs affert dolōrem, sed quandam incrēdibilem voluptātem.

Details of his depravity

Ad hanc tē āmentiam nātūra peperit, voluntās exer-
10 cuit, fortūna servāvit. Numquam tū nōn modo ōtium,
sed nē bellum quidem nisi nefārium concupīstī. Nactus
es ex perditīs atque ab omnī nōn modo fortūnā, vērum
etiam spē dērelictīs cōnflātam improbōrum manum.
26. Hīc tū quā laetitiā perfruēre, quibus gaudiīs exsul-
15 tābis, quantā in voluptāte bacchābere, cum in tantō
numerō tuōrum neque audiēs virum bonum quemquam
neque vidēbis! Ad hūjus vītae studium meditātī illī
sunt, quī feruntur, labōrēs tuī: jacēre humī nōn sōlum
ad obsidendum stuprum, vērum etiam ad facinus obeun-
20 dum, vigilāre nōn sōlum īnsidiantem somnō marītōrum,
vērum etiam bonīs ōtiōsōrum. Habēs, ubi ostentēs
tuam illam praeclāram patientiam famis, frīgoris, inopiae rērum omnium, quibus tē brevī tempore cōnfectum
esse sentiēs. **27**. Tantum prōfēcī tum, cum tē ā cōnsu-
25 lātū reppulī, ut exsul potius temptāre quam cōnsul vexāre
rem pūblicam possēs, atque ut id, quod est ā tē scelerātē
susceptum, latrōcinium potius quam bellum nōminārētur.

*Cicero's excuse for sparing Catiline: he wishes all to be convinced
of the nature of the conspiracy*

XI. Nunc, ut ā mē, patrēs cōnscrīptī, quandam prope
jūstam patriae querimōniam dētester ac dēprecer, perci-
pite, quaesō, dīligenter, quae dīcam, et ea penitus animīs
vestrīs mentibusque mandāte. Etenim, sī mēcum patria,
quae mihi vītā meā multō est cārior, sī cūncta Italia, sī 5
omnis rēs pūblica loquātur : 'M. Tullī, quid agis? Tūne
eum, quem esse hostem comperistī, quem ducem bellī
futūrum vidēs, quem exspectārī imperātōrem in castrīs
hostium sentīs, auctōrem sceleris, prīncipem conjūrātiōnis,
ēvocātōrem servōrum et cīvium perditōrum, exīre patiēre, 10
ut abs tē nōn ēmissus ex urbe, sed immissus in urbem
esse videātur? Nōnne hunc in vincula dūcī, nōn ad
mortem rapī, nōn summō suppliciō mactārī imperābis?
28. Quid tandem tē impedit? Mōsne majōrum? At
persaepe etiam prīvātī in hāc rē pūblicā perniciōsōs cīvēs 1ͬ
morte multārunt. An lēgēs, quae dē cīvium Rōmānōrum
suppliciō rogātae sunt? At numquam in hāc urbe, quī
ā rē pūblicā dēfēcērunt, cīvium jūra tenuērunt. An
invidiam posteritātis timēs? Praeclāram vērō populō
Rōmānō refers grātiam, quī tē, hominem per tē cognitum, 20
nūllā commendātiōne majōrum, tam mātūrē ad summum
imperium per omnīs honōrum gradūs extulit, sī propter
invidiam aut alicūjus perīculī metum salūtem cīvium
tuōrum neglegis. **29.** Sed, sī quis est invidiae metus,
num est vehementius sevēritātis ac fortitūdinis invidia 25
quam inertiae ac nēquitiae pertimēscenda? An, cum
bellō vāstābitur Italia, vexābuntur urbēs, tēcta ārdēbunt,
tum tē nōn exīstimās invidiae incendiō cōnflagrātūrum?'
XII. Hīs ego sānctissimīs reī pūblicae vōcibus et

eōrum hominum, quī hōc idem sentiunt, mentibus paucā
respondēbō. Ego sī hōc optimum factū jūdicārem, patrēs
cōnscrīptī, Catilīnam morte multārī, ūnīus ūsūram
hōrae gladiātōrī istī ad vīvendum nōn dedissem. Etenim,
5 sī summī virī et clārissimī cīvēs Sāturnīnī et Gracchō-
rum et Flaccī et superiōrum complūrium sanguine nōn
modo sē nōn contāminārunt, sed etiam honestārunt, certē
verendum mihi nōn erat, nē quid hōc parricīdā cīvium
interfectō invidiae mihi in posteritātem redundāret.
10 Quodsī ea mihi maximē impendēret, tamen hōc animō
fuī semper, ut invidiam virtūte partam glōriam, nōn
invidiam putārem. **30.** Quamquam nōnnūllī sunt in
hōc ōrdine, quī aut ea, quae imminent, nōn videant aut
ea, quae vident, dissimulent; quī spem Catilīnae mollibus
15 sententiīs aluērunt conjūrātiōnemque nāscentem nōn
crēdendō corrōborāvērunt; quōrum auctōritāte multī nōn
sōlum improbī, vērum etiam imperītī, sī in hunc animadvertissem, crūdēliter et rēgiē factum esse dīcerent. Nunc
intellegō, sī iste, quō intendit, in Mānliāna castra per-
20 vēnerit, nēminem tam stultum fore, quī nōn videat conjūrātiōnem esse factam, nēminem tam improbum, quī nōn
fateātur. Hōc autem ūnō interfectō, intellegō hanc reī
pūblicae pestem paulisper reprimī, nōn in perpetuum
comprimī posse. Quodsī sē ējēcerit sēcumque suōs
25 ēdūxerit et eōdem cēterōs undique collēctōs naufragōs
aggregārit, exstinguētur atque dēlēbitur nōn modo haec
tam adulta reī pūblicae pestis, vērum etiam stirps ac
sēmen malōrum omnium.

Importance of crushing not merely Catiline, but the entire conspiracy

XIII. **31.** Etenim jam diū, patrēs cōnscrīptī, in hīs perīculīs conjūrātiōnis īnsidiīsque versāmur, sed nesciŏ quō pactō omnium scelerum ac veteris furōris et audāciae mātūritās in nostrī cōnsulātūs tempus ērūpit. Quodsī ex tantō latrōciniō iste ūnus tollētur, vidēbimur fortasse ad 5 breve quoddam tempus cūrā et metū esse relevātī, perīculum autem residēbit et erit inclūsum penitus in vēnīs atque in vīsceribus reī pūblicae. Ut saepe hominēs aegrī morbō gravī, cum aestū febrīque jactantur, sī aquam gelidam bibērunt, prīmō relevārī videntur, deinde multō 10 gravius vehementiusque afflīctantur, sīc hīc morbus, quī est in rē pūblicā, relevātus istīus poenā vehementius reliquīs vīvīs ingravēscet. **32.** Quārē sēcēdant improbī, sēcernant sē ā bonīs, ūnum in locum congregentur, mūrō dēnique, quod saepe jam dīxī, sēcernantur ā nōbīs; dēsi- 15 nant īnsidiārī domī suae cōnsulī, circumstāre tribūnal praetōris urbānī, obsidēre cum gladiīs Cūriam, malleolōs et facēs ad īnflammandam urbem comparāre; sit dēnique īnscrīptum in fronte ūnīus cūjusque, quid dē rē pūblicā sentiat. Polliceor hōc vōbīs, patrēs cōnscrīptī, tantam 20 in nōbīs cōnsulibus fore dīligentiam, tantam in vōbīs auctōritātem, tantam in equitibus Rōmānīs virtūtem, tantam in omnibus bonīs cōnsēnsiōnem, ut Catilīnae profectiōne omnia patefacta, illūstrāta, oppressa, vindicāta esse videātis. 25

A curse on Catiline! May Jupiter protect his own people!

33. Hīsce ōminibus, Catilīna, cum summā reī pūblicae salūte, cum tuā peste ac perniciē cumque eōrum exitiō,

quī sē tēcum omnī scelere parricīdiōque jūnxērunt, proficīscere ad impium bellum ac nefārium. Tū, Juppiter,
quī īsdem, quibus haec urbs, auspiciīs ā Rōmulō es cōnstitūtus, quem Statōrem hūjus urbis atque imperī vērē
5 nōmināmus, hunc et hūjus sociōs ā tuīs cēterīsque
templīs, ā tēctīs urbis ac moenibus, ā vītā fortūnīsque
cīvium arcēbis et hominēs bonōrum inimīcōs, hostīs
patriae, latrōnēs Italiae scelerum foedere inter sē ac
nefāriā societāte conjūnctōs, aeternīs suppliciīs vīvōs
10 mortuōsque mactābis.

M. TULLI CICERONIS

ORATIO IN CATILINAM SECUNDA

AD POPULUM

Catiline is gone

I. 1. Tandem aliquandō, Quirītēs, L. Catilīnam,
furentem audāciā, scelus anhēlantem, pestem patriae
nefāriē mōlientem, vōbīs atque huic urbī ferrō flammāque
minitantem, ex urbe vel ējēcimus vel ēmīsimus vel ipsum
ēgredientem verbīs prōsecūtī sumus. Abiit, excessit, 5
ēvāsit, ērūpit. Nūlla jam perniciēs ā mōnstrō illō atque
prōdigiō moenibus ipsīs intrā moenia comparābitur. Atque
hunc quidem ūnum hūjus bellī domesticī ducem sine
contrōversiā vīcimus. Nōn enim jam inter latera nostra
sīca illa versābitur, nōn in Campō, nōn in Forō, nōn 10
in Cūriā, nōn dēnique intrā domesticōs parietēs perti-
mēscēmus.

An open conflict now possible

Locō ille mōtus est, cum est ex urbe dēpulsus. Palam
jam cum hoste nūllō impediente bellum jūstum gerēmus.
Sine dubiō perdidimus hominem magnificēque vīcimus, 15
cum illum ex occultīs īnsidiīs in apertum latrōcinium
conjēcimus. 2. Quod vērō nōn cruentum mūcrōnem,
ut voluit, extulit, quod vīvīs nōbīs ēgressus est, quod eī

17

ferrum ē manibus extorsimus, quod incolumēs cīvēs, quod
stantem urbem relīquit, quantō tandem illum maerōre
esse afflīctum et prōflīgātum putātis! Jacet ille nunc
prōstrātus, Quirītēs, et sē perculsum atque abjectum esse
5 sentit et retorquet oculōs profectō saepe ad hanc urbem,
quam ē suīs faucibus ēreptam esse lūget; quae quidem
mihi laetārī vidētur, quod tantam pestem ēvomuerit
forāsque prōjēcerit.

Reasons for permitting Catiline's departure

II. **3.** Ac sī quis est (tālis, quālēs esse omnēs opor-
10 tēbat), quī in hōc ipsō, in quō exsultat et triumphat ōrātiō
mea, mē vehementer accūset, quod tam capitālem hostem
nōn comprehenderim potius quam ēmīserim, nōn est ista
mea culpa, Quirītēs, sed temporum. Interfectum esse
L. Catilīnam et gravissimō suppliciō affectum jam prīdem
15 oportēbat, idque ā mē et mōs majōrum et hūjus imperī
sevēritās et rēs pūblica postulābat. Sed quam multōs
fuisse putātis, quī, quae ego dēferrem, nōn crēderent,
quam multōs, quī etiam dēfenderent! Ac, sī illō sublātō
dēpellī ā vōbīs omne perīculum jūdicārem, jam prīdem
20 ego L. Catilīnam nōn modo invidiae meae, vērum etiam
vītae perīculō sustulissem. **4.** Sed cum vidērem, nē
vōbīs quidem omnibus rē etiam tum probātā, sī illum, ut
erat meritus, morte multāssem, fore ut ejus sociōs invidiā
oppressus persequī nōn possem, rem hūc dēdūxī, ut tum
25 palam pugnāre possētis, cum hostem apertē vidērētis.

Would he had taken with him all his supporters!

Quem quidem ego hostem, Quirītēs, quam vehementer
forīs esse timendum putem, licet hinc intellegātis, quod
etiam illud molestē ferō, quod ex urbe parum comitātus

exierit.   Utinam ille omnīs sēcum suās cōpiās ēdūxisset!
Tongilium mihi ēdūxit, quem amāre in praetextā coe-
perat, Pūblicium et Minucium, quōrum aes aliēnum
contrāctum in popīnā nūllum reī pūblicae mōtum afferre
poterat; relīquit quōs virōs, quantō aere aliēnō, quam va- 5
lentīs, quam nōbilīs! III. **5.** Itaque ego illum exercitum prae Gallicānīs legiōnibus et hōc dēlēctū, quem in
agrō Pīcēnō et Gallicō Q. Metellus habuit, et hīs cōpiīs,
quae ā nōbīs cottīdiē comparantur, magnō opere contemnō,
collēctum ex senibus dēspērātīs, ex agrestī lūxuriā, ex 10
rūsticīs dēcoctōribus, ex eīs, quī vadimōnia dēserere quam
illum exercitum māluērunt; quibus ego nōn modo sī aciem
exercitūs nostrī, vērum etiam sī ēdictum praetōris osten-
derō, concident.   Hōs, quōs videō volitāre in Forō, quōs
stāre ad Cūriam, quōs etiam in senātum venīre, quī nitent 15
unguentīs, quī fulgent purpurā, māllem sēcum suōs mīlitēs ēdūxisset; quī sī hīc permanent, mementōte nōn tam
exercitum illum esse nōbīs quam hōs, quī exercitum
dēseruērunt, pertimēscendōs.

The real danger is from these

Atque hōc etiam sunt timendī magis, quod, quid 20
cōgitent, mē scīre sentiunt neque tamen permoventur.
6. Videō, cui sit Āpūlia attribūta, quis habeat Etrū-
riam, quis agrum Pīcēnum, quis Gallicum, quis sibi hās
urbānās īnsidiās caedis atque incendiōrum dēpoposcerit.
Omnia superiōris noctis cōnsilia ad mē perlāta esse senti- 25
unt; patefēcī in senātū hesternō diē; Catilīna ipse perti-
muit, profūgit; hī quid exspectant?   Nē illī vehementer
errant, sī illam meam prīstinam lēnitātem perpetuam spērant futūram.

The advantages secured by Catiline's withdrawal

IV.   Quod exspectāvī, jam sum assecūtus, ut vōs omnēs
factam esse apertē conjūrātiōnem contrā rem pūblicam
vidērētis; nisi vērō sī quis est, quī Catilīnae similīs cum
Catilīnā sentīre nōn putet. Nōn est jam lēnitātī locus;
5 sevēritātem rēs ipsa flāgitat. Ūnum etiam nunc concē-
dam : exeant, proficīscantur; nē patiantur dēsīderiō suī
Catilīnam miserum tābēscere. Dēmōnstrābō iter : Aurēliā
Viā profectus est; sī accelerāre volent, ad vesperam cōn-
sequentur. 7. Ō fortūnātam rem pūblicam, sī quidem
10 hanc sentīnam urbis ējēcerit! Ūnō mehērculē Catilīnā
exhaustō, levāta mihi et recreāta rēs pūblica vidētur.

*Catiline the leader in all crimes, the rallying point for all abandoned
men*

Quid enim malī aut sceleris fingī aut cōgitārī potest,
quod nōn ille concēperit? Quis tōtā Italiā venēficus,
quis gladiātor, quis latrō. quis sīcārius, quis parricīda,
15 quis testāmentōrum subjector, quis circumscrīptor, quis
gāneō, quis nepōs, quis adulter, quae mulier īnfāmis,
quis corruptor juventūtis, quis corruptus, quis perditus
invenīrī potest, quī sē cum Catilīnā nōn familiārissimē
vīxisse fateātur? Quae caedēs per hōsce annōs sine
20 illō facta est, quod nefārium stuprum nōn per illum?
8. Jam vērō quae tanta umquam in ūllō homine juventūtis illecebra fuit, quanta in illō? quī aliōs ipse amābat
turpissimē, aliōrum amōrī flāgitiōsissimē serviēbat, aliīs
frūctum libīdinum, aliīs mortem parentum nōn modo
25 impellendō, vērum etiam adjuvandō pollicēbātur. Nunc
vērō quam subitō nōn sōlum ex urbe, vērum etiam ex
agrīs ingentem numerum perditōrum hominum collēgerat!

Nēmō nōn modo Rōmae, sed nē ūllō quidem in angulō
tōtīus Italiae oppressus aere aliēnō fuit, quem nōn ad hōc
incrēdibile sceleris foedus ascīverit. V. **9.** Atque ut
ejus dīversa studia in dissimilī ratiōne perspicere possītis,
nēmō est in lūdō gladiātōriō paulō ad facinus audācior, 5
quī sē nōn intimum Catilīnae esse fateātur, nēmō in
scaenā levior et nēquior, quī sē nōn ejusdem prope sodālem fuisse commemoret. Atque īdem tamen stuprōrum
et scelerum exercitātione assuēfactus frīgore et famē et
sitī et vigiliīs perferendīs fortis ab istīs praedicābātur, 10
cum industriae subsidia atque īnstrūmenta virtūtis in
libīdine audāciāque cōnsūmeret. **10.** Hunc vērō sī secūtī erunt suī comitēs, sī ex urbe exierint dēspērātōrum
hominum flāgitiōsī gregēs, ō nōs beātōs, ō rem pūblicam
fortūnātam, ō praeclāram laudem cōnsulātūs meī !   15

His partisans have become intolerable

Nōn enim jam sunt mediocrēs hominum libīdinēs, nōn
hūmānae ac tolerandae audāciae; nihil cōgitant nisi
caedem, nisi incendia, nisi rapīnās. Patrimōnia sua
prōfūdērunt, fortūnās suās obligāvērunt; rēs eōs jam
prīdem dēseruit, fidēs nūper dēficere coepit; eadem tamen 20
illa, quae erat in abundantiā, libīdō permanet. Quodsī
in vīnō et āleā cōmissātiōnēs sōlum et scorta quaererent,
essent illī quidem dēspērandī, sed tamen essent ferendī ;
hōc vērō quis ferre possit, inertēs hominēs fortissimīs virīs
īnsidiārī, stultissimōs prūdentissimīs, ēbriōsōs sōbriīs, dor- 25
mientīs vigilantibus ? Quī mihi accubantēs in convīviīs,
complexī mulierēs impudīcās, vīnō languidī, cōnfertī cibō,
sertīs redimītī, unguentīs oblitī, dēbilitātī stuprīs, ēructant
sermōnibus suīs caedem bonōrum atque urbis incendia.

11. Quibus ego cōnfīdō impendēre fātum aliquod, et poenam jam diū improbitātī, nēquitiae, scelerī, libīdinī dēbi-
tam aut īnstāre jam plānē aut certē appropinquāre.
Quōs sī meus cōnsulātus, quoniam sānāre nōn potest, sus-
5 tulerit, nōn breve nesciŏ quod tempus, sed multa saecula
prōpāgārit reī pūblicae.

Let us meet the issue!

Nūlla est enim nātiō, quam pertimēscāmus, nūllus rēx,
quī bellum populō Rōmānō facere possit. Omnia sunt
externa ūnīus virtūte terrā marīque pācāta; domesticum
10 bellum manet; intus īnsidiae sunt, intus inclūsum perīculum est; intus est hostis. Cum lūxuriā nōbīs, cum
āmentiā, cum scelere certandum est. Huic ego mē bellō
ducem profiteor, Quirītēs; suscipiō inimīcitiās hominum
perditōrum; quae sānārī poterunt, quācumque ratiōne
15 sānābō; quae resecanda erunt, nōn patiar ad perniciem
cīvitātis manēre. Proinde aut exeant aut quiēscant, aut
sī et in urbe et in eādem mente permanent, ea, quae me-
rentur, exspectent.

Catiline not banished. His departure was voluntary

VI. 12. At etiam sunt, quī dīcant, Quirītēs, ā mē
20 ējectum in exsilium esse Catilīnam. Quod ego sī verbō
assequī possem, istōs ipsos ēicerem, quī haec loquuntur.
Homō enim vidēlicet timidus aut etiam permodestus
vōcem cōnsulis ferre nōn potuit; simul atque īre in
exsilium jussus est, pāruit, īvit. Hesternō diē, Quirītēs,
25 cum domī meae paene interfectus essem, senātum in
aedem Jovis Statōris convocāvī, rem omnem ad patrēs
cōnscrīptōs dētulī. Quō cum Catilīna vēnisset, quis eum

Fasces with Axes

senātor appellāvit, quis salūtāvit, quis dēnique ita aspexit
ut perditum cīvem ac nōn potius ut importūnissimum
hostem? Quīn etiam prīncipēs ejus ōrdinis partem illam
subselliōrum, ad quam ille accesserat, nūdam atque inānem relīquērunt. **13.** Hīc ego, vehemēns ille cōnsul, 5
quī verbō cīvīs in exsilium ēiciō, quaesīvī ā Catilīnā, in
nocturnō conventū apud M. Laecam fuisset necne. Cum
ille homō audācissimus cōnscientiā convictus prīmō reti-
cuisset, patefēcī cētera; quid eā nocte ēgisset, quid in
proximam cōnstituisset, quem ad modum esset eī ratiō 10
tōtīus bellī discrīpta, ēdocuī. Cum haesitāret, cum tenē-
rētur, quaesīvī, quid dubitāret proficīscī eō, quō jam
prīdem parārct, cum arma, cum secūrēs, cum fascēs, cum
tubās, cum signa mīlitāria, cum aquilam illam argenteam,
cui ille etiam sacrārium domī suae fēcerat, scīrem esse 15
praemissam. **14.** In exsilium ēiciēbam, quem jam
ingressum esse in bellum vidēbam? Etenim, crēdō,
Mānlius iste centuriō, quī in agrō Faesulānō castra
posuit, bellum populō Rōmānō suō nōmine indīxit, et
illa castra nunc nōn Catilīnam ducem exspectant, et 20
ille ējectus in exsilium sē Massiliam, ut ajunt, nōn in
haec castra cōnferet.

Difficulties of Cicero's position

VII.   Ō condiciōnem miseram nōn modo administrandae, vērum etiam cōnservandae reī pūblicae! Nunc sī L.
Catilīna cōnsiliīs, labōribus, perīculīs meīs circumclūsus 25
ac dēbilitātus subitō pertimuerit, sententiam mūtāverit,
dēseruerit suōs, cōnsilium bellī faciendī abjēcerit et ex
hōc cursū sceleris ac bellī iter ad fugam atque in exsilium
converterit, nōn ille ā mē spoliātus armīs audāciae, nōn

obstupefactus ac perterritus meā dīligentiā, nōn dē spē
cōnātūque dēpulsus, sed indemnātus, innocēns in exsilium
ējectus ā cōnsule vī et minīs esse dīcētur; et erunt, quī
illum, sī hōc fēcerit, nōn improbum, sed miserum, mē nōn
5 dīligentissimum cōnsulem, sed crūdēlissimum tyrannum
exīstimārī velint!

The consul content, if only the state be safe

15. Est mihi tantī, Quirītēs, hūjus invidiae falsae
atque inīquae tempestātem subīre, dum modo ā vōbīs
hūjus horribilis bellī ac nefāriī perīculum dēpellātur.
10 Dīcātur sānē ējectus esse ā mē, dum modo eat in exsilium. Sed, mihi crēdite, nōn est itūrus. Numquam
ego ab dīs immortālibus optābō, Quirītēs, invidiae meae
levandae causā, ut L. Catilīnam dūcere exercitum hostium
atque in armīs volitāre audiātis, sed trīduō tamen au-
15 diētis; multōque magis illud timeō, nē mihi sit invi-
diōsum aliquandō, quod illum ēmīserim potius quam quod
ējēcerim. Sed cum sint hominēs, quī illum, cum profectus sit, ējectum esse dīcant, īdem, sī interfectus esset,
quid dīcerent? **16**. Quamquam istī, quī Catilīnam
20 Massiliam īre dictitant, nōn tam hōc queruntur quam
verentur. Nēmō est istōrum tam misericors, quī illum
nōn ad Mānlium quam ad Massiliēnsēs īre mālit. Ille
autem, sī mehērculē hōc, quod agit, numquam anteā
cōgitāsset, tamen latrōcinantem sē interficī māllet quam
25 exsulem vīvere. Nunc vērō, cum eī nihil adhūc praeter
ipsīus voluntātem cōgitātiōnemque acciderit, nisi quod
vīvīs nōbīs Rōmā profectus est, optēmus potius, ut eat in
exsilium, quam querāmur.

Classes of Catiline's supporters

VIII. **17.** Sed cūr tam diū dē ūnō hoste loquimur, et
dē eō hoste, quī jam fatētur sē esse hostem, et quem,
quia, quod semper voluī, mūrus interest, nōn timeō; dē
hīs, quī dissimulant, quī Rōmae remanent, quī nōbīscum
sunt, nihil dīcimus? Quōs quidem ego, sī ūllō modō 5
fierī possit, nōn tam ulcīscī studeō quam sānāre sibi
ipsōs, plācāre reī pūblicae; neque, id quārē fierī nōn
possit, sī mē audīre volent, intellegō. Expōnam enim
vōbīs, Quirītēs, ex quibus generibus hominum istae cōpiae
comparentur; deinde singulīs medicīnam cōnsilī atque 10
ōrātiōnis meae, sī quam poterō, afferam.

The first class: rich farmers with mortgaged estates

18. Ūnum genus est eōrum, quī magnō in aere aliēnō
majōrēs etiam possessiōnēs habent, quārum amōre adductī
dissolvī nūllō modō possunt. Hōrum hominum speciēs
est honestissima (sunt enim locuplētēs), voluntās vērō et 15
causa impudentissima. Tū agrīs, tū aedificiīs, tū argentō,
tū familiā, tū rēbus omnibus ōrnātus et cōpiōsus sīs et
dubitēs dē possessiōne dētrahere, acquīrere ad fidem?
Quid enim exspectās? Bellum? Quid ergō? In vāstā-
tiōne omnium tuās possessiōnēs sacrōsānctās futūrās 20
putās? An tabulās novās? Errant, quī istās ā Catilīnā
exspectant; meō beneficiō tabulae novae prōferentur,
vērum auctiōnāriae; neque enim istī, quī possessiōnēs
habent, aliā ratiōne ūllā salvī esse possunt. Quod sī
mātūrius facere voluissent neque, id quod stultissimum 25
est, certāre cum ūsūrīs frūctibus praediōrum, et locu-
plētiōribus hīs et meliōribus cīvibus ūterēmur. Sed hōsce
hominēs minimē putō pertimēscendōs, quod aut dēdūcī

dē sententiā possunt aut, sī permanēbunt, magis mihi
videntur vōta factūrī contrā rem pūblicam quam arma
lātūrī.

The second class: other debtors

IX. **19.** Alterum genus est eōrum, quī quamquam
5 premuntur aere aliēnō, dominātiōnem tamen exspectant,
rērum potīrī volunt, honōrēs, quōs quiētā rē pūblicā
dēspērant, perturbātā sē cōnsequī posse arbitrantur.
Quibus hōc praecipiendum vidētur (ūnum scīlicet et
idem quod reliquīs omnibus), ut dēspērent sē id, quod
10 cōnantur, cōnsequī posse; prīmum omnium mē ipsum
vigilāre, adesse, prōvidēre reī pūblicae; deinde magnōs
animōs esse in bonīs virīs, magnam concordiam, magnās
praetereā mīlitum cōpiās; deōs dēnique immortālīs huic
invictō populō, clārissimō imperiō, pulcherrimae urbī
15 contrā tantam vim sceleris praesentīs auxilium esse
lātūrōs. Quodsī jam sint id, quod summō furōre cupiunt,
adeptī, num illī in cinere urbis et in sanguine cīvium, quae
mente cōnscelerātā ac nefāriā concupīvērunt, cōnsulēs sē
aut dictātōrēs aut etiam rēgēs spērant futūrōs? Nōn
20 vident id sē cupere, quod, sī adeptī sint, fugitīvō alicui
aut gladiātōrī concēdī sit necesse?

The third class: Sulla's veterans

20. Tertium genus est aetāte jam affectum, sed tamen
exercitātiōne rōbustum; quō ex genere iste est Mānlius,
cui nunc Catilīna succēdit. Hī sunt hominēs ex eīs colō-
25 niīs, quās Sulla cōnstituit; quās ego ūniversās cīvium
esse optimōrum et fortissimōrum virōrum sentiō, sed
tamen eī sunt colōnī, quī sē in īnspērātīs ac repentīnīs
pecūniīs sūmptuōsius īnsolentiusque jactārunt. Hī dum

SULLA

aedificant tamquam beātī, dum praediīs lēctīs, familiīs
magnīs, convīviīs apparātīs dēlectantur, in tantum aes
aliēnam incidērunt, ut, sī salvī esse velint, Sulla sit eīs
ab īnferīs excitandus; quī etiam nōnnūllōs agrestīs, hominēs tenuēs atque egentēs, in eandem illam spem rapīnā- 5
rum veterum impulērunt. Quōs ego utrōsque in eōdem
genere praedātōrum dīreptōrumque pōnō. Sed eōs hōc
moneō, dēsinant furere ac prōscrīptiōnēs et dictātūrās
cōgitāre. Tantus enim illōrum temporum dolor inūstus
est cīvitātī, ut jam ista nōn modo hominēs, sed nē pecu- 10
dēs quidem mihi passūrae esse videantur.

The fourth class: hopeless bankrupts

X. 21. Quārtum genus est sānē varium et mixtum et
turbulentum; quī jam prīdem premuntur, quī numquam
ēmergunt, quī partim inertiā, partim male gerendō ne-
gōtiō, partim etiam sūmptibus in vetere aere aliēnō 15
vacillant, quī vadimōniīs, jūdiciīs, prōscrīptiōne bonōrum
dēfatīgātī permultī et ex urbe et ex agrīs sē in illa castra
cōnferre dīcuntur. Hōsce ego nōn tam mīlitēs ācrīs quam
īnfitiātōrēs lentōs esse arbitror. Quī hominēs quam
prīmum, sī stāre nōn possunt, corruant, sed ita, ut nōn 20
modo cīvitās, sed nē vīcīnī quidem proximī sentiant.
Nam illud nōn intellegō, quam ob rem, sī vīvere honestē
nōn possunt, perīre turpiter velint, aut cūr minōre dolōre
peritūrōs sē cum multīs, quam sī sōlī pereant, arbitrentur.

The fifth class: downright criminals

22. Quīntum genus est parricīdārum, sīcāriōrum, dē- 25
nique omnium facinorōsōrum. Quōs ego ā Catilīnā nōn
revocō; nam neque ab eō dīvellī possunt, et pereant

sānē in latrōciniō, quoniam sunt ita multī, ut eō⸱ Carcer
capere nōn possit.

The last class: Catiline's cronies

Postrēmum autem genus est nōn sōlum numerō, vērum
etiam genere ipsō atque vītā, quod proprium Catilīnae
5 est, dē ejus dēlēctū, immō vērō dē complexū ejus ac sinū;
quōs pexō capillō nitidōs, aut imberbīs aut bene barbātōs,
vidētis, manicātīs et tālāribus tunicīs, vēlīs amictōs, nōn
togīs; quōrum omnis industria vītae et vigilandī labor in
antelūcānīs cēnīs exprōmitur. **23.** In hīs gregibus om-
10 nēs āleātōrēs, omnēs adulterī, omnēs impūrī impudīcīque
versantur. Hī puerī tam lepidī ac dēlicātī nōn sōlum
amāre et amārī, neque saltāre et cantāre, sed etiam sīcās
vibrāre et spargere venēna didicērunt. Quī nisi exeunt,
nisi pereunt, etiamsī Catilīna perierit, scītōte hōc in rē
15 pūblicā sēminārium Catilīnārum futūrum. Vērum tamen
quid sibi istī miserī volunt? Num suās sēcum muliercu-
lās sunt in castra ductūrī? Quem ad modum autem illīs
carēre poterunt, hīs praesertim jam noctibus? Quō autem
pactō illī Appennīnum atque illās pruīnās ac nivēs per-
20 ferent? Nisi idcircō sē facilius hiemem tolerātūrōs
putant, quod nūdī in convīviīs saltāre didicērunt.

The issue of the struggle not doubtful

XI. 24. O bellum magnō opere pertimēscendum, cum
hanc sit habitūrus Catilīna scortōrum cohortem praetō-
riam! Īnstruite nunc, Quirītēs, contrā hās tam praeclā-
25 rās Catilīnae cōpiās vestra praesidia vestrōsque exercitūs.
Et prīmum gladiātōrī illī cōnfectō et sauciō cōnsulēs im-
perātōrēsque vestrōs oppōnite; deinde contrā illam nau-

fragōrum ējectam ac dēbilitātam manum flōrem tōtīus
Italiae ac rōbur ēdūcite. Jam vērō urbēs colōniārum ac
mūnicipiōrum respondēbunt Catilīnae tumulīs silvestribus. Neque ego cēterās cōpiās ōrnāmenta, praesidia
vestra cum illīus latrōnis inopiā atque egestāte cōnferre 5
dēbeō. **25.** Sed sī omissīs hīs rēbus, quibus nōs sup-
peditāmur, eget ille, senātū, equitibus Rōmānīs, urbe,
aerāriō, vectīgālibus, cūnctā Italiā, prōvinciīs omnibus,
exterīs nātiōnibus, sī hīs rēbus omissīs causās ipsās
quae inter sē cōnflīgunt, contendere velīmus, ex eō ipsō, 10
quam valdē illī jaceant, intellegere possumus. Ex hāc
enim parte pudor pugnat, illinc petulantia; hinc pudīcitia, illinc stuprum; hinc fidēs, illinc fraudātiō; hinc
pietās, illinc scelus; hinc cōnstantia, illinc furor; hinc
honestās, illinc turpitūdō; hinc continentia, illinc libīdō; 15
dēnique aequitās, temperantia, fortitūdō, prūdentia, virtūtēs omnēs, certant cum inīquitāte, lūxuriā, ignāviā,
temeritāte, cum vitiīs omnibus; postrēmō cōpia cum
egestāte, bona ratiō cum perditā, mēns sāna cum āmentiā,
bona dēnique spēs cum omnium rērum dēspērātiōne cōn- 20
flīgit. In ejus modī certāmine ac proeliō nōnne, sī hominum studia dēficiant, dī ipsī immortālēs cōgant ab hīs
praeclārissimīs virtūtibus tot et tanta vitia superārī?

Continued vigilance necessary

XII. 26. Quae cum ita sint, Quirītēs, vōs, quem ad
modum jam anteā dīxī, vestra tēcta vigiliīs cūstōdiīsque 25
dēfendite; mihi, ut urbī sine vestrō mōtū ac sine ūllō
tumultū satis esset praesidī, cōnsultum atque prōvīsum
est. Colōnī omnēs mūnicipēsque vestrī certiōrēs ā mē
factī dē hāc nocturnā excursiōne Catilīnae facile urbēs

suās fīnēsque dēfendent; gladiātōrēs, quam sibi ille
manum certissimam fore putāvit (quamquam animō
meliōre sunt quam pars patriciōrum), potestāte tamen
nostrā continēbuntur. Q. Metellus, quem ego hōc
5 prōspiciēns in agrum Gallicum Pīcēnumque praemīsī,
aut opprimet hominem aut ejus omnīs mōtūs cōnātūs-
que prohibēbit. Reliquīs autem dē rēbus cōnstituendīs,
mātūrandīs, agendīs jam ad senātum referēmus, quem
vocārī vidētis.

Catiline's supporters in the city must expect no indulgence

10   **27.** Nunc illōs, quī in urbe remānsērunt, atque adeō
quī contrā urbis salūtem omniumque vestrum in urbe
ā Catilīnā relīctī sunt, quamquam sunt hostēs, tamen,
quia sunt cīvēs, monitōs etiam atque etiam volō. Mea
lēnitās adhūc sī cui solūtior vīsa est, hōc exspectāvit
15 ut, id, quod latēbat, ērumperet. Quod reliquum est,
jam nōn possum oblīvīscī meam hanc esse patriam,
mē hōrum esse cōnsulem, mihi aut cum hīs vīvendum
aut prō hīs esse moriendum. Nūllus est portīs cūstōs,
nūllus īnsidiātor viae; sī quī exīre volunt, cōnīvēre
20 possum; quī vērō sē in urbe commōverit, cūjus ego nōn
modo factum, sed inceptum ūllum cōnātumve contrā
patriam dēprehenderō, sentiet in hāc urbe esse cōnsulēs
vigilantīs, esse ēgregiōs magistrātūs, esse fortem senātum,
esse arma, esse carcerem, quem vindicem nefāriōrum ac
25 manifēstōrum scelerum majōrēs nostrī esse voluērunt.

The consul promises, with the help of the gods, a speedy and
peaceful end of the present situation

     XIII.   **28.** Atque haec omnia sīc agentur, Quirītēs, ut
maximae rēs minimō mōtū, perīcula summa nūllō tu-

multū, bellum intestīnum ac domesticum post hominum
memoriam crūdēlissimum et maximum, mē ūnō togātō
duce et imperātōre, sēdētur. Quod ego sīc administrābō,
Quirītēs, ut, sī ūllō modō fierī poterit, nē improbus
quidem quisquam in hāc urbe poenam suī sceleris suf- 5
ferat. Sed sī vīs manifēstae audāciae, sī impendēns
patriae perīculum mē necessāriō dē hāc animī lēnitāte
dēdūxerit, illud profectō perficiam, quod in tantō et tam
īnsidiōsō bellō vix optandum vidētur, ut neque bonus
quisquam intereat paucōrumque poenā vōs omnēs salvī 10
esse possītis. **29.** Quae quidem ego neque meā prūdentiā neque hūmānīs cōnsiliīs frētus polliceor vōbīs,
Quirītēs, sed multīs et nōn dubiīs deōrum immortālium
significātiōnibus, quibus ego ducibus in hanc spem sententiamque sum ingressus ; quī jam nōn procul, ut quon- 15
dam solēbant, ab externō hoste atque longinquō, sed hīc
praesentēs suō nūmine atque auxiliō sua templa atque
urbis tēcta dēfendunt. Quōs vōs, Quirītēs, precārī, venerārī, implōrāre dēbētis, ut, quam urbem pulcherrimam
flōrentissimamque esse voluērunt, hanc, omnibus hostium 20
cōpiīs terrā marīque superātīs, ā perditissimōrum cīvium
nefāriō scelere dēfendant.

M. TULLI CICERONIS

ORATIO IN CATILINAM TERTIA

AD POPULUM

Through the consul's efforts the state is saved

I. 1. Rem pūblicam, Quirītēs, vītamque omnium vestrum, bona, fortūnās, conjugēs, līberōsque vestrōs atque
hōc domicilium clārissimī imperī, fortūnātissimam pul-
cherrimamque urbem, hodiernō diē deōrum immortālium
5 summō ergā vōs amōre, labōribus, cōnsiliīs, perīculīs
meīs ē flammā atque ferrō ac paene ex faucibus fātī
ēreptam et vōbīs cōnservātam ac restitūtam vidētis.
2. Et sī nōn minus nōbīs jūcundī atque illūstrēs sunt eī
diēs, quibus cōnservāmur, quam illī, quibus nāscimur
10 (quod salūtis certa laetitia est, nāscendī incerta condiciō, et quod sine sēnsū nāscimur, cum voluptāte
servāmur), profectō, quoniam illum, quī hanc urbem condidit, ad deōs immortālīs benevolentiā fāmāque sustulimus, esse apud vōs posterōsque vestrōs in honōre dēbēbit
15 is, quī eandem hanc urbem conditam amplificātamque
servāvit. Nam tōtī urbī, templīs, dēlūbrīs, tēctīs ac
moenibus subjectōs prope jam īgnīs circumdatōsque
restīnximus, īdemque gladiōs in rem pūblicam dēstrictōs
rettudimus mūcrōnēsque eōrum ā jugulīs vestrīs dē-
20 jēcimus.

How the conspirators were detected; arrest of the Allobrogian envoys

3. Quae quoniam in senātū illūstrāta, patefacta, comperta sunt per mē, vōbīs jam expōnam breviter, Quirītēs, ut, et quanta et quam manifēsta et quā ratiōne invēstīgāta et comprehēnsa sint, vōs, quī et ignōrātis et exspectātis, scīre possītis.   5

Prīncipiō, ut Catilīna paucīs ante diēbus ērūpit ex urbe, cum sceleris suī sociōs, hūjusce nefāriī bellī ācerrimōs ducēs Rōmae relīquisset, semper vigilāvī et prōvīdī, Quirītēs, quem ad modum in tantīs et tam absconditīs īnsidiīs salvī esse possēmus. II. Nam tum, cum ex urbe 10 Catilīnam ēiciēbam (nōn enim jam vereor hūjus verbī invidiam, cum illa magis sit timenda, quod vīvus exierit), — sed tum, cum illum exterminārī volēbam, aut reliquam conjūrātōrum manum simul exitūram aut eōs, quī restitissent, īnfīrmōs sine illō ac dēbilēs fore putābam. 15

4. Atque ego ut vīdī, quōs maximō furōre et scelere esse īnflammātōs sciēbam, eōs nōbīscum esse et Rōmae remānsisse, in eō omnēs diēs noctēsque cōnsūmpsī, ut, quid agerent, quid mōlīrentur, sentīrem ac vidērem, ut, quoniam auribus vestrīs propter incrēdibilem magnitūdi- 20 nem sceleris minōrem fidem faceret ōrātiō mea, rem ita comprehenderem, ut tum dēmum animīs salūtī vestrae prōvidērētis, cum oculīs maleficium ipsum vidērētis. Itaque, ut comperī lēgātōs Allobrogum bellī Trānsalpīnī et tumultūs Gallicī excitandī causā ā P. Lentulō esse 25 sollicitātōs, eōsque in Galliam ad suōs cīvīs eōdemque itinere cum litterīs mandātīsque ad Catilīnam esse missōs, comitemque eīs adjūnctum esse T. Volturcium, atque huic esse ad Catilīnam datās litterās, facultātem mihi

oblātam putāvī, ut, quod erat difficillimum, quodque ego
semper optābam ab dīs immortālibus, ut tōta rēs nōn
sōlum ā mē, sed etiam ā senātū et ā vōbīs manifēstō dēpre-
henderētur. **5**. Itaque hesternō diē L. Flaccum et C.
5 Pomptīnum praetōrēs, fortissimōs atque amantissimōs reī
pūblicae virōs, ad mē vocāvī ; rem exposuī ; quid fierī
placēret, ostendī.   Illī autem, quī omnia dē rē pūblicā praeclāra atque ēgregia sentīrent, sine recūsātiōne ac sine ūllā
morā negōtium suscēpērunt et, cum advesperāsceret,
10 occultē ad Pontem Mulvium pervēnērunt atque ibi in
proximīs vīllīs ita bipartītō fuērunt, ut Tiberis inter eōs
et pōns interesset.   Eōdem autem et ipsī sine cūjusquam
suspīciōne multōs fortīs virōs ēdūxerant, et ego ex prae-
fectūrā Reātīnā complūrēs dēlēctōs adulēscentēs, quōrum
15 operā ūtor assiduē in reī pūblicae praesidiō, cum gladiīs
mīseram. **6**. Interim tertiā ferē vigiliā exāctā cum jam
Pontem Mulvium magnō comitātū lēgātī Allobrogum
ingredī inciperent ūnāque Volturcius, fit in eōs impetus;
ēdūcuntur et ab illīs gladiī et ā nostrīs.   Rēs praetōribus
20 erat nōta sōlīs, ignōrābātur ā cēterīs.   III. Tum inter-
ventū Pomptīnī atque Flaccī pugna, quae erat commissa,
sēdātur.   Litterae, quaecumque erant in eō comitātū,
integrīs signīs, praetōribus trāduntur ; ipsī comprehēnsī
ad mē, cum jam dīlūcēsceret, dēdūcuntur.

Cicero resolves to refer the captured despatches to the senate

25   Atque hōrum omnium scelerum improbissimum māchi-
nātōrem, Cimbrum Gabīnium, statim ad mē nihildum
suspicantem vocāvī ; deinde item arcessītus est L. Statilius et post eum C. Cethēgus ; tardissimē autem Lentulus
vēnit, crēdō quod in litterīs dandīs praeter cōnsuētūdinem

THE MULVIAN BRIDGE

proximā nocte vigilārat. **7.** Cum summīs et clārissimīs
hūjus cīvitātis virīs, quī audītā rē frequentēs ad mē māne
convēnerant, litterās ā mē prius aperīrī quam ad senātum
dēferrī placēret, — nē, sī nihil esset inventum, temere ā
mē tantus tumultus injectus cīvitātī vidērētur, — negāvī 5
mē esse factūrum, ut dē perīculō pūblicō nōn ad cōnsilium
pūblicum rem integram dēferrem. Etenim, Quirītēs, sī
ea, quae erant ad mē dēlāta, reperta nōn essent, tamen
ego nōn arbitrābar in tantīs reī pūblicae perīculīs esse
mihi nimiam dīligentiam pertimēscendam. Senātum fre- 10
quentem celeriter, ut vīdistis, coēgī. **8.** Atque intereā
statim admonitū Allobrogum C. Sulpicium praetōrem,
fortem virum, mīsī, quī ex aedibus Cethēgī, sī quid
tēlōrum esset, efferret; ex quibus ille maximum sīcārum
numerum et gladiōrum extulit.   15

Volturcius turns state's evidence

IV. Intrōdūxī Volturcium sine Gallīs; fidem pūblicam
jussū senātūs dedī; hortātus sum, ut ea, quae scīret, sine
timōre indicāret. Tum ille dīxit, cum vix sē ex magnō
timōre recreāsset, ā P. Lentulō sē habēre ad Catilīnam
mandāta et litterās, ut servōrum praesidiō ūterētur, ut ad 20
urbem quam prīmum cum exercitū accēderet; id autem
eō cōnsiliō, ut, cum urbem ex omnibus partibus, quem
ad modum discrīptum distribūtumque erat, incendissent
caedemque īnfīnītam cīvium fēcissent, praestō esset
ille, quī et fugientīs exciperet et sē cum hīs urbānīs ducibus 25
conjungeret.

Testimony of the envoys

9. Intrōductī autem Gallī jūs jūrandum sibi et litterās
ab Lentulō, Cethēgō, Statiliō ad suam gentem data esse

dīxērunt, atque ita sibi ab hīs et ā L. Cassiō esse prae‑
scrīptum, ut equitātum in Italiam quam prīmum mitte‑
rent; pedestrēs sibi cōpiās nōn dēfutūrās. Lentulum
autem sibi cōnfirmāsse ex fātīs Sibyllīnīs haruspicumque
5 respōnsīs sē esse tertium illum Cornēlium, ad quem rēg‑
num hūjus urbis atque imperium pervenīre esset necesse;
Cinnam ante sē et Sullam fuisse. Eundemque dīxisse
fātālem hunc annum esse ad interitum hūjus urbis atque
imperī, quī esset annus decimus post Virginum absolū‑
10 tiōnem, post Capitōlī autem incēnsiōnem vīcēsimus.
10. Hanc autem Cethēgō cum cēterīs contrōversiam
fuisse dīxērunt, quod Lentulō et aliīs Sāturnālibus cae‑
dem fierī atque urbem incendī placēret, Cethēgō nimium
id longum vidērētur.

Examination of Cethegus, Statilius, Lentulus, and Gabinius

15 V. Ac nē longum sit, Quirītēs, tabellās prōferrī jussi‑
mus, quae ā quōque dīcēbantur datae. Prīmō ostendimus
Cethēgō; signum cognōvit. Nōs līnum incīdimus, lēgi‑
mus. Erat scrīptum ipsīus manū Allobrogum senātuī et
populō sēsē, quae eōrum lēgātīs cōnfirmāsset, factūrum
20 esse; ōrāre, ut item illī facerent, quae sibi eōrum lēgātī
recēpissent. Tum Cethēgus, quī paulō ante aliquid tamen
dē gladiīs ac sīcīs, quae apud ipsum erant dēprehēnsa,
respondisset dīxissetque sē semper bonōrum ferrāmen‑
tōrum studiōsum fuisse, recitātīs litterīs dēbilitātus atque
25 abjectus cōnscientiā repente conticuit. Intrōductus est
Statilius; cognōvit et signum et manum suam. Recitātae
sunt tabellae in eandem ferē sententiam; cōnfessus est.
Tum ostendī tabellās Lentulō et quaesīvī, cognōsceretne
signum. Annuit. '*Est vērō,*' inquam, '*nōtum quidem*

*rignum, imāgō avī tuī, clārissimī virī, quī amāvit ūnıcē
patriam et cīvēs suōs; quae quidem tē ā tantō scelere etiam
mūta revocāre dēbuit.*' **11.** Leguntur eādem ratiōne ad
senātum Allobrogum populumque litterae. Sī quid dē
hīs rēbus dīcere vellet, fēcī potestātem. Atque ille prīmō 5
quidem negāvit; post autem aliquantō, tōtō jam indiciō
expositō atque ēditō, surrēxit; quaesīvit ā Gallīs, quid
sibi esset cum eīs, quam ob rem domum suam vēnissent,
itemque ā Volturciō. Quī cum illī breviter cōnstanterque
respondissent, per quem ad eum quotiēnsque vēnissent, 10
quaesīssentque ab eō, nihilne sēcum esset dē fātīs Sibyllīnīs locūtus, tum ille subitō scelere dēmēns, quanta cōn
scientiae vīs esset, ostendit. Nam, cum id posset īnfitiārī,
repente praeter opīniōnem omnium cōnfessus est. Ita
eum nōn modo ingenium illud et dīcendī exercitātiō, quā 15
semper valuit, sed etiam propter vim sceleris manifēstī
atque dēprehēnsī impudentia, quā superābat omnīs, im-
probitāsque dēfēcit. **12.** Volturcius vērō subitō litterās
prōferrī atque aperīrī jubet, quās sibi ā Lentulō ad Catilīnam datās esse dīcēbat. Atque ibi vehementissimē 20
perturbātus Lentulus tamen et signum et manum suam
cognōvit. Erant autem sine nōmine, sed ita: '*Quis sim,
sciēs ex eō quem ad tē mīsī. Cūrā, ut vir sīs, et cōgitā,
quem in locum sīs prōgressus. Vidē, ecquid tibi jam sit
necesse, et cūrā, ut omnium tibi auxilia adjungās, etiam 25
īnfimōrum.*' Gabīnius deinde intrōductus cum prīmō impudenter respondēre coepisset, ad extrēmum nihil ex eīs,
quae Gallī īnsimulābant, negāvit. **13.** Ac mihi quidem,
Quirītēs, cum illa certissima vīsa sunt argūmenta atque
indicia sceleris, tabellae, signa, manūs, dēnique ūnīus 30
cūjusque cōnfessiō, tum multō certiōra illa: color, oculī,

vultūs, taciturnitās. Sīc enim obstupuerant, sīc terram
intuēbantur, sīc fūrtim nōnnumquam inter sēsē aspiciē-
bant, ut nōn jam ab aliīs indicārī, sed indicāre sē ipsī
vidērentur.

The senate votes thanks to Cicero

5 VI. Indiciīs expositīs atque ēditīs, Quirītēs, senātum
cōnsuluī, dē summā rē pūblicā quid fierī placēret.   Dictae
sunt ā prīncipibus ācerrimae ac fortissimae sententiae,
quās senātus sine ūllā varietāte est secūtus.   Et quoniam nōndum est perscrīptum senātūs cōnsultum, ex
10 memoriā vōbīs, Quirītēs, quid senātus cēnsuerit, expōnam.
14. Prīmum mihi grātiae verbīs amplissimīs aguntur,
quod virtūte, cōnsiliō, prōvidentiā meā rēs pūblica maximīs perīculīs sit līberāta.   Deinde L. Flaccus et C. Pomptīnus praetōrēs, quod eōrum operā fortī fidēlīque ūsus
15 essem, meritō ac jūre laudantur.   Atque etiam virō
fortī, collēgae meō, laus impertītur, quod eōs, quī hūjus
conjūrātiōnis participēs fuissent, ā suīs et ā reī pūblicae cōnsiliīs remōvisset.

The conspirators are given into custody

Atque ita cēnsuērunt, ut P. Lentulus, cum sē praetūrā
20 abdicāsset, in cūstōdiam trāderētur; itemque utī C. Cethēgus, L. Statilius, P. Gabīnius, quī omnēs praesentēs erant,
in cūstōdiam trāderentur; atque idem hōc dēcrētum est
in L. Cassium, quī sibi prōcūrātiōnem incendendae urbis
dēpoposcerat; in M. Caepārium, cui ad sollicitandōs pās-
25 tōrēs Āpūliam attribūtam esse erat indicātum; in P.
Fūrium, quī est ex eīs colōnīs, quōs Faesulās L. Sulla
dēdūxit; in Q. Annium Chīlōnem, quī ūnā cum hōc Fūriā

semper erat in hāc Allobrogum sollicitātiōne versātus; in
P. Umbrēnum, lībertīnum hominem, ā quō prīmum Gallōs ad Gabīnium perductōs esse cōnstābat. Atque eā
lēnitāte senātus est ūsus, Quirītēs, ut ex tantā conjū-
rātiōne tantāque hāc multitūdine domesticōrum hos- 5
tium novem hominum perditissimōrum poenā rē pūblicā
cōnservātā. reliquōrum mentēs sānārī posse arbitrārētur.

A thanksgiving is decreed

15. Atque etiam supplicātiō dīs immortālibus prō
singulārī eōrum meritō meō nōmine dēcrēta est, quod 10
mihi prīmum post hanc urbem conditam togātō contigit,
et hīs dēcrēta verbīs est, *quod urbem incendiīs, caede cīvis,
Italiam bellō līberāssem.* Quae supplicātiō sī cum cēterīs
supplicātiōnibus cōnferātur, hōc interest, quod cēterae
bene gestā, haec ūna cōnservātā rē pūblicā cōnstitūta est. 15
Atque illud, quod faciendum prīmum fuit, factum atque
trānsāctum est. Nam P. Lentulus, quamquam patefactīs
indiciīs, cōnfessiōnibus suīs, jūdiciō senātūs nōn modo
praetōris jūs, vērum etiam cīvis āmīserat, tamen magis-
trātū sē abdicāvit, ut, quae religiō C. Mariō, clārissimō 20
virō, nōn fuerat, quō minus C. Glauciam, dē quō nihil
nōminātim erat dēcrētum, praetōrem occīderet, eā nōs
religiōne in prīvātō P. Lentulō pūniendō līberārēmur.

Cicero predicts the speedy collapse of Catiline's hopes

VII. 16. Nunc quoniam, Quirītēs, cōnscelerātissimī
perīculōsissimīque bellī nefāriōs ducēs captōs jam et com- 25
prehēnsōs tenētis, exīstimāre dēbētis omnīs Catilīnae
cōpiās, omnīs spēs atque opēs, hīs dēpulsīs urbis perīculīs, concidisse.

This result due to his expulsion from the city

Quem quidem ego cum ex urbe pellēbam, hōc prōvidē-
bam animō, Quirītēs, remōtō Catilīnā nōn mihi esse P.
Lentulī somnum nec L. Cassī adipēs nec C. Cethēgī
furiōsam temeritātem pertimēscendam. Ille erat ūnus
5 timendus ex istīs omnibus, sed tam diū, dum urbis moenibus continēbātur. Omnia nōrat, omnium aditūs tenēbat;
appellāre, temptāre, sollicitāre poterat, audēbat. Erat eī
cōnsilium ad facinus aptum, cōnsiliō autem neque manus
neque lingua deerat. Jam ad certās rēs cōnficiendās
10 certōs hominēs dēlēctōs ac discrīptōs habēbat. Neque
vērō, cum aliquid mandārat, cōnfectum putābat; nihil
erat, quod nōn ipse obīret, occurreret, vigilāret, labōrāret;
frīgus, sitim, famem ferre poterat. **17.** Hunc ego hominem tam ācrem, tam audācem, tam parātum, tam calli-
15 dum, tam in scelere vigilantem, tam in perditīs rēbus
dīligentem nisi ex domesticīs īnsidiīs in castrēnse latrōcinium compulissem (dīcam id quod sentiō, Quirītēs),
nōn facile hanc tantam mōlem malī ā cervīcibus vestrīs
dēpulissem. Nōn ille nōbīs Sāturnālia cōnstituisset ne-
20 que tantō ante exitī ac fātī diem reī pūblicae dēnūntiā-
visset neque commīsisset, ut signum, ut litterae suae,
testēs manifēstī sceleris, dēprehenderentur. Quae nunc
illō absente sīc gesta sunt, ut nūllum in prīvātā domō
fūrtum umquam sit tam palam inventum, quam haec
25 tanta in rē pūblicā conjūrātiō manifēstō inventa atque
dēprehēnsa est. Quodsī Catilīna in urbe ad hanc diem
remānsisset (quamquam, quoad fuit, omnibus ejus cōnsiliīs occurrī atque obstitī), tamen, ut levissimē dīcam,
dīmicandum nōbīs cum illō fuisset, neque nōs umquam,
30 dum ille in urbe hostis esset, tantīs perīculīs rem pūblicam tantā pace, tantō ōtiō, tantō silentiō liberāssēmus.

BRONZE STATUE OF THE WOLF WITH ROMULUS AND REMUS

Portents indicative of divine favor

VIII. **18**. Quamquam haec omnia, Quirītēs, ita sunt
ā mē administrāta, ut deōrum immortālium nūtū atque
cōnsiliō et gesta et prōvīsa esse videantur. Idque cum
conjectūra cōnsequī possumus (quod vix vidētur hūmānī
cōnsilī tantārum rērum gubernātiō esse potuisse), tum 5
vērō ita praesentēs hīs temporibus opem et auxilium
nōbīs tulērunt, ut eōs paene oculīs vidēre possēmus.
Nam ut illa omittam, vīsās nocturnō tempore ab occidente
facēs ārdōremque caelī, ut fulminum jactūs, ut terrae
mōtūs relinquam, ut omittam cētera, quae tam multa 10
nōbīs cōnsulibus facta sunt, ut haec, quae nunc fīunt,
canere dī immortālēs vidērentur, hōc certē, quod sum
dictūrus, neque praetermittendum neque relinquendum
est. **19**. Nam profectō memoriā tenētis, Cottā et Tor-
quātō cōnsulibus, complūrēs in Capitōliō rēs dē caelō esse 15
percussās, cum et simulācra deōrum dēpulsa sunt et
statuae veterum hominum dējectae et lēgum aera lique-
facta et tāctus etiam ille, quī hanc urbem condidit,
Rōmulus, quem inaurātum in Capitōliō parvum atque
lactantem, ūberibus lupīnīs inhiantem fuisse meministis. 20
Quō quidem tempore cum haruspicēs ex tōtā Etrūriā
convēnissent, caedēs atque incendia et lēgum interitum
et bellum cīvīle ac domesticum et tōtīus urbis atque imperī occāsum appropinquāre dīxērunt, nisi dī immortālēs
omnī ratiōne plācātī suō nūmine prope fāta ipsa flexis- 25
sent. **20**. Itaque illōrum respōnsīs tum et lūdī per
decem diēs factī sunt, neque rēs ūlla, quae ad plācandōs
deōs pertinēret, praetermissa est. Īdemque jussērunt
simulācrum Jovis facere majus et in excelsō collocāre et
contrā, atque anteā fuerat, ad orientem convertere; ac sē 30

spērāre dīxērunt, sī illud signum, quod vidētis, sōlis
ortum et Forum Cūriamque cōnspiceret, fore ut ea cōnsilia, quae clam essent inita contrā salūtem urbis atque
imperī, illūstrārentur, ut ā senātū populōque Rōmānō
5 perspicī possent. Atque illud signum collocandum cōnsulēs illī locāvērunt; sed tanta fuit operis tarditās, ut
neque superiōribus cōnsulibus neque nōbīs ante hodier-
num diem collocārētur.

The gods are with us, — Jupiter above all

IX. **21**. Hīc quis potest esse, Quirītēs, tam āversus ā
10 vērō, tam praeceps, tam mente captus, quī neget haec
omnia, quae vidēmus, praecipuēque hanc urbem, deōrum
immortālium nūtū ac potestāte administrārī? Etenim,
cum esset ita respōnsum, caedēs, incendia, interitum reī
pūblicae comparārī, et ea per cīvēs, quae tum propter
15 magnitūdinem scelerum nōnnūllīs incrēdibilia vidēbantur, ea nōn modo cōgitāta ā nefāriīs cīvibus, vērum etiam
suscepta esse sēnsistis. Illud vērō nōnne ita praesēns
est, ut nūtū Jovis Optimī Maximī factum esse videātur,
ut, cum hodiernō diē māne per Forum meō jussū et con-
20 jūrātī et eōrum indicēs in aedem Concordiae dūcerentur,
eō ipsō tempore signum statuerētur? Quō collocātō atque
ad vōs senātumque conversō, omnia, quae erant contrā
salūtem omnium cōgitāta, illūstrāta et patefacta vīdistis.
22. Quō etiam majōre sunt istī odiō suppliciōque dignī,
25 quī nōn sōlum vestrīs domiciliīs atque tēctīs, sed etiam
deōrum templīs atque dēlūbrīs sunt fūnestōs ac nefāriōs
īgnēs īnferre cōnātī. Quibus ego sī mē restitisse dīcam,
nimium mihi sūmam et nōn sim ferendus; ille, ille Juppiter restitit; ille Capitōlium, ille haec templa, ille cūnc-

JUPITER

tam urbem, ille vōs omnīs salvōs esse voluit. Dīs ego
immortālibus ducibus, hanc mentem, Quirītēs, voluntātem-
que suscēpī atque ad haec tanta indicia pervēnī. Jam
vērō ab Lentulō cēterīsque domesticīs hostibus tam dēmenter tantae rēs crēditae et ignōtīs et barbarīs com- 5
missaeque litterae numquam essent profectō, nisi ab dīs
immortālibus huic tantae audāciae cōnsilium esset ērep-
tum. Quid vērō? Ut hominēs Gallī ex cīvitāte male
pācātā, quae gēns ūna restat, quae bellum populō Rōmānō
facere et posse et nōn nōlle videātur, spem imperī ac 10
rērum maximārum ultrō sibi ā patriciīs hominibus oblātam neglegerent vestramque salūtem suīs opibus antepō-
nerent, id nōn dīvīnitus esse factum putātis, praesertim
quī nōs nōn pugnandō, sed tacendō superāre potuerint?

Previous civil dissensions marked by bloodshed. The present
troubles settled by peaceful means

X. 23. Quam ob rem, Quirītēs, quoniam ad omnia 15
pulvīnāria supplicātiō dēcrēta est, celebrātōte illōs diēs
cum conjugibus ac līberīs vestrīs. Nam multī saepe
honōrēs dīs immortālibus jūstī habitī sunt ac dēbitī, sed
profectō jūstiōrēs numquam. Ēreptī enim estis ex crū-
dēlissimō ac miserrimō interitū; sine caede, sine san- 20
guine, sine exercitū, sine dīmicātiōne, togātī, mē ūnō togātō
duce et imperātōre, vīcistis. **24.** Etenim recordāminī,
Quirītēs, omnīs cīvīlēs dissēnsiōnēs, nōn sōlum eās, quās
audīstis, sed eās, quās vōsmet ipsī meministis atque
vīdistis. L. Sulla P. Sulpicium oppressit; C. Marium, 25
cūstōdem hūjus urbis. multōsque fortīs virōs partim
ējēcit ex cīvitāte, partim interēmit. Cn. Octāvius cōnsul
armīs expulit ex urbe collēgam; omnis hīc locus acervīs

corporum et cīvium sanguine redundāvit. Superāvit
posteā Cinna cum Mariō; tum vērō clārissimīs virīs
interfectīs lūmina cīvitātis exstīncta sunt. Ultus est
hūjus victōriae crūdēlitātem posteā Sulla; nē hāi qui-
5 dem opus est, quantā dēminūtiōne cīvium et quantā calamitāte reī pūblicae. Dissēnsit M. Lepidus ā clārissimō
et fortissimō virō, Q. Catulō; attulit nōn tam ipsīus interitus reī pūblicae lūctum quam cēterōrum. **25**. Atque
illae tamen omnēs dissēnsiōnēs erant ejus modī, quae nōn
10 ad dēlendam, sed ad commūtandam rem pūblicam pertinērent. Nōn illī nūllam esse rem pūblicam, sed in eā,
quae esset, sē esse prīncipēs, neque hanc urbem cōnfla-
grāre, sed sē in hāc urbe flōrēre voluērunt. Atque illae
tamen omnēs dissēnsiōnēs, quārum nūlla exitium reī pūb-
15 licae quaesīvit, ejus modī fuērunt, ut nōn reconciliātiōne
concordiae, sed internectiōne cīvium dijūdicātae sint. In
hōc autem ūnō post hominum memoriam maximō crūdē-
lissimōque bellō, quāle bellum nūlla umquam barbaria
cum suā gente gessit, quō in bellō lēx haec fuit ā Lentulō,
20 Catilīnā, Cethēgō, Cassiō cōnstitūta, ut omnēs, quī salvā
urbe salvī esse possent, in hostium numerō dūcerentur,
ita mē gessī, Quirītēs, ut salvī omnēs cōnservārēminī, et,
cum hostēs vestrī tantum cīvium superfutūrum putāssent,
quantum īnfīnītae caedī restitisset, tantum autem urbis,
25 quantum flamma obīre nōn potuisset, et urbem et cīvīs
integrōs incolumēsque servāvī.

In return for his services, Cicero asks only the gratitude of his
fellow-citizens

XI. **26**. Quibus prō tantīs rēbus, Quirītēs, nūllum
ego ā vōbīs praemium virtūtis, nūllum īnsigne honōris,

nūllum monumentum laudis postulō praeterquam hūjus
diēī memoriam sempiternam. In animīs ego vestrīs
omnēs triumphōs meōs, omnia ōrnāmenta honōris, monumenta glōriae, laudis īnsignia condī et collocārī volō.
Nihil mē mūtum potest dēlectāre, nihil tacitum, nihil 5
dēnique ejus modī, quod etiam minus dignī assequī possint. Memoriā vestrā, Quirītēs, nostrae rēs alentur, sermōnibus crēscent, litterārum monumentīs inveterāscent
et corrōborābuntur; eandemque diem intellegō, quam
spērō aeternam fore, prōpāgātam esse et ad salūtem urbis 10
et ad memoriam cōnsulātūs meī, ūnōque tempore in hāc
rē pūblicā duōs cīvīs exstitisse, quōrum alter fīnīs vestrī
imperī nōn terrae, sed caelī regiōnibus termināret, alter
ejusdem imperī domicilium sēdēsque servāret.

And protection from harm

XII. **27.** Sed quoniam eārum rērum, quās ego gessī, 15
nōn eadem est fortūna atque condiciō quae illōrum, quī
externa bella gessērunt, quod mihi cum cīs vīvendum est,
quōs vīcī ac subēgī, illī hostēs aut interfectōs aut oppres-
sōs relīquērunt, vestrum est, Quirītēs, sī cēterīs facta sua
rēctē prōsunt, mihi mea nē quandō obsint, prōvidēre. 20
Mentēs enim hominum audācissimōrum scelerātae ac
nefāriae nē vōbīs nocēre possent, ego prōvīdī; nē mihi
noceant, vestrum est prōvidēre. Quamquam, Quirītēs,
mihi quidem ipsī nihil ab istīs jam nocērī potest. Magnum enim est in bonīs praesidium, quod mihi in per- 25
petuum comparātum est, magna in rē pūblicā dignitās,
quae mē semper tacita dēfendet, magna vīs cōnscientiae,
quam quī neglegunt, cum mē violāre volent, sē ipsī indi-
cābunt. **28.** Est enim in nōbīs is animus, Quirītēs, ut

nōn modo nūllīus audāciae cēdāmus, sed etiam omnīs improbōs ultrō semper lacessāmus. Quodsī omnis impetus
domesticōrum hostium dēpulsus ā vōbīs sē in mē ūnum
converterit, vōbīs erit videndum, Quirītēs, quā condiciōne
5 posthāc eōs esse velītis, quī sē prō salūte vestrā obtule-
rint invidiae perīculīsque omnibus; mihi quidem ipsī
quid est quod jam ad vītae frūctum possit acquīrī,
cum praesertim neque in honōre vestrō neque in glōriā
virtūtis quicquam videam altius, quō mihi libeat as-
10 cendere?

He promises to remain worthy of their confidence

29. Illud perficiam, profectō, Quirītēs, ut ea, quae gessī
in cōnsulātū, prīvātus tuear atque ōrnem, ut, sī qua est
invidia in cōnservandā rē pūblicā suscepta, laedat invidōs,
mihi valeat ad glōriam. Dēnique ita mē in rē pūblicā
15 trāctābō, ut meminerim semper, quae gesserim, cūremque,
ut ea virtūte, nōn cāsū gesta esse videantur. Vōs, Quirītēs, quoniam jam est nox, venerātī Jovem illum, cūstōdem
hūjus urbis ac vestrum, in vestra tēcta discēdite et ea,
quamquam jam est perīculum dēpulsum, tamen aequē ac
20 priōre nocte cūstōdiīs vigiliīsque dēfendite. Id nē vōbīs
diūtius faciendum sit, atque ut in perpetuā pāce esse possītis, prōvidēbō.

M. TULLI CICERONIS

IN CATILINAM ORATIO QUARTA

HABITA IN SENATU

Cicero deprecates anxiety for his safety

I. **1.** Videō, patrēs cōnscrīptī, in mē omnium vestrum
ōra atque oculōs esse conversōs, videō vōs nōn sōlum dē vestrō ac reī pūblicae, vērum etiam, sī id dēpulsum sit, dō mcō
perīculō esse sollicitōs. Est mihi jūcunda in malīs et grāta
in dolōre vestra ergā mē voluntās, sed eam, per deōs im- 5
mortālēs, dēpōnite atque oblītī salūtis meae dē vōbīs ac
dē vestrīs līberīs cōgitāte. Mihi sī haec condiciō cōnsulātūs data est, ut omnīs acerbitātēs, omnīs dolōrēs cruci-
ātūsque perferrem, feram nōn sōlum fortiter, vērum etiam
libenter, dum modo meīs labōribus vōbīs populōque Rō- 10
mānō dignitās salūsque pariātur. **2.** Ego sum ille cōnsul, patrēs cōnscrīptī, cui nōn Forum, in quō omnis
aequitās continētur, nōn Campus cōnsulāribus auspiciīs
cōnsecrātus, nōn Cūria, summum auxilium omnium gentium, nōn domus, commūne perfugium, nōn lectus ad 15
quiētem datus, nōn dēnique haec sēdēs honōris umquam
vacua mortis perīculō atque īnsidiīs fuit. Ego multa
tacuī, multa pertulī, multa concessī, multa meō quōdam
dolōre in vestrō timōre sānāvī. Nunc sī hunc exitum
cōnsulātūs meī dī immortālēs esse voluērunt, ut vōs popu- 20

47

lumque Rōmānum ex caede miserrimā, conjugēs līberōsque vestrōs virginēsque Vestālēs ex acerbissimā vexātiōne,
templa atque dēlūbra, hanc pulcherrimam patriam omnium nostrum ex foedissimā flammā, tōtam Italiam ex
5 bellō et vāstitāte ēriperem, quaecumque mihi ūnī prōpō-
nētur fortūna, subeātur. Etenim, sī P. Lentulus suum
nōmen inductus ā vātibus fātāle ad perniciem reī pūblicae
fore putāvit, cūr ego nōn laeter meum cōnsulātum ad
salūtem populī Rōmānī prope fātālem exstitisse?

He exhorts the senators to think only of themselves, their families,
and their country

10   II. **3.** Quārē, patrēs cōnscrīptī, cōnsulite vōbīs, prōspi-
cite patriae, cōnservāte vōs, conjugēs, līberōs fortūnāsque
vestrās, populī Rōmānī nōmen salūtemque dēfendite;
mihi parcere ac dē mē cōgitāre dēsinite. Nam prīmum
dēbeō spērāre omnīs deōs, quī huic urbī praesident, prō
15 eō mihi, ac mereor, relātūrōs esse grātiam; deinde, sī quid
obtigerit, aequō animō parātōque moriar. Nam neque
turpis mors fortī virō potest accidere neque immātūra
cōnsulārī nec misera sapientī. Nec tamen ego sum ille
ferreus, quī frātris cārissimī atque amantissimī praesentis
20 maerōre nōn movear hōrumque omnium lacrimīs, ā quibus
mē circumsessum vidētis. Neque meam mentem nōn
domum saepe revocat exanimāta uxor et abjecta metū
fīlia et parvulus fīlius, quem mihi vidētur amplectī rēs
pūblica tamquam obsidem cōnsulātūs meī, neque ille, quī
25 exspectāns hūjus exitum diēī stat in cōnspectū meō,
gener. Moveor hīs rēbus omnibus, sed in eam partem,
utī salvī sint vōbīscum omnēs, etiamsī mē vīs aliqua op-
presserit, potius quam et illī et nōs ūnā reī pūblicae peste

A Vestal Virgin

pereāmus. **4.** Quārē, patrēs cōnscrīptī, incumbite ad
salūtem reī pūblicae, circumspicite omnēs procellās, quae
impendent, nisi prōvidētis. Nōn Ti. Gracchus, quod
iterum tribūnus plēbis fierī voluit, nōn C. Gracchus,
quod agrāriōs concitāre cōnātus est, nōn L. Sāturnīnus, 5
quod C. Memmium occīdit, in discrīmen aliquod atque in
vestrae sevēritātis jūdicium addūcitur; tenentur eī, quī
ad urbis incendium, ad vestram omnium caedem, ad Catilīnam accipiendum Rōmae restitērunt; tenentur littcrae,
signa, manūs, dēnique ūnīus cūjusque cōnfessiō; sollici- 10
tantur Allobrogēs, servitia excitantur, Catilīna arcessitur;
id est initum cōnsilium, ut interfectīs omnibus nēmō nē
ad dēplōrandum quidcm populī Rōmānī nōmen atque
ad lāmentandam tantī imperī calamitātem rclinquātur.
III. 5. Haec omnia indicēs dētulērunt, reī cōnfessī 15
sunt, vōs multīs jam jūdiciīs jūdicāvistis, prīmum quod
mihi grātiās ēgistis singulāribus verbīs et meā virtūte
atque dīligentiā perditōrum hominum conjūrātiōnem
patefactam esse dēcrēvistis, deinde quod P. Lentulum sē
abdicāre praetūrā coēgistis, tum quod eum et cēterōs, dē 20
quibus jūdicāstis, in cūstōdiam dandōs cēnsuistis, maximēque quod meō nōmine supplicātiōnem dēcrēvistis, quī
honōs togātō habitus ante mē est nēminī; postrēmō
hesternō diē praemia lēgātīs Allobrogum Titōque Volturciō dedistis amplissima. Quae sunt omnia ejus modī, ut 25
eī, quī in cūstōdiam nōminātim datī sunt, sine ūllā dubitā-
tiōne ā vōbīs damnātī esse videantur.

What penalty shall be inflicted on the conspirators?

6. Sed ego īnstituī referre ad vōs, patrēs cōnscrīptī,
tamquam integrum, et dē factō quid jūdicētis, et dē poenā

quid cēnseātis. Illa praedīcam, quae sunt cōnsulis. Ego
magnum in rē pūblicā versārī furōrem et nova quaedam
miscērī et concitārī mala jam prīdem vidēbam, sed hanc
tantam, tam exitiōsam habērī conjūrātiōnem ā cīvibus
5 numquam putāvī. Nunc quicquid est, quōcumque vestrae
mentēs inclīnant atque sententiae, statuendum vōbīs ante
noctem est. Quantum facinus ad vōs dēlātum sit, vidētis. Huic sī paucōs putātis affīnēs esse, vehementer
errātis. Lātius opīniōne dissēminātum est hōc malum;
10 mānāvit nōn sōlum per Italiam, vērum etiam trānscendit
Alpēs et obscūrē serpēns multās jam prōvinciās occupā-
vit. Id opprimī sustentandō aut prōlātandō nūllō pactō
potest; quācumque ratiōne placet, celeriter vōbīs vindi-
candum est.

The two alternatives: death and life imprisonment

15 IV. **7.** Videō duās adhūc esse sententiās, ūnam D.
Sīlānī, quī cēnset eōs, quī haec dēlēre cōnātī sunt, morte
esse multandōs, alteram C. Caesaris, quī mortis poenam
removet, cēterōrum suppliciōrum omnīs acerbitātēs amplectitur. Uterque et prō suā dignitāte et prō rērum
20 magnitūdine in summā sevēritāte versātur. Alter eōs,
quī nōs omnīs vītā prīvāre cōnātī sunt, quī dēlēre imperium, quī populī Rōmānī nōmen exstinguere, pūnctum
temporis fruī vītā et hōc commūnī spīritū nōn putat
oportēre atque hōc genus poenae saepe in improbōs cīvīs
25 in hāc rē pūblicā esse ūsūrpātum recordātur.

Objections to Caesar's proposition

Alter intellegit mortem ab dīs immortālibus nōn esse
supplicī causā cōnstitūtam, sed aut necessitātem nātūrae

aut labōrum ac miseriārum quiētem esse. Itaque eam
sapientēs numquam invītī, fortēs saepe etiam libenter
oppetīvērunt. Vincula vērō et ea sempiterna, certē ad
singulārem poenam nefāriī sceleris inventa sunt. Mūnicipiīs dispertīrī jubet. Habēre vidētur ista rēs inī- 5
quitātem, sī imperāre velīs, difficultātem, sī rogāre.
Dēcernātur tamen, sī placet. 8. Ego enim suscipiam
et, ut spērō, reperiam, quī id, quod salūtis omnium causā
statueritis, nōn putent esse suae dignitātis recūsāre.
Adjungit gravem poenam mūnicipiīs, sī quis eōrum 10
vincula rūperit; horribilēs cūstōdiās circumdat et dignās
scelere hominum perditōrum; sancit, nē quis eōrum
poenam, quōs condemnat, aut per senātum aut per populum levāre possit: ēripit etiam spem, quae sōla hominēs
in miseriīs cōnsōlārī solet. Bona praetereā pūblicārī 15
jubet, vītam sōlam relinquit nefāriīs hominibus; quam
sī ēripuisset, multōs ūnā dolōrēs animī atque corporis
et omnīs scelerum poenās adēmisset. Itaque, ut aliqua
iu vītā formīdō improbīs esset posita, apud īnferōs ejus
modī quaedam illī antīquī supplicia impiīs cōnstitūta 20
esse voluērunt, quod vidēlicet intellegēbant, hīs remōtīs,
nōn esse mortem ipsam pertimēscendam.

Caesar's plan the simpler for Cicero

V. 9. Nunc, patrēs cōnscrīptī, ego meā videō quid
intersit. Sī eritis secūtī sententiam C. Caesaris, quoniam
hanc is in rē pūblicā viam, quae populāris habētur, secū- 25
tus est, fortasse minus erunt, hōc auctōre et cognitōre hūjusce sententiae, mihi populārēs impetūs pertimēscendī;
sīn illam alteram, nesciō an amplius mihi negōtī contra-
hātur. Sed tamen meōrum perīculōrum ratiōnēs ūtilitās

reī pūblicae vincat. Habēmus enim ā Caesare, sīcut ipsīus
dignitās et majōrum ejus amplitūdō postulābat, sententiam tamquam obsidem perpetuae in rem pūblicam voluntātis. Intellēctum est, quid interesset inter levitātem
5 cōntiōnātōrum et animum vērē populārem salūtī populī
cōnsulentem.

Significant absence of certain senators

10. Videō dē istīs, quī sē populārēs habērī volunt,
abesse nōn nēminem, nē dē capite vidēlicet cīvium Rōmānōrum sententiam ferat. At is et nudiūs tertius in
10 cūstōdiam cīvēs Rōmānōs dedit et supplicātiōnem mihi
dēcrēvit et indicēs hesternō diē maximīs praemiīs affēcit.
Jam hōc nēminī dubium est, quī reō cūstōdiam, quaesī-
tōrī grātulātiōnem, indicī praemium dēcrērit, quid dē
tōtā rē et causā jūdicārit. At vērō C. Caesar intellegit
15 lēgem Semprōniam esse dē cīvibus Rōmānīs cōnstitūtam;
quī autem reī pūblicae sit hostis, eum cīvem esse nūllō
modō posse; dēnique ipsum lātōrem Semprōniae lēgis
injussū populī poenās reī pūblicae dēpendisse. Īdem
ipsum Lentulum, largītōrem et prōdigum, nōn putat, cum
20 dē perniciē populī Rōmānī, exitiō hūjus urbis tam acerbē,
tam crūdēliter cōgitārit, etiam appellārī posse populārem.
Itaque homō mītissimus atque lēnissimus nōn dubitat
P. Lentulum aeternīs tenebrīs vinculīsque mandāre et
sancit in posterum, nē quis hūjus suppliciō levandō sē
25 jactāre et in perniciē populī Rōmānī posthāc populāris
esse possit. Adjungit etiam pūblicātiōnem bonōrum, ut
omnīs animī cruciātūs et corporis etiam egestās ac mendīcitās cōnsequātur.

JULIUS CAESAR

(The Naples bust)

No penalty can be too severe

VI. **11.** Quam ob rem, sīve hōc statueritis, dederitis
mihi comitem ad cōntiōnem populō cārum atque jūcundum
sīve Sīlānī sententiam sequī mālueritis, facile mē atque
vōs ā crūdēlitātis vituperātiōne populō Rōmānō pūrgābō
atque obtinēbō eam multō lēniōrem fuisse. Quamquam, 5
patrēs cōnscrīptī, quae potest esse in tantī sceleris immānitāte pūniendā crūdēlitās? Ego enim dē meō sēnsū
jūdicō. Nam ita mihi salvā rē pūblicā vōbīscum perfruī
liceat, ut ego — quod in hāc causā vehementior sum —
nōn atrōcitāte animī moveor (quis enim est mē mītior?), 10
sed singulārī quādam hūmānitāte et misericordiā. Videor
enim mihi vidēre hanc urbem, lūcem orbis terrārum atque
arcem omnium gentium, subitō ūnō incendio concidentem;
cernō animō sepultā in patriā miserōs atque īnsepultōs
acervōs cīvium; versātur mihi ante oculōs aspectus Cethēgī 15
et furor in vestrā caede bacchantis. **12.** Cum vērō mihi
prōposuī rēgnantem Lentulum, sīcut ipse sē ex fātīs spē-
rāsse cōnfessus est, purpurātum esse huic Gabīnium, cum
exercitū vēnisse Catilīnam, tum lāmentātiōnem mātrum
familiās, tum fugam virginum atque puerōrum ac vexā- 20
tiōnem Virginum Vestālium perhorrēscō et, quia mihi
vehementer haec videntur misera atque miseranda, idcircō
in eōs, quī ea perficere voluērunt, mē sevērum vehe-
mentemque praebeō. Etenim quaerō, sī quis pater famī-
liās, līberīs suīs ā servō interfectīs, uxōre occīsā, incēnsā 25
domō, supplicium dē servō nōn quam acerbissimum
sūmpserit, utrum is clēmēns ac misericors an inhūmā-
nissimus et crūdēlissimus esse videātur. Mihi vērō importūnus ac ferreus, quī nōn dolōre et cruciātū nocentis
suum dolōrem cruciātumque lēnierit. Sīc nōs in hīs ho- 30

minibus, quī nōs, quī conjugēs, quī līberōs nostrōs trucī-
dāre voluērunt, quī singulās ūnīus cūjusque nostrum
domōs et hōc ūniversum reī pūblicae domicilium dēlēre
cōnātī sunt, quī id ēgērunt, ut gentem Allobrogum in
5 vēstīgiīs hūjus urbis atque in cinere dēflagrātī imperī
collocārent, sī vehementissimī fuerimus, misericordēs
habēbimur; sīn remissiōrēs esse voluerimus, summae
nōbīs crūdēlitātis in patriae cīviumque perniciē fāma
subeunda est. 13. Nisi vērō cuipiam L. Caesar, vir
10 fortissimus et amantissimus reī pūblicae, crūdēlior nudiūs
tertius vīsus est, cum sorōris suae, fēminae lēctissimae,
virum praesentem et audientem vītā prīvandum esse
dīxit, cum avum suum jussū cōnsulis interfectum fīli-
umque ejus impūberem lēgātum ā patre missum in carcere
15 necātum esse dīxit. Quōrum quod simile factum? Quod
initum dēlendae reī pūblicae cōnsilium? Largītiōnis
voluntās tum in rē pūblicā versāta est et partium quaedam contentiō. Atque illō tempore hūjus avus Lentulī,
vir clārissimus, armātus Gracchum est persecūtus. Ille
20 etiam grave tum vulnus accēpit, nē quid dē summā rē
pūblicā dēminuerētur; hīc ad ēvertenda reī pūblicae
fundāmenta Gallōs arcessit, servitia concitat, Catilīnam
vocat, attribuit nōs trucīdandōs Cethēgō et cēterōs cīvīs
interficiendōs Gabīniō, urbem īnflammandam Cassiō, tōtam
25 Italiam vāstandam dīripiendamque Catilīnae. Vereāminī,
cēnseō, nē in hōc scelere tam immānī ac nefandō nimis
aliquid sevērē statuisse videāminī; multō magis est
verendum, nē remissiōne poenae crūdēlēs in patriam
quam nē sevēritāte animadversiōnis nimis vehementēs in
30 acerbissimōs hostīs fuisse videāmur.

All classes united in defence of the state

VII. **14.** Sed ea quae exaudiō, patrēs cōnscrīptī,
dissimulāre nōn possum.   Jaciuntur enim vōcēs, quae
perveniunt ad aurīs meās, eōrum, quī verērī videntur,
ut habeam satis praesidī ad ea, quae vōs statueritis
hodiernō diē, trānsigenda.   Omnia et prōvīsa et parāta 5
et cōnstitūta sunt, patrēs cōnscrīptī, cum meā summā
cūrā atque dīligentiā, tum etiam multō majōre populī
Rōmānī ad summum imperium retinendum et ad com-
mūnēs fortūnās cōnservandās voluntāte.   Omnēs adsunt
omnium ōrdinum hominēs, omnium dēnique aetātum; 10
plēnum est Forum, plēna templa circum Forum, plēnī
omnēs aditūs hūjus templī ac locī.   Causa est enim post
urbem conditam haec inventa sōla, in qua omnēs sentīrent ūnum atque idem praeter eōs, quī, cum sibi vidērent
esse pereundum, cum omnibus potius quam sōlī perīre 15
voluērunt.   **15.** Hōsce ego hominēs excipiō et sēcernō
libenter neque in improbōrum cīvium, sed in acerbis-
simōrum hostium numerō habendōs putō.   Cēterī vērō
(dī immortālēs!) quā frequentiā, quō studiō, quā virtūte
ad commūnem salūtem dignitātemque cōnsentiunt!   Quid 20
ego hīc equitēs Rōmānōs commemorem?   quī vōbīs ita
summam ōrdinis cōnsilīque concēdunt, ut vōbīscum dē
amōre reī pūblicae certent; quōs ex multōrum annōrum
dissēnsiōne hūjus ōrdinis ad societātem concordiamque
revocātōs hodiernus diēs vōbīscum atque haec causa con- 25
jungit.   Quam sī conjūnctiōnem in cōnsulātū cōnfirmā-
tam meō perpetuam in rē pūblicā tenuerimus, cōnfirmō
vōbīs nūllum posthāc malum cīvīle ac domesticum ad
ūllam reī pūblicae partem esse ventūrum.   Parī studiō
dēfendendae reī pūblicae convēnisse videō tribūnōs aerā- 30

riōs, fortissimōs virōs; scrībās item ūniversōs, quōs cum
cāsū hīc diēs ad aerārium frequentāsset, videō ab exspectātiōne sortis ad salūtem commūnem esse conversōs.
16. Omnis ingenuōrum adest multitūdō, etiam tenuis-
5 simōrum. Quis est enim, cui nōn haec templa, aspectus urbis, possessiō lībertātis, lūx dēnique haec ipsa
et commūne patriae solum cum sit cārum, tum vērō
dulce atque jūcundum?

Loyalty of the slaves and freedmen

VIII. Operae pretium est, patrēs cōnscrīptī, lībertī-
10 nōrum hominum studia cognōscere, quī suā virtūte fortūnam hūjus cīvitātis cōnsecūtī vērē hanc suam esse patriam
jūdicant, quam quīdam hīc nātī, et summō nātī locō,
nōn patriam suam, sed urbem hostium esse jūdicā-
vērunt. Sed quid ego hōsce hominēs ōrdinēsque com-
15 memorō, quōs prīvātae fortūnae, quōs commūnis rēs
pūblica, quōs dēnique lībertās, ea quae dulcissima est,
ad salūtem patriae dēfendendam excitāvit? Servus est
nēmō, quī modo tolerābilī condiciōne sit servitūtis, quī
nōn audāciam cīvium perhorrēscat, quī nōn haec stāre
20 cupiat, quī nōn, quantum audet et quantum potest,
cōnferat ad commūnem salūtem, voluntātis. 17. Quārē
sī quem vestrum forte commovet hōc, quod audītum
est, lēnōnem quendam Lentulī concursāre circum ta-
bernās, pretiō spērāre sollicitārī posse animōs egentium
25 atque imperītōrum, est id quidem coeptum atque temptā-
tum, sed nūllī sunt inventī tam aut fortūnā miserī aut
voluntāte perditī, quī nōn illum ipsum sellae atque operis
et quaestūs cottīdiānī locum, quī nōn cubīle ac lectulum
suum, quī dēnique nōn cursum hunc ōtiōsum vītae suae

salvum esse velint. Multō vērō maxima pars eōrum,
quī in tabernīs sunt, immō vērō (id enim potius est
dīcendum) genus hōc ūniversum amantissimum est ōtī.
Etenim omne īnstrūmentum, omnis opera atque quaestus
frequentiā cīvium sustentātur, alitur ōtiō; quōrum sī 5
quaestus occlūsīs tabernīs minuī solet, quid tandem
incēnsīs futūrum fuit?

Responsibility resting on the Senate

18. Quae cum ita sint, patrēs cōnscrīptī, vōbīs populī
Rōmānī praesidia nōn dēsunt; vōs nē populō Rōmānō
deesse videāminī, prōvidēte. IX. Habētis cōnsulem ex 10
plūrimīs perīculīs et īnsidiīs atque ex mediā morte nōn
ad vītam suam, sed ad salūtem vestram reservātum.
Omnēs ordinēs ad cōnservandam rem pūblicam mente,
voluntāte, studiō, virtūte, vōce cōnsentiunt. Obsessa
facibus et tēlīs impiae conjūrātiōnis vōbīs supplex manūs 15
tendit patria commūnis, vōbīs sē, vōbīs vītam omnium
cīvium, vōbīs Arcem et Capitōlium, vōbīs ārās Penātium,
vōbīs illum īgnem Vestae sempiternum, vōbīs omnium
deōrum templa atque dēlūbra, vōbīs mūrōs atque urbis
tēcta commendat. Praetereā dē vestrā vītā, dē conjugum 20
vestrārum atque līberōrum animā, dē fortūnīs omnium,
dē sēdibus, dē focīs vestrīs hodiernō diē vōbīs jūdican-
dum est. **19.** Habētis ducem memorem vestrī, oblītum
suī, quae nōn semper facultās datur; habētis omnīs
ōrdinēs, omnīs hominēs, ūniversum populum Rōmānum, 25
id quod in cīvīlī causā hodiernō diē prīmum vidēmus,
ūnum atque idem sentientem. Cōgitāte, quantīs labōribus fundātum imperium, quantā virtūte stabilītam lībertāt-
tātem, quantā deōrum benignitāte auctās exaggerātāsque

fortūnās ūna nox paene dēlērit. Id nē umquam posthāc
nōn modo cōnficī, sed nē cōgitārī quidem possit ā cīvibus,
hodiernō diē prōvidendum est. Atque haec, nōn ut vōs,
quī mihi studiō paene praecurritis, excitārem, locūtus
5 sum, sed ut mea vōx, quae dēbet esse in rē pūblicā prīnceps, officiō fūncta cōnsulārī vidērētur.

*No fear for the future can make Cicero regret his conduct toward
the conspirators. His claims to glory*

X. 20. Nunc, antequam ad sententiam redeō, dē mē
pauca dīcam. Ego, quanta manus est conjūrātōrum
(quam vidētis esse permagnam), tantam mē inimīcōrum
10 multitūdinem suscēpisse videō; sed eam esse jūdicō
turpem et īnfīrmam et abjectam. Quodsī aliquandō
alicūjus furōre et scelere concitāta manus ista plūs
valuerit quam vestra ac reī pūblicae dignitās, mē tamen
meōrum factōrum atque cōnsiliōrum numquam, patrēs
15 cōnscrīptī, paenitēbit. Etenim mors, quam illī fortasse
minitantur, omnibus est parāta; vītae tantam laudem,
quantā vōs mē vestrīs dēcrētīs honestāstis, nēmō est
assecūtus. Cēterīs enim bene gestā, mihi ūnī cōnservātā
rē pūblicā, grātulātiōnem dēcrēvistis. 21. Sit Scīpiō
20 clārus ille, cūjus cōnsiliō atque virtūte Hannibal in
Āfricam redīre atque Italiā dēcēdere coāctus est; ōrnētur
alter eximiā laude Āfricānus, quī duās urbēs huic imperiō īnfēstissimās, Carthāginem Numantiamque, dēlēvit;
habeātur vir ēgregius Paulus ille, cūjus currum rēx
25 potentissimus quondam et nōbilissimus Persēs hones-
tāvit; sit aeternā glōriā Marius, quī bis Italiam ob-
sidiōne et metū servitūtis līberāvit; antepōnātur omnibus
Pompejus, cūjus rēs gestae atque virtūtēs īsdem, quibus

Scipio Africanus, the Elder

sōlis cursus, regiōnibus ac terminīs continentur; erit profectō inter hōrum laudēs aliquid locī nostrae glōriae, nisi
forte majus est patefacere nōbīs prōvinciās, quō exīre
possīmus, quam cūrāre, ut etiam illī, quī absunt, habeant,
quō victōrēs revertantur. **22.** Quamquam est ūnō locō 5
condiciō melior externae victōriae quam domesticae, quod
hostēs aliēnigenae aut oppressī serviunt aut receptī in
amīcitiam beneficiō sē obligātōs putant; quī autem ex
numerō cīvium dēmentiā aliquā dēprāvātī hostēs patriae
semel esse coepērunt, eōs, cum ā perniciē reī pūblicae 10
reppulerīs, nec vī coërcēre nec beneficiō plācāre possīs.
Quārē mihi cum perditīs cīvibus aeternum bellum susceptum esse videō. Id ego vestrō bonōrumque omnium
auxiliō memoriāque tantōrum perīculōrum, quae nōn
modo in hōc populō, quī servātus est, sed in omnium 15
gentium sermōnibus ac mentibus semper haerēbit, ā mē
atque ā meīs facile prōpulsārī posse cōnfīdō. Neque
ūlla profectō tanta vīs reperiētur, quae conjūnctiōnem
vestram equitumque Rōmānōrum et tantam cōnspīrā-
tiōnem bonōrum omnium cōnfringere et labefactāre 20
possit.

The affectionate remembrance of his services is all he asks as a
reward

XI. **23.** Quae cum ita sint, prō imperiō, prō exercitū,
prō prōvinciā, quam neglēxī, prō triumphō cēterīsque
laudis īnsignibus, quae sunt ā mē propter urbis vestrae-
que salūtis cūstōdiam repudiāta, prō clientēlīs hospitiīsque 25
prōvinciālibus, quae tamen urbānīs opibus nōn minōre
labōre tueor quam comparō, prō hīs igitur omnibus rēbus,
prō meīs in vōs singulāribus studiīs prōque hāc, quam

perspicitis, ad cōnservandam rem pūblicam dīligentiā,
nihil ā vōbīs nisi hūjus temporis tōtīusque meī cōnsulātūs
memoriam postulō; quae dum erit in vestrīs fīxa mentibus, tūtissimō mē mūrō saeptum esse arbitrābor. Quodsī
5 meam spem vīs improbōrum fefellerit atque superāverit,
commendō vōbīs parvum meum fīlium, cui profectō satis
erit praesidī nōn sōlum ad salūtem, vērum etiam ad
dignitātem, sī ejus, quī haec omnia suō sōlīus perīculō
cōnservārit, illum fīlium esse memineritis. **24.** Quā-
10 propter dē summā salūte vestrā populīque Rōmānī, dē
vestrīs conjugibus ac līberīs, dē ārīs ac focīs, dē fānīs
atque templīs, dē tōtīus urbis tēctīs ac sēdibus, dē imperiō ac lībertāte, dē salūte Italiae, dē ūniversā rē pūblicā
dēcernite dīligenter, ut īnstituistis, ac fortiter. Habētis
15 eum cōnsulem, quī et pārēre vestrīs dēcrētīs nōn dubitet
et ea, quae statueritis, quoad vīvet, dēfendere et per sē
ipsum praestāre possit.

VIEW OF THE CARCER TO-DAY

VIEW OF THE TULLIANUM TO-DAY

CROSS SECTION OF CARCER AND TULLIANUM

A. Location of aperture through which criminals were thrust from the
  Carcer into the Tullianum
B. Tullianum
C. Carcer
D. The dotted line indicates the original shape of the lower chamber
  before the Carcer was constructed.

  The conspirators were put to death in the lower chamber.

M. TULLI CICERONIS

DE IMPERIO CN. POMPEI AD QUIRITES ORATIO

Cicero comments on this, his first appearance before the popular assembly

I. 1. Quamquam mihi semper frequēns cōnspectus vester multō jūcundissimus, hīc autem locus ad agendum amplissimus, ad dīcendum ōrnātissimus est vīsus, Quirītēs, tamen hōc aditū laudis, quī semper optimō cuique maximē patuit, nōn mea mē voluntās adhūc, sed vītae 5 meae ratiōnēs ab ineunte aetāte susceptae prohibuērunt. Nam cum anteā per aetātem nōndum hūjus auctōritātem locī attingere audērem statueremque nihil hūc nisi perfectum ingeniō, ēlabōrātum industriā afferrī oportēre, omne meum tempus amīcōrum temporibus trānsmit- 10 tendum putāvī. 2. Ita neque hīc locus vacuus umquam fuit ab eīs, quī vestram causam dēfenderent, et meus labor in prīvātōrum perīculīs castē integrēque versātus ex vestrō jūdiciō frūctum est amplissimum cōnsecūtus. Nam cum propter dīlātiōnem comitiōrum ter praetor 15 prīmus centuriīs cūnctīs renūntiātus sum, facile intellēxī, Quirītēs, et quid dē mē jūdicārētis et quid aliīs praescrīberētis. Nunc cum et auctōritātis in mē tantum sit, quantum vōs honōribus mandandīs esse voluistis, et ad

61

agendum facultātis tantum, quantum hominī vigilantī
ex forēnsī ūsū prope cottīdiāna dīcendī exercitātiō potuit
afferre, certē et, sī quid auctōritātis in mē est, apud
eōs ūtar, quī eam mihi dedērunt, et, sī quid in dīcendō
5 cōnsequī possum, eīs ostendam potissimum, quī eī quoque reī frūctum suō jūdiciō tribuendum esse dūxērunt.
3. Atque illud in prīmīs mihi laetandum jūre esse videō,
quod in hāc īnsolitā mihi ex hōc locō ratiōne dīcendī
causa tālis oblāta est, in quā ōrātiō deesse nēminī possit.
10 Dīcendum est enim dē Cn. Pompeī singulārī eximiāque
virtūte; hūjus autem ōrātiōnis difficilius est exitum quam
prīncipium invenīre. Ita mihi nōn tam cōpia quam
modus in dīcendō quaerendus est.

The crisis in the East

II. **4.** Atque ut inde ōrātiō mea proficīscātur, unde
15 haec omnis causa dūcitur, bellum grave et perīculōsum
vestrīs vectīgālibus ac sociīs ā duōbus potentissimīs
rēgibus īnfertur, Mithridāte et Tigrāne, quōrum alter
relīctus, alter lacessītus occāsiōnem sibi ad occupandam
Asiam oblātam esse arbitrātur. Equitibus Rōmānīs,
20 honestissimīs virīs, afferuntur ex Asiā cottīdiē litterae,
quōrum magnae rēs aguntur in vestrīs vectīgālibus
exercendīs occupātae; quī ad mē prō necessitūdine, quae
mihi est cum illō ōrdine, causam reī pūblicae perīculaque
rērum suārum dētulērunt; **5.** Bīthȳniae, quae nunc
25 vestra prōvincia est, vīcōs exūstōs esse complūrēs, rēgnum Ariobarzānis, quod fīnitimum est vestrīs vectīgālibus, tōtum esse in hostium potestāte; L. Lūcullum
magnīs rēbus gestīs ab eō bellō discēdere; huic quī
successerit, nōn satis esse parātum ad tantum bellum

ASIA CITERIOR

M. TULLI CICERONIS TEMPORE

administrandum; ūnum ab omnibus sociīs et cīvibus ad
id bellum imperātōrem dēposcī atque expetī, eundem
hunc ūnum ab hostibus metuī, praetereā nēminem.

The nature of the war. Roman honor threatened

6. Causa quae sit, vidētis; nunc, quid agendum sit,
cōnsīderāte. Prīmum mihi vidētur dē genere bellī, deinde 5
dē magnitūdine, tum dē imperātōre dēligendō esse
dīcendum. Genus est enim bellī ejus modī, quod
maximē vestrōs animōs excitāre atque īnflammāre ad
persequendī studium dēbeat; in quō agitur populī Rōmānī glōria, quae vōbīs ā majōribus, cum magna in 10
omnibus rēbus, tum summa in rē mīlitārī trādita est;
agitur salūs sociōrum atque amīcōrum, prō quā multa
majōres vestrī magna et gravia bella gessērunt; aguntur certissima populī Rōmānī vectīgālia et maxima,
quibus āmissīs et pācis ōrnāmenta et subsidia bellī 15
requīrētis; aguntur bona multōrum cīvium, quibus est ā
vōbīs et ipsōrum et reī pūblicae causā cōnsulendum.

*Growing insolence of Mithridates. His preparations for a fresh
struggle*

III. **7.** Et quoniam semper appetentēs glōriae praeter
cēterās gentēs atque avidī laudis fuistis, dēlenda est
vōbīs illa macula Mithridāticō bellō superiōre conccpta, 20
quae penitus jam īnsēdit ac nimis inveterāvit in populī
Rōmānī nōmine, quod is, quī ūnō diē tōtā in Asiā tot in
cīvitātibus ūnō nūntiō atque ūnā significātiōne litterārum cīvēs Rōmānōs omnēs necandōs trucīdandōsque
dēnotāvit, nōn modo adhūc poenam nūllam suō dignam 25
scelere suscēpit, sed ab illō tempore annum jam tertium

et vīcēsimum rēgnat, et ita rēgnat, ut sē nōn Pontī
neque Cappadociae latebrīs occultāre velit, sed ēmergere
ex patriō rēgnō atque in vestrīs vectīgālibus, hōc est
in Asiae lūce, versārī. **8.** Etenim adhūc ita nostrī cum
5 illō rēge contendērunt imperātōrēs, ut ab illō īnsignia
victōriae, nōn victōriam reportārent. Triumphāvit L.
Sulla, triumphāvit L. Mūrēna dē Mithridāte, duo fortissimī virī et summī imperātōrēs, sed ita triumphārunt,
ut ille pulsus superātusque rēgnāret. Vērum tamen
10 illīs imperātōribus laus est tribuenda, quod ēgērunt,
venia danda, quod relīquērunt, proptereā quod ab eō
bellō Sullam in Italiam rēs pūblica, Mūrēnam Sulla
revocāvit.

IV. **9.** Mithridātēs autem omne reliquum tempus nōn
15 ad oblīviōnem veteris bellī, sed ad comparātiōnem novī
contulit; quī posteā, cum maximās aedificāsset ōrnāsset-
que classēs exercitūsque permagnōs, quibuscumque ex
gentibus potuisset, comparāsset et sē Bosporānīs, fīniti-
mīs suīs, bellum īnferre simulāret, ūsque in Hispāniam
20 lēgātōs ac litterās mīsit ad eōs ducēs, quibuscum tum
bellum gerēbāmus, ut, cum duōbus in locīs disjūnctissimīs
maximēque dīversīs ūnō cōnsiliō ā bīnīs hostium cōpiīs
bellum terrā marīque gererētur, vōs ancipitī contentiōne
districtī dē imperiō dīmicārētis. **10.** Sed tamen alterius
25 partis perīculum, Sertōriānae atque Hispāniēnsis, quae
multō plūs fīrmāmentī ac rōboris habēbat, Cn. Pompeī
dīvīnō cōnsiliō ac singulārī virtūte dēpulsum est; in alterā
parte ita rēs ā L. Lūcullō, summō virō, est administrāta,
ut initia illa rērum gestārum magna atque praeclāra nōn
30 fēlīcitātī ejus, sed virtūtī, haec autem extrēma, quae nūper accidērunt, nōn culpae, sed fortūnae tribuenda esse

videantur. Sed dē Lūcullō dīcam aliō locō, et ita dīcam,
Quirītēs, ut neque vēra laus eī dētrācta ōrātiōne meā
neque falsa afficta esse videātur. **11.** Dē vestrī imperī
dignitāte atque glōriā, quoniam is est exōrsus ōrātiōnis
meae, vidēte quem vōbīs animum suscipiendum putētis.   5

Some ancient precedents

V. Majōrēs nostrī saepe, mercātōribus aut nāviculāriīs
nostrīs injūriōsius trāctātīs, bella gessērunt; vōs, tot mīli-
bus cīvium Rōmānōrum ūnō nūntiō atque ūnō tempore
necātīs, quō tandem animō esse dēbētis? Lēgātī quod
erant appellātī superbius, Corinthum patrēs vestrī, tōtīus 10
Graeciae lūmen, exstīnctum esse voluērunt; vōs eum rēgem inultum esse patiēminī, quī lēgātum populī Rōmānī
cōnsulārem vinculīs ac verberibus atque omnī suppliciō
excruciātum necāvit? Illī lībertātem imminūtam cīvium
Rōmānōrum nōn tulērunt; vōs ēreptam vītam neglegētis? 15
Jūs lēgātiōnis verbō violātum illī persecūtī sunt; vōs lēgātum omnī suppliciō interfectum relinquētis? **12.** Vidēte. nē, ut illīs pulcherrimum fuit tantam vōbīs imperī
glōriam trādere, sīc vōbīs turpissimum sit id, quod accē-
pistis, tuērī et cōnservāre nōn posse.   20

Roman provincials in danger. They call for Pompey

Quid? Quod salūs sociōrum summum in perīculum
ac discrīmen vocātur, quō tandem animō ferre dēbētis?
Rēgnō est expulsus Ariobarzānēs rēx, socius populī Rōmānī atque amīcus; imminent duo rēgēs tōtī Asiae nōn
sōlum vōbīs inimīcissimī, sed etiam vestrīs sociīs atque 25
amīcīs; cīvitātēs autem omnēs cūnctā Asiā atque Graeciā
vestrum auxilium exspectāre propter perīculī magnitū-

dinem cōguntur; imperātōrem ā vōbīs certum dēposcere,
cum praesertim vōs alium mīserītis, neque audent neque
sē id facere sine summō perīculō posse arbitrantur.
13. Vident et sentiunt hōc idem, quod vōs, ūnum virum
5 esse, in quō summa sint omnia, et eum propter esse, quō
etiam carent aegrius; cūjus adventū ipsō atque nōmine,
tametsī ille ad maritimum bellum vēnerit, tamen impetūs
hostium repressōs esse intellegunt ac retardātōs. Hī vōs,
quoniam līberē loquī nōn licet, tacitē rogant, ut sē quoque
10 sīcut cēterārum prōvinciārum sociōs dignōs exīstimētis,
quōrum salūtem tālī virō commendētis, atque hōc etiam
magis, quod cēterōs in prōvinciam ejus modī hominēs cum
imperiō mittimus, ut, etiamsī ab hoste dēfendant, tamen
ipsōrum adventūs in urbēs sociōrum nōn multum ab hos-
15 tīlī expugnātiōne differant. Hunc audiēbant anteā, nunc
praesentem vident, tantā temperantiā, tantā mānsuē-
tūdine, tantā hūmānitāte, ut eī beātissimī esse videantur,
apud quōs ille diūtissimē commorātur.

Large financial interests at stake

VI. 14. Quārē, sī propter sociōs, nūllā ipsī injūriā
20 lacessītī, majōrēs nostrī cum Antiochō, cum Philippō, cum
Aetōlīs, cum Poenīs bella gessērunt, quantō vōs studiō
convenit injūriīs prōvocātōs sociōrum salūtem ūnā cum
imperī vestrī dignitāte dēfendere, praesertim cum dē
maximīs vestrīs vectīgālibus agātur? Nam cēterārum
25 prōvinciārum vectīgālia, Quirītēs, tanta sunt, ut eīs ad
ipsās prōvinciās tūtandās vix contentī esse possīmus; Asia
vērō tam opīma est ac fertilis, ut et ūbertāte agrōrum et
varietāte frūctuum et magnitūdine pāstiōnis et multitūdine eārum rērum, quae exportentur, facile omnibus terrīs

antecellat. Itaque haec vōbīs prōvincia, Quirītēs, sī et
bellī ūtilitātem et pācis dignitātem retinēre vultis, nōn
modo ā calamitāte, sed etiam ā metū calamitātis est dē-
fendenda. **15.** Nam in cēterīs rēbus cum venit calamitās, tum dētrīmentum accipitur; at in vectīgālibus nōn 5
sōlum adventus malī, sed etiam metus ipse affert calamitātem. Nam cum hostium cōpiae nōn longē absunt,
etiamsī irruptiō nūlla facta est, tamen pecuāria relinqui-
tur, agrī cultūra dēseritur, mercātōrum nāvigātiō conqui-
ēscit. Ita neque ex portū neque ex decumīs neque ex 10
scrīptūrā vectīgal cōnservārī potest; quārē saepe tōtīus
annī frūctus ūnō rūmōre perīculī atque ūnō bellī terrōre
āmittitur. **16.** Quō tandem animō esse exīstimātis aut
eōs, quī vectīgālia nōbīs pēnsitant, aut eōs, quī exercent
atque exigunt, cum duo rēgēs cum maximīs cōpiīs 15
propter adsint, cum ūna excursiō equitātūs perbrevī tempore tōtīus annī vectīgal auferre possit, cum pūblicānī
familiās maximās, quās in saltibus habent, quās in agrīs,
quās in portubus atque cūstōdiīs, magnō perīculō sē
habēre arbitrentur? Putātisne vōs illīs rēbus fruī posse, 20
nisi eōs, quī vōbīs frūctuī sunt, cōnservāritis nōn sōlum,
ut ante dīxī, calamitāte, sed etiam calamitātis formīdine
līberātōs?

Interests of the tax collectors

VII. **17.** Ac nē illud quidem vōbīs neglegendum est,
quod mihi ego extrēmum prōposueram, cum essem dē 25
bellī genere dictūrus, quod ad multōrum bona cīvium Rōmānōrum pertinet; quōrum vōbīs prō vestrā sapientiā,
Quirītēs, habenda est ratiō dīligenter. Nam et pūblicānī,
hominēs honestissimī atque ōrnātissimī, suās ratiōnēs et
cōpiās in illam prōvinciam contulērunt, quōrum ipsōrum 30

per sē rēs et fortūnae vōbīs cūrae esse dēbent. Etenim,
sī vectīgālia nervōs esse reī pūblicae semper dūximus,
eum certē ōrdinem, quī exercet illa, fīrmāmentum cēterōrum ōrdinum rēctē esse dīcēmus. **18.** Deinde ex cēterīs
5 ōrdinibus hominēs gnāvī atque industriī partim ipsī in
Asiā negōtiantur, quibus vōs absentibus cōnsulere dēbētis,
partim eōrum in eā prōvinciā pecūniās magnās collocātās
habent. Est igitur hūmānitātis vestrae magnum numerum eōrum cīvium calamitāte prohibēre, sapientiae vidēre
10 multōrum cīvium calamitātem ā rē pūblicā sējūnctam
esse nōn posse. Etenim prīmum illud parvī rēfert, nōs
pūblicānīs omissīs vectīgālia posteā victōriā recuperāre;
neque enim īsdem redimendī facultās erit propter calamitātem neque aliīs voluntās propter timōrem. **19.** Deinde,
15 quod nōs eadem Asia atque īdem iste Mithridātēs initiō
bellī Asiāticī docuit, id quidem certē calamitāte doctī
memoriā retinēre dēbēmus. Nam tum, cum in Asiā rēs
magnās permultī āmīserant, scīmus Rōmae. solūtiōne
impedītā, fidem concidisse. Nōn enim possunt ūnā in
20 cīvitāte multī rem ac fortūnās āmittere, ut nōn plūrēs
sēcum in eandem trahant calamitātem. Ā quō perīculō
prohibēte rem pūblicam et mihi crēdite, id quod ipsī
vidētis, haec fidēs atque haec ratiō pecūniārum, quae
Rōmae, quae in Forō versātur, implicāta est cum illīs
25 pecūniīs Asiāticīs et cohaeret; ruere illa nōn possunt, ut
haec nōn eōdem labefacta mōtū concidant. Quārē vidēte,
num dubitandum vōbīs sit omnī studiō ad id bellum incumbere, in quō glōria nōminis vestrī, salūs sociōrum,
vectīgālia maxima, fortūnae plūrimōrum cīvium con-
30 jūnctae cum rē pūblicā dēfendantur.

The extent of the war. Achievements of Lucullus

VIII. **20.** Quoniam dē genere bellī dīxī, nunc dē
magnitūdine pauca dīcam. Potest enim hōc dīcī, bellī
genus esse ita necessārium, ut sit gerendum, nōn esse ita
magnum, ut sit pertimēscendum. In quō maximē la-
bōrandum est, nē forte ea vōbīs, quae dīligentissimē 5
prōvidenda sunt, contemnenda esse videantur. Atque
ut omnēs intellegant mē L. Lūcullō tantum impertīre
laudis, quantum fortī virō et sapientī hominī et magnō
imperātōrī dēbeātur, dīcō ejus adventū maximās Mi-
thridātī cōpiās omnibus rēbus ōrnātās atque īnstrūctās 10
fuisse, urbemque Asiae clārissimam nōbīsque amīcissimam Cȳzicēnōrum obsessam esse ab ipsō rēge maximā multitūdine et oppugnātam vehementissimē; quam
L. Lūcullus virtūte, assiduitāte, cōnsiliō summīs obsi-
diōnis perīculīs līberāvit; **21.** ab eōdem imperātōre 15
classem magnam et ōrnātam, quae ducibus Sertōriānīs ad
Italiam studiō īnflammāta raperētur, superātam esse
atque dēpressam; magnās hostium praetereā cōpiās
multīs proeliīs esse dēlētās patefactumque nostrīs legiōnibus esse Pontum, quī anteā populō Rōmānō ex omnī 20
aditū clausus fuisset; Sinōpēn atque Amīsum, quibus in
oppidīs erant domicilia rēgis, omnibus rēbus ōrnātās ac
refertās cēterāsque urbēs Pontī et Cappadociae permultās
ūnō aditū adventūque esse captās; rēgem spoliātum
rēgnō patriō atque avītō ad aliōs sē rēgēs atque ad 25
aliās gentēs supplicem contulisse; atque haec omnia
salvīs populī Rōmānī sociīs atque integrīs vectīgālibus
esse gesta. Satis opīnor haec esse laudis, atque ita,
Quirītēs, ut hōc vōs intellegātis, ā nūllō istōrum, quī
huic obtrectant lēgī atque causae, L. Lūcullum similiter 30
ex hōc locō esse laudātum.

Mithridates's escape.   Roman reverses

IX. 22. Requīrētur fortasse nunc, quem ad modum,
cum haec ita sint, reliquum possit magnum esse bellum.
Cognōscite, Quirītēs; nōn enim hōc sine causā quaerī
vidētur. Prīmum ex suō rēgnō sīc Mithridātēs profūgit,
5 ut ex eōdem Pontō Mēdēa illa quondam profūgisse
dīcitur, quam praedicant in fugā frātris suī membra
in eīs locīs, quā sē parēns persequerētur, dissipāvisse,
ut eōrum collēctiō dispersa maerorque patrius celeritātem persequendī retardāret. Sīc Mithridātēs fugiēns
10 maximam vim aurī atque argentī pulcherrimārumque
rērum omnium, quās et ā majōribus accēperat et ipse
bellō superiōre ex tōtā Asiā dīreptās in suum rēgnum
congesserat, in Pontō omnem relīquit. Haec dum nostrī
colligunt omnia dīligentius, rēx ipse ē manibus effūgit.
15 Ita illum in persequendī studiō maeror, hōs laetitia tar-
dāvit. 23. Hunc in illō timōre et fugā Tigrānēs, rēx
Armenius, excēpit diffīdentemque rēbus suīs cōnfīrmāvit
et afflīctum ērēxit perditumque recreāvit. Cūjus in
rēgnum posteāquam L. Lūcullus cum exercitū vēnit,
20 plūrēs etiam gentēs contrā imperātōrem nostrum con-
citātae sunt. Erat enim metus injectus eīs nātiōnibus,
quās numquam populus Rōmānus neque lacessendās
bellō neque temptandās putāvit; erat etiam alia gravis
atque vehemēns opīniō, quae animōs gentium barbarārum
25 pervāserat, fānī locuplētissimī et religiōsissimī dīripiendī
causā in eās ōrās nostrum esse exercitum adductum. Ita
nātiōnēs multae atque magnae novō quōdam terrōre ac
metū concitābantur. Noster autem exercitus tametsī
urbem ex Tigrānis rēgnō cēperat et proeliīs ūsus erat
30 secundīs, tamen nimiā longinquitāte locōrum ac dēsīderiō

suōrum commovēbātur. **24.** Hīc jam plūra nōn dīcam;
fuit enim illud extrēmum, ut ex eīs locīs ā mīlitibus
nostrīs reditus magis mātūrus quam prōcessiō longior
quaererētur. Mithridātēs autem et suam manum jam
cōnfīrmārat et eōrum, quī sē ex ipsīus rēgnō collēgerant, 5
et magnīs adventīciīs auxiliīs multōrum rēgum et nātiōnum juvābātur. Nam hōc ferē sīc fierī solēre accēpimus, ut rēgum afflīctae fortūnae facile multōrum
opēs alliciant ad misericordiam, maximēque eōrum, quī
aut rēgēs sunt aut vīvunt in rēgnō, ut eīs nōmen rēgāle 10
magnum et sānctum esse videātur. **25.** Itaque tantum
victus efficere potuit, quantum incolumis numquam est
ausus optāre. Nam, cum sē in rēgnum suum recēpisset,
nōn fuit eō contentus, quod eī praeter spem acciderat, ut
illam, posteāquam pulsus erat, terram umquam attingeret, 15
sed in exercitum nostrum clārum atque victōrem impetum
fēcit. Sinite hōc locō, Quirītēs, sīcut poētae solent, quī
rēs Rōmānās scrībunt, praeterīre mē nostram calamitātem,
quae tanta fuit, ut eam ad aurēs imperātōris nōn ex
proeliō nūntius, sed ex sermōne rūmor afferret. **26.** Hīc 20
in illō ipsō malō gravissimāque bellī offēnsiōne L. Lūcullus, quī tamen aliquā ex parte eīs incommodīs medērī
fortasse potuisset, vestrō jussū coāctus, quod imperī diū-
turnitātī modum statuendum vetere exemplō putāvistis,
partem mīlitum, quī jam stippendiīs cōnfectī erant, dīmī- 25
sit, partem M'. Glabriōnī trādidit. Multa praetereō cōnsultō; sed ea vōs conjectūrā perspicite, quantum illud
bellum factum putētis, quod conjungant rēgēs potentis-
simī, renovent agitātae nātiōnēs, suscipiant integrae
gentēs, novus imperātor noster accipiat vetere exercitū 30
pulsō.

Choice of a commander.   Pompey the ideal man

X. 27. Satis mihi multa verba fēcisse videor, quārê
esset hōc bellum genere ipsō necessārium, magnitūdine
perīculōsum; restat, ut dē imperātōre ad id bellum dēligendō ac tantīs rēbus praeficiendō dīcendum esse videātur.
5 Utinam, Quirītēs, virōrum fortium atque innocentium
cōpiam tantam habērētis, ut haec vōbīs dēlīberātiō difficilis esset, quemnam potissimum tantīs rēbus ac tantō
bellō praeficiendum putārētis!   Nunc vērō cum sit ūnus
Cn. Pompejus, quī nōn modo eōrum hominum, quī nunc
10 sunt, glōriam, sed etiam antīquitātis memoriam virtūte
superārit, quae rēs est, quae cūjusquam animum in hāc
causā dubium facere possit?   **28.** Ego enim sīc exīstimō,
in summō imperātōre quattuor hās rēs inesse oportēre,
scientiam reī mīlitāris, virtūtem, auctōritātem, fēlicitātem.

His military skill and experience

15   **Quis** igitur hōc homine scientior umquam aut fuit aut
esse dēbuit?   quī ē lūdō atque pueritiae disciplīnīs, bellō
maximō atque ācerrimīs hostibus, ad patris exercitum
atque in mīlitiae disciplīnam profectus est, quī extrēmā
pueritiā mīles in exercitū fuit summī imperātōris, ineunte
20 adulēscentiā maximī ipse exercitūs imperātor, quī saepius cum hoste cōnflīxit, quam quisquam cum inimīcō
concertāvit, plūra bella gessit quam cēterī lēgērunt, plūrēs
prōvinciās cōnfēcit quam aliī concupīvērunt, cūjus adulēscentia ad scientiam reī mīlitāris nōn aliēnīs praeceptīs,
25 sed suīs imperiīs, nōn offēnsiōnibus bellī, sed victōriīs,
nōn stippendiīs, sed triumphīs est ērudīta.   Quod dēnique
genus esse bellī potest, in quō illum nōn exercuerit fortūna reī pūblicae?   Cīvīle, Āfricānum, Trānsalpīnum,

POMPEY

Hispāniēnse mixtum ex cīvitātibus atque ex bellicōsis-
simīs nātiōnibus, servīle, nāvāle bellum, varia et dīversa
genera et bellōrum et hostium, nōn sōlum gesta ab hōc
ūnō, sed etiam cōnfecta, nūllam rem esse dēclārant in ūsū
positam mīlitārī, quae hūjus virī scientiam fugere possit. 5

His energy

XI. **29.** Jam vērō virtūtī Cn. Pompeī quae potest
ōrātiō pār invenīrī? Quid est, quod quisquam aut illō
dignum aut vōbīs novum aut cuiquam inaudītum possit
afferre? Neque enim illae sunt sōlae virtūtēs imperā-
tōriae, quae vulgō cxīstimantur, labor in negōtiīs, fortitūdō 10
in perīculīs, industria in agendō, celeritās in cōnficiendō,
cōnsilium in prōvidendō, quae tanta sunt in hōc ūnō,
quanta in omnibus reliquīs imperātōribus, quōs aut vīdimus aut audīvimus, nōn fuērunt. **30.** Testis est Italia,
quam ille ipse victor L. Sulla hūjus virtūte et sub-15
sidiō cōnfessus est līberātam; testis est Sicilia, quam
multīs undique cīnctam perīculīs nōn terrōre bellī, sed
cōnsilī celeritāte explicāvit; testis est Āfrica, quae magnīs oppressa hostium cōpiīs eōrum ipsōrum sanguine
redundāvit; testis est Gallia, per quam legiōnibus nos-20
trīs iter in Hispāniam Gallōrum internecōne patefactum est; testis est Hispānia, quae saepissimē plūrimōs
hostēs ab hōc superātōs prōstrātōsque cōnspexit; testis
est iterum et saepius Italia, quae cum servīlī bellō
taetrō perīculōsōque premerētur, ab hōc auxilium ab-25
sente expetīvit, quod bellum exspectātiōne ejus atte-
nuātum atque imminūtum est, adventū sublātum ac
sepultum.

His conduct of the war against the pirates

31. Testēs nunc vērō jam omnēs sunt ōrae atque omnēs
exterae gentēs ac nātiōnēs, dēnique maria omnia cum ūni-
versa, tum in singulīs ōrīs omnēs sinūs atque portūs. Quis
enim tōtō marī locus per hōs annōs aut tam firmum habuit
5 praesidium, ut tūtus esset, aut tam fuit abditus, ut latēret?
Quis nāvigāvit, quī nōn sē aut mortis aut servitūtis perīculō committeret, cum aut hieme aut refertō praedōnum
marī nāvigāret? Hōc tantum bellum, tam turpe, tam
vetus, tam lātē dīvīsum atque dispersum quis umquam
10 arbitrārētur aut ab omnibus imperātōribus ūnō annō
aut omnibus annīs ab ūnō imperātōre cōnficī posse?
32. Quam prōvinciam tenuistis ā praedōnibus līberam
per hōsce annōs? Quod vectīgal vōbīs tūtum fuit?
Quem socium dēfendistis? Cui praesidiō classibus ves-
15 trīs fuistis? Quam multās exīstimātis īnsulās esse dēser-
tās, quam multās aut metū relīctās aut ā praedōnibus
captās urbēs esse sociōrum?

XII. Sed quid ego longinqua commemorō? Fuit hōc
quondam, fuit proprium populī Rōmānī, longē ā domō
20 bellāre et prōpugnāculīs imperī sociōrum fortūnās, nōn
sua tēcta dēfendere. Sociīs ego nostrīs mare per hōs
annōs clausum fuisse dīcam, cum exercitūs vestrī numquam ā Brundisiō nisi hieme summā trānsmīserint? Quī
ad vōs ab exterīs nātiōnibus venīrent, captōs querar, cum
25 lēgātī populī Rōmānī redēmptī sint? Mercātōribus tūtum
mare nōn fuisse dīcam, cum duodecim secūrēs in praedōnum potestātem pervēnerint? **33.** Cnidum aut Colo-
phōnem aut Samum, nōbilissimās urbēs, innumerābilēsque
aliās captās esse commemorem, cum vestrōs portūs atque
30 eōs portūs, quibus vītam ac spīritum dūcitis, in praedōnum

fuisse potestāte sciātis? An vērō ignōrātis portum Cā-
jētae celeberrimum ac plēnissimum nāvium īnspectante
praetōre ā praedōnibus esse dīreptum, ex Mīsēnō autem
ejus ipsius līberōs, quī cum praedōnibus anteā ibi
bellum gesserat, ā praedōnibus esse sublātōs? Nam 5
quid ego Ōstiēnse incommodum atque illam lābem
atque ignōminiam reī pūblicae querar, cum prope īn-
spectantibus vōbīs classis ea, cui cōnsul populī Rōmānī
praepositus esset, ā praedōnibus capta atque oppressa est?
Prō dī immortālēs! Tantamne ūnīus hominis incrēdibilis 10
ac dīvīna virtūs tam brevī tempore lūcem afferre reī pūblicae potuit, ut vōs, quī modo ante ōstium Tiberīnum
classem hostium vidēbātis, eī nunc nūllam intrā Ōceanī
ōstium praedōnum nāvem esse audiātis? 34. Atque
haec quā celeritāte gesta sint, quamquam vidētis, tamen 15
ā mē in dīcendō praetereunda nōn sunt. Quis enim umquam aut obeundī negōtī aut cōnsequendī quaestūs studiō
tam brevī tempore tot loca adīre, tantōs cursūs cōnficere
potuit, quam celeriter, Cn. Pompejō duce, tantī bellī impetus nāvigāvit? Quī, nōndum tempestīvō ad nāvigan- 20
dum marī, Siciliam adiit, Āfricam explōrāvit, in Sardiniam
cum classe vēnit atque haec tria frūmentāria subsidia
reī pūblicae firmissimīs praesidiīs classibusque mūnīvit.
35. Inde cum sē in Italiam recēpisset, duābus Hispāniīs
et Galliā Trānsalpīnā praesidiīs ac nāvibus cōnfirmātā, 25
missīs item in ōram Īllyricī maris et in Achāiam omnemque Graeciam nāvibus, Italiae duo maria maximīs classibus firmissimīsque praesidiīs adōrnāvit; ipse autem ut
Brundisiō profectus est, ūndēquīnquāgēsimō diē tōtam
ad imperium populī Rōmānī Ciliciam adjūnxit; omnēs. 30
quī ubīque praedōnēs fuērunt, partim captī interfectīque

sunt, partim ūnīus hūjus sē imperiō ac potestātī dēdidērunt. Īdem Crētēnsibus, cum ad eum ūsque in Pamphȳ-
liam lēgātōs dēprecātōrēsque mīsissent, spem dēditiōnis
nōn adēmit obsidēsque imperāvit. Ita tantum bellum,
5 tam diūturnum, tam longē lātēque dispersum, quō bellō
omnēs gentēs ac nātiōnēs premēbantur, Cn. Pompejus
extrēmā hieme apparāvit, ineunte vēre suscēpit, mediā
aestāte cōnfēcit.

His other qualities — Contrast with other commanders

XIII. **36.** Est haec dīvīna atque incrēdibilis virtūs
10 imperātōris. Quid? Cēterae, quās paulō ante commemorāre coeperam, quantae atque quam multae sunt! Nōn
enim bellandī virtūs sōlum in summō ac perfectō imperātōre quaerenda est, sed multae sunt artēs eximiae hūjus
administrae comitēsque virtūtis. Ac prīmum quantā
15 innocentiā dēbent esse imperātōrēs, quantā deinde in
omnibus rēbus temperantiā, quantā fidē, quantā facilitāte, quantō ingeniō, quantā hūmānitāte! Quae breviter
quālia sint in Cn. Pompejō, cōnsīderēmus. Summa enim
omnia sunt, Quirītēs, sed ea magis ex aliōrum contenti-
20 ōne quam ipsa per sēsē cognōscī atque intellegī possunt.
37. Quem enim imperātōrem possumus ūllō in numerō
putāre, cūjus in exercitū centuriātūs vēneant atque vēni-
erint? Quid hunc hominem magnum aut amplum dē rē
nūblicā cōgitāre, quī pecūniam ex aerāriō dēprōmptam
25 ad bellum administrandum aut propter cupiditātem prōvinciae magistrātibus dīvīserit aut propter avāritiam
Rōmae in quaestū relīquerit? Vestra admurmurātiō
facit, Quirītēs, ut agnōscere videāminī, quī haec fēcerint;
ego autem nōminō nēminem; quārē īrāscī mihi nēmō

poterit, nisi quī ante dē sē voluerit cōnfitērī. Itaque
propter hanc avāritiam imperātōrum quantās calamitātēs, quōcumque ventum sit, nostrī exercitūs ferant,
quis ignōrat? 38. Itinera quae per hōsce annōs in
Italiā per agrōs atque oppida cīvium Rōmānōrum nostrī 5
imperātōrēs fēcerint, recordāminī; tum facilius statuētis,
quid apud exterās nātiōnēs fierī exīstimētis. Utrum
plūrēs arbitrāminī per hōsce annōs mīlitum vestrōrum
armīs hostium urbēs an hībernīs sociōrum cīvitātēs esse
dēlētās? Neque enim potest exercitum is continēre 10
imperātor, quī sē ipse nōn continet, neque sevērus
esse in jūdicandō, quī aliōs in sē sevērōs esse jūdicēs nōn
vult.

His incorruptibility and self-restraint

39. Hīc mīrāmur hunc hominem tantum excellere
cēterīs, cūjus legiōnēs sīc in Asiam pervēnerint, ut nōn 15
modo manus tantī exercitūs, sed nē vēstīgium quidem
cuiquam pācātō nocuisse dīcātur? Jam vērō quem ad
modum mīlitēs hībernent, cottīdiē sermōnēs ac litterae
perferuntur; nōn modo ut sūmptum faciat in mīlitem,
nēminī vīs affertur, sed nē cupientī quidem cuiquam per- 20
mittitur. Hiemis enim, nōn avāritiae perfugium majōrēs
nostrī in sociōrum atque amīcōrum tēctīs esse voluērunt.
XIV. 40. Age vērō, cēterīs in rēbus quā sit temperantiā,
cōnsīderāte. Unde illam tantam celeritātem et tam incrēdibilem cursum inventum putātis? Nōn enim illum 25
eximia vīs rēmigum aut ars inaudīta quaedam guber-
nandī aut ventī aliquī novī tam celeriter in ultimās
terrās pertulērunt, sed eae rēs, quae cēterōs remorārī
solent, nōn retardārunt: nōn avāritia ab īnstitūtō cursū

ad praedam aliquam dēvocāvit, nōn libīdō ad voluptātem,
nōn amoenitās ad dēlectātiōnem, nōn nōbilitās urbis ad
cognitiōnem, nōn dēnique labor ipse ad quiētem ; postrēmō
signa et tabulās cēteraque ōrnāmenta Graecōrum oppidō-
5 rum, quae cēterī tollenda esse arbitrantur, ea sibi ille nē
vīsenda quidem exīstimāvit. **41.** Itaque omnēs nunc
in eīs locīs Cn. Pompejum sīcut aliquem nōn ex hāc urbe
missum, sed dē caelō dēlāpsum intuentur ; nunc dēnique
incipiunt crēdere fuisse hominēs Rōmānōs hāc quondam
10 continentiā, quod jam nātiōnibus exterīs incrēdibile ac
falsō memoriae prōditum vidēbātur ; nunc imperī vestrī
splendor illīs gentibus lūcem afferre coepit ; nunc intellegunt nōn sine causā majōrēs suōs tum, cum eā temperantiā
magistrātūs habēbāmus, servīre populō Rōmānō quam
15 imperāre aliīs māluisse. Jam vērō ita facilēs aditūs ad
eum prīvātōrum, ita līberae querimōniae dē aliōrum injūriīs esse dīcuntur, ut is, quī dignitāte prīncipibus excellit,
facilitāte īnfimīs pār esse videātur.

His discretion, dignity, and honor

42. Jam quantum cōnsiliō, quantum dīcendī gravitāte
20 et cōpiā valeat (in quō ipsō inest quaedam dignitās impe-
rātōria), vōs, Quirītēs, hōc ipsō ex locō saepe cognōvistis.
Fidem vērō ejus quantam inter sociōs exīstimārī putātis,
quam hostēs omnēs omnium generum sānctissimam jūdi-
cārint ? Hūmānitāte jam tantā est, ut difficile dictū sit,
25 utrum hostēs magis virtūtem ejus pugnantēs timuerint
an mānsuētūdinem victī dīlēxerint. Et quisquam dubitābit, quīn huic hōc tantum bellum trānsmittendum sit, quī
ad omnia nostrae memoriae bella cōnficienda dīvīnō quōdam cōnsiliō nātus esse videātur ?

His popularity

XV. **43**. Et quoniam auctōritās quoque in bellīs
administrandīs multum atque in imperiō mīlitārī valet,
certē nēminī dubium est, quīn eā rē īdem ille imperātor
plūrimum possit. Vehementer autem pertinēre ad bella
administranda, quid hostēs, quid sociī dē imperātōribus 5
nostrīs exīstiment, quis ignōrat, cum sciāmus hominēs, in
tantīs rēbus ut aut contemnant aut metuant aut ōderint
aut ament, opīniōne nōn minus et fāmā quam aliquā
ratiōne certā commovērī? Quod igitur nōmen umquam
in orbe terrārum clārius fuit? Cūjus rēs gestae parēs? 10
Dē quō homine vōs, id quod maximē facit auctōritātem,
tanta et tam praeclāra jūdicia fēcistis? **44**. An vērō
ūllam ūsquam esse ōram tam dēsertam putātis, quō
nōn illīus diēī fāma pervāserit, cum ūniversus populus
Rōmānus refertō Forō complētīsque omnibus templīs, ex 15
quibus hīc locus cōnspicī potest, ūnum sibi ad commūne
omnium gentium bellum Cn. Pompejum imperātōrem
dēpoposcit? Itaque, ut plūra nōn dīcam neque aliōrum
exemplīs cōnfīrmem, quantum auctōritās valeat in bellō,
ab eōdem Cn. Pompejō omnium rērum ēgregiārum exempla 20
sūmantur; quī quō diē ā vōbīs maritimō bellō praepositus
est imperātor, tanta repente vīlitās annōnae ex summā
inopiā et cāritāte reī frūmentāriae cōnsecūta est ūnīus
hominis spē ac nōmine, quantam vix ex summā ūbertāte
agrōrum diūturna pāx efficere potuisset. **45**. Jam ac- 25
ceptā in Pontō calamitāte ex eō proeliō, dē quō vōs paulō
ante invītus admonuī, cum sociī pertimuissent, hostium
opēs animīque crēvissent, satis fīrmum praesidium prōvincia nōn habēret, āmīsissētis Asiam, Quirītēs, nisi ad
ipsum discrīmen ejus temporis dīvīnitus Cn. Pompejum 30

ad eās regiōnēs fortūna populī Rōmānī attulisset. Hūjus
adventus et Mithridātem īnsolitā īnflammātum victōriā
continuit et Tigrānem magnīs cōpiīs minitantem Asiae
retardāvit. Et quisquam dubitābit, quid virtūte perfec-
5 tūrus sit, quī tantum auctōritāte perfēcerit, aut quam
facile imperiō atque exercitū sociōs et vectīgālia cōn-
servātūrus sit, quī ipsō nōmine ac rūmōre dēfenderit?
XVI. **46**. Age vērō illa rēs quantam dēclārat ejusdem
hominis apud hostēs populī Rōmānī auctōritātem, quod
10 ex locīs tam longinquīs tamque dīversīs tam brevī tempore omnēs huic sē ūnī dēdidērunt! Quod Crētēnsium
lēgātī, cum in eōrum īnsulā noster imperātor exercitusque
esset, ad Cn. Pompejum in ultimās prope terrās vēnērunt
eīque sē omnēs Crētēnsium cīvitātēs dēdere velle dīxērunt!
15 Quid? Īdem iste Mithridātēs nōnne ad eundem Cn.
Pompejum lēgātum ūsque in Hispāniam mīsit? Eum,
quem Pompejus lēgātum semper jūdicāvit, eī, quibus
erat molestum ad eum potissimum esse missum, speculā-
tōrem quam lēgātum jūdicārī māluērunt. Potestis igitur
20 jam cōnstituere, Quirītēs, hanc auctōritātem multīs
posteā rēbus gestīs magnīsque vestrīs jūdiciīs ampli-
ficātam quantum apud illōs rēgēs, quantum apud exterās
nātiōnēs valitūram esse exīstimētis.

Pompey's lucky star

47. Reliquum est, ut dē fēlīcitāte, quam praestāre dē
25 sē ipsō nēmō potest, meminisse et commemorāre dē alterō
possumus, sīcut aequum est hominēs dē potestāte deōrum,
timidē et pauca dīcāmus. Ego enim sīc exīstimō, Maximō,
Mārcellō, Scīpiōnī, Mariō et cēterīs magnīs imperātōribus
nōn sōlum propter virtūtem, sed etiam propter fortūnam

saepius imperia mandāta atque exercitūs esse commissōs.
Fuit enim profectō quibusdam summīs virīs quaedam ad
amplitūdinem et ad glōriam et ad rēs magnās bene geren-
dās dīvīnitus adjūncta fortūna. Dē hūjus autem hominis
fēlīcitāte, dē quō nunc agimus, hāc ūtar moderātiōne 5
dīcendī, nōn ut in illīus potestāte fortūnam positam esse
dīcam, sed ut praeterita meminisse, reliqua spērāre videāmur, nē aut invīsa dīs immortālibus ōrātiō nostra aut
ingrāta esse videātur. 48. Itaque nōn sum praedicātū-
rus, quantās ille rēs domī militiae, terrā marīque quan- 10
tāque fēlīcitāte gesserit; ut ejus semper voluntātibus nōn
modo cīvēs assēnserint, sociī obtemperārint, hostēs oboe-
dierint, sed etiam ventī tempestātēsque obsecundārint;
hōc brevissimē dīcam, nēminem umquam tam impudentem
fuisse, quī ab dīs immortālibus tot et tantās rēs tacitus 15
audēret optāre, quot et quantās dī immortālēs ad Cn.
Pompejum dētulērunt. Quod ut illī proprium ac perpetuum sit, Quirītēs, cum commūnis salūtis atque imperī,
tum ipsīus hominis causā, sīcutī facitis, velle et optāre
dēbētis. 20

All considerations dictate Pompey's appointment

49. Quārē cum et bellum sit ita necessārium, ut ne-
glegī nōn possit, ita magnum, ut accūrātissimē sit administrandum, et cum eī imperātōrem praeficere possītis, in
quō sit eximia bellī scientia, singulāris virtūs, clārissima
auctōritās, ēgregia fortūna, dubitātis, Quirītēs, quīn hōc 25
tantum bonī, quod vōbīs ab dīs immortālibus oblātum et
datum est, in rem pūblicam cōnservandam atque amplifi-
candam cōnferātis? XVII. 50. Quodsī Rōmae Cn.
Pompejus prīvātus esset hōc tempore, tamen ad tantum

bellum is erat dēligendus atque mittendus; nunc cum ad
cēterās summās ūtilitātēs haec quoque opportūnitās ad-
jungātur, ut in eīs ipsīs locīs adsit, ut habeat exercitum,
ut ab eīs, quī habent, accipere statim possit, quid exspec-
5 tāmus? Aut cūr nōn, ducibus dīs immortālibus, eīdem,
cui cētera summā cum salūte reī pūblicae commissa sunt,
hōc quoque bellum rēgium committāmus?

Consideration of objections urged by Hortensius

51. At enim vir clārissimus, amantissimus reī pūblicae,
vestrīs beneficiīs amplissimīs affectus, Q. Catulus, itemque
10 summīs ōrnāmentīs honōris, fortūnae, virtūtis, ingenī
praeditus, Q. Hortēnsius, ab hāc ratiōne dissentiunt.
Quōrum ego auctōritātem apud vōs multīs locīs plūrimum
valuisse et valēre oportēre cōnfiteor; sed in hāc causā,
tametsī cognōscētis auctōritātēs contrāriās virōrum fortis-
15 simōrum et clārissimōrum, tamen, omissīs auctōritātibus,
ipsā rē ac ratiōne exquīrere possumus vēritātem, atque
hōc facilius, quod ea omnia, quae ā mē adhūc dicta sunt,
īdem istī vēra esse concēdunt, et necessārium bellum esse
et magnum et in ūnō Cn. Pompejō summa esse omnia.
20 **52**. Quid igitur ait Hortēnsius? Sī ūnī omnia tribuenda
sint, dignissimum esse Pompejum, sed ad ūnum tamen
omnia dēferrī nōn oportēre.

Hortensius's apprehensions in a similar case have already been
proved groundless

Obsolēvit jam ista ōrātiō rē multō magis quam verbīs
refūtāta. Nam tū īdem, Q. Hortēnsī, multa prō tuā
25 summā cōpiā ac singulārī facultāte dīcendī et in senātū
contrā virum fortem, A. Gabīnium, graviter ōrnātēque

FRONT VIEW OF HALF THE ROSTRA

A. Railing
B. Beaks (*Rostra*) suspended as trophies

dīxistī, cum is dē ūnō imperātōre contrā praedōnēs cōn-
stituendō lēgem prōmulgāsset, et ex hōc ipsō locō permulta item contrā eam lēgem verba fēcistī. **53.** Quid?
Tum, per deōs immortālēs, sī plūs apud populum Rōmānum auctōritās tua quam ipsīus populī Rōmānī salūs et 5
vēra causa valuisset, hodiē hanc glōriam atque hōc orbis
terrae imperium tenērēmus? An tibi tum imperium hōc
esse vidēbātur, cum populī Rōmānī lēgātī, quaestōrēs
praetōrēsque capiēbantur, cum ex omnibus prōvinciīs
commeātū et prīvātō et pūblicō prohibēbāmur, cum ita 10
clausa nōbīs erant maria omnia, ut neque prīvātam rem
trānsmarīnam neque pūblicam jam obīre possēmus?
XVIII. **54.** Quae cīvitās anteā umquam fuit, — nōn
dīcō Athēniēnsium, quae satis lātē quondam mare tenuisse
dīcitur, nōn Carthāginiēnsium, quī permultum classe ac 15
maritimīs rēbus valuērunt, nōn Rhodiōrum, quōrum ūsque
ad nostram memoriam disciplīna nāvālis et glōria remānsit, — quae cīvitās, inquam, anteā tam tenuis, quae tam
parva īnsula fuit, quae nōn portūs suōs et agrōs et aliquam partem regiōnis atque ōrae maritimae per sē ipsa 20
dēfenderet? At herculē aliquot annōs continuōs ante
lēgem Gabīniam ille populus Rōmānus, cūjus ūsque ad
nostram memoriam nōmen invictum in nāvālibus pugnīs
permānserit, magnā ac multō maximā parte nōn modo
ūtilitātis, sed dignitātis atque imperī caruit; **55.** nōs, 25
quōrum majōrēs Antiochum rēgem classe Persemque
superārunt omnibusque nāvālibus pugnīs Carthāginiēnsīs,
hominēs in maritimīs rēbus exercitātissimōs parātissi-
mōsque, vīcērunt, eī nūllō in locō jam praedōnibus parēs
esse poterāmus; nōs, quī anteā nōn modo Italiam tūtam 30
habēbāmus, sed omnēs sociōs in ultimīs ōrīs auctōritāte

nostrī imperī salvōs praestāre poterāmus, tum, cum īnsula
Dēlos tam procul ā nōbīs in Aegaeō marī posita, quō
omnēs undique cum mercibus atque oneribus commeābant,
referta dīvitiīs, parva, sine mūrō nihil timēbat, īdem nōn
5 modo prōvinciīs atque ōrīs Italiae maritimīs ac portubus
nostrīs, sed etiam Appiā jam Viā carēbāmus; et eīs temporibus nōn pudēbat magistrātūs populī Rōmānī in hunc
ipsum locum ēscendere, cum eum nōbīs majōrēs nostrī
exuviīs nauticīs et classium spoliīs ōrnātum relīquissent!
10 XIX. **56.** Bonō tē animō tum, Q. Hortēnsī, populus Rōmānus et cēterōs, quī erant in eādem sententiā, dīcere
exīstimāvit ea, quae sentiēbātis; sed tamen in salūte
commūnī īdem populus Rōmānus dolōrī suō māluit quam
auctōritātī vestrae obtemperāre. Itaque ūna lēx, ūnus
15 vir, ūnus annus nōn modo nōs illā miseriā ac turpitūdine
līberāvit, sed etiam effēcit, ut aliquandō vērē vidērēmur
omnibus gentibus ac nātiōnibus terrā marīque imperāre.
57. Quō mihi etiam indignius vidētur obtrectātum esse
adhūc (Gabīniō dīcam anne Pompejō an utrīque, id quod
20 est vērius?), nē lēgārētur A. Gabīnius Cn. Pompejō ex-
petentī ac postulantī. Utrum ille, quī postulat ad tantum
bellum lēgātum, quem velit, idōneus nōn est, quī impetret,
cum cēterī ad expīlandōs sociōs dīripiendāsque prōvinciās,
quōs voluērunt, lēgātōs ēdūxerint, an ipse, cūjus lēge
25 salūs ac dignitās populō Rōmānō atque omnibus gentibus
cōnstitūta est, expers esse dēbet glōriae ejus imperātōris
atque ejus exercitūs, quī cōnsiliō ipsīus ac perīculō est
cōnstitūtus? **58.** An C. Falcidius, Q. Metellus, Q. Caelius Latīniēnsis, Cn. Lentulus, quōs omnēs honōris causā
30 nōminō, cum tribūnī plēbī fuissent, annō proximō lēgātī
esse potuērunt? In ūnō Gabīniō sunt tam dīligentēs, quī

in hōc bellō, quod lēge Gabīniā geritur, in hōc imperātōre
atque exercitū, quem per vōs ipse cōnstituit, etiam prae-
cipuō jūre esse dēbēret? Dē quō lēgandō cōnsulēs spērō
ad senātum relātūrōs. Quī sī dubitābunt aut gravābuntur,
ego mē profiteor relātūrum; neque mē impediet cūjus- 5
quam inimīcum ēdictum, quō minus vōbīs frētus vestrum
jūs beneficiumque dēfendam, neque praeter intercessiōnem
quicquam audiam, dē quā, ut arbitror, istī ipsī, quī minantur, etiam atque etiam, quid liceat, cōnsīderābunt. Meā
quidem sententiā, Quirītēs, ūnus A. Gabīnius bellī mari- 10
timī rērumque gestārum Cn. Pompejō socius ascrībitur,
proptereā quod alter ūnī illud bellum suscipiendum vestrīs
suffrāgiīs dētulit, alter dēlātum susceptumque cōnfēcit.

Catulus's objections: alleged violation of precedent

XX. **59.** Reliquum est, ut dē Q. Catulī auctōritāte et
sententiā dīcendum esse videātur. Quī cum ex vōbīs 15
quaereret, sī in ūnō Cn. Pompejō omnia pōnerētis, sī
quid eō factum esset, in quō spem essētis habitūrī, cēpit
magnum suae virtūtis frūctum ac dignitātis, cum omnēs
ūnā prope vōce in eō ipsō vōs spem habitūrōs esse dīxistis.
Etenim tālis est vir, ut nūlla rēs tanta sit ac tam difficilis, 20
quam ille nōn et cōnsiliō regere et integritāte tuērī et
virtūte cōnficere possit. Sed in hōc ipsō ab eō vehementissimē dissentiō, quod, quō minus certa est hominum ac
minus diūturna vīta, hōc magis rēs pūblica, dum per deōs
immortālēs licet, fruī dēbet summī virī vītā atque virtūte. 25
60. At enim, 'nē quid novī fīat contrā exempla atque īnstitūta majōrum.' Nōn dīcam hōc locō majōrēs nostrōs
semper in pāce cōnsuētūdinī, in bellō ūtilitātī pāruisse,
semper ad novōs cāsūs temporum novōrum cōnsiliōrum

ratiōnēs accommodāsse; nōn dīcam duo bella maxima,
Pūnicum atque Hispāniēnse, ab ūnō imperātōre esse cōnfecta duāsque urbēs potentissimās, quae huic imperiō
maximē minitābantur, Karthāginem atque Numantiam,
5 ab eōdem Scīpiōne esse dēlētās; nōn commemorābō
nūper ita vōbīs patribusque vestrīs esse vīsum, ut in ūnō
C. Mariō spēs imperī pōnerētur, ut īdem cum Jugurthā,
īdem cum Cimbrīs, īdem cum Teutonīs bellum adminis-
trāret. 61. In ipsō Cn. Pompejō, in quō novī cōnstituī
10 nihil vult Q. Catulus, quam multa sint nova summā
Q. Catulī voluntāte cōnstitūta, recordāminī.

XXI. Quid tam novum quam adulēscentulum prīvātum exercitum difficilī reī pūblicae tempore cōnficere?
Cōnfēcit. Huic praeesse? Praefuit. Rem optimē ductū suō
15 gerere? Gessit. Quid tam praeter cōnsuētūdinem quam
hominī peradulēscentī, cūjus aetās ā senātōriō gradū longē
abesset, imperium atque exercitum darī, Siciliam permittī
atque Āfricam bellumque in eā prōvinciā administrandum? Fuit in hīs prōvinciīs singulārī innocentiā,
20 gravitāte, virtūte; bellum in Āfricā maximum cōnfēcit,
victōrem exercitum dēportāvit. Quid vērō tam inaudītum quam equitem Rōmānum triumphāre? At eam
quoque rem populus Rōmānus nōn modo vīdit, sed
omnium etiam studiō vīsendam et concelebrandam putā-
25 vit. 62. Quid tam inūsitātum, quam ut, cum duo cōnsulēs clārissimī fortissimīque essent, eques Rōmānus ad
bellum maximum formīdolōsissimumque prō cōnsule
mitterētur? Missus est. Quō quidem tempore cum
esset nōn nēmō in senātū, quī dīceret nōn oportēre mittī
30 hominem prīvātum prō cōnsule, L. Philippus dīxisse
dīcitur nōn sē illum suā sententiā prō cōnsule, sed prō

VIEW OF CARTHAGE

cōnsulibus mittere. Tanta in eō reī pūblicae bene gerendae spēs cōnstituēbātur, ut duōrum cōnsulum mūnus
ūnīus adulēscentis virtūtī committerētur. Quid tam
singulāre, quam ut ex senātūs cōnsultō lēgibus solūtus
cōnsul ante fieret, quam ūllum alium magistrātum per 5
lēgēs capere licuisset? Quid tam incrēdibile, quam ut
iterum eques Rōmānus ex senātūs cōnsultō triumphāret?
Quae in omnibus hominibus nova post hominum memoriam cōnstitūta sunt, ea tam multa nōn sunt quam haec,
quae in hōc ūnō homine vidēmus. 63. Atque haec tot 10
exempla tanta ac tam nova profecta sunt in eundem
hominem ā Q. Catulī atque ā cēterōrum ejusdem dignitātis amplissimōrum hominum auctōritāte.

Pompey's career proves him the man for the emergency

XXII. Quārē videant, nē sit perinīquum et nōn ferendum illōrum auctōritātem dē Cn. Pompeī dignitāte ā 15
vōbīs comprobātam semper esse, vestrum ab illīs dē
eōdem homine jūdicium populīque Rōmānī auctōritātem
improbārī, praesertim cum jam suō jūre populus Rōmānus in hōc homine suam auctōritātem vel contrā omnēs,
quī dissentiunt, possit dēfendere, proptereā quod, īsdem 20
istīs reclāmantibus, vōs ūnum illum ex omnibus dēlēgistis,
quem bellō praedōnum praepōnerētis. 64. Hōc sī vōs
temere fēcistis et reī pūblicae parum cōnsuluistis, rēctē
istī studia vestra suīs cōnsiliīs regere cōnantur; sīn
autem vos plūs tum in rē pūblicā vīdistis, vōs, eīs repug- 25
nantibus, per vōsmet ipsōs dignitātem huic imperiō,
salūtem orbī terrārum attulistis, aliquandō istī prīncipēs
et sibi et cēterīs populī Rōmānī ūniversī auctōritātī
pārendum esse fateantur. Atque in hōc bellō Asiāticō

et rēgiō nōn sōlum mīlitāris illa virtūs, quae est in Cn.
Pompejō singulāris, sed aliae quoque virtūtēs animī
magnae et multae requīruntur. Difficile est in Asiā,
Ciliciā, Syriā rēgnīsque interiōrum nātiōnum ita versārī
5 nostrum imperātōrem, ut nihil aliud nisi dē hoste ac dē
laude cōgitet. Deinde, etiamsī quī sunt pudōre ac temperantiā moderātiōrēs, tamen eōs esse tālēs propter
multitūdinem cupidōrum hominum nēmō arbitrātur.
65. Difficile est dictū, Quirītēs, quantō in odiō sīmus
10 apud exterās nātiōnēs propter eōrum, quōs ad eās per
hōs annōs cum imperiō mīsimus, libīdinēs et injūriās.
Quod enim fānum putātis in illīs terrīs nostrīs magistrātibus religiōsum, quam cīvitātem sānctam, quam
domum satis clausam ac mūnītam fuisse? Urbēs jam
15 locuplētēs et cōpiōsae requīruntur, quibus causa bellī
propter dīripiendī cupiditātem īnferātur. **66**. Libenter haec cōram cum Q. Catulō et Q. Hortēnsiō, summīs
et clārissimīs virīs, disputārem; nōvērunt enim sociōrum
vulnera, vident eōrum calamitātēs, querimōniās audiunt.
20 Prō sociīs vōs contrā hostēs exercitum mittere putātis an
hostium simulātiōne contrā sociōs atque amīcōs? Quae
cīvitās est in Asiā, quae nōn modo imperātōris aut
lēgātī, sed ūnīus tribūnī mīlitum animōs ac spīritūs
capere possit?

No one lacking Pompey's qvalities is fit for this command

25 **XXIII**. Quārē, etiamsī quem habētis, quī, collātīs
signīs, exercitūs rēgiōs superāre posse videātur, tamen,
nisi erit īdem, quī sē ā pecūniīs sociōrum, quī ab eōrum
conjugibus ac līberīs, quī ab ōrnāmentīs fānōrum atque
oppidōrum, quī ab aurō gazāque rēgiā manūs, oculōs,

animum cohibēre possit, nōn erit idōneus, quī ad bellum
Asiāticum rēgiumque mittātur. **67.** Ecquam putātis
cīvitātem pācātam fuisse, quae locuplēs sit? Ecquam esse
locuplētem, quae istīs pācāta esse videātur? Ōra maritima, Quirītēs, Cn. Pompejum nōn sōlum propter reī mīli- 5
tāris glōriam, sed etiam propter animī continentiam
requīsīvit. Vidēbat enim imperātōrēs locuplētārī quotannīs pecūniā pūblicā praeter paucōs, neque eōs quicquam
aliud assequī classium nōmine, nisi ut dētrīmentīs acci-
piendīs majōre afficī turpitūdine vidērēmur. Nunc quā 10
cupiditāte hominēs in prōvinciās et quibus jactūrīs, quibus
condiciōnibus proficīscantur, ignōrant vidēlicet istī, quī
ad ūnum dēferenda omnia esse nōn arbitrantur. Quasi
vērō Cn. Pompejum nōn cum suīs virtūtibus, tum etiam
aliēnīs vitiīs magnum esse videāmus. **68.** Quārē nōlīte 15
dubitāre, quīn huic ūnī crēdātis omnia, quī inter tot
annōs ūnus inventus sit, quem sociī in urbēs suās cum
exercitū vēnisse gaudeant.

Quodsī auctōritātibus hanc causam, Quirītēs, cōnfīr-
mandam putātis, est vōbīs auctor vir bellōrum omnium 20
maximārumque rērum perītissimus, P. Servīlius, cūjus
tantae rēs gestae terrā marīque exstitērunt, ut, cum dē
bellō dēlīberētis, auctor vōbīs gravior esse nēmō dēbeat;
est C. Cūriō, summīs vestrīs beneficiīs maximīsque rēbus
gestīs, summō ingeniō et prūdentiā praeditus; est C. Len- 25
tulus, in quō omnēs prō amplissimīs vestrīs honōribus
summum cōnsilium, summam gravitātem esse cognōvistis;
est C. Cassius, integritāte, virtūte, cōnstantiā singulārī.
Quārē vidēte num hōrum auctōritātibus illōrum ōrātiōnī,
quī dissentiunt, respondēre posse videāmur.   30

*Manilius urged to press his bill to passage. — Cicero proclaims
the purity of his own motives*

XXIV. **69.** Quae cum ita sint, C. Mānīlī, prīmum istam
tuam et lēgem et voluntātem et sententiam laudō vehe-
mentissimēque comprobō; deinde tē hortor, ut, auctōre
populō Rōmānō, maneās in sententiā nēve cūjusquam vim
5 aut minās pertimēscās. Prīmum in tē satis esse animī
perseverantiaeque arbitror; deinde, cum tantam multitūdinem cum tantō studiō adesse videāmus, quantam iterum
nunc in eōdem homine praeficiendō vidēmus, quid est,
quod aut dē rē aut dē perficiendī facultāte dubitēmus?
10 Ego autem, quicquid est in mē studī, cōnsilī, labōris, ingenī, quicquid hōc beneficiō populī Rōmānī atque hāc
potestāte praetōriā, quicquid auctōritāte, fidē, cōnstantiā
possum, id omne ad hanc rem cōnficiendam tibi et
populō Rōmānō polliceor ac dēferō testorque omnēs deōs,
15 **70.** et eōs maximē, quī huic locō templōque praesident,
quī omnium mentēs eōrum, quī ad rem pūblicam adeunt.
maximē perspiciunt, mē hōc neque rogātū facere cūjusquam, neque quō Cn. Pompeī grātiam mihi per hanc
causam conciliārī putem, neque quō mihi ex cūjusquam
20 amplitūdine aut praesidia perīculīs aut adjūmenta honōribus quaeram, proptereā quod perīcula facile, ut hominem
praestāre oportet, innocentiā tēctī repellēmus, honōrem
autem neque ab ūnō neque ex hōc locō, sed eādem illā
nostrā labōriōsissimā ratiōne vītae, sī vestra voluntās
25 feret, cōnsequēmur. **71.** Quam ob rem, quicquid in hāc
causā mihi susceptum est, Quirītēs, id ego omne mē reī
pūblicae causā suscēpisse cōnfīrmō, tantumque abest, ut
aliquam mihi bonam grātiam quaesīsse videar, ut multās
mē etiam simultātēs partim obscūrās, partim apertās

intellegam mihi nōn necessāriās, vōbīs nōn inūtilēs suscēpisse. Sed ego mē hōc honōre praeditum, tantīs vestrīs
beneficiīs affectum statuī, Quirītēs, vestram voluntātem
et reī pūblicae dignitātem et salūtem prōvinciārum atque
sociōrum meīs omnibus commodīs et ratiōnibus praeferre 5
oportēre.

M. TULLI CICERONIS

PRO A. LICINIO ARCHIA POETA ORATIO

Cicero's obligations to Archias

I. 1. Sī quid est in mē ingenī, jūdicēs (quod sentiō
quam sit exiguum), aut sī qua exercitātiō dīcendī, in quā
mē nōn īnfitior mediocriter esse versātum, aut sī hūjusce
reī ratiō aliqua ab optimārum artium studiīs ac disciplīnā
5 profecta, ā quā ego nūllum cōnfiteor aetātis meae tempus
abhorruisse, eārum rērum omnium vel in prīmīs hīc A.
Licinius frūctum ā mē repetere prope suō jūre dēbet.
Nam, quoad longissimē potest mēns mea respicere spatium praeteritī temporis et pueritiae memoriam recordārī
10 ultimam, inde ūsque repetēns hunc videō mihi prīncipem
et ad suscipiendam et ad ingrediendam ratiōnem hōrum
studiōrum exstitisse. Quodsī haec vōx, hūjus hortātū
praeceptīsque cōnfōrmāta, nōnnūllīs aliquandō salūtī fuit,
ā quō id accēpimus, quō cēterīs opitulārī et aliōs servāre
15 possēmus, huic profectō ipsī, quantum est situm in nōbīs,
et opem et salūtem ferre dēbēmus.

The bond between poetry and oratory

2. Ac nē quis ā nōbīs hōc ita dīcī forte mīrētur, quod
alia quaedam in hōc facultās sit ingenī neque haec dī-

cendī ratiō aut disciplīna, nē nōs quidem huic ūnī studiō
penitus umquam dēditī fuimus. Etenim omnēs artēs,
quae ad hūmānitātem pertinent, habent quoddam commūne vinculum et quasi cognātiōne quādam inter sē continentur. II. **3.** Sed nē cui vestrum mīrum esse vide- 5
ātur mē in quaestiōne lēgitimā et in jūdiciō pūblicō (cum
rēs agātur apud praetōrem populī Rōmānī, lēctissimum
virum, et apud sevērissimōs jūdicēs, tantō conventū hominum ac frequentiā) hōc ūtī genere dīcendī, quod nōn
modo ā cōnsuētūdine jūdiciōrum, vērum etiam ā forēnsī 10
sermōne abhorreat, quaesō ā vōbīs, ut in hāc causā mihi
dētis hanc veniam, accommodātam huic reō, vōbīs, quem
ad modum spērō, nōn molestam, ut mē prō summō poētā
atque ērudītissimō homine dicentem, hōc concursū hominum litterātissimōrum, hāc vestrā hūmānitāte, hōc dē- 15
nique praetōre exercente jūdicium, patiāminī dē studiīs
hūmānitātis ac litterārum paulō loquī līberius et in ejus
modī persōnā, quae propter ōtium ac studium minimē in
jūdiciīs perīculīsque trāctāta est, ūtī prope novō quōdam
et inūsitātō genere dīcendī. **4.** Quod sī mihi ā vōbīs 20
tribuī concēdīque sentiam, perficiam profectō, ut hunc A.
Licinium nōn modo nōn sēgregandum, cum sit cīvis, ā
numerō cīvium, vērum etiam, sī nōn esset, putētis ascīs-
cendum fuisse.

Archias's early career in Southern Italy and Rome

III.   Nam, ut prīmum ex puerīs excessit Archiās atque 25
ab eīs artibus, quibus aetās puerīlis ad hūmānitātem
īnfōrmārī solet, sē ad scrībendī studium contulit, prīmum
Antiochēae (nam ibi nātus est locō nōbilī), celebrī quondam urbe et cōpiōsā atque ērudītissimīs hominibus līberā-

lissimīsque studiīs affluentī, celeriter antecellere omnibus
ingenī glōriā coepit. Post in cēterīs Asiae partibus
cūnctāque Graeciā sīc ejus adventūs celebrābantur, ut
fāmam ingenī exspectātiō hominis, exspectātiōnem ipsīus
5 adventus admīrātiōque superāret. 5. Erat Italia tum
plēna Graecārum artium ac disciplīnārum, studiaque
haec et in Latiō vehementius tum colēbantur quam nunc
īsdem in oppidīs et hīc Rōmae propter tranquillitātem
reī pūblicae nōn neglegēbantur. Itaque hunc et Taren-
10 tīnī et Rēgīnī et Neāpolitānī cīvitāte cēterīsque praemiīs
dōnārunt, et omnēs, quī aliquid dē ingeniīs poterant jūdi-
cāre, cognitiōne atque hospitiō dignum exīstimārunt.
Hāc tantā celebritāte fāmae cum esset jam absentibus
nōtus, Rōmam vēnit Mariō cōnsule et Catulō. Nactus
15 est prīmum cōnsulēs eōs, quōrum alter rēs ad scrībendum
maximās, alter cum rēs gestās, tum etiam studium atque
aurēs adhibēre posset. Statim Lūcullī, cum praetextātus
etiam tum Archiās esset, eum domum suam recēpērunt.
Et erat hōc nōn sōlum ingenī ac litterārum, vērum etiam
20 nātūrae atque virtūtis, ut domus, quae hūjus adulēscentiae prīma fāvit, eadem esset familiārissima senectūtī.
6. Erat temporibus illīs jūcundus Q. Metellō illī Numi-
dicō et ejus Piō fīliō, audiēbātur ā M. Aemiliō, vīvēbat
cum Q. Catulō et patre et fīliō, ā L. Crassō colēbātur;
25 Lūcullōs vērō et Drūsum et Octāviōs et Catōnem et tōtam
Hortēnsiōrum domum dēvinctam cōnsuētūdine cum tenēret, afficiēbātur summō honōre, quod eum nōn sōlum colē-
bant, quī aliquid percipere atque audīre studēbant, vērum
etiam sī quī forte simulābant.

VIEW OF NAPLES FROM THE SO-CALLED TOMB OF VIRGIL

He becomes a citizen of Heraclea

IV. Interim satis longō intervāllō, cum esset cum M.
Lūcullō in Siciliam profectus et cum ex eā prōvinciā cum
eōdem Lūcullō dēcēderet, vēnit Hēraclēam. Quae cum
esset cīvitās aequissimō jūre ac foedere, ascrībī sē in eam
cīvitātem voluit idque, cum ipse per sē dignus putārētur, 5
tum auctōritāte et grātiā Lūcullī ab Hēraclēēnsibus im-
petrāvit. **7.** Data est cīvitās Silvānī lēge et Carbōnis:
*Sī quī foederātīs cīvitātibus ascrīptī fuissent, sī tum, cum
lēx ferēbātur, in Italiā domicilium habuissent et sī sexāgintā
diebus apud praetōrem essent professī.* Cum hīc domici- 10
lium Rōmae multōs jam annōs habēret, professus est apud
praetōrem, Q. Metellum. familiārissimum suum.

Grattius's arguments refuted

8. Sī nihil aliud nisi dē cīvitāte ac lēge dīcimus, nihil
dīcō amplius; causa dicta est. Quid enim hōrum īnfīr-
mārī, Grattī, potest? Hēraclēaene esse eum ascrīptum 15
negābis? Adest vir summā auctōritāte et religiōne et
fidē, M. Lūcullus; quī sē nōn opīnārī, sed scīre, nōn
audīvisse, sed vīdisse, nōn interfuisse, sed ēgisse dīcit.
Adsunt Hēraclēēnsēs lēgātī, nōbilissimī hominēs; hūjus
jūdicī causā cum mandātīs et cum pūblicō testimōniō 20
vēnērunt; quī hunc ascrīptum Hēraclēēnsem dīcunt. Hīc
tū tabulās dēsīderās Hēraclēēnsium pūblicās, quās Italicō
bellō incēnsō tabulāriō interīsse scīmus omnēs. Est rī-
diculum ad ea, quae habēmus, nihil dīcere, quaerere, quae
habēre nōn possumus, et dē hominum memoriā tacēre, 25
litterārum memoriam flāgitāre, et, cum habeās amplissimī
virī religiōnem, integerrimī mūnicipī jūs jūrandum fidem-
que, ea, quae dēprāvārī nūllō modō possunt, repudiāre,

tabulās, quās īdem dīcis solēre corrumpī, dēsīderāre.
9. An domicilium Rōmae nōn habuit is, quī tot annīs
ante cīvitātem datam sēdem omnium rērum ac fortūnārum
suārum Rōmae collocāvit? An nōn est professus? Immō
5 vērō eīs tabulīs professus, quae sōlae ex illā professiōne
collēgiōque praetōrum obtinent pūblicārum tabulārum auctōritātem. V. Nam, cum Appī tabulae neglegentius
asservātae dīcerentur, Gabīnī, quamdiū incolumis fuit,
levitās, post damnātiōnem calamitās omnem tabulārum
10 fidem resignāsset, Metellus, homō sānctissimus modestissi-
musque omnium, tantā dīligentiā fuit, ut ad L. Lentulum
praetōrem et ad jūdicēs vēnerit et ūnīus nōminis litūrā sē
commōtum esse dīxerit. Hīs igitur in tabulīs nūllam litū-
ram in nōmine A. Licinī vidētis. **10.** Quae cum ita sint,
15 quid est, quod dē ejus cīvitāte dubitētis, praesertim cum
aliīs quoque in cīvitātibus fuerit ascrīptus? Etenim, cum
mediocribus multīs et aut nūllā aut humilī aliquā arte
praeditīs grātuītō cīvitātem in Graeciā hominēs impertiē-
bant, Rēgīnōs crēdō aut Locrēnsēs aut Neāpolitānōs aut
20 Tarentīnōs, quod scaenicīs artificibus largīrī solēbant, id
huic summā ingenī praeditō glōriā nōluisse! Quid?
Cēterī nōn modo post cīvitātem datam, sed etiam post
lēgem Pāpiam aliquō modō in eōrum mūnicipiōrum tabulās irrēpsērunt? Hīc, quī nē ūtitur quidem illīs, in quibus
25 est scrīptus, quod semper sē Hēraclēēnsem esse voluit,
reiciētur? **11.** Cēnsūs nostrōs requīris. Scīlicet; est
enim obscūrum proximīs cēnsōribus hunc cum clārissimō
imperātōre, L. Lūcullō, apud exercitum fuisse; superiōribus cum eōdem quaestōre fuisse in Asiā; prīmīs, Jūliō et
30 Crassō, nūllam populī partem esse cēnsam. Sed, quoniam
cēnsus nōn jūs cīvitātis cōnfīrmat ac tantum modo indicat

eum, quī sit cēnsus, ita sē jam tum gessisse prō cīve, eīs
temporibus, quibus tū crīmināris nē ipsīus quidem jūdiciō
in cīvium Rōmānōrum jūre esse versātum, et testāmentum
saepe fēcit nostrīs lēgibus et adiit hērēditātēs cīvium
Rōmānōrum et in beneficiīs ad aerārium dēlātus est ā 5
L. Lūcullō, prō cōnsule. VI. Quaere argūmenta, sī quae
potes; numquam enim hīc neque suō neque amīcōrum
jūdiciō revincētur.

Why Archias is so esteemed

12. Quaerēs ā nōbīs, Grattī, cūr tantō opere hōc homine
dēlectēmur. Quia suppeditat nōbīs, ubi et animus ex hōc 10
forēnsī strepitū reficiātur et aurēs convīciō dēfessae con-
quiēscant. An tū exīstimās aut suppetere nōbīs posse,
quod cottīdiē dīcāmus in tantā varietāte rērum, nisi animōs nostrōs doctrīnā excolāmus, aut ferre animōs tantam
posse contentiōnem, nisi eōs doctrīnā eādem relaxēmus? 15
Ego vērō fateor mē hīs studiīs esse dēditum. Cēterōs
pudeat, sī quī ita sē litterīs abdidērunt, ut nihil possint
ex eīs neque ad commūnem afferre frūctum neque in
aspectum lūcemque prōferre; mē autem quid pudeat, quī
tot annōs ita vīvō, jūdicēs, ut ā nūllīus umquam mē tem- 20
pore aut commodō aut ōtium meum abstrāxerit aut voluptās āvocārit aut dēnique somnus retardārit? **13.** Quārē
quis tandem mē reprehendat, aut quis mihi jūre suscēn-
seat, sī, quantum cēterīs ad suās rēs obeundās, quantum
ad fēstōs diēs lūdōrum celebrandōs, quantum ad aliās vo- 25
luptātēs et ad ipsam requiem animī et corporis concēditur
temporum, quantum aliī tribuunt tempestīvīs convīviīs,
quantum dēnique alveolō, quantum pilae, tantum mihi
egomet ad haec studia recolenda sūmpserō? Atque hōc

eō mihi concēdendum est magis, quod ex hīs studiīs haec
quoque crēscit ōrātiō et facultās, quae, quantacumque in
mē est, numquam amīcōrum perīculīs dēfuit. Quae sī
cui levior vidētur, illa quidem certē, quae summa sunt,
5 ex quō fonte hauriam, sentiō. **14.** Nam, nisi multōrum praeceptīs multīsque litterīs mihi ab adulēscentiā
suāsissem nihil esse in vītā magnō opere expetendum
nisi laudem atque honestātem, in eā autem perse-
quendā omnēs cruciātūs corporis, omnia perīcula mortis
10 atque exsilī parvī esse dūcenda, numquam mē prō
salūte vestrā in tot ac tantās dīmicātiōnēs atque in
hōs prōflīgātōrum hominum cottīdiānōs impetūs objē-
cissem. Sed plēnī omnēs sunt librī, plēnae sapien-
tium vōcēs, plēna exemplōrum vetustās; quae jacērent
15 in tenebrīs omnia, nisi litterārum lūmen accēderet.
Quam multās nōbīs imāginēs nōn sōlum ad intuendum,
vērum etiam ad imitandum fortissimōrum virōrum ex-
pressās scrīptōrēs et Graecī et Latīnī relīquērunt! Quās
ego mihi semper in administrandā rē pūblicā prōpōnēns,
20 animum et mentem meam ipsā cōgitātiōne hominum ex-
cellentium cōnfōrmābam.

What literature has done for many others

VII. **15.** Quaeret quispiam : 'Quid? Illī ipsī summī
virī, quōrum virtūtēs litterīs prōditae sunt, istāne doctrīnā,
quam tū effers laudibus, ērudītī fuērunt?' Difficile est
25 hōc dē omnibus cōnfīrmāre, sed tamen est certum, quid
respondeam. Ego multōs hominēs excellentī animō ac
virtūte fuisse sine doctrīnā et nātūrae ipsīus habitū prope
dīvīnō per sē ipsōs et moderātōs et gravēs exstitisse
fateor; etiam illud adjungō, saepius ad laudem atque

virtūtem nātūram sine doctrīnā quam sine nātūrā valuisse doctrīnam. Atque īdem ego hōc contendō, cum
ad nātūram eximiam et illūstrem accesserit ratiō quaedam cōnfōrmātiōque doctrīnae, tum illud nesciŏ quid
praeclārum ac singulāre solēre exsistere. **16.** Ex hōc 5
esse hunc numerō, quem patrēs nostrī vīdērunt, dīvīnum
hominem, Āfricānum, ex hōc C. Laelium, L. Fūrium,
moderātissimōs hominēs et continentissimōs, ex hōc
fortissimum virum et illīs temporibus doctissimum, M.
Catōnem illum senem; quī profectō sī nihil ad percipi- 10
endam colendamque virtūtem litterīs adjuvārentur, numquam sē ad eārum studium contulissent. Quodsī nŏn
hīc tantus frūctus ostenderētur, et sī ex hīs studiīs
dēlectātiō sōla peterētur, tamen, ut opīnor, hanc animī
remissiōnem hūmānissimam ac līberālissimam jūdicā- 18
rētis. Nam cēterae neque temporum sunt neque aetātum omnium neque locōrum; at haec studia adulēscentiam alunt, senectūtem oblectant, secundās rēs ōrnant,
adversīs perfugium ac sōlācium praebent, dēlectant domī,
nōn impediunt forīs, pernoctant nōbīscum, peregrīnantur, 20
rūsticantur.

Honor is due to poets, and has always been accorded them

17. Quodsī ipsī haec neque attingere neque sēnsū
nostrō gustāre possēmus, tamen ea mīrārī dēbērēmus,
etiam cum in aliīs vidērēmus. VIII. Quis nostrum
tam animō agrestī ac dūrō fuit, ut Rōscī morte nūper 25
nōn commovērētur? Quī cum esset senex mortuus, tamen
propter excellentem artem ac venustātem vidēbātur omnīnō
morī nōn dēbuisse. Ergō ille corporis mōtū tantum amō-
rem sibi conciliārat ā nōbīs omnibus; nōs animōrum incrē-

dibilēs mōtūs celeritātemque ingeniōrum neglegēmus?
18. Quotiēns ego hunc Archiam vīdī, jūdicēs (ūtar enim
vestrā benignitāte, quoniam mē in hōc novō genere dīcendī
tam dīligenter attenditis), quotiēns ego hunc vīdī, cum lit-
5 teram scrīpsisset nūllam, magnum numerum optimōrum
versuum dē eīs ipsīs rēbus, quae tum agerentur, dīcere ex
tempore! Quotiēns revocātum eandem rem dīcere, com-
mūtātīs verbīs atque sententiīs! Quae vērō accūrātē cō-
gitātēque scrīpsisset, ea sīc vīdī probārī, ut ad veterum
10 scrīptōrum laudem pervenīret. Hunc ego nōn dīligam, nōn
admīrer, nōn omnī ratiōne dēfendendum putem? Atque
sīc ā summīs hominibus ērudītissimīsque accēpimus, cēterārum rērum studia ex doctrīnā et praeceptīs et arte
cōnstāre, poētam nātūrā ipsā valēre et mentis vīribus exci-
15 tārī et quasi dīvīnō quōdam spīritū īnflārī. Quārē suō
jūre noster ille Ennius 'sānctōs' appellat poētās, quod
quasi deōrum aliquō dōnō atque mūnere commendātī
nōbīs esse videantur. **19.** Sit igitur, jūdicēs, sānctum
apud vōs, hūmānissimōs hominēs, hōc poētae nōmen,
20 quod nūlla umquam barbaria violāvit. Saxa et sōlitū-
dinēs vōcī respondent, bēstiae saepe immānēs cantū
flectuntur atque cōnsistunt; nōs īnstitūtī rēbus optimīs
nōn poētārum vōce moveāmur? Homērum Colophōniī
cīvem esse dīcunt suum, Chiī suum vindicant, Salamīniī
25 repetunt, Smyrnaeī vērō suum esse cōnfīrmant itaque
etiam dēlūbrum ejus in oppidō dēdicāvērunt; permultī
aliī praetereā pugnant inter sē atque contendunt.

Archias's·talents have celebrated Roman achievements

IX.   Ergō illī aliēnum, quia poēta fuit, post mortem
etiam expetunt; nōs hunc vīvum, quī et voluntāte et

SCIPIO SARCOPHAGUS

lēgibus noster est, repudiābimus, praesertim cum omne
ōlim studium atque omne ingenium contulerit Archiās
ad populī Rōmānī glōriam laudemque celebrandam?
Nam et Cimbricās rēs adulēscēns attigit et ipsī illī C.
Mariō, quī dūrior ad haec studia vidēbātur, jūcundus fuit. 5
20. Neque enim quisquam est tam āversus ā Mūsīs, quī
nōn mandārī versibus aeternum suōrum labōrum facile
praecōnium patiātur. Themistoclem illum, summum
Athēnīs virum, dīxisse ajunt, cum ex eō quaererētur,
quod acroāma aut cūjus vōcem libentissimē audīret : ejus, 10
ā quō sua virtūs optimē praedicārētur.   Itaque ille Marius
item eximiē L. Plōtium dīlēxit, cūjus ingeniō putābat ea,
quae gesserat, posse celebrārī.   **21.** Mithridāticum vērō
bellum, magnum atque difficile et in multā varietāte terrā
marīque versātum, tōtum ab hōc expressum est ; quī librī 15
nōn modo L. Lūcullum, fortissimum et clārissimum virum,
vērum etiam populī Rōmānī nōmen illūstrant.   Populus
enim Rōmānus aperuit, Lūcullō imperante, Pontum et
rēgiīs quondam opibus et ipsā nātūrā et regiōne vāllātum ;
populī Rōmānī exercitus, eōdem duce, nōn maximā manū 20
innumerābilīs Armeniōrum cōpiās fūdit ; populī Rōmānī
laus est urbem amīcissimam Cȳzicēnōrum ejusdem cōnsiliō
ex omnī impetū rēgiō atque tōtius bellī ōre ac faucibus
ēreptam esse atque servātam ; nostra semper ferētur et
praedicābitur, L. Lūcullō dīmicante, cum, interfectīs duci- 25
bus, dēpressa hostium classis est, incrēdibilis apud Tenedum
pugna illa nāvālis ; nostra sunt tropaea, nostra monumenta, nostrī triumphī.   Quae quōrum ingeniīs efferun-
tur, ab eīs populī Rōmānī fāma celebrātur.   **22.** Cārus
fuit Āfricānō superiōrī noster Ennius, itaque etiam in 30
sepulcrō Scīpiōnum putātur is esse cōnstitūtus ex mar-

more; cūjus laudibus certē nōn sōlum ipse, quī laudātur, sed etiam populī Rōmānī nōmen ōrnātur.   In caelum
hūjus proavus Catō tollitur; magnus honōs populī Rōmānī rēbus adjungitur.   Omnēs dēnique illī Maximī,
5 Mārcellī, Fulviī nōn sine commūnī omnium nostrum
laude decorantur.   X.   Ergō illum, quī haec fēcerat,
Rudīnum hominem majōrēs nostrī in cīvitātem recēpērunt; nōs hunc Hēracleēnsem multīs cīvitātibus expetī-
tum, in hāc autem lēgibus cōnstitūtum dē nostrā cīvitāte
10 ēiciēmus? **23.** Nam sī quis minōrem glōriae frūctum
putat ex Graecīs versibus percipī quam ex Latīnīs, vehementer errat, proptereā quod Graeca leguntur in omnibus
ferē gentibus, Latīna suīs fīnibus exiguīs sānē continentur.

Quārē, sī rēs eae, quās gessimus, orbis terrae regiōnibus
15 dēfīniuntur, cupere dēbēmus, quō manuum nostrārum tēla
pervēnerint, eōdem glōriam fāmamque penetrāre, quod
cum ipsīs populīs, dē quōrum rēbus scrībitur, haec ampla
sunt, tum eīs certē, quī dē vītā glōriae causā dīmicant,
hōc maximum et perīculōrum incitāmentum est et labōrum.

The greatest men aspire to be immortalized in verse

20   **24.** Quam multōs scrīptōrēs rērum suārum magnus
ille Alexander sēcum habuisse dīcitur!   Atque is tamen,
cum in Sīgeō ad Achillis tumulum astitisset: '*Ō fortū-
nāte,*' inquit, '*adulēscēns, quī tuae virtūtis Homērum prae-
cōnem invēnerīs!*' Et vērē.   Nam, nisi Īlias illa exsti-
25 tisset, īdem tumulus, quī corpus ejus contēxerat, nōmen
etiam obruisset.   Quid?   Noster hīc Magnus, quī cum
virtūte fortūnam adaequāvit, nōnne Theophanem Mytilē-
naeum, scrīptōrem rērum suārum, in cōntiōne mīlitum
cīvitāte dōnāvit, et nostrī illī fortēs virī, sed rūsticī ac

mīlitēs, dulcēdine quādam glōriae commōtī, quasi participēs ejusdem laudis, magnō illud clāmōre approbāvērunt?
25. Itaque, crēdō, sī cīvis Rōmānus Archiās lēgibus nōn
esset, ut ab aliquō imperātōre cīvitāte dōnārētur, perficere
nōn potuit. Sulla cum Hispānōs et Gallōs dōnāret, crēdō, 5
hunc petentem repudiāsset; quem nōs in cōntiōne vīdimus, cum eī libellum malus poēta dē populō subjēcisset,
quod epigramma in eum fēcisset tantum modo alternīs
versibus longiusculīs, statim ex eīs rēbus, quās tum vēndē-
bat, jubēre eī praemium tribuī, sed eā condiciōne, nē quid 10
posteā scrīberet. Quī sēdulitātem malī poētae dūxerit
aliquō tamen praemiō dignam, hūjus ingenium et virtūtem in scrībendō et cōpiam nōn expetīsset? **26.** Quid?
Ā Q. Metellō Piō, familiārissimō suō, quī cīvitāte multōs
dōnāvit, neque per sē neque per Lūcullōs impetrāvisset? 15
Quī praesertim ūsque eō dē suīs rēbus scrībī cuperet, ut
etiam Cordubae nātīs poētīs pingue quiddam sonantibus
atque peregrīnum tamen aurēs suās dēderet.

All of us are eager for glory

XI. Neque enim est hōc dissimulandum, quod obscūrārī
nōn potest, sed prae nōbīs ferendum: Trahimur omnēs 20
studiō laudis, et optimus quisque maximē glōriā dūcitur.
Ipsī illī philosophī etiam in eīs libellīs, quōs dē contemnendā glōriā scrībunt, nōmen suum īnscrībunt; in eō
ipsō, in quō praedicātiōnem nōbilitātemque dēspiciunt,
praedicārī dē sē ac nōminārī volunt. **27.** Decimus 25
quidem Brūtus, summus vir et imperātor, Accī, amīcissimī
suī, carminibus templōrum ac monumentōrum aditūs ex-
ōrnāvit suōrum. Jam vērō ille, quī cum Aetōlīs, Enniō
comite, bellāvit, Fulvius nōn dubitāvit Mārtis manubiās

Mūsīs cōnsecrāre. Quārē, in quā urbe imperātōrēs prope
armātī poētārum nōmen et Mūsārum dēlūbra coluērunt,
in eā nōn dēbent togātī jūdicēs ā Mūsārum honōre et ā
poētārum salūte abhorrēre.

Archias contemplates a history of Cicero's consulship

5 **28**. Atque ut id libentius faciātis, jam mē vōbīs, jūdicēs, indicābō et dē meō quōdam amōre glōriae, nimis
ācrī fortasse, vērum tamen honestō, vōbīs cōnfitēbor.
Nam, quās rēs nōs in cōnsulātū nostrō vōbīscum simul
prō salūte hūjus urbis atque imperī et prō vītā cīvium
10 prōque ūniversā rē pūblicā gessimus, attigit hīc versibus
atque incohāvit. Quibus audītīs, quod mihi magna rēs
et jūcunda vīsa est, hunc ad perficiendum adhortātus
sum.

Hope of immortal fame the only incentive for bearing life's troubles

Nūllam enim virtūs aliam mercēdem labōrum perī-
15 culōrumque dēsīderat praeter hanc laudis et glōriae; quā
quidem dētrāctā, jūdicēs, quid est, quod in hōc tam exi-
guō vītae curriculō et tam brevī tantīs nōs in labōribus
exerceāmus? **29**. Certē, sī nihil animus praesentīret
in posterum, et sī, quibus regiōnibus vītae spatium cir-
20 cumscrīptum est, eīsdem omnēs cōgitātiōnēs termināret
suās, nec tantīs sē labōribus frangeret neque tot cūrīs
vigiliīsque angerētur nec totiēns dē ipsā vītā dīmicāret.
Nunc īnsidet quaedam in optimō quōque virtūs, quae
noctēs ac diēs animum glōriae stimulīs concitat atque
25 admonet nōn cum vītae tempore esse dīmittendam com-
memorātiōnem nōminis nostrī, sed cum omnī posteritāte
adaequandam. XII. **30**. An vērō tam parvī animī vide-

āmur esse omnēs, quī in rē pūblicā atque in hīs vītae
perīculīs labōribusque versāmur, ut, cum ūsque ad extrēmum spatium nūllum tranquillum atque ōtiōsum spīritum
dūxerīmus, nōbīscum simul moritūra omnia arbitrēmur?
An statuās et imāginēs, nōn animōrum simulācra, sed 5
corporum, studiōsē multī summī hominēs relīquērunt;
cōnsiliōrum relinquere ac virtūtum nostrārum effigiem
nōnne multō mālle dēbēmus, summīs ingeniīs expressam
et polītam? Ego vērō omnia, quae gerēbam, jam tum in
gerendō spargere mē ac dissēmināre arbitrābar in orbis 10
terrae memoriam sempiternam. Haec vērō sīve ā meō
sēnsū post mortem āfutūra est, sīve, ut sapientissimī hominēs putāvērunt, ad aliquam animī meī partem pertinēbit,
nunc quidem certē cōgitātiōne quādam spēque dēlector.

Pronounce for Archias, judges! His case is good, and he him-
self deserves your favor

31. Quārē cōnservāte, jūdicēs, hominem pudōre eō, 15
quem amīcōrum vidētis comprobārī cum dignitāte tum
etiam vetustāte, ingeniō autem tantō, quantum id convenit exīstimārī, quod summōrum hominum ingeniīs ex-
petītum esse videātis, causā vērō ejus modī, quae
beneficiō lēgis, auctōritāte mūnicipī, testimōniō Lūcullī, 20
tabulīs Metellī comprobētur. Quae cum ita sint, petimus
ā vōbīs, jūdicēs, sī qua nōn modo hūmāna, vērum etiam
dīvīna in tantīs ingeniīs commendātiō dēbet esse, ut eum,
quī vōs, quī vestrōs imperātōrēs, quī populī Rōmānī rēs
gestās semper ōrnāvit, quī etiam hīs recentibus nostrīs 25
vestrīsque domesticīs perīculīs aeternum sē testimōnium
laudis datūrum esse profitētur estque ex eō numerō, quī
semper apud omnēs sānctī sunt habitī itaque dictī, sīc in

vestram accipiātis fidem, ut hūmānitāte vestrā levātus
potius quam acerbitāte violātus esse videātur.

32. Quae dē causā prō meā cōnsuētūdine breviter simpliciterque dīxī, jūdicēs, ea cōnfīdō probāta esse omnibus;
5 quae ā forēnsī aliēna jūdiciālīque cōnsuētūdine et dē
hominis ingeniō et commūniter dē ipsō studiō locūtus
sum, ea, jūdicēs, ā vōbīs spērō esse in bonam partem
accepta; ab eō, quī jūdicium exercet, certō sciō.

M. TULLI CICERONIS
PRO M. MARCELLO ORATIO

Caesar's magnanimity induces Cicero to speak

I. 1. Diūturnī silentī, patrēs cōnscrīptī, quō eram hīs temporibus ūsus nōn timōre aliquō, sed partim dolōre, partim verēcundiā, fīnem hodiernus diēs attulit īdemque initium, quae vellem quaeque sentīrem, meō prīstinō mōre dīcendī. Tantam enim mānsuētūdinem, tam in- 5 ūsitātam inaudītamque clēmentiam, tantum in summā potestāte rērum omnium modum, tam dēnique incrēdibilem sapientiam ac paene dīvīnam tacitus praeterīre nūllō modō possum. 2. M. enim Mārcellō vōbīs, patrēs cōnscrīptī, reīque pūblicae redditō, nōn illīus sōlum, sed 10 etiam meam vōcem et auctōritātem et vōbīs et reī pūblicae cōnservātam ac restitūtam putō. Dolēbam enim, patrēs cōnscrīptī, et vehementer angēbar virum tālem, cum in eādem causā in quā ego fuisset, nōn in eādem esse fortūnā nec mihi persuādēre poteram nec fās esse dūcēbam versārī 15 mē in nostrō vetere curriculō, illō aemulō atque imitātōre studiōrum ac labōrum meōrum quasi quōdam sociō ā mē et comite distrāctō. Ergō et mihi meae prīstinae vītae cōnsuētūdinem, C. Caesar, interclūsam aperuistī et hīs omnibus ad bene dē omnī rē pūblicā spērandum quasi 20 signum aliquod sustulistī. 3. Intellēctum est enim

mihi quidem in multīs et maximē in mē ipsō, sed paulō
ante omnibus, cum M. Mārcellum senātuī reīque pūblicae
concessistī, commemorātīs praesertim offēnsiōnibus, tē
auctōritātem hūjus ōrdinis dignitātemque reī pūblicae
5 tuīs vel dolōribus vel suspīciōnibus anteferre. Ille
quidem frūctum omnis ante āctae vītae hodiernō diē
maximum cēpit cum summō cōnsēnsū senātūs, tum
jūdiciō tuō gravissimō et maximō. Ex quō profectō
intellegis, quanta in datō beneficiō sit laus, cum in
10 acceptō sit tanta glōria.   Est vērō fortūnātus ille, cūjus
ex salūte nōn minor paene ad omnēs, quam ad ipsum
ventūra sit, laetitia pervēnerit; **4.** quod quidem ei
meritō atque optimō jūre contigit. Quis enim est illō
aut nōbilitāte aut probitāte aut optimārum artium studiō
15 aut innocentiā aut ūllō laudis genere praestantior?

*This gen,ous act transcends the glory of Caesar's military achieve-
ments*

II.   Nūllīus tantum flūmen est ingenī, nūllīus dīcendī
aut scrībendī tanta vīs, tanta cōpia, quae, nōn dīcam
exōrnāre, sed ēnārrāre, C. Caesar, rēs tuās gestās possit.
Tamen affirmō, et hōc pāce dīcam tuā, nūllam in hīs
20 esse laudem ampliōrem quam eam, quam hodiernō diē
cōnsecūtus es.   **5.** Soleō saepe ante oculōs pōnere idque
libenter crēbrīs ūsūrpāre sermōnibus, omnīs nostrōrum
imperātōrum, omnīs exterārum gentium potentissimō-
rumque populōrum, omnīs clārissimōrum rēgum rēs
25 gestās cum tuīs nec contentiōnum magnitūdine nec
numerō proeliōrum nec varietāte regiōnum nec celeritāte cōnficiendī nec dissimilitūdine bellōrum posse
cōnferrī, nec vērō disjūnctissimās terrās citius passibus

cūjusquam potuisse peragrārī, quam tuīs, nōn dīcam
cursibus, sed victōriīs lūstrātae sunt. 6. Quae quidem
ego nisi ita magna esse fatear, ut ea vix cūjusquam mēns
aut cōgitātiō capere possit, āmēns sim; sed tamen sunt
alia majōra. Nam bellicās laudēs solent quīdam ex- 5
tenuāre verbīs eāsque dētrahere ducibus, commūnicāre
cum multīs, nē propriae sint imperātōrum. Et certē in
armīs mīlitum virtūs, locōrum opportūnitas, auxilia sociōrum, classēs, commeātūs multum juvant, maximam vērō
partem quasi suō jūre Fortūna sibi vindicat et, quicquid 10
prōsperē gestum est, id paene omne dūcit suum. 7. At
vērō hūjus glōriae, C. Caesar, quam es paulō ante adeptus,
socium habēs nēminem; tōtum hōc, quantumcumque est,
quod certē maximum est, tōtum est, inquam, tuum.
Nihil sibi ex istā laude centuriō, nihil praefectus, nihil 15
cohors, nihil turma dēcerpit; quīn etiam illa ipsa rērum
hūmānārum domina, Fortūna, in istīus societātem glōriae
sē nōn offert, tibi cēdit, tuam esse tōtam et propriam
fatētur. Numquam enim temeritās cum sapientiā com-
miscētur, neque ad cōnsilium cāsus admittitur. 20

To conquer oneself greater than taking cities

III. 8. Domuistī gentēs immānitāte barbarās, multitūdine innumerābilēs, locīs īnfīnītās, omnī cōpiārum genere
abundantēs; sed tamen ea vīcistī, quae et nātūram et
condiciōnem, ut vincī possent, habēbant. Nūlla est enim
tanta vīs, quae nōn ferrō et vīribus dēbilitārī frangīque 25
possit. Animum vincere, īrācundiam cohibēre, victōriae
temperāre, adversārium nōbilitāte, ingeniō, virtūte praestantem nōn modo extollere jacentem, sed etiam amplifi-
cāre ejus prīstinam dignitātem, haec quī facit, nōn ego

eum cum summīs virīs comparō, sed simillimum deō
jūdicō. **9.** Itaque, C. Caesar, bellicae tuae laudēs cele-
brābuntur illae quidem nōn sōlum nostrīs, sed paene
omnium gentium litterīs atque linguīs, nec ūlla umquam
5 aetās dē tuīs laudibus conticēscet; sed tamen ejus modī
rēs nesciŏ quō modō, etiam cum leguntur, obstrepī clāmōre
mīlitum videntur et tubārum sonō. At vērō cum aliquid
clēmenter, mānsuētē, jūstē, moderātē, sapienter factum,
in īrācundiā praesertim, quae est inimīca cōnsiliō, et in
10 victōriā, quae nātūrā īnsolēns et superba est, audīmus
aut legimus, quō studiō incendimur, nōn modo in gestīs
rēbus, sed etiam in fīctīs, ut eōs saepe, quōs numquam
vīdimus, dīligāmus! **10.** Tē vērō, quem praesentem
intuēmur, cūjus mentem sēnsūsque et ōs cernimus, ut,
15 quicquid bellī fortūna reliquum reī pūblicae fēcerit, id
esse salvum velīs, quibus laudibus efferēmus, quibus studiīs prōsequēmur, quā benevolentiā complectēmur! Parietēs mēdius fidius, ut mihi vidētur, hūjus Cūriae tibi
grātiās agere gestiunt, quod brevī tempore futūra sit illa
20 auctōritās in hīs majōrum suōrum et suīs sēdibus. IV.
Equidem cum C. Mārcellī, virī optimī et commemorābilī
pietāte praeditī, lacrimās modo vōbīscum vidērem, omnium
Mārcellōrum meum pectus memoria offūdit, quibus tū
etiam mortuīs, M. Mārcellō cōnservātō, dignitātem suam
25 reddidistī nōbilissimamque familiam jam ad paucōs re-
dāctam paene ab interitū vindicāstī. **11.** Hunc tū igitur
diem tuīs maximīs et innumerābilibus grātulātiōnibus
jūre antepōnēs. Haec enim rēs ūnīus est propria C.
Caesaris; cēterae duce tē gestae magnae illae quidem,
30 sed tamen multō magnōque comitātū. Hūjus autem reī
tū īdem es et dux et comes; quae quidem tanta est, ut

JULIUS CAESAR

(The British Museum bust)

tropaeīs et monumentīs tuīs allātūra fīnem sit aetās (nihil
est enim opere et manū factum, quod nōn aliquandō cōn-
ficiat et cōnsūmat vetustās). **12.** At haec tua jūstitia et
lēnitās animī flōrēscit cottīdiē magis, ita ut, quantum tuīs
operibus diūturnitās dētrahet, tantum afferat laudibus. 5
Et cēterōs quidem omnēs victōrēs bellōrum cīvīlium jam
ante aequitāte et misericordiā vīcerās; hodiernō vērō diē
tē ipsum vīcistī. Vereor, ut hōc, quod dīcam, perinde
intellegī possit audītum, atque ipse cōgitāns sentiō: Ipsam victōriam vīcisse vidēris, cum ea, quae illa erat 10
adepta, victīs remīsistī. Nam cum ipsīus victōriae condiciōne omnēs victī occidissēmus, clēmentiae tuae jūdiciō
cōnservātī sumus. Rēctē igitur ūnus invictus, ā quō
etiam ipsīus victōriae condiciō vīsque dēvicta est.

The pardon of Marcellus has a wide significance

V. **13.** Atque hōc C. Caesaris jūdicium, patrēs cōn- 15
scrīptī, quam lātē pateat, attendite. Omnēs enim, quī ad
illa arma fātō sumus nesciŏ quō reī pūblicae miserō fūnes-
tōque compulsī, etsī aliquā culpā tenēmur errōris hūmānī,
scelere certē līberātī sumus. Nam, cum M. Mārcellum,
dēprecantibus vōbīs, reī pūblicae cōnservāvit, mē et mihi 20
et item reī pūblicae, nūllō dēprecante, reliquōs amplissimōs
virōs et sibi ipsōs et patriae reddidit, quōrum et frequentiam et dignitātem hōc ipsō in cōnsessū vidētis, nōn ille
hostēs indūxit in Cūriam, sed jūdicāvit ā plērīsque ignōrā-
tiōne potius et falsō atque inānī metū quam cupiditāte 25
aut crūdēlitāte bellum esse susceptum. **14.** Quō quidem
in bellō semper dē pāce audiendum putāvī semperque
doluī nōn modo pācem, sed etiam ōrātiōnem cīvium pācem
flāgitantium repudiārī. Neque enim ego illa nec ūlla

umquam secūtus sum arma cīvīlia, semperque mea cōnsilia pācis et togae socia, nōn bellī atque armōrum fuērunt.
Hominem sum secūtus prīvātō officiō, nōn pūblicō, tantumque apud mē grātī animī fidēlis memoria valuit, ut
5 (nūllā nōn modo cupiditāte, sed nē spē quidem) prūdēns
et sciēns tamquam ad interitum ruerem voluntārium.
15. Quod quidem meum cōnsilium minimē obscūrum
fuit.   Nam et in hōc ōrdine, integrā rē, multa dē pāce dīxī
et in ipsō bellō eadem etiam cum capitis meī perīculō sēnsī.
10 Ex quō nēmō jam erit tam injūstus exīstimātor rērum,
quī dubitet, quae Caesaris dē bellō voluntās fuerit, cum
pācis auctōrēs cōnservandōs statim cēnsuerit, cēterīs
fuerit īrātior.   Atque id minus mīrum fortasse tum, cum
esset incertus exitus et anceps fortūna bellī ; quī vērō
15 victor pācis auctōrēs dīligit, is profectō dēclārat sē
māluisse nōn dīmicāre quam vincere. VI. **16.** Atque
hūjus quidem reī M. Mārcellō sum testis.   Nostrī enim
sēnsūs ut in pāce semper, sīc tum etiam in bellō con-
gruēbant.   Quotiēns ego eum et quantō cum dolōre vīdī
20 cum īnsolentiam certōrum hominum, tum etiam ipsīus
victōriae ferōcitātem extimēscentem ! Quō grātior tua
līberālitās, C. Caesar, nōbīs, quī illa vīdimus, dēbet esse.
Nōn enim jam causae sunt inter sē, sed victōriae comparandae.

Caesar's victory has ended with his campaigns

25 **17.** Vīdimus tuam victōriam proeliōrum exitū termi-
nātam, gladium vāgīnā vacuum in urbe nōn vīdimus.
Quōs āmīsimus cīvēs, eōs Mārtis vīs perculit, nōn īra
victōriae, ut dubitāre dēbeat nēmō, quīn multōs, sī fierī
posset, C. Caesar ab īnferīs excitāret, quoniam ex eādem

aciē cōnservat, quōs potest. Alterius vērō partis nihil
amplius dīcam quam, id quod omnēs verēbāmur, nimis
īrācundam futūram fuisse victōriam. **18.** Quīdam enim
nōn modo armātīs, sed interdum etiam ōtiōsīs minābantur
nec, quid quisque sēnsisset, sed ubi fuisset, cōgitandum 5
esse dīcēbant, ut mihi quidem videantur dī immortālēs,
etiamsī poenās ā populō Rōmānō ob aliquod dēlīctum
expetīvērunt, quī cīvīle bellum tantum et tam lūctuōsum
excitāvērunt, vel plācātī jam vel satiātī aliquandō omnem
spem salūtis ad clēmentiam victōris et sapientiam contu- 10
lisse.

19. Quārē gaudē tuō istō tam excellentī bonō et fruere
cum fortūnā et glōriā, tum etiam nātūrā et mōrlbus tuis,
ex quō quidem maximus est frūctus jūcunditāsque sapientī. Cētera cum tua recordābere, etsī persaepe virtūtī, 15
tamen plērumque fēlīcitātī tuae grātulābere; dē nōbīs,
quōs in rē pūblicā tēcum simul esse voluistī, quotiēns
cōgitābis, totiēns dē maximīs tuīs beneficiīs, totiēns dē
incrēdibilī līberālitāte, totiēns dē singulārī sapientiā
tuā cōgitābis; quae nōn modo summa bona, sed nīmī- 20
rum audēbō vel sōla dīcere. Tantus est enim splendor
in laude vērā, tanta in magnitūdine animī et cōnsilī
dignitās, ut haec ā Virtūte dōnāta, cētera ā Fortūnā
commodāta esse videantur. **20.** Nōlī igitur in cōn-
servandīs bonīs virīs dēfatīgārī, nōn cupiditāte praeser- 25
tim aliquā aut prāvitāte lāpsīs, sed opīniōne officī stultā
fortasse, certē nōn improbā, et speciē quādam reī pūblicae. Nōn enim tua ūlla culpa est, sī tē aliquī timuērunt;
contrāque summa laus, quod minimē timendum fuisse
sēnsērunt. 30

Solicitude of all for Caesar's safety

VII. **21.** Nunc veniō ad gravissimam querelam et
atrōcissimam suspīciōnem tuam, quae nōn tibi ipsī magis
quam cum omnibus cīvibus, tum maximē nōbīs, quī ā tē
cōnservātī sumus, prōvidenda est ; quam etsī spērō
5 falsam esse, tamen numquam extenuābō. Tua enim
cautiō nostra cautiō est, ut, sī in alterutrō peccandum
sit, mālim vidērī nimis timidus quam parum prūdēns.
Sed quisnam est iste tam dēmēns ? Dē tuīsne (tametsī
quī magis sunt tuī, quam quibus tū salūtem īnspērantibus
10 reddidistī)？ An ex hōc numerō, quī ūnā tēcum fuērunt ?
Nōn est crēdibīlis tantus in ūllō furor, ut, quō duce omnia
summa sit adeptus, hūjus vītam nōn antepōnat suae.
An, sī nihil tuī cōgitant sceleris, cavendum est, nē quid
inimīcī ? Quī ? Omnés enim, quī fuērunt, aut suā per-
15 tināciā vītam āmīsērunt aut tuā misericordiā retinuērunt,
ut aut nūllī supersint dē inimīcīs aut, quī fuērunt, sint
amīcissimī. **22.** Sed tamen cum in animīs hominum
tantae latebrae sint et tantī recessūs, augeāmus sānē suspīciōnem tuam ; simul enim augēbimus dīligentiam.
20 Nam quis est omnium tam ignārus rērum, tam rudis in
rē pūblicā, tam nihil umquam nec dē suā nec dē commūnī
salūte cōgitāns, quī nōn intellegat tuā salūte continērī
suam et ex ūnīus tuā vītā pendēre omnium ? Equidem
dē tē diēs noctēsque, ut dēbeō, cōgitāns cāsūs dumtaxat
25 hūmānōs et incertōs ēventūs valētūdinis et nātūrae commūnis fragilitātem, extimēscō, doleōque, cum rēs pūblica
immortālis esse dēbeat, eam in ūnīus mortālis animā
cōnsistere. **23.** Sī vērō ad hūmānōs cāsūs incertōsque
mōtūs valētūdinis sceleris etiam accēdit īnsidiārumque
30 cōnsēnsiō, quem deum, sī cupiat, posse opitulārī reī
pūblicae crēdāmus ?

His is the task of restoring order in the state

VIII.   Omnia sunt excitanda tibi, C. Caesar, ūnī, quae
jacēre sentīs, bellī ipsīus impetū, quod necesse fuit, perculsa atque prōstrāta; cōnstituenda jūdicia, revocanda
fidēs, comprimendae libīdinēs, prōpāganda subolēs; omnia,
quae dīlāpsa jam difflūxērunt, sevērīs lēgibus vincienda 5
sunt. **24.** Nōn fuit recūsandum in tantō cīvīlī bellō,
tantō animōrum ārdōre et armōrum, quīn quassāta rēs
pūblica, quīcumque bellī ēventus fuisset, multa perderet et
ōrnāmenta dignitātis et praesidia stabilitātis suae, multa-
que uterque dux faceret armātus, quae īdem togātus fierī 10
prohibuisset.   Quae quidem tibi nunc omnia bellī vulnera
sānanda sunt, quibus praeter tē medērī nēmō potest.

Let him, therefore, not regard his life's work as ended

25. Itaque illam tuam praeclārissimam et sapientissi-
mam vōcem invītus audīvī: 'Satis diū vel nātūrae vīxī
vel glōriae.' Satis, sī ita vīs, fortasse nātūrae, addō 15
etiam, sī placet, glōriae, at, quod maximum est, patriae
certē parum.   Quārē omitte istam, quaesō, doctōrum
hominum in contemnendā morte prūdentiam; nōlī nostrō
perīculō esse sapiēns.   Saepe enim venit ad aurēs meās,
tē idem istud nimis crēbrō dīcere, tibi satis tē vīxisse. 20
Crēdō; sed tum id audīrem, sī tibi sōlī vīverēs aut sī tibi
etiam sōlī nātus essēs.   Omnium salūtem cīvium cūnctam-
que rem pūblicam rēs tuae gestae complexae sunt;
tantum abes ā perfectiōne maximōrum operum, ut fundāmenta nōndum, quae cōgitās, jēceris.   Hīc tū modum 25
vītae tuae nōn salūte reī pūblicae, sed aequitāte animī
dēfīniēs?   Quid, sī istud nē glōriae quidem satis est?
cūjus tē esse avidissimum, quamvīs sīs sapiēns, nōn

negābis. **26**. 'Parumne igitur,' inquiēs, 'magna relin-
quēmus?' Immō vērō aliīs quamvīs multīs satis, tibi ūnī
parum. Quicquid est enim, quamvīs amplum sit, id est
parum tum, cum est aliquid amplius. Quodsī rērum tuā-
5 rum immortālium, C. Caesar, hīc exitus futūrus fuit, ut
dēvictīs adversāriīs, rem pūblicam in eō statū relinquerēs,
in quō nunc est, vidē, quaesō, nē tua dīvīna virtūs admīrā-
tiōnis plūs sit habitūra quam glōriae, siquidem glōria est
illūstris ac pervagāta magnōrum vel in suōs cīvēs vel in
10 patriam vel in omne genus hominum fāma meritōrum.

But let him win undying fame by founding Rome anew

IX. **27**. Haec igitur tibi reliqua pars est, hīc restat
āctus, in hōc ēlabōrandum est, ut rem pūblicam cōnstituās,
eāque tū in prīmīs summā tranquillitāte et ōtiō perfruāre;
tum tē, sī volēs, cum et patriae, quod dēbēs, solveris et nā-
15 tūram ipsam explēveris satietāte vīvendī, satis diū vīxisse
dīcitō. Quid enim est omnīnō hōc ipsum 'diū,' in quō est
aliquid extrēmum? Quod cum vēnit, omnis voluptās praeterita pro nihilō est, quia posteā nūlla est futūra. Quamquam iste tuus animus numquam hīs angustiīs, quās nātūra
20 nōbīs ad vīvendum dedit, contentus fuit; semper immor-
tālitātis amōre flagrāvit. **28**. Nec vērō haec tua vīta
dūcenda est, quae corpore et spīritū continētur; illa, inquam, illa vīta est tua, quae vigēbit memoriā saeculōrum
omnium, quam posteritās alet, quam ipsa aeternitās sem-
25 per tuēbitur. Huic tū īnserviās, huic tē ostentēs oportet,
quae quidem, quae mīrētur, jam prīdem multa habet;
nunc etiam, quae laudet, exspectat. Obstupēscent pos-
terī certē imperia, prōvinciās, Rhēnum, Ōceanum, Nīlum,
pugnās innumerābilēs, incrēdibilēs victōriās, monumenta,

mūnera, triumphōs audientēs et legentēs tuōs. **29.** Sed
nisi haec urbs stabilīta tuīs cōnsiliīs et īnstitūtīs erit, vagā-
bitur modo tuum nōmen longē atque lātē, sēdem stabilem
et domicilium certum nōn habēbit. Erit inter eōs etiam,
quī nāscentur, sīcut inter nōs fuit, magna dissēnsiō, cum 5
aliī laudibus ad caelum rēs tuās gestās efferent, aliī fortasse aliquid requīrent, idque vel maximum, nisi bellī
cīvīlis incendium salūte patriae restīnxeris, ut illud fātī
fuisse videātur, hōc cōnsilī. Servī igitur eīs etiam jūdi-
cibus, quī multīs post saeculīs dē tē jūdicābunt, et quidem 10
haud sciō an incorruptius quam nōs; nam et sine amōre
et sine cupiditāte et rūrsus sine odiō et sine invidiā jūdicābunt. **30.** Id autem etiamsī tum ad tē, ut quīdam
putant, non pertinēbit, nunc certē pertinet esse tē tālem,
ut tuās laudēs obscūrātūra nūlla umquam sit oblīviō.   15

The civil war is over. — Let us banish resentment and unite in
protecting Caesar in his reforms

X. Dīversae voluntātēs cīvium fuērunt distrāctaeque
sententiae. Nōn enim cōnsiliīs sōlum et studiīs, sed
armīs etiam et castrīs dissidēbāmus; erat enim obscūritās
quaedam, erat certāmen inter clārissimōs ducēs; multī
dubitābant, quid optimum esset, multī, quid sibi expedī- 20
ret, multī, quid decēret, nōnnūllī etiam, quid licēret.
31. Perfūncta rēs pūblica est hōc miserō fātālīque bellō;
vīcit is, quī nōn fortūnā īnflammāret odium suum, sed
bonitāte lēnīret, nec quī omnēs, quibus īrātus esset,
eōsdem exsiliō aut morte dignōs jūdicāret. Arma ab 25
aliīs posita, ab aliīs ērepta sunt. Ingrātus est injūstus-
que cīvis, quī armōrum perīculō līberātus animum tamen
retinet armātum, ut etiam ille melior sit, quī in causā

animam prōfūdit. Quae enim pertinācia quibusdam, eadem aliīs cōnstantia vidērī potest. **32**. Sed jam omnis
frācta dissēnsiō est armīs, exstīncta aequitāte victōris;
restat, ut omnēs ūnum velint, quī modo habent aliquid
5 nōn sōlum sapientiae, sed etiam sānitātis. Nisi tē, C.
Caesar, salvō et in istā sententiā, quā cum anteā, tum
hodiē vel maximē ūsus es, manente, salvī esse nōn possumus. Quārē omnēs tē, quī haec salva esse volumus, et
hortāmur et obsecrāmus, ut vītae tuae et salūtī cōnsulās,
10 omnēsque tibi (ut prō aliīs etiam loquar, quod dē mē ipse
sentiō), quoniam subesse aliquid putās, quod cavendum
sit, nōn modo excubiās et cūstōdiās, sed etiam laterum
nostrōrum oppositūs et corporum pollicēmur.

*Cicero concludes with thanks to Caesar in behalf of Marcellus and
his fellow-senators*

XI. **33**. Sed ut, unde est ōrsa, in eōdem terminētur
15 ōrātiō, maximās tibi omnēs grātiās agimus, C. Caesar, majōrēs etiam habēmus. Nam omnēs idem sentiunt, quod
ex omnium precibus et lacrimīs sentīre potuistī. Sed
quia nōn est omnibus stantibus necesse dīcere, ā mē certē
dīcī volunt, cui necesse est quōdam modō; et, quod fierī
20 decet, M. Mārcellō ā tē huic ōrdinī populōque Rōmānō et
reī pūblicae redditō, fierī id intellegō. Nam laetārī omnēs nōn dē ūnīus sōlum, sed dē commūnī salūte sentiō.
34. Quod autem summae benevolentiae est, quae mea
ergā illum omnibus semper nōta fuit, ut vix C. Mārcellō,
25 optimō et amantissimō frātrī, praeter eum quidem cē-
derem nēminī, cum id sollicitūdine, cūrā, labōre tam diū
praestiterim, quamdiū est dē illīus salūte dubitātum, certē
hōc tempore magnīs cūrīs, molestiīs, dolōribus līberātus

praestāre dēbeō.   Itaque, C. Caesar, sīc tibi grātiās agō,
ut, omnibus mē rēbus ā tē nōn cōnservātō sōlum, sed etiam
ōrnātō, tamen ad tua in mē ūnum innumerābilia merita,
quod fierī jam posse nōn arbitrābar, maximus hōc tuō
factō cumulus accesserit.   5

M. TULLI CICERONIS

CATO MAJOR DE SENECTUTE LIBER

AD T. POMPONIUM ATTICUM

Dedication to Atticus

I. 1. Ō Tite, sī quid tē adjuerō cūramve levāssō,
Quae nunc tē coquit et versāt in pectore fīxa,
Ecquid erit praemī?

Licet enim mihi versibus eīsdem affārī tē, Attice, qui-
5 bus affātur Flāminīnum

Ille vir haud magnā cum rē, sed plēnus fideī;

quamquam certō sciō nōn, ut Flāminīnum,

Sollicitārī tē, Tite, sīc noctēsque diēsque;

nōvī enim moderātiōnem animī tuī et aequitātem tēque
10 nōn cognōmen sōlum Athēnīs dēportāsse, sed hūmānitātem et prūdentiam intellegō. Et tamen tē suspicor
eīsdem rēbus quibus mē ipsum interdum gravius commovērī, quārum cōnsōlātiō et major est et in aliud
tempus differenda. Nunc autem vīsum est mihi dē
15 senectūte aliquid ad tē cōnscrībere. **2.** Hōc enim
onere, quod mihi commūne tēcum est, aut jam urgen-
tis aut certē adventantis senectūtis et tē et mē ipsum
levārī volō; etsī tē quidem id modicē ac sapienter sīcut

120

THE ACROPOLIS AT ATHENS

omnia et ferre et lātūrum esse certō sciō. Sed mihi,
cum dē senectūte vellem aliquid scrībere, tū occurrē-
bās dignus eō mūnere, quō uterque nostrum commūniter ūterētur. Mihi quidem ita jūcunda hūjus librī
cōnfectiō fuit, ut nōn modo omnēs absterserit senectū- 5
tis molestiās, sed effēcerit mollem etiam et jūcundam
senectūtem. Numquam igitur laudārī satis dignē philosophia poterit, cui quī pāreat, omne tempus aetātis
sine molestiā possit dēgere. **3**. Sed dē cēterīs et
dīximus multa et saepe dīcēmus; hunc librum ad tē 10
dē senectūte mīsimus. Omnem autem sermōnem tribuimus nōn Tīthōnō, ut Aristō Cēus (parum enim
esset auctōritātis in fābulā), sed M. Catōnī senī, quō
majōrem auctōritātem habēret ōrātiō; apud quem Laelium et Scīpiōnem facimus admīrantēs, quod is tam 15
facile senectūtem ferat, eīsque eum respondentem.
Quī sī ērudītius vidēbitur disputāre, quam cōnsuēvit
ipse in suīs librīs, attribuitō litterīs Graecīs, quārum
cōnstat eum perstudiōsum fuisse in senectūte. Sed
quid opus est plūra? Jam enim ipsīus Catōnis sermō 20
explicābit nostram omnem dē senectūte sententiam.

*The young men express their admiration of the way Cato bears old
age. His explanation*

II. **4**. *Scipio.* Saepe numerō admīrārī soleō cum
hōc C. Laeliō cum cēterārum rērum tuam excellentem,
M. Catō, perfectamque sapientiam, tum vel maximē,
quod numquam tibi senectūtem gravem esse sēnserim, 25
quae plērīsque senibus sīc odiōsa est, ut onus sē Aetnā
gravius dīcant sustinēre.

Cato. Rem haud sānē difficilem, Scīpiō et Laelī,

admīrārī vidēminī. Quibus enim nihil est in ipsīs opis
ad bene beātēque vīvendum, eīs omnis aetās gravis
est; quī autem omnia bona ā sē ipsī petunt, eīs nihil
potest malum vidērī, quod nātūrae necessitās afferat.
5 Quō in genere est in prīmīs senectūs; quam ut adi-
pīscantur omnēs optant, eandem accūsant adeptam;
tanta est stultitiae incōnstantia atque perversitās.
Obrēpere ajunt eam citius, quam putāssent. Prīmum
quis coēgit eōs falsum putāre? Quī enim citius adu-
10 lēscentiae senectūs quam pueritiae adulēscentia obrē-
pit? Deinde quī minus gravis esset eīs senectūs, sī
octingentēsimum annum agerent quam sī octōgēsimum? Praeterita enim aetās quamvīs longa cum
efflūxisset, nūllā cōnsōlātiōne permulcēre posset stul-
15 tam senectūtem. 5. Quōcircā sī sapientiam meam
admīrārī solētis (quae utinam digna esset opīniōne
vestrā nostrōque cognōmine!), in hōc sumus sapientēs,
quod nātūram optimam ducem tamquam deum sequimur eīque pārēmus; ā quā nōn vērī simile est, cum
20 cēterae partēs aetātis bene discrīptae sint, extrēmum
āctum tamquam ab inertī poētā esse neglēctum. Sed
tamen necesse fuit esse aliquid extrēmum et tamquam
in arborum bācīs terraeque frūctibus mātūritāte tem-
pestīvā quasi viētum et cadūcum, quod ferendum est
25 molliter sapientī. Quid est enim aliud Gigantum modō
bellāre cum dīs nisi nātūrae repugnāre?

They urge him to proceed

6. *Laelius.* Atquī, Catō, grātissimum nōbīs, ut etiam
prō Scīpiōne pollicear, fēceris, sī, quoniam spērāmus, —
volumus quidem certē, — senēs fierī, multō ante ā tē

didicerimus, quibus facillimē ratiōnibus ingravēscentem aetātem ferre possīmus.

Cato. Faciam vērō, Laelī, praesertim sī utrīque vestrum, ut dīcis, grātum futūrum est.

Laelius. Volumus sānē, nisi molestum est, Catō, 5 tamquam longam aliquam viam cōnfēcerīs, quā nōbīs quoque ingrediendum sit, istūc, quō pervēnistī, vidēre quāle sit.

III. 7. *Cato.* Faciam, ut poterō, Laelī. Saepe enim interfuī querēlīs aequālium meōrum (parēs autem 10 vetere prōverbiō cum paribus facillimē congregantur), quae C. Salīnātor, quae Sp. Albīnus, hominēs cōnsulārēs, nostrī ferē aequālēs, dēplōrāre solēbant, tum quod voluptātibus carērent, sine quibus vītam nūllam putārent, tum quod spernerentur ab eīs ā quibus 15 essent colī solitī. Quī mihi nōn id vidēbantur accūsāre, quod esset accūsandum. Nam sī id culpā senectūtis accideret, eadem mihi ūsū venīrent reliquīsque omnibus majōribus nātū, quōrum ego multōrum cognōvī senectūtem sine querēlā, quī sē et libīdinum 20 vinculīs laxātōs esse nōn molestē ferrent nec ā suīs dēspicerentur. Sed omnium istīus modī querēlārum in mōribus est culpa, nōn in aetāte. Moderātī enim et nec difficilēs nec inhūmānī senēs tolerābilem senectūtem agunt, importūnitās autem et inhūmānitās omnī 25 aetātī molesta est.

8. *Laelius.* Est, ut dīcis, Catō; sed fortasse dīxerit quispiam tibi propter opēs et cōpiās et dignitātem tuam tolerābiliōrem senectūtem vidērī, id autem nōn posse multīs contingere. 30

Cato. Est istud quidem, Laelī, aliquid, sed nēquā-

quam in istō sunt omnia. Ut Themistoclēs fertur
Serīphiō cuidam in jūrgiō respondisse, cum ille dīxis-
set nōn eum suā sed patriae glōriā splendōrem asse-
cūtum: '*Nec herculē*,' inquit, '*sī ego Serīphius essem,*
5 *nec tū, sī Athēniēnsis essēs, clārus umquam fuissēs*.'
Quod eōdem modō dē senectūte dīcī potest. Nec enim
in summā inopiā levis esse senectūs potest nē sapientī quidem nec īnsipientī etiam in summā cōpiā nōn
gravis. 9. Aptissima omnīnō sunt, Scīpiō et Laelī,
10 arma senectūtis artēs exercitātiōnēsque virtūtum,
quae in omnī aetāte cultae, cum diū multumque vīxe-
rīs, mīrificōs efferunt frūctūs, nōn sōlum quia numquam dēserunt nē extrēmō quidem tempore aetātis
(quamquam id quidem maximum est), vērum etiam
15 quia cōnscientia bene āctae vītae multōrumque bene
factōrum recordātiō jūcundissima est.

Fabius Maximus as an example of the ideal old man

IV. 10. Ego Q. Maximum, eum quī Tarentum re-
cēpit, senem adulēscēns ita dīlēxī, ut aequālem; erat
enim in illō virō cōmitāte condīta gravitās, nec senec-
20 tūs mōrēs mūtāverat; quamquam eum colere coepī
nōn admodum grandem nātū, sed tamen jam aetāte
prōvectum. Annō enim post cōnsul prīmum fuerat,
quam ego nātus sum, cumque eō quārtum cōnsule
adulēscentulus mīles ad Capuam profectus sum quīn-
25 tōque annō post ad Tarentum. Quaestor deinde quadrienniō post factus sum, quem magistrātum gessī
cōnsulibus Tuditānō et Cethēgō, cum quidem ille admodum senex suāsor lēgis Cinciae dē dōnīs et mūneribus fuit. Hīc et bella gerēbat ut adulēscēns, cum

plānē grandis esset, et Hannibalem juvenīliter exsultantem patientiā suā molliēbat; dē quō praeclārē
familiāris noster Ennius :

> Ūnus homō nōbīs cunctandō restituit rem.
> Noenum rūmōrēs pōnēbāt ante salūtem. 5
> Ergō plūsque magisque virī nunc glōria clāret.

11. Tarentum vērō quā vigilantiā, quō cōnsiliō recē-
pit! cum quidem, mē audiente, Salīnātōrī, quī āmissō
oppidō fuerat in arce, glōriantī atque ita dīcentī :
' *Meā operā, Q. Fabī, Tarentum recēpistī,*' '*Certē,*' 10
inquit rīdēns, '*nam nisi tū āmīsissēs, numquam recē-
pissem.*' Nec vērō in armīs praestantior quam in
togā; quī cōnsul iterum, Sp. Carviliō collēgā quiē-
scente, C. Flāminiō tribūnō plēbis, quoad potuit, restitit
agrum Pīcentem et Gallicum virītim contrā senātūs 15
auctōritātem dīvidentī; augurque cum esset, dīcere
ausus est optimīs auspiciīs ea gerī, quae prō rei pūblicae salūte gererentur; quae contrā rem pūblicam ferrentur, contrā auspicia ferrī. **12**. Multa in eō virō
praeclāra cognōvī; sed nihil admīrābilius, quam quō 20
modō ille mortem fīlī tulit, clārī virī et cōnsulāris.
Est in manibus laudātiō, quam cum legimus, quem
philosophum non contemnimus? Nec vērō ille in
lūce modo atque in oculīs cīvium magnus, sed intus
domīque praestantior. Quī sermō, quae praecepta, 25
quanta nōtitia antīquitātis, scientia jūris augurii!
Multae etiam, ut in homine Rōmānō, litterae; omnia
memoriā tenēbat nōn domestica sōlum, sed etiam
externa bella. Cūjus sermōne ita tum cupidē fruēbar,
quasi jam dīvīnārem, id quod ēvēnit, illō exstīnctō fore, 30
unde discerem, nēminem.

Other examples

V. **13**. Quōrsus igitur haec tam multa dē Maximō?
Quia profectō vidētis nefās esse dictū miseram fuisse
tālem senectūtem. Nec tamen omnēs possunt esse
Scīpiōnēs aut Maximī, ut urbium expugnātiōnēs, ut
5 pedestrēs nāvālēsve pugnās, ut bella ā sē gesta, ut triumphōs recordentur. Est etiam quiētē et pūrē atque
ēleganter āctae aetātis placida ac lēnis senectūs, quālem accēpimus Platōnis, quī ūnō et octōgēsimō annō
scrībēns est mortuus, quālem Īsocratis, quī eum
10 librum, quī Panathēnāicus īnscrībitur, quārtō et nōnā-
gēsimō annō scrīpsisse sē dīcit vīxitque quīnquennium
posteā; cūjus magister Leontīnus Gorgiās centum et
septem complēvit annōs neque umquam in suō studiō
atque opere cessāvit. Quī, cum ex eō quaererētur, cūr
15 tam diū vellet esse in vītā: '*Nihil habeō*,' inquit,
'*quod accūsem senectūtem.*' Praeclārum respōnsum et
doctō homine dignum. **14**. Sua enim vitia īnsipi-
entēs et suam culpam in senectūtem cōnferunt; quod
nōn faciēbat is, cūjus modo mentiōnem fēcī, Ennius:

20   Sīcut fortis equos, spatiō quī saepe suprēmō
        Vīcit Olumpia, nunc seniō cōnfectus quiēscit.

Equī fortis et victōris senectūtī comparat suam.
Quem quidem probē meminisse potestis; annō enim
ūndēvīcēsimō post ejus mortem hī cōnsulēs, T. Flāmi-
25 nīnus et M'. Acīlius, factī sunt, ille autem Caepiōne
et Philippō iterum cōnsulibus mortuus est, cum ego
quīnque et sexāgintā annōs nātus lēgem Vocōniam
magnā vōce et bonīs lateribus suāsī. Sed annōs septuāgintā nātus (tot enim vīxit Ennius) ita ferēbat duo,

quae maxima putantur, onera, paupertātem et senectūtem, ut eīs paene dēlectārī vidērētur.

The charges brought against old age

15. Etenim, cum complector animō, quattuor reperiō causās, cūr senectūs misera videātur : ūnam, quod
āvocet ā rēbus gerendīs, alteram, quod corpus faciat 5
īnfīrmius, tertiam, quod prīvet omnibus ferē voluptātibus, quārtam, quod haud procul absit ā morte. Eārum,
sī placet, causārum quanta quamque sit jūsta ūna
quaeque, vidcāmus.

Old age is alleged to withdraw men from active pursuits

VI. Ā rēbus gerendīs senectūs abstrahit. Quibus? 10
An eīs, quae juventūte geruntur et vīribus? Nūllaene
igitur rēs sunt senīlēs, quae vel īnfīrmīs corporibus
animō tamen administrentur? Nihil ergō agēbat Q.
Maximus, nihil L. Paulus, pater tuus, socer optimī
virī, fīlī meī? Cēterī senēs, Fabriciī, Cūriī, Coruncā- 15
niī, cum rem pūblicam cōnsiliō et auctōritāte dēfendē-
bant, nihil agēbant? **16**. Ad Appī Claudī senectūtem accēdēbat etiam, ut caecus esset ; tamen is, cum
sententia senātūs inclīnāret ad pācem cum Pyrrhō
foedusque faciendum, nōn dubitāvit dīcere illa, quae 20
versibus persecūtus est Ennius :

> Quō vōbīs mentēs, rēctae quae stāre solēbant
> Antehāc, dēmentēs sēsē flexēre viāī?

cēteraque gravissimē ; nōtum enim vōbīs carmen est ;
et tamen ipsīus Appī exstat ōrātiō. Atque haec ille 25
ēgit septimō decimō annō post alterum cōnsulātum,
cum inter duōs cōnsulātūs annī decem interfuissent

cēnsorque ante superiōrem cōnsulātum fuisset; ex quō
intellegitur Pyrrhī bellō grandem sānē fuisse; et tamen
sīc ā patribus accēpimus. **17.** Nihil igitur afferunt,
quī in rē gerendā versārī senectūtem negant, similēs-
5 que sunt, ut sī quī gubernātōrem in nāvigandō nihil
agere dīcant, cum aliī mālōs scandant, aliī per forōs
cursent, aliī sentīnam exhauriant, ille autem clāvum
tenēns quiētus sedeat in puppī. Nōn facit ea, quae
juvenēs, at vērō multō majōra et meliōra facit. Nōn
10 vīribus aut vēlōcitāte aut celeritāte corporum rēs magnae geruntur, sed cōnsiliō, auctōritāte, sententiā; quibus nōn modo nōn orbārī, sed etiam augērī senectūs
solet. **18.** Nisi forte ego vōbīs, quī et mīles et tribūnus et lēgātus et cōnsul versātus sum in variō genere
15 bellōrum, cessāre nunc videor, cum bella nōn gerō;
at senātuī, quae sint gerenda, praescrībō, et quō modō;
Karthāginī male jam diū cōgitantī bellum multō ante
dēnūntiō; dē quā verērī nōn ante dēsinam, quam illam
excīsam esse cognōverō. **19.** Quam palmam utinam
20 dī immortālēs, Scīpiō, tibi reservent, ut avī reliquiās
persequāre! Cūjus ā morte tertius hīc et trīcēsimus
annus est, sed memoriam illīus virī omnēs excipient
annī cōnsequentēs. Annō ante mē cēnsōrem mortuus
est, novem annīs post meum cōnsulātum, cum cōnsul
25 iterum mē cōnsule creātus esset. Num igitur, sī ad
centēsimum annum vīxisset, senectūtis eum suae pae-
nitēret? Nec enim excursiōne nec saltū nec ēminus
hastīs aut comminus gladiīs ūterētur, sed cōnsiliō,
ratiōne, sententiā. Quae nisi essent in senibus, nōn
30 summum cōnsilium majōrēs nostrī appellāssent senātum. **20.** Apud Lacedaemoniōs quidem eī, quī am-

plissimum magistrātum gerunt, ut sunt, sīc etiam
nōminantur senēs. Quodsī legere aut audīre volētis
externa, maximās rēs pūblicās ab adulēscentibus labe-
factātās, ā senibus sustentātās et restitūtās reperiētis.

Cedo, quī vestram rem pūblicam tantam āmīsistis tám cito? 5

Sīc enim percontantur in Naevī poëtae Lupō; respondentur et alia et hōc in prīmīs:

Prōvéniēbant ōrátōrēs noví, stultī, adulēscéntulī.

Temeritās est vidēlicet flōrentis aetātis, prūdentia
senēscentis.
10

Loss of memory

VII. 21. At memoria minuitur. Crēdō, nisi eam
exerceās, aut etiam sī sīs nātūrā tardior. Themistoclēs omnium cīvium percēperat nōmina; num igitur
cēnsētis eum, cum aetāte prōcessisset, quī Aristīdēs
esset, Lȳsimachum salūtāre solitum? Equidem nōn 15
modo eōs nōvī, quī sunt, sed eōrum patrēs etiam et
avōs, nec sepulcra legēns vereor, quod ajunt, nē memoriam perdam; hīs enim ipsīs legendīs in memoriam
redeō mortuōrum. Nec vērō quemquam senem audīvī
oblītum, quō locō thēsaurum obruisset; omnia, quae 20
cūrant, meminērunt, vadimōnia cōnstitūta, quis sibi,
cui ipsī dēbeant. 22. Quid jūris cōnsultī, quid pontificēs, quid augurēs, quid philosophī senēs? Quam
multa meminērunt! Manent ingenia senibus, modo
permaneat studium et industria, neque ea sōlum in 25
clārīs et honōrātīs virīs, sed in vītā etiam prīvātā et
quiētā.

The poet Sophocles and others

Sophoclēs ad summam senectūtem tragoediās fēcit;
quod propter studium cum rem neglegere familiārem
vidērētur, ā fīliīs in jūdicium vocātus est, ut,
quem ad modum nostrō mōre male rem gerentibus
5 patribus bonīs interdīcī solet, sīc illum quasi dēsipi-
entem ā rē familiārī removērent jūdicēs. Tum senex
dīcitur eam fābulam, quam in manibus habēbat et
proximē scrīpserat, Oedipum Colōnēum, recitāsse jūdi-
cibus quaesīsseque, num illud carmen dēsipientis vidē-
10 rētur. Quō recitātō sententiīs jūdicum est līberātus.
23. Num igitur hunc, num Homērum, num Hēsiodum,
Simōnidem, Stēsichorum, num, quōs ante dīxī, Īso-
cratēn, Go giān, num philosophōrum prīncipēs, Pȳthagoram, Dēmocritum, num Platōnem, num Xenocratēn,
15 num posteā Zēnōnem, Cleanthem aut eum, quem vōs
etiam vīdistis Rōmae, Diogenem Stōicum, coēgit in
suīs studiīs obmūtēscere senectūs? An in omnibus hīs
studiōrum agitātiō vītae aequālis fuit? **24.** Age, ut
ista dīvīna studia omittāmus, possum nōmināre ex
20 agrō Sabīnō rūsticōs Rōmānōs, vīcīnōs et familiārēs
meōs, quibus absentibus numquam ferē ūlla in agrō
majōra opera fīunt, nōn serendīs, nōn percipiendīs,
nōn condendīs frūctibus. Quamquam in aliīs minus
hōc mīrum est; nēmō enim est tam senex, quī sē an-
25 num nōn putet posse vīvere; sed īdem in eīs ēlabōrant,
quae sciunt nihil ad sē omnīnō pertinēre :

Serit arborḗs, quae alterī saeclō prṓsint,

ut ait Stātius noster in Synephēbīs. **25.** Nec vērō
dubitat agricola, quamvīs sit senex, quaerentī, cui

SOPHOCLES

serat, respondēre: 'Dīs immortālibus, quī mē nōn accipere modo haec ā majōribus voluērunt, sed etiam posterīs
prōdere.'

VIII. Et melius Caecilius dē sene alterī saeculō
prōspiciente quam illud īdem: 5

> Edepól, senectūs, sí nīl quicquam aliúd vitī
> Appórtēs tēcum, quom ádvenīs, ūnum íd sat est,
> Quod díū vīvendō múlta, quae nōn vólt, videt.

Et multa fortasse, quae volt! Atque in ea, quae nōn
volt, saepe etiam adulēscentia incurrit. Illud vērō 10
īdem Caecilius vitiōsius:

> Tum equidem ín senectā hōc dēputō misérrimum,
> Sentíre ea aetate éumpse esse odiosum álterı.

Jūcundum potius quam odiōsum. 26. Ut enim adulēscentibus bonā indole praeditīs sapientēs senēs dē- 15
lectantur leviorque fit senectūs eōrum, quī ā juventūte
coluntur et dīliguntur, sīc adulēscentēs senum praeceptīs gaudent, quibus ad virtūtum studia dūcuntur;
nec minus intellegō mē vōbīs quam mihi vōs esse jū-
cundōs. Sed vidētis, ut senectūs nōn modo languida 20
atque iners nōn sit, vērum etiam sit operōsa et semper
agēns aliquid et mōliēns, tāle scīlicet, quāle cūjusque
studium in superiōre vītā fuit.

Many even continue the pursuit of knowledge in old age. — Solon

Quid, quī etiam addiscunt aliquid? ut et Solōnem
versibus glōriantem vidēmus, quī sē cottīdiē aliquid addis- 25
centem dīcit senem fierī, et ego fēcī, quī litterās Graecās
senex didicī; quās quidem sīc avidē arripuī, — quasi
diūturnam sitim explēre cupiēns, — ut ea ipsa mihi nōta
essent, quibus mē nunc exemplīs ūtī vidētis. Quod cum

fēcisse Sōcratem in fidibus audīrem, vellem equidem
etiam illud (discēbant enim fidibus antīquī), sed in
litterīs certē ēlabōrāvī.

*The second charge; lack of physical strength.   Strength not neces-
sary in old age*

IX. **27.** Nec nunc quidem vīrēs dēsīderō adulēs-
5 centis (is enim erat locus alter de vitiīs senectūtis),
nōn plūs, quam adulēscēns taurī aut elephantī dēsī-
derābam. Quod est, eō decet ūtī et, quicquid agās,
agere prō vīribus. Quae enim vōx potest esse con-
temptior quam Milōnis Crotōniātae? Quī cum jam
10 senex esset athlētāsque sē exercentēs in curriculō
vidēret, aspexisse lacertōs suōs dīcitur illacrimānsque
dīxisse: '*At hī quidem mortuī jam sunt.*' Nōn vērō
tam istī quam tū ipse, nūgātor! Neque enim ex tē
umquam es nōbilitātus, sed ex lateribus et lacertīs
15 tuīs. Nihil Sex. Aelius tāle, nihil multīs annīs ante
Ti. Coruncānius, nihil modo P. Crassus, ā quibus jūra
cīvibus praescrībēbantur; quōrum ūsque ad extrēmum
spīritum est prōvecta prūdentia. **28.** Ōrātor metuō
nē languēscat senectūte; est enim mūnus ejus nōn
20 ingenī sōlum, sed laterum etiam et vīrium. Omnīnō
canōrum illud in vōce splendēscit etiam nesciŏ quō
pactō in senectūte, quod equidem adhūc nŏn āmīsī.
et vidētis annōs; sed tamen est decōrus senis sermō
quiētus et remissus, facitque per sē ipsa sibi audien-
25 tiam disertī senis cōmpta et mītis ōrātiō. Quam sī
ipse exsequī nequeās, possīs tamen Scīpiōnī praecipere
et Laeliō. Quid enim est jūcundius senectūte stīpātā
studiīs juventūtis? **29.** An nē illās quidem vīrēs

senectūtī relinquimus, ut adulēscentēs doceat, īnsti-
tuat, ad omne officī mūnus īnstruat? Quō quidem
opere quid potest esse praeclārius? Mihi vērō et Cn.
et P. Scīpiōnēs et avī tuī duo, L. Aemilius et P. Āfricānus, comitātū nōbilium juvenum fortūnātī vidēban- 5
tur, nec ūllī bonārum artium magistrī nōn beātī
putandī, quamvīs cōnsenuerint vīrēs atque dēfēcerint.
Etsī ista ipsa dēfectiō vīrium adulēscentiae vitiīs efficitur saepius quam senectūtis; libīdinōsa enim et intemperāns adulēscentia effētum corpus trādit senectūtī. 10
30. Cȳrus quidem apud Xenophōntem eō sermōne,
quem moriēns habuit, cum admodum senex esset, negat
sē umquam sēnsisse senectūtem suam imbēcilliōrem
factam, quam adulēscentia fuisset. Ego L. Metellum
meminī puer, quī cum quadrienniō post alterum cōn- 15
sulātum pontifex maximus factus esset, vīgintī et duōs
annōs eī sacerdōtiō praefuit, ita bonīs esse vīribus
extrēmō tempore aetātis, ut adulēscentiam nōn requī-
reret. Nihil necesse est mihi dē mē ipsō dīcere,
quamquam est id quidem senīle aetātīque nostrae 20
concēditur.

Nestor as an example; others

X. **31**. Vidētisne, ut apud Homērum saepissimē
Nestor dē virtūtibus suīs praedicet? Tertiam jam
enim aetātem hominum vidēbat, nec erat eī verendum,
ne vēra praedicāns dē sē nimis vidērētur aut 25
īnsolēns aut loquāx. Etenim, ut ait Homērus, '*ex
ejus linguā melle dulcior fluēbat ōrātiō,*' quam ad suāvitātem nūllīs egēbat corporis vīribus. Et tamen dux
ille Graeciae nūsquam optat, ut Ajācis similēs habeat

decem, sed ut Nestoris; quod sī sibi acciderit, nōn
dubitat, quīn brevī sit Trōja peritūra. **32.** Sed
redeō ad mē. Quārtum agō annum et octōgēsimum;
vellem equidem idem possem glōriārī, quod Cȳrus, sed
5 tamen hōc queō dīcere, nōn mē quidem eīs esse vīribus,
quibus aut mīles bellō Pūnicō aut quaestor eōdem
bellō aut cōnsul in Hispāniā fuerim aut quadrienniō
post, cum tribūnus mīlitāris dēpugnāvī apud Ther-
mopylās M'. Glabriōne cōnsule, sed tamen, ut vōs
10 vidētis, nōn plānē mē ēnervāvit, nōn afflīxit senectūs,
nōn Cūria vīrēs meās dēsīderat, nōn Rōstra, nōn amīcī,
nōn clientēs, nōn hospitēs. Nec enim umquam sum
assēnsus veterī illī laudātōque prōverbiō, quod monet
mātūrē fierī senem, sī diū velīs senex esse. Ego vērō
15 mē minus diū senem esse māllem quam esse senem,
ante quam essem. Itaque nēmō adhūc convenīre mē
voluit, cui fuerim occupātus. **33.** At minus habeō
vīrium quam vestrum utervīs. Nē vōs quidem T.
Pontī centuriōnis vīrēs habētis; num idcircō est ille
20 praestantior? Moderātiō modo vīrium adsit, et tantum, quantum potest quisque, nītātur; nē ille nōn
magnō dēsīderiō tenēbitur vīrium. Olympiae per stadium ingressus esse Milō dīcitur, cum umerīs susti-
nēret bovem. Utrum igitur hās corporis an Pȳthagorae
25 tibi mālīs vīrēs ingenī darī? Dēnique istō bonō ūtāre,
dum adsit; cum absit, nē requīrās; nisi forte adulēscentēs pueritiam, paululum aetāte prōgressī adulēscentiam dēbent requīrere. Cursus est certus aetātis
et ūna via nātūrae, eaque simplex, suaque cuique
30 partī aetātis tempestīvitās est data, ut et īnfīrmitās
puerōrum et ferōcitās juvenum et gravitās jam cōn-

stantis aetātis et senectūtis mātūritās nātūrāle quiddam habeat, quod suō tempore percipī dēbeat. **34**.
Audīre tē arbitror, Scīpiō, hospes tuus avītus Masinissa
quae faciat hodiē nōnāgintā nātus annōs; cum ingressus iter pedibus sit, in equum omnīnō nōn ascen- 5
dere, cum autem equō, ex equō nōn dēscendere, nūllō
imbrī, nūllō frīgore addūcī, ut capite opertō sit, summam esse in eō siccitātem corporis, itaque omnia exsequī
rēgis officia et mūncra. Potest igitur exercitātiō et
temperantia etiam in senectūte cōnservāre aliquid prīs- 10
tinī rōboris.

XI. Nē sint in senectūte vīrēs. Nē postulantur
quidem vīrēs ā senectūte. Ergō et lēgibus et īnstitūtīs
vacat aetās nostra mūneribus eīs, quae nōn possunt
sine vīribus sustinērī. Itaque nōn modo, quod nōn 15
possumus, sed nē quantum possumus quidem cōgimur.
35. At multī ita sunt imbēcillī senēs, ut nūllum officī
aut omnīnō vītae mūnus exsequī possint. At id quidem nōn proprium senectūtis vitium est, sed commūne
valētūdinis. Quam fuit imbēcillus P. Āfricānī fīlius, 20
is quī tē adoptāvit, quam tenuī aut nūllā potius valētūdine! Quod nī ita fuisset, alterum illud exstitisset
lūmen cīvitātis; ad paternam enim magnitūdinem
animī doctrīna ūberior accesserat. Quid mīrum igitur
in senibus, sī īnfirmī sunt aliquandō, cum id nē adu- 25
lēscentēs quidem effugere possint? Resistendum,
Laelī et Scīpiō, senectūtī est, ejusque vitia dīligentiā
compēnsanda sunt; pugnandum, tamquam contrā mor-
bum, sīc contrā senectūtem. **36**. Habenda ratiō valētūdinis; ūtendum exercitātiōnibus modicīs; tantum cibī 30
et pōtiōnis adhibendum, ut reficiantur vīrēs, nōn oppri-

mantur. Nec vērō corporī sōlum subveniendum est,
sed mentī atque animō multō magis; nam haec quoque, nisi tamquam lūminī oleum īnstīllēs, exstinguuntur
senectūte. Et corpora quidem exercitātiōnum dēfatī-
5 gātiōne ingravēscunt, animī autem exercendō levantur.
Nam quōs ait Caecilius cōmicōs stultōs senēs, hōs significat crēdulōs, oblīviōsōs, dissolūtōs, quae vitia sunt
nōn senectūtis, sed inertis, ignāvae, somniculōsae senectūtis. Ut petulantia, ut libīdō magis est adulē-
10 scentium quam senum, nec tamen omnium adulēscen-
tium, sed nōn probōrum, sīc ista senīlis stultitia, quae
dēlīrātiō appellārī solet, senum levium est, nōn omnium. **37.** Quattuor rōbustōs fīliōs, quīnque fīliās,
tantam domum, tantās clientēlās Appius regēbat et
15 caecus et senex; intentum enim animum tamquam
arcum habēbat nec languēscēns succumbēbat senectūtī;
tenēbat nōn modo auctōritātem, sed etiam imperium
in suōs, metuēbant servī, verēbantur līberī, cārum
omnēs habēbant; vigēbat in illā domō patrius mōs et
20 disciplīna. **38.** Ita enim senectūs honesta est, sī sē
ipsa dēfendit, sī jūs suum retinet, sī nēminī ēmanci-
pāta est, sī ūsque ad ultimum spīritum dominātur in
suōs. Ut enim adulēscentem, in quō est senīle aliquid,
sīc senem, in quō est aliquid adulēscentis, probō;
25 quod quī sequitur, corpore senex esse poterit, animō
numquam erit. Septimus mihi liber Orīginum est in
manibus, omnia antīquitātis monumenta colligō, causārum illūstrium, quāscumque dēfendī, nunc cum
maximē cōnficiō ōrātiōnēs, jūs augurium, pontificium,
30 cīvīle trāctō, multum etiam Graecīs litterīs ūtor Pȳ-
thagorēōrumque **mōre,** exercendae memoriae grātiā,

quid quōque diē dīxerim, audierim, ēgerim, commemorō vesperī. Haec sunt exercitātiōnēs ingenī, haec
curricula mentis, in hīs dēsūdāns atque ēlabōrāns corporis vīrēs nōn magnō opere dēsīderō. Adsum amīcīs,
veniō in senātum frequēns ultrōque afferō rēs multum 5
et diū cōgitātās eāsque tueor animī, nōn corporis vīribus. Quas sī exsequī nequīrem, tamen mē lectulus
meus oblectāret ea ipsa cōgitantem, quae jam agere
nōn possem; sed ut possim, facit ācta vīta. Semper
enim in hīs studiīs labōribusque vīventī nōn intellegi- 10
tur quandō obrēpat senectūs. Ita sēnsim sine sēnsū
aetās senēscit nec subitō frangitur, sed diūturnitāte
exstinguitur.

The third charge: old age deprived of pleasure

XII. **39.** Sequitur tertia vituperātiō senectūtis,
quod eam carēre dīcunt voluptātibus. Ō praeclārum 15
mūnus aetātis, siquidem id aufert ā nōbīs, quod est
in adulēscentiā vitiōsissimum! Accipite enim, optimī
adulēscentēs, veterem ōrātiōnem Archȳtae Tarentīnī,
magnī in prīmīs et praeclārī virī, quae mihi trādita
est, cum essem adulēscēns Tarentī cum Q. Maximō. 20

Pleasure the greatest bane that afflicts mankind

Nūllam capitāliōrem pestem quam voluptātem corporis
hominibus dīcēbat ā nātūrā datam, cūjus voluptātis
avidae libīdinēs temere et effrēnātē ad potiendum in-
citārentur. **40.** Hinc patriae prōditiōnēs, hinc rērum
pūblicārum ēversiōnēs, hinc cum hostibus clandestīna 25
colloquia nāscī, nūllum dēnique scelus, nūllum malum
facinus esse, ad quod suscipiendum nōn libīdō voluptā-

tis impelleret, stupra vērō et adulteria et omne tāle
flāgitium nūllīs excitārī aliīs illecebrīs nisi voluptātis;
cumque hominī sīve Nātūra sīve quis deus nihil mente
praestābilius dedisset, huic dīvīnō mūnerī ac dōnō nihil
5 tam esse inimīcum quam voluptātem. **41**. Nec enim
libīdine dominante temperantiae locum esse, neque omnīnō in voluptātis rēgnō virtūtem posse cōnsistere.
Quod quō magis intellegī posset, fingere animō jubē-
bat tantā incitātum aliquem voluptāte corporis, quanta
10 percipi posset maxima. Nēminī cēnsēbat fore dubium,
quīn tam diū, dum ita gaudēret, nihil agitāre mente,
nihil ratiōne, nihil cōgitātiōne cōnsequī posset. Quōcircā nihil esse tam dētestābile tamque pestiferum
quam voluptātem, siquidem ea, cum major esset atque
15 longinquior, omne animī lūmen exstingueret. Haec
cum C. Pontiō Samnīte, patre ejus, ā quō Caudīnō
proeliō Sp. Postumius, T. Veturius cōnsulēs superātī
sunt, locūtum Archȳtam Nearchus Tarentīnus hospes
noster, quī in amīcitiā populī Rōmānī permānserat, sē
20 ā majōribus nātū accēpisse dīcēbat, cum quidem eī
sermōnī interfuisset Platō Athēniēnsis, quem Tarentum vēnisse L. Camillō, Ap. Claudiō cōnsulibus reperiō.

We should be grateful that old age saves us from the temptation of
youth

42. Quōrsus hōc? Ut intellegerētis, sī voluptātem
aspernārī ratiōne et sapientiā nōn possēmus, magnam
25 habendam esse senectūtī grātiam, quae efficeret, ut id
nōn līberet, quod nōn oportēret. Impedit enim cōnsilium voluptās, ratiōnī inimīca est, mentis, ut ita
dīcam, praestringit oculōs nec habet ūllum cum virtūte

PLATO

commercium. Invītus fēcī, ut fortissimī virī T. Flā-
minīnī frātrem, L. Flāminīnum, ē senātū ēicerem
septem annīs post quam cōnsul fuisset, sed notandam
putāvī libīdinem. Ille enim, cum esset cōnsul in
Galliā, exōrātus in convīviō ā scortō est, ut secūrī 5
ferīret aliquem eōrum, quī in vinculīs essent damnātī
reī capitālis. Hīc Titō frātre suō cēnsōre, quī proximus ante mē fuerat, ēlāpsus est; mihi vērō et Flaccō
neutiquam probārī potuit tam flāgitiōsa et tam perdita
libīdō, quae cum probrō prīvātō conjungeret imperī 10
dēdecus.

XIII. **43.** Saepe audīvī ex majōribus nātū, quī sē
porrō puerōs ā senibus audīsse dīcēbant, mīrārī solitum
C. Fabricium, quod, cum apud rēgem Pyrrhum lēgātus
esset, audīsset ā Thessalō Cīneā esse quendam Athēnīs, 15
quī sē sapientem profitērētur, eumque dīcere omnia,
quae facerēmus, ad voluptātem esse referenda. Quod
ex eō audientēs M'. Cūrium et Ti. Coruncānium optāre
solitōs, ut id Samnītibus ipsīque Pyrrhō persuādērētur,
quō facilius vincī possent, cum sē voluptātibus dedis- 20
sent. Vīxerat M'. Cūrius cum P. Deciō, quī quīn-
quenniō ante eum cōnsulem sē prō rē pūblicā quārtō
cōnsulātū dēvōverat; nōrat eundem Fabricius, nōrat
Coruncānius; quī cum ex suā vītā, tum ex ejus, quem
dīcō, Decī, factō jūdicābant esse profectō aliquid nātūrā 25
pulchrum atque praeclārum, quod suā sponte peterētur,
quodque sprētā et contemptā voluptāte optimus quisque sequerētur. **44.** Quōrsus igitur tam multa dē
voluptāte? Quia nōn modo vituperātiō nūlla, sed
etiam summa laus senectūtis est, quod ea voluptātēs 30
nūllās magnopere dēsīderat.

Many simple pleasures remain for old men

Caret epulīs exstrūctīsque mēnsīs et frequentibus
pōculīs, caret ergō etiam vīnulentiā et crūditāte
et īnsomniīs. Şed sī aliquid dandum est voluptātī,
quoniam ejus blanditiīs nōn facile obsistimus (dī-
5 vīnē enim Platō ēscam malōrum appellat voluptātem, quod eā vidēlicet hominēs capiantur ut piscēs),
quamquam immoderātīs epulīs caret senectūs, modicīs tamen convīviīs dēlectārī potest. C. Duellium
M. F., quī Poenōs classe prīmus dēvīcerat, redeun-
10 tem ā cēnā senem saepe vidēbam puer; dēlectābā-
tur cēreō fūnālī et tībīcine, quae sibi nūllō
exemplō prīvātus sūmpserat; tantum licentiae dabat
glōria. **45**. Sed quid ego aliōs? Ad mē ipsum jam
revertar. Prīmum habuī semper sodālēs. Sodālitātēs
15 autem Magnae Mātris mē quaestōre cōnstitūtae sunt
sacrīs Īdaeīs acceptīs. Epulābar igitur cum sodāli-
bus omnīnō modicē, sed erat quīdam fervor aetātis;
quā prōgrediente omnia fiunt in diēs mītiōra. Neque
enim ipsōrum convīviōrum dēlectātiōnem voluptātibus
20 corporis magis quam coetū amīcōrum et sermōnibus
mētiēbar. Bene enim majōrēs accubitiōnem epulārem
amīcōrum, quia vītae conjūnctiōnem habēret, convīvium nōmināvērunt, melius quam Graecī, quī hōc
idem tum compōtātiōnem, tum concēnātiōnem vocant,
25 ut, quod in eō genere minimum est, id maximē probāre
videantur.

Pleasures of conversation

XIV. **46**. Ego vērō propter sermōnis dēlectātiōnem
tempestīvīs quoque convīviīs dēlector, nec cum aequā-

libus sōlum, quī paucī admodum restant, sed cum vestrā
etiam aetāte atque vōbīscum, habeōque senectūtī magnam grātiam, quae mihi sermōnis aviditātem auxit,
pōtiōnis et cibī sustulit. Quodsī quem etiam ista dēlectant (nē omnīnō bellum indīxisse videar voluptātī, 5
cūjus est fortasse quīdam nātūrālis modus), nōn intellegō nē in istīs quidem ipsīs voluptātibus carēre sēnsū
senectūtem. Mē vērō et magisteria dēlectant ā majōribus īnstitūta et is sermō, quī mōre majōrum ā summō
adhibētur in pōculō, et pōcula, sīcut in Symposiō Xe- 10
nophōntis est, minūta atque rōrantia, et refrīgerātiō
aestāte et vicissim aut sōl aut īgnis hībernus; quae
quidem etiam in Sabīnīs persequī soleō convīviumque
vīcīnōrum cottīdiē compleō, quod ad multam noctem,
quam maximē possumus, variō sermōne prōdūcimus. 15
47. At nōn est voluptātum tanta quasi tīlillātiō in
senibus. Crēdō, sed nē dēsīderātiō quidem; nihil
autem est molestum, quod nōn dēsīderēs. Bene Sophoclēs, cum ex eō quīdam jam affectō aetāte quaereret, ūterēturne rēbus veneriīs : '*Dī meliōra!*' inquit; 20
'*libenter vērō istinc sīcut ab dominō agrestī ac furiōsō
profūgī.*' Cupidīs enim rērum tālium odiōsum fortasse
et molestum est carēre, satiātīs vērō et explētīs jūcundius est carēre quam fruī. Quamquam nōn caret is
quī nōn dēsīderat; ergō hoc nōn dēsīderāre dīcō esse 25
jūcundius. **48.** Quodsī istīs ipsīs voluptātibus bona
aetās fruitur libentius, prīmum parvulīs fruitur rēbus,
ut dīximus, deinde eīs, quibus senectūs, etiamsī nōn
abundē potītur, nōn omnīnō caret. Ut Turpiōne Am-
biviō magis dēlectātur, quī in prīmā caveā spectat, dē- 30
lectātur tamen etiam, quī in ultimā, sīc adulēscentia

voluptātēs propter intuēns magis fortasse laetātur, sed
dēlectātur etiam senectūs, procul eās spectāns, tantum
quantum sat est.

Pleasures of study

49. At illa quantī sunt, animum tamquam ēmeri-
5 tīs stippendiīs libīdinis, ambitiōnis, contentiōnis, in-
imīcitiārum, cupiditātum omnium sēcum esse sēcumque, ut dīcitur, vīvere! Sī vērō habet aliquod
tamquam pābulum studī atque doctrīnae, nihil est
ōtiōsā senectūte jūcundius. Exercērī vidēbāmus in
10 studiō dīmētiendī paene caelī atque terrae C. Gallum,
familiārem patris tuī, Scīpiō. Quotiēns illum lūx noctū
aliquid dēscrībere ingressum, quotiēns nox oppressit,
cum māne coepisset! Quam dēlectābat eum dēfectiō-
nes sōlis et lūnae multō ante nōbīs praedīcere!
15 **50**. Quid in leviōribus studiīs, sed tamen acūtīs?
Quam gaudēbat bellō suō Pūnicō Naevius! Quam Tru-
culentō Plautus, quam Pseudolō! Vīdī etiam senem
Līvium; quī cum sex annīs ante quam ego nātus sum,
fābulam docuisset Centōne Tuditānōque cōnsulibus,
20 ūsque ad adulēscentiam meam prōcessit aetāte. Quid
dē P. Licinī Crassī et pontificiī et cīvīlis jūris studiō
loquar aut dē hūjus P. Scīpiōnis, quī hīs paucīs diebus pontifex maximus factus est? Atque eōs omnēs,
quōs commemorāvī, hīs studiīs flagrantēs senēs vīdi-
25 mus. M. vērō Cethēgum, quem rēctē 'Suādae medullam' dīxit Ennius, quantō studiō exercērī in dīcendō
vidēbāmus etiam senem! Quae sunt igitur epulārum
aut lūdōrum aut scortōrum voluptātēs cum hīs voluptātibus comparandae? Atque haec quidem studia

doctrīnae; quae quidem prūdentibus et bene īnstitūtīs
pariter cum aetāte crēscunt, ut honestum illud Solōnis
sit, quod ait versiculō quōdam, ut ante dīxī, senēscere
sē multa in diēs addiscentem, quā voluptāte animī
nūlla certē potest esse major. 5

The pleasures of farming

XV. **51**. Veniō nunc ad voluptātēs agricolārum,
quibus ego incrēdibiliter dēlector; quae nec ūllā im-
pediuntur senectūte et mihi ad sapientis vītam proximē
videntur accēdere. Habent enim ratiōnem cum terrā,
quae numquam recūsat imperium nec umquam sine 10
ūsūrā reddit, quod accēpit, sed aliās minōre, plērumque
majōre cum fēnore. Quamquam mē quidem nōn
frūctus modo, sed etiam ipsīus terrae vīs ac nātūra
dēlectat. Quae cum gremiō mollītō ac subāctō spar-
sum sēmen excēpit, prīmum id occaecātum cohibet, 15
ex quō occātiō, quae hōc efficit, nōminātā est, deinde
tepefactum vapōre et compressū suō diffundit et ēlicit
herbēscentem ex eō viriditātem, quae nīxa fibrīs stirpium sēnsim adulēscit culmōque ērēcta geniculātō
vāgīnīs jam quasi pūbēscēns inclūditur; ē quibus 20
cum ēmersit, fundit frūgem spīcī ōrdine strūctam et
contrā avium minōrum morsūs mūnītur vāllō aristā-
rum. **52**. Quid ego vītium ortūs, satūs, incrēmenta
commemorem? Satiārī dēlectātiōne nōn possum, ut
meae senectūtis requiētem oblectāmentumque nōscātis. 25
Omittō enim vim ipsam omnium, quae generantur ē
terrā; quae ex fīcī tantulō grānō aut ex acinī vīnāceō
aut ex cēterārum frūgum aut stirpium minūtissimīs
sēminibus tantōs truncōs rāmōsque prōcreet. Malleolī,

plantae, sarmenta, vīvirādīcēs, prōpāginēs nōnne efficiunt, ut quemvīs cum admīrātiōne dēlectent? Vītis
quidem, quae nātūrā cadūca est et, nisi fulta est, fertur
ad terram, eadem, ut sē ērigat, clāviculīs suīs quasi
5 manibus, quicquid est nacta, complectitur; quam ser-
pentem multiplicī lāpsū et errāticō ferrō amputāns
coërcet ars agricolārum, nē silvēscat sarmentīs et in
omnēs partēs nimia fundātur. 53. Itaque ineunte
vēre in eīs, quae relīcta sunt, exsistit tamquam ad
10 articulōs sarmentōrum ea, quae gemma dīcitur, ā quā
oriēns ūva sē ostendit, quae et sūcō terrae et calōre
sōlis augēscēns prīmō est peracerba gustātū, dein
mātūrāta dulcēscit vestītaque pampinīs nec modicō
tepōre caret et nimiōs sōlis dēfendit ārdōrēs. Quā
15 quid potest esse cum frūctū laetius, tum aspectū pul-
chrius? Cūjus quidem nōn ūtilitās mē sōlum, ut ante
dīxī, sed etiam cultūra et nātūra ipsa dēlectat, admini-
culōrum ōrdinēs, capitum jugātiō, religātiō et prōpāgātiō vītium, sarmentōrum ea, quam dīxī, aliōrum
20 amputātiō, aliōrum immissiō. Quid ego irrigātiōnēs,
quid fossiōnēs agrī repastinātiōnēsque prōferam, quibus fit multō terra fēcundior? Quid dē ūtilitāte loquar
stercorandī? 54. Dīxī in eō librō, quem dē rēbus rūsticīs scrīpsī; dē quā doctus Hēsiodus nē verbum qui-
25 dem fēcit, cum dē cultūrā agrī scrīberet. At Homērus,
qui multīs, ut mihi vidētur, ante saeculīs fuit, Lāërtam
lēnientem dēsīderium, quod capiēbat ē fīliō, colentem
agrum et eum stercorantem facit. Nec vērō segetibus
sōlum et prātīs et vīneīs et arbustīs rēs rūsticae laetae
30 sunt, sed hortīs etiam et pōmāriīs, tum pecudum pāstū,
apium exāminibus, flōrum omnium varietāte. Nec

HOMER

cōnsitiōnēs modo dēlectant, sed etiam īnsitiōnēs, quibus
nihil invēnit agrī cultūra sollertius.

XVI. **55.** Possum persequī permulta oblectāmenta
rērum rūsticārum, sed ea ipsa, quae dīxī, sentiō fuisse
longiōra. Ignōscētis autem; nam et studiō rūsticārum 5
rērum prōvectus sum, et senectūs est nātūra loquācior,
nē ab omnibus eam vitiīs videar vindicāre. Ergō in
hāc vītā M'. Cūrius, cum dē Samnitibus, dē Sabīnīs,
dē Pyrrhō triumphāsset, cōnsūmpsit extrēmum tempus
aetātis. Cūjus quidem ego vīllam contemplāns (abest 10
enim nōn longē ā meā) admīrārī satis nōn possum vel
hominis ipsīus continentiam vel temporum disciplīnam.
Nam Cūriō ad focum sedentī magnum aurī pondus
Samnītēs cum attulissent, repudiātī sunt; nōn enim
aurum habēre praeclārum sibi vidērī dīxit, sed eīs, quī 15
habērent aurum, imperāre. **56.** Poteratne tantus animus efficere nōn jūcundam senectūtem? Sed veniō ad
agricolās, nē ā mē ipsō recēdam. In agrīs erant tum
senātōrēs, id est senēs, siquidem arantī L. Quīnctiō
Cincinnātō nūntiātum est eum dictātōrem esse factum; 20
cūjus dictātōris jussū magister equitum C. Servīlius
Ahāla Sp. Maelium rēgnum appetentem occupātum
interēmit. Ā vīllā in senātum arcessēbātur et Cūrius
et cēterī senēs, ex quō, quī eōs arcessēbant, viātōrēs
nōminātī sunt. Num igitur hōrum senectūs miserā- 25
bilis fuit, quī sē agrī cultiōne oblectābant? Meā quidem sententiā haud sciō an nūlla beātior possit esse,
neque sōlum officiō, quod hominum generī ūniversō
cultūra agrōrum est salūtāris, sed et dēlectātiōne, quam
dīxī, et saturitāte cōpiāque rērum omnium, quae ad 30
vīctum hominum, ad cultum etiam deōrum pertinent,

ut, quoniam haec quīdam dēsīderant, in grātiam jam
cum voluptāte redeāmus. Semper enim bonī assiduī-
que dominī referta cella vīnāria, oleāria, etiam penāria
est, vīllaque tōta locuplēs est, abundat porcō, haedō,
5 agnō, gallīnā, lacte, cāseō, melle. Jam hortum ipsī
agricolae succīdiam alteram appellant. Condītiōra
facit haec supervacāneīs etiam operīs aucupium atque
vēnātiō. **57**. Quid dē prātōrum viriditāte aut arborum ōrdinibus aut vīneārum olīvētōrumve speciē plūra
10 dīcam? Brevī praecīdam: Agrō bene cultō nihil potest
esse nec ūsū ūberius nec speciē ōrnātius; ad quem
fruendum nōn modo nōn retardat, vērum etiam invītat
atque allectat senectūs. Ubi enim potest illa aetās
aut calēscere vel aprīcātiōne melius vel īgnī aut vicis-
15 sim umbrīs aquīsve refrīgerārī salūbrius? **58**. Sibī
habeant igitur arma, sibi equōs, sibi hastās, sibi clā-
vam et pīlam, sibi natātiōnēs atque cursūs; nōbīs senibus ex lūsiōnibus multīs tālōs relinquant et tesserās,
— id ipsum ut lubēbit, quoniam sine eīs beāta esse
20 senectūs potest.

Xenophon's description of Cyrus, the Younger

XVII. **59**. Multās ad rēs perūtilēs Xenophōntis
librī sunt; quōs legite, quaesō, studiōsē, ut facitis.
Quam cōpiōsē ab eō agrī cultūra laudātur in eō librō,
quī est dē tuendā rē familiārī, quī Oeconomicus īnscrī-
25 bitur! Atque ut intellegātis nihil eī tam rēgāle vidērī
quam studium agrī colendī, Sōcratēs in eō librō loquitur cum Crītobūlō Cȳrum minōrem, Persārum rēgem,
praestantem ingeniō atque imperī glōriā, cum Lysander Lacedaemonius, vir summae virtūtis, vēnisset ad

eum Sardīs eīque ·lōna ā sociīs attulisset, et cēterīs in
rēbus cōn:em *erga* Lysandrum atque hūmānum fuisse
et eī quendam consaeptum agrum dīligenter cōnsitum
ostendisse. Cum autem admīrārētur Lysander et prō-
cēritātēs arborum et dīrēctōs in quīncūncem ōrdinēs et 5
humum subāctam atque pūram et suāvitātem odōrum,
quī afflārentur ex flōribus, tum eum dīxisse mīrārī sē
nōn modo dīligentiam, sed etiam sollertiam ejus, ā quō
essent illa dīmēnsa atque discrīpta ; et Cȳrum respondisse : '*Atquī ego ista sum omnia dīmēnsus; meī sunt* 10
ōrdinēs, mea discrīptiō, multae etiam istārum arborum
meā manū sunt satae.' Tum Lysandrum intuentem
purpuram ejus et nitōrem corporis ōrnātumque Persi-
cum multō aurō multīsque gemmīs dīxisse : '*Rīte vērō*
tē, Cȳre, beātum ferunt, quoniam virtūtī tuae fortūna con- 15
jūncta est.' **60.** Hāc igitur fortūnā fruī licet senibus,
nec aetās impedit, quō minus et cēterārum rērum et
iu prīmīs agrī colendī studia teneāmus ūsque ad ultimum
tempus senectūtis. M. quidem Valerium Corvīnum
accēpimus ad centēsimum annum perdūxisse, cum esset, 20
āctā jam aetāte, in agrīs eōsque coleret; cūjus inter
prīmum et sextum cōnsulātum sex et quadrāgintā annī
interfuērunt. Ita, quantum spatium aetātis majōrēs
ad senectūtis initium esse voluērunt, tantus illī cursus
honōrum fuit; atque hūjus extrēma aetās hōc beātior 25
quam media, quod auctōritātis habēbat plūs, labōris
minus ; apex est autem senectūtis auctōritās. **61.** Quanta
fuit in L. Caeciliō Metellō, quanta in A. Atīliō Cālātīnō !
in quem illud ēlogium :

Hunc ūnum plūrimae cōnsentiunt gentēs   **30**
Populī prīmārium fuisse virum.

Nōtum est tōtum carmen incīsum in sepulcrō. Jūre
igitur gravis, cūjus dē laudibus omnium esset fāma cōn-
sentiēns. Quem virum nūper P. Crassum, pontificem
maximum, quem posteā M. Lepidum, eōdem sacerdō-
5 tiō praeditum, vīdimus! Quid dē Paulō aut Āfricānō
loquar aut, ut jam ante, dē Maximō? quōrum nōn in
sententiā sōlum, sed etiam in nūtū residēbat auctōritās.
Habet senectūs, honōrāta praesertim, tantam auctōritātem, ut ea plūris sit quam omnēs adulēscentiae
10 voluptātēs.

Only high character can deserve praise

XVIII. **62.** Sed in omnī ōrātiōne mementōte eam
mē senectūtem laudāre, quae fundāmentīs adulēscen-·
tiae cōnstitūta sit. Ex quō efficitur, id quod ego
magnō quondam cum assēnsū omnium dīxī, miseram
15 esse senectūtem, quae sē ōrātiōne dēfenderet. Nōn
cānī nec rūgae repente auctōritātem arripere possunt,
sed honestē ācta superior aetās frūctūs capit auctōritātis extrēmōs. **63.** Haec enim ipsa sunt honōrābilia,
quae videntur levia atque commūnia, salūtārī, appetī,
20 dēcēdī, assurgī, dēdūcī, redūcī, cōnsulī; quae et apud
nōs et in aliīs cīvitātibus, ut quaeque optimē mōrāta
est, ita dīligentissimē observantur. Lysandrum Lace-
daemonium, cūjus modo fēcī mentiōnem, dīcere ajunt
solitum Lacedaemonem esse honestissimum domicilium
25 senectūtis; nūsquam enim tantum tribuitur aetātī, nūsquam est senectūs honōrātior. Quīn etiam memoriae
prōditum est, cum Athēnīs lūdīs quīdam in theātrum
grandis nātū vēnisset, magnō cōnsessū locum nūsquam
eī datum ā suīs cīvibus; cum autem ad Lacedaemoniōs

accessisset, quī lēgātī cum essent, certō in locō cōnsē-
derant, cōnsurrēxisse omnēs illī dīcuntur et senem
sessum recēpisse. **64.** Quibus cum ā cūnctō cōnsessū
plausus esset multiplex datus, dīxisse ex eīs quendam
Athēniēnsēs scīre, quae rēcta essent, sed facere nōlle. 5
Multa in vestrō collēgiō praeclāra, sed hōc, dē quō
agimus, in prīmīs, quod, ut quisque aetāte antecēdit,
ita sententiae prīncipātum tenet, neque sōlum honōre
antecēdentibus, sed eīs etiam, quī cum imperiō sunt,
majōrēs nātū augurēs antepōnuntur. Quae sunt igitur 10
voluptātēs corporis cum auctōritātis praemiīs comparandae? Quibus quī splendidē ūsī sunt, eī mihi videntur fābulam aetātis peregisse nec tamquam inexercitātī
histriōnēs in extrēmō āctū corruisse.

65. At sunt mōrōsī et anxiī et īrācundī et difficilēs 15
senēs. Sī quaerimus, etiam avārī; sed haec mōrum
vitia sunt, nōn senectūtis. Ac mōrōsitās tamen et ea
vitia, quae dīxī, habent aliquid excūsātiōnis nōn illīus
quidem jūstae, sed quae probārī posse videātur; con-
temnī sē putant, dēspicī, illūdī; practereā in fragilī 20
corpore odiōsa omnis offēnsiō est. Quae tamen omnia
dulciōra fiunt et mōribus bonīs et artibus, idque cum
in vītā, tum in scaenā intellegī potest ex eīs frātribus,
quī in Adelphīs sunt. Quanta in alterō dīritās, in
alterō cōmitās! Sīc sē rēs habet: ut enim nōn omne 25
vīnum, sīc nōn omnis nātūra vetustāte coacēscit. Sevēritātem in senectūte probō, sed eam, sīcut alia, modi-
cam, acerbitātem nūllō modō. **66.** Avāritia vērō
senīlis quid sibi velit, nōn intellegō; potest enim quicquam esse absurdius quam, quō viae minus restet, eō 30
plūs viāticī quaerere?

The fourth charge: nearness of death

XIX. Quārta restat causa, quae maximē angere
atque sollicitam habēre nostram aetātem vidētur,
appropinquātiō mortis, quae certē ā senectūte nōn
potest esse longē. Ō miserum senem, quī mortem
5 contemnendam esse in tam longā aetāte nōn vīderit!
quae aut plānē neglegenda est, sī omnīnō exstinguit
animum, aut etiam optanda, sī aliquō eum dēdūcit,
ubi sit futūrus aeternus. **67**. Atquī tertium certē nihil
invenīrī potest; quid igitur timeam, sī aut nōn miser
10 post mortem aut beātus etiam futūrus sum? Quamquam quis est tam stultus, quamvīs sit adulēscēns, cui
sit explōrātum sē ad vesperum esse vīctūrum? Quīn
etiam aetās illa multō plūrēs quam nostra cāsūs mortis
habet; facilius in morbōs incidunt adulēscentēs, gra-
15 vius aegrōtant, trīstius cūrantur. Itaque paucī veniunt ad senectūtem; quod nī ita accideret, melius et
prūdentius vīverētur. Mēns enim et ratiō et cōnsilium
in senibus est; quī sī nūllī fuissent, nūllae omnīnō
cīvītātēs fuissent. Sed redeō ad mortem impendentem.

*Death comes to all periods of life. The old man has achieved what
the young merely hope*

20   Quod est istud crīmen senectūtis, cum id eī videātis
cum adulēscentiā esse commūne? **68**. Sēnsī ego in
optimō fīliō, tū in exspectātīs ad amplissimam dignitātem frātribus, Scīpiō, mortem omnī aetātī esse commūnem. At spērat adulēscēns diū sē vīctūrum, quod
25 spērāre idem senex nōn potest. Īnsipienter spērat.
Quid enim stultius quam incerta prō certīs habēre, falsa
prō vērīs? At senex nē quod spēret quidem habet.

At est eō meliōre condiciōne quam adulēscēns, quoniam id, quod ille spērat, hīc cōnsecūtus est; ille vult
diū vīvere, hic diū vīxit. **69.** Quamquam, o dī bonī!
quid est in hominis nātūrā diū? Dā enim summum
tempus, exspectēmus Tartessiōrum rēgis aetātem (fuit 5
enim, ut scrīptum videō, Arganthōnius quīdam Gādi-
bus, qui octōgintā rēgnāvit annōs, centum vīgintī
vīxit) — sed mihi nē diūturnum quidem quicquam
vidētur, in quō est aliquid extrēmum. Cum enim id
advēnit, tum illud, quod praeteriit, effluxit; tantum 10
remanet, quod virtūte et rēctē factīs cōnsecūtus sīs;
hōrae quidem cēdunt et diēs et mēnsēs et annī, nec
praeteritum tempus umquam revertitur, nec, quid se-
quātur, scīrī potest; quod cuique temporis ad vīvendum datur, eō dēbet esse contentus. 15

"Act well thy part; there all the honor lies"

70. Neque enim histriōnī, ut placeat, peragenda fābula
est, modo, in quōcumque fuerit āctū, probētur, neque sapientī ūsque ad 'Plaudite' veniendum est. Breve enim
tempus aetātis satis longum est ad bene honestēque
vīvendum; sīn prōcesserit longius, nōn magis dolendum 20
est, quam agricolae dolent, praeteritā vērnī temporis suā-
vitāte, aestātem autumnumque vēnisse. Vēr enim tamquam adulēscentiam significat ostenditque frūctūs futūrōs, reliqua autem tempora dēmetendis frūctibus et
percipiendīs accommodāta sunt. **71.** Frūctus autem se- 25
nectūtis est, ut saepe dīxī, ante partōrum bonōrum
memoria et cōpia. Omnia autem, quae secundum
nātūram fīunt, sunt habenda in bonīs. Quid est autem
tam secundum nātūram quam senibus ēmorī? Quod

idem contingit adulēscentibus adversante et repugnante nātūrā.

The naturalness of death in case of the old

Itaque adulēscentēs mihi morī sīc videntur, ut
cum aquae multitūdine flammae vīs opprimitur, senēs
5 autem sīc, ut cum suā sponte, nūlla adhibitā vī, cōn-
sūmptus īgnis exstinguitur; et quasi pōma ex arbori-
bus, crūda sī sunt, vī āvelluntur, sī mātūra et cocta,
dēcidunt, sīc vītam adulēscentibus vīs aufert, seni·bus
mātūritās; quae quidem mihi tam jūcunda est, ut,
10 quō propius ad mortem accēdam, quasi terram vidēre
videar aliquandōque in portum ex longā nāvigātiōne
esse ventūrus.

XX. 72. Senectūtis autem nūllus est certus terminus, rēctēque in eā vīvitur, quoad mūnus officī exsequī
15 et tuērī possīs mortemque contemnere; ex quō fit, ut
animōsior etiam senectūs sit quam adulēscentia et for-
tior. Hōc illud est, quod Pīsistratō tyrannō ā Solōne
respōnsum est, cum illī quaerentī, quā tandem rē frētus sibi tam audāciter obsisteret, respondisse dīcitur;
20 ' Senectūte.' Sed vīvendī est fīnis optimus, cum integrā mente certīsque sēnsibus opus ipsa suum eadem,
quae coagmentāvit, nātūra dissolvit. Ut nāvem, ut
aedificium īdem dēstruit facillimē, quī cōnstrūxit, sīc
hominem eadem optimē, quae conglūtināvit, nātūra
25 dissolvit. Jam omnis conglūtinātiō recēns aegrē, in-
veterāta facile dīvellitur. Ita fit, ut illud breve vītae
reliquum nec avidē appetendum senibus nec sine causā
dēserendum sit. 73. Vetatque Pȳthagorās injussū imperātōris, id est deī, dē praesidiō et statiōne vītae dē-

cedere. Solōnis quidem sapientis ēlogium est, quō sē
negat velle suam mortem dolōre amīcōrum et lāmentīs
vacāre. Vult, crēdō, sē esse cārum suīs; sed haud
sciō an melius Ennius:

> Nēmō mē dacrumīs decoret neque fūnera flētū 5
> Faxit.

Nōn cēnset lūgendam esse mortem, quam immortālitās
cōnsequātur. **74.** Jam sēnsus moriendī aliquis esse
potest, isque ad exiguum tempus, praesertim senī; post
mortem quidem sēnsus aut optandus aut nūllus est. 10

*One should cultivate a disregard of death. Famous examples of
this spirit*

Sed hōc meditātum ab adulēscentiā dēbet esse, mortem
ut neglegāmus, sine quā meditātiōne tranquillō animō
esse nēmō potest. Moriendum enim certē est, et incertum an hōc ipsō diē. Mortem igitur omnibus hōrīs
impendentem timēns quī poterit animō cōnsistere? 15
De quā nōn ita longā disputātiōne opus esse vidētur,
cum recorder nōn L. Brūtum, quī in līberandā patriā
est interfectus, **75.** nōn duōs Deciōs, quī ad voluntā-
riam mortem cursum equōrum incitāvērunt, nōn M.
Atīlium, quī ad supplicium est profectus, ut fidem 20
hostī datam cōnservāret, nōn duōs Scīpiōnēs, quī iter
Poenīs vel corporibus suīs obstruere voluērunt, nōn
avum tuum L. Paulum, quī morte luit collēgae in Can-
nēnsī ignōminiā temeritātem, nōn M. Marcellum, cūjus
interitum nē crūdēlissimus quidem hostis honōre se- 25
pultūrae carēre passus est, sed legiōnēs nostrās, quod
scrīpsī in Orīginibus, in eum locum saepe profectās
alacrī animō et ērēctō, unde sē reditūrās numquam

arbitrārentur. Quod igitur adulēscentēs, et eī quidem
nōn sōlum indoctī, sed etiam rūsticī, contemnunt, id
doctī senēs extimēscent? **76.** Omnīnō, ut mihi quidem vidētur, studiōrum omnium satietās vītae facit
5 satietātem. Sunt pueritiae studia certa; num igitur
ea dēsīderant adulēscentēs? Sunt ineuntis adulēscentiae; num ea cōnstāns jam requīrit aetās, quae media
dīcitur? Sunt etiam ejus aetātis; ne ea quidem quae-
runtur in senectūte. Sunt extrēma quaedam studia
10 senectūtis; ergō, ut superiōrum aetātum studia occidunt, sīc occidunt etiam senectūtis; quod cum ēvenit,
satietās vītae tempus mātūrum mortis affert.

Cato's personal convictions: foundations of his belief

XXI. 77. Equidem nōn videō, cūr, quid ipse sentiam de morte, nōn audeam vōbīs dīcere, quod eō
15 cernere mihi melius videor, quō ab eā propius absum.
Ego vestrōs patrēs, tuum, Scīpiō tuumque, Laelī, virōs
clārissimōs mihique amīcissimōs, vīvere arbitror, et
eam quidem vītam, quae est sōla vīta nōminanda.
Nam, dum sumus inclūsī in hīs compāgibus corporis,
20 mūnere quōdam necessitātis et gravī opere perfungi-
mur; est enim animus caelestis ex altissimō domiciliō
dēpressus et quasi dēmersus in terram, locum dīvīnae
nātūrae aeternitātīque contrārium.   Sed crēdō deōs
immortālēs sparsisse animōs in corpora hūmāna, ut
25 essent, quī terrās tuērentur, quīque caelestium ōrdinem contemplantēs imitārentur eum vītae modō atque
cōnstantiā.   Nec mē sōlum ratiō ac disputātiō impulit,
ut ita crēderem, sed nōbilitās etiam summōrum philosophōrum et auctōritās.   **78.** Audiēbam Pȳthagoram

THE APOLLO OF THE BELVEDERE

Pȳthagorēōsque, incolās paene nostrōs, quī essent
Italicī philosophī quondam nōminātī, numquam dubi-
tāsse, quīn ūniversā mente dīvīnā dēlībātōs animōs
habērēmus. Dēmōnstrābantur mihi praetereā, quae
Sōcratēs suprēmō vītae diē dē immortālitāte animōrum 5
disseruisset, is quī esset omnium sapientissimus ōrā-
culō Apollinis jūdicātus. Quid multa? Sic persuāsī
mihi, sīc sentiō, cum tanta celeritās animōrum sit,
tanta memoria praeteritōrum futūrōrumque prūdentia,
tot artēs, tantae scientiae, tot inventa, nōn posse eam 10
nātūram, quae rēs eās contineat, esse mortālem; cumque semper agitētur animus nec prīncipium mōtūs
habeat, quia sē ipse moveat, nē fīnem quidem habi-
tūrum esse mōtūs, quia numquam sē ipse sit relīctū-
rus; et, cum simplex animī esset nātūra neque habēret 15
in sē quicquam admixtum dispār suī atque dissimile,
nōn posse eum dīvidī; quod sī nōn posset, nōn posse
interīre; magnōque esse argūmentō hominēs scīre plē-
raque ante quam nātī sint, quod jam puerī, cum artēs
difficilēs discant, ita celeriter rēs innumerābilēs arripi- 20
ant, ut eās nōn tum prīmum accipere videantur, sed
reminīscī et recordārī. Haec Platōnis ferē.

Testimony of Cyrus the Elder

XXII. **79.** Apud Xenophōntem autem moriēns
Cȳrus Major haec dīcit: '*Nōlīte arbitrārī, ō mihi
cārissimī fīliī, mē, cum ā vōbīs discesserō, nūsquam* 25
*aut nūllum fore. Nec enim, dum eram vōbīscum, ani-
mum meum vidēbātis, sed eum esse in hōc corpore ex eīs
rēbus, quās gerēbam, intellegēbātis. Eundem igitur esse
crēditōte, etiamsī nūllum vidēbitis.* **80.** *Nec vērō clārō-*

*rum virōrum post mortem honōrēs permanērent, sī nihil
eōrum ipsōrum animī efficerent, quo diūtius memoriam
suī tenērēmus. Mihi quidem numquam persuādērī potuit
animōs, dum in corporibus essent mortālibus, vīvere, cum*
5 *excessissent ex eīs, ēmorī, nec vērō tum animum esse īn-
sipientem, cum ex īnsipientī corpore ēvāsisset, sed cum
omnī admixtiōne corporis līberātus pūrus et integer esse
coepisset, tum esse sapientem. Atque etiam cum hominis
nātūra morte dissolvitur, cēterārum rērum perspicuum est*
10 *quō quaeque discēdat; abeunt enim illūc omnia, unde
orta sunt, animus autem sōlus, nec cum adest nec cum
discēdit, appāret. Jam vērō vidētis nihil esse mortī tam
simile quam somnum.* 81. *Atquī dormientium animī
maximē dēclārant dīvīnitātem suam; multa enim, cum*
15 *remissī et līberī sunt, futūra prōspiciunt. Ex quō intellegitur, quālēs futūrī sint, cum sē plānē corporis vinculīs
relaxāverint. Quārē, sī haec ita sunt, sīc mē colitōte,'*
inquit, '*ut deum; sīn ūnā est interitūrus animus cum
corpore, vōs tamen deōs verentēs, quī hanc omnem pul-*
20 *chritūdinem tuentur et regunt, memoriam nostrī piē
inviolātēque servābitis.'* Cȳrus quidem haec moriēns;
nōs, si placet, nostra videāmus.

XXIII. 82. Nēmō umquam mihi, Scīpiō, persuādē-
bit aut patrem tuum Paulum aut duōs avōs, Paulum
25 et Āfricānum, aut Āfricānī patrem aut patruum aut
multōs praestantēs virōs, quōs ēnumerāre nōn est
necesse, tanta esse conātōs, quae ad posteritātis memoriam pertinērent, nisi animō cernerent posteritātem
ad sē ipsōs pertinēre.

Hope in immortality affords an impulse for right-doing

An cēnsēs, ut dē mē ipse aliquid mōre senum glōrier,
mē tantōs labōrēs diurnōs nocturnōsque domī mīlitiaeque
susceptūrum fuisse, sī īsdem fīnibus glōriam meam,
quibus vītam, essem terminātūrus? Nōnne multō
melius fuisset ōtiōsam aetātem et quiētam sine ūllō aut 5
labōre aut contentiōne trādūcere? Sed nesciō quō
modō animus ērigēns sē posteritātem ita semper prō-
spiciēbat, quasi, cum excessisset ē vītā, tum dēnique victūrus esset. Quod quidem nī ita sē habēret,
ut animī immortālēs essent, haud optimī cūjusque ani- 10
mus maximē ad immortālitātem et glōriam nīterētur.

Significance of the difference in men's attitude toward death

83. Quid, quod sapientissimus quisque aequissimō
animō moritur, stultissimus inīquissimō? Nōnne vōbīs
vidētur is animus, quī plūs cernat et longius, vidēre
sē ad meliōra proficīscī, ille autem, cūjus obtūsior sit 15
aciēs, nōn vidēre? Equidem efferor studiō patrēs
vestrōs, quōs coluī et dīlēxī, videndī, neque vērō eōs
sōlōs convenīre aveō, quōs ipse cognōvī, sed illōs
etiam, dē quibus audīvī et lēgī et ipse cōnscrīpsī.

Strength of Cato's hope for the future

Quō quidem mē proficīscentem haud sānē quis facile 20
retrāxerit nec tamquam Peliam recoxerit. Et sī quis
deus mihi largiātur, ut ex hāc aetāte repuerāscam et
in cūnīs vāgiam, valdē recūsem nec vērō velim quasi
dēcursō spatiō ad carcerēs ā calce revocārī. **84.** Quid
habet enim vīta commodī? Quid nōn potius labōris? 25

Sed habeat sānē; habet certē tamen aut satietātem
aut modum. Nōn lubet enim mihi dēplōrāre vītam,
quod multī, et eī doctī, saepe fēcērunt, neque mē
vīxisse paenitet, quoniam ita vīxī, ut nōn frūstrā mē
5 nātum exīstimem, et ex vītā ita discēdō tamquam
ex hospitiō, nōn tamquam ē domō. Commorandī
enim nātūra dēvorsōrium nōbīs, nōn habitandī dedit
Ō praeclārum diem, cum in illud dīvīnum animōrum
concilium coetumque proficīscar cumque ex hāc turbā
10 et colluviōne discēdam! Proficīscar enim nōn ad eōs
sōlum virōs, dē quibus ante dīxī, vērum etiam ad
Catōnem meum, quō nēmō vir melior nātus est,
nēmō pietāte praestantior; cūjus ā mē corpus est
cremātum, quod contrā decuit ab illō meum, animus
15 vērō nōn mē dēserēns, sed respectāns in ea profectō loca discessit, quō mihi ipsī cernēbat esse veniendum. Quem ego meum cāsum fortiter ferre vīsus
sum, nōn quō aequō animō ferrem, sed mē ipse cōn-
sōlābar exīstimāns nōn longinquum inter nōs dīgres-
20 sum et discessum fore.

85. Hīs mihi rēbus, Scīpiō (id enim tē cum Laeliō admīrārī solēre dīxistī), levis est senectūs, nec sōlum nōn molesta, sed etiam jūcunda. Quodsī in hōc errō, quī animōs
hominum immortālēs esse crēdam, libenter errō nec mihi
25 hunc errōrem, quō dēlector, dum vīvō, extorquērī volō; sīn
mortuus, ut quīdam minūtī philosophī cēnsent, nihil sentiam, nōn vereor, nē hunc errōrem meum philosophī mortuī
irrīdeant. Quodsī nōn sumus immortālēs futūrī, tamen
exstinguī hominī suō tempore optābile est. Nam habet
30 nātūra ut aliārum omnium rērum, sīc vīvendī modum.
Senectūs autem aetātis est perāctiō tamquam fābulae,

cūjus dēfatīgātiōnem fugere dēbēmus, praesertim ad-
iūnctā satietāte.

Haec habuī, dē senectūte quae dīcerem; ad quam
utinam perveniātis! ut ea, quae ex mē audīstis, rē
expertī probāre possītis.   5

M. TULLI CICERONIS
EPISTULAE

Letter I (Ad Att. i, 2; July 65 B.C.)

Birth of Cicero's son; political plans

CICERO ATTICO SAL.

L. Jūliō Caesare, C. Mārciō Figulō cōnsulibus dēsignātīs,
fīliolō mē auctum scītō, salvā Terentiā. Abs tē tam diū
nihil litterārum! Ego dē meīs ad tē ratiōnibus scrīpsī
anteā dīligenter. Hōc tempore Catilīnam competītōrem
5 nostrum dēfendere cōgitāmus. Jūdicēs habēmus quōs
voluimus, summā accūsātōris voluntāte. Spērō, sī ab-
solūtus erit, conjūnctiōrem illum nōbīs fore in ratiōne
petītiōnis; sīn aliter acciderit, hūmāniter ferēmus. Tuō
adventū nōbīs opus est mātūrō; nam prōrsus summa
10 hominum est opīniō tuōs familiārīs, nōbilīs hominēs, adver-
sāriōs honōrī nostrō fore. Ad eōrum voluntātem mihi
conciliandam maximō tē mihi ūsuī fore videō. Quā rē
Jānuāriō mēnse, ut cōnstituistī, cūrā ut Rōmae sīs.

Letter II (Ad Att. iii, 3; April 58 B.C.)

On his way into exile

CICERO ATTICO SAL.

Utinam illum diem videam cum tibi agam grātiās quod
15 mē vīvere coēgistī! Adhūc quidem valdē mē paenitet.
Sed tē ōrō ut ad mē Vibōnem statim veniās, quō ego multīs
dē causīs convertī iter meum. Sed eō sī vēneris, dē tōtō

160

itinere ac fugā meā cōnsilium capere poterō. Sī id nōn
fēceris, mīrābor; sed cōnfīdō tē esse factūrum.

Letter III (Ad Att. iii, 2; April 58 B.C.)

On his way into exile

CICERO ATTICO SAL.

Itineris nostrī causa fuit quod nōn habēbam locum ubi
prō meō jūre diūtius esse possem quam in fundō Siccae,
praesertim nōndum rogātiōne corrēctā, et simul intelle- 5
gēbam ex eō locō, sī tē habērem, posse mē Brundisium
referre, sine tē autem nōn esse nōbīs illās partīs tenendās
propter Autrōnium. Nunc ut ad tē anteā scrīpsī, sī ad
nōs vēneris, cōnsilium tōtīus reī capiēmus. Iter esse
molestum sciō sed tōta calamitās omnīs molestiās habet. 10
Plūra scrībere nōn possum; ita sum animō perculsō et
abjectō. Cūrā ut valeās. Data vi Īdūs Aprīlēs Nāribus
Lūcānīs.

Letter IV (Ad Att. iii, 4; April 58 B.C.)

On his way into exile

CICERO ATTICO SAL.

Miseriae nostrae potius velim quam incōnstantiae
tribuās quod ā Vibōne, quō tē arcessēbāmus, subitō dis- 15
cessimus. Allāta est enim nōbīs rogātiō dē perniciē meā;
in quā quod corrēctum esse audierāmus erat ejus modī ut
mihi ultrā quīngenta mīlia licēret esse, illūc pervenīre nōn
licēret. Statim iter Brundisium versus contulī ante diem
rogātiōnis, nē et Sicca, apud quem eram, perīret et quod 20
Melitae esse licēbat. Nunc tū properā ut nōs cōnsequāre,
sī modo recipiēmur. Adhūc invītāmur benignē, sed quod
superest timēmus. Mē, mī Pompōnī, valdē paenitet

vīvere; quā in rē apud mē tū plūrimum valuistī. Sed
haec cōram. Fac modo ut veniās.

Letter V (Ad Att. iii, 5; April 58 B.C.)

On his way into exile

CICERO ATTICO SAL.

Terentia tibi et saepe et maximās agit grātiās. Id est
mihi grātissimum. Ego vīvō miserrimus et maximō
5 dolōre cōnficior. Ad tē quid scrībam nesciō. Sī enim
es Rōmae, jam mē assequī nōn potes; sīn es in viā, cum
eris mē assecūtus, cōram agēmus quae erunt agenda.
Tantum tē ōrō ut, quoniam mē ipsum semper amāstī,
ut eōdem amōre sīs; ego enim īdem sum. Inimīcī meī
10 mea mihi, nōn mē ipsum adēmērunt. Cūrā ut valeās.
Data iiii Īdūs Aprīlīs Thūriī.

Letter VI (Ad Fam. xiv, 4; April 58 B.C.)

On his way into exile

TULLIUS S. D. TERENTIAE ET TULLIAE ET CICERONI SUIS

Ego minus saepe dō ad vōs litterās quam possum,
proptereā quod cum omnia mihi tempora sunt misera,
tum vērō, cum aut scrībō ad vōs aut vestrās legō, cōn-
15 ficior lacrimīs sīc ut ferre nōn possim. Quod utinam minus
vītae cupidī fuissēmus! Certē nihil aut nōn multum in
vītā malī vīdissēmus. Quod sī nōs ad aliquam alicūjus
commodī aliquandō recuperandī spem Fortūna reservāvit,
minus est errātum ā nōbīs; sīn haec mala fīxa sunt, ego
20 vērē tē quam prīmum, mea vīta, cupiō vidēre et in tuō
complexū ēmorī, quoniam neque deī, quōs tū castissimē
coluistī, neque hominēs, quibus ego semper servīvī, nōbīs
grātiam rettulērunt.

Nōs Brundisiī apud M. Laenium Flaccum diēs xiii
fuimus, virum optimum, quī perīculum fortūnārum et
capitis suī prae meā salūte neglēxit neque lēgis improbissimae poenā dēductus est quō minus hospitī et amīcitiae
jūs officiumque praestāret. Huic utinam aliquandō 5
grātiam referre possīmus! Habēbimus quidem semper.
Brundisiō profectī sumus ante diem ii Kalendās Majās;
per Macedoniam Cȳzicum petēbāmus.

Ō mē perditum, ō afflīctum! Quid nunc rogem tē ut
veniās, mulierem aegram et corpore et animō cōnfectam! 10
Nōn rogem! Sine tē igitur sim! Opīnor sīc agam : Sī
est spēs nostrī reditūs, eam cōnfīrmēs et rem adjuvēs!
Sīn, ut ego metuō, trānsāctum est, quōquō modō potes
ad mē fac veniās! Ūnum hōc scītō : Sī tē habēbō, nōn
mihi vidēbor plānē perīsse. Sed quid Tulliolā meā fīet! 15
Jam id vōs vidēte; deest cōnsilium. Sed certē, quōquō
modō sē rēs habēbit, illīus misellae et mātrimōniō et
fāmae serviendum est. Quid! Cicerō meus quid aget!
Iste vērō sit in sinū semper et complexū meō! Nōn queō
plūra jam scrībere; impedit maeror. Tū quid ēgerīs 20
nesciō; utrum aliquid teneās an, quod metuō, plānē sīs
spoliāta. Pīsōnem, ut scrībis, spērō fore semper nostrum.
Dē familiā līberandā nihil est quod tē moveat. Prīmum
tuīs ita prōmissum est, tē factūram esse, ut quisque esset
meritus; est autem in officio adhūc Orpheus, praetereā 25
magnō opere nēmō. Cēterōrum servōrum ea causa est
ut, sī rēs ā nōbīs abīsset, lībertī nostrī essent, sī obtinēre
potuissent; sīn ad nōs pertinērent, servīrent praeterquam
oppidō paucī. Sed haec minōra sunt.

Tū quod mē hortāris ut animō sim magnō et spem 30
habeam recuperandae salūtis, id velim sit ejus modī ut

184 EPISTULAE

rēctē spērāre possĭmus. Nunc miser quando tuās jam
litterās accipiam? Quis ad mē perferet? Quās exspec-
tāssem Brundisiī, sī esset licitum per nautās, quī tempestātem praetermittere nōluērunt. Quod reliquum est, sus-
5 tentā tē, mea Terentia, ut potes. Honestissimē vīximus,
flōruimus; nōn vitium nostrum sed virtūs nostra nōs
afflīxit; peccātum est nūllum, nisi quod nōn ūnā animam
cum ōrnāmentīs āmīsimus. Sed sī hōc fuit līberīs nostrīs
grātius nōs vīvere, cētera, quamquam ferenda nōn sunt,
10 ferāmus! Atquī ego, quī tē cōnfīrmō, ipse mē nōn possum.
Clōdium Philhetaerum, quod valētūdine oculōrum im-
pediēbātur, hominem fidēlem, remīsī. Sallustius officiō
vincit omnīs. Pescennius est perbenevolus nōbīs; quem
semper spērō tuī fore observantem. Sicca dīxerat sē
15 mēcum fore sed Brundisiō discessit. Cūrā, quoad potes,
ut valeās et sīc exīstimēs, mē vehementius tuā miseriā
quam meā commovērī. Mea Terentia, fidēlissima et
optima uxor, et mea cārissima fīliola et spēs reliqua nostra,
Cicerō, valēte! Prīdiē Kalendās Majās, Brundisiō.

Letter VII (Ad Att. iv, 1; September 57 b.c.)

Cicero's return from exile

CICERO ATTICO SAL.

20 Cum prīmum Rōmam vēnī fuitque cui rēctē ad tē litterās darem, nihil prius faciendum mihi putāvī quam ut
tibi absentī dē reditū nostrō grātulārer. Cognōram enim,
ut vērē scrībam, tē in cōnsiliīs mihi dandīs nec fortiōrem
nec prūdentiōrem quam mē ipsum nec etiam prō prae-
25 teritā meā in tē observantiā nimium in cūstōdiā salūtis
meae dīligentem eundemque tē, quī prīmīs temporibus
errōris nostrī, aut potius furōris, particeps et falsī timōris

The Harbor at Brundisium

socius fuissēs, acerbissimē discidium nostrum tulisse
plūrimumque operae, studī, dīligentiae, labōris ad cōn-
ficiendum reditum meum contulisse. Itaque hōc tibi
vērē affīrmō, in maximā laetitiā et exoptātissimā grātulātiōne ūnum ad cumulandum gaudium cōnspectum aut 5
potius complexum mihi tuum dēfuisse. Quem semel
nactus sī umquam dīmīserō ac nisi etiam praetermissōs
frūctūs tuae suāvitātis praeteritī temporis omnis exēgerō,
profectō hāc restitūtiōne fortūnae mē ipse nōn satis dignum
jūdicābō. 10

Nōs adhūc, in nostrō statū quod difficillimē recuperārī
posse arbitrātī sumus, splendōrem nostrum illum forēnsem
et in senātū auctōritātem et apud bonōs virōs grātiam
magis quam optārāmus cōnsecūtī sumus; in rē autem
familiārī, quae quem ad modum frācta, dissipāta, dīrepta 15
sit nōn ignōrās, valdē labōrāmus tuārumque nōn tam
facultātum (quās ego nostrās esse jūdicō) quam cōnsiliōrum ad colligendās et cōnstituendās reliquiās nostrās
indigēmus.

Nunc etsī omnia aut scrīpta esse ā tuīs arbitror aut etiam 20
nūntiīs ac rūmōre perlāta, tamen ea scrībam brevī quae
tē putō potissimum ex meīs litterīs velle cognōscere.
Prīdiē Nōnās Sextīlīs Dyrrachiō sum profectus ipsō illō
diē quō lēx est lāta dē nōbīs. Brundisium vēnī Nōnīs
Sextīlibus. Ibi mihi Tulliola mea fuit praestō nātālī suō 25
ipsō diē, quī cāsū īdem nātālis erat et Brundisīnae colōniae
et tuae vīcīnae Salūtis; quae rēs animadversa ā multitūdine summā Brundisīnōrum grātulātiōne celebrāta est.
Ante diem iii Īdūs Sextīlīs cognōvī, cum Brundisiī essem,
litterīs Quīntī mīrificō studiō omnium aetātum atque 30
ōrdinum, incrēdibilī concursū Italiae lēgem Comitiīs

Centuriātīs esse perlātam. Inde ā Brundisīnīs honestissimē ōrnātus iter ita fēcī ut undique ad mē cum grātulātiōne lēgātī convēnerint. Ad urbem ita vēnī ut nēmō
ūllīus ōrdinis homō nōmenclātōrī nōtus fuerit quī mihi
5 obviam nōn vēnerit, praeter eōs inimīcōs quibus id ipsum,
sē inimīcōs esse, nōn licēret aut dissimulāre aut negāre.
Cum vēnissem ad Portam Capēnam, grādūs templōrum
ab īnfimā plēbe complētī erant. Ā quā plausū maximō
cum esset mihi grātulātiō significāta, similis et frequentia
10 et plausus me ūsque ad Capitōlium celebrāvit in Forōque
et in ipsō Capitōliō mīranda multitūdō fuit.

Postrīdiē in Senātū, quī fuit diēs Nōnārum Septembrium,
Senātuī grātiās ēgimus. Eō bīduō cum esset annōnae
summa cāritās et hominēs ad theātrum prīmō, deinde ad
15 Senātum concurrissent, impulsū Clōdī meā operā frūmentī
inopiam esse clāmārent, cum per eōs diēs Senātus dē
annōnā habērētur et ad ejus prōcūrātiōnem sermōne nōn
sōlum plēbis vērum etiam bonōrum Pompejus vocārētur
idque ipse cuperet multitūdōque ā mē nōminātim ut id
20 dēcernerem postulāret, fēcī et accūrātē sententiam dīxī.
Cum abessent cōnsulārēs, quod. tūtō sē negārent posse
sententiam dīcere, praeter Messallam et Āfrānium,
factum est Senātūs cōnsultum in meam sententiam, ut
cum Pompejō agerētur ut eam rem susciperet lēxque
25 ferrētur. Quō Senātūs cōnsultō recitātō, cum populus
mōre hōc īnsulsō et novō plausum meō nōmine recitandō
dedisset, habuī cōntiōnem. Omnēs magistrātūs praesentēs
praeter ūnum praetōrem et duōs tribūnōs plēbis dedērunt.
Postrīdiē Senātus frequēns et omnēs cōnsulārēs nihil
30 Pompejō postulantī negārunt. Ille lēgātōs quīndecim
cum postulāret, mē prīncipem nōmināvit et ad omnia mē

alterum sē fore dīxit. Lēgem cōnsulēs cōnscrīpsērunt
quā Pompejō per quīnquennium omnis potestās reī frūmentāriae tōtō orbe terrārum darētur; alteram Messius,
quī omnis pecūniae dat potestātem et adjungit classem et
exercitum et majus imperium in prōvinciīs quam sit eōrum 5
quī eās obtineant. Illa nostra lēx cōnsulāris nunc modesta
vidētur, haec Messī nōn ferenda. Pompejus illam velle
sē dīcit, familiārēs hanc. Cōnsulārēs duce Favōniō fremunt; nōs tacēmus et eō magis quod dē domō nostrā
nihil adhūc pontificēs respondērunt. Quī sī sustulerint 10
religiōnem, āream praeclāram habēbimus; superficiem
cōnsulēs ex Senātūs cōnsultō aestimābunt; sīn aliter,
dēmōlientur, suō nōmine locābunt, rem tōtam aestimābunt.

Ita sunt rēs nostrae,

> ' Ut in secundīs flūxae, ut in adversīs bonae.' 15

In rē familiārī valdē sumus, ut scīs, perturbātī. Praetereā sunt quaedam domestica quae litterīs nōn committō.
Quīntum frātrem īnsignī pietāte, virtūte, fidē praeditum
sīc amō ut dēbeō. Tē exspectō et ōrō ut mātūrēs venīre
eōque animō veniās ut mē tuō cōnsiliō egēre nōn sinās. 20
Alterius vītae quoddam initium ōrdīmur. Jam quīdam
quī nōs absentīs dēfendērunt incipiunt praesentibus occultē īrāscī, apertē invidēre. Vehementer tē requīrimus.

Letter VIII (Ad Att. v, i; May 51 B.C.)
A family quarrel
CICERO ATTICO SAL.

Nunc veniō ad trānsversum illum extrēmae epistulae
tuae versiculum, in quō mē admonēs dē sorōre. Quae 25
rēs sē sīc habet. Ut vēnī in Arpīnās, cum ad mē frāter

vēnisset, in prīmīs nōbīs sermō isque multus dē tē fuit.
Ex quō ego vēnī ad ea quae fuerāmus ego et tū inter
nōs dē sorōre in Tusculānō locūtī. Nihil tam vīdī mīte,
nihil tam plācātum quam tum meus frāter erat in sorōrem
5 tuam, ut, etiam sī qua fuerat ex ratiōne sūmptūs offēnsiō,
nōn appārēret. Ille sīc diēs. Postrīdiē ex Arpīnātī
profectī sumus. Ut in Arcānō Quīntus manēret diēs
fēcit, ego Aquīnī, sed prandimus in Arcānō. Nōstī hunc
fundum. Quō ut vēnimus, hūmānissimē Quīntus : " Pom-
10 pōnia," inquit, " tū invītā mulierēs, ego virōs accīverō."
Nihil potuit, mihi quidem ut vīsum est, dulcius idque
cum verbīs tum etiam animō ac vultū. At illa, audientibus nōbīs, " Ego ipsa sum," inquit, " hīc hospita." Id
autem ex eō, ut opīnor, quod antecesserat Stātius ut
15 prandium nōbīs vidēret. Tum Quīntus : " Ēn," inquit
mihi, "haec ego patior cottīdiē." Dīcēs : " Quid, quaesō,
istūc erat ? " Magnum ; itaque mē ipsum commōverat ;
sīc absurdē et asperē responderat. Dissimulāvī dolēns.
Discubuimus omnēs praeter illam, cui tamen Quīntus
20 dē mēnsā mīsit. Illa rejēcit. Quid multa ? Nihil meō
frātre lēnius, nihil asperius tuā sorōre mihi vīsum est ; et
multa praetereō quae tum mihi majōrī stomachō quam
ipsī Quīntō fuērunt. Ego inde Aquīnum. Quīntus in
Arcānō remānsit et Aquīnum ad mē postrīdiē māne vēnit
25 mihique nārrāvit illam, cum discessūra esset, fuisse ejus
modī quālem ego vīdissem. Quid quaeris ? Vel ipsī hōc
dīcās licet, hūmānitātem eī meō jūdiciō illō diē dēfuisse.

Haec ad tē scrīpsī fortasse plūribus quam necesse fuit,
ut vidērēs tuās quoque esse partīs īnstituendī et monendī.
30 Reliquum est ut ante quam proficīscāre mandāta nostra
exhauriās, scrībās ad mē omnia, Pomptīnum extrūdās,

cum profectus eris, cūrēs ut sciam, sīc habeās nihil mehērculē tē mihi nec cārius esse nec suāvius. A. Tor-
quātum amantissimē dīmīsī Minturnīs, optimum virum;
cui mē ad tē scrīpsisse aliquid in sermōne significēs velim.

Letter IX (Ad Att. v, 20; December 51 B.C.)

Cicero's military successes in Cilicia

CICERO ATTICO SAL.

Sāturnālibus māne sē mihi Pindenissītae dēdidērunt 5
septimō et quīnquāgēsimō diē postquam oppugnāre eōs
coepimus. " Quī, malum! istī Pindenissītae sunt?"
inquiēs; "nōmen audīvī numquam." Quid ego faciam!
Num potuī Ciliciam Aetōliam aut Maccdoniam reddere?
Hōc jam sīc habētō: nec hōc exercitū nec hīc tanta 10
negōtia gerī potuisse. Quae cognōsce breviter! Sīc
enim mihi concēdis proximīs litterīs. Ephesum ut vēnerim
nōstī, quī etiam mihi grātulātus es illīus diēī celebritātem
quā nihil mē umquam dēlectāvit magis. Inde in oppidīs
eīs quae erant in itinere, mīrābiliter acceptī Lāodicēam 15
prīdiē Kalendās Sextīlīs vēnimus. Ibi morātī bīduum
perillūstrēs fuimus honōrificīsque verbīs omnīs injūriās
revellimus superiōrēs, quod idem dein Apamēae quīnque
diēs morātī et Synnadīs trīduum, Philomēlī quīnque diēs,
Īconiī decem fēcimus. Nihil eā jūris dictiōne aequābilius, 20
nihil lēnius, nihil gravius. Inde in castra vēnī ante diem
vii Kalendās Septembrīs. Ante diem iii exercitum
lūstrāvī apud Īconium. Ex hīs castrīs, cum gravēs dē
Parthīs nūntiī venīrent, perrēxī in Ciliciam per Cappadociae partem eam quae Ciliciam attingit, eō cōnsiliō ut 25
Armenius Artavasdēs et ipsī Parthī Cappadociā sē exclūdī
putārent. Cum diēs quīnque ad Cybistra castra habu-

issem, certior sum factus Parthōs ab illō aditū Cappadociae
longē abesse, Ciliciae magis imminēre. Itaque cōnfestim
iter in Ciliciam fēcī per Taurī Pylās. Tarsum vēnī ante
diem iii Nōnās Octōbrīs. Inde ad Amānum contendī, quī
5 Syriam ā Ciliciā in aquārum dīvertiō dīvidit; quī mōns
erat hostium plēnus sempiternōrum. Hīc ante diem iii
Ĩdūs Octōbrēs magnum numerum hostium occīdimus.
Castella mūnītissima nocturnō Pomptīnī adventū, nostrō
mātūtīnō cēpimus, incendimus. Imperātōrēs appellātī
10 sumus. Castra paucōs diēs habuimus ea ipsa quae contrā
Dārīum habuerat apud Issum Alexander, imperātor
haud paulō melior quam aut tū aut ego. Ibi diēs quīnque
morātī, dīreptō et vāstātō Amānō, inde discessimus. Interim rūmōre adventūs nostrī, et Cassiō, quī Antiochēā
15 tenēbātur, animus accessit et Parthīs timor injectus est.
Itaque eōs cēdentīs ab oppidō Cassius īnsecūtus, rem bene
gessit. Quā in fugā magnā auctōritāte Osacēs, dux
Parthōrum, vulnus accēpit eōque interiit paucīs post
diēbus. Erat in Syriā nostrum nōmen in grātiā. Vēnit
20 interim Bibulus; crēdō, voluit appellātiōne hāc inānī
nōbīs esse pār. In eōdem Amānō coepit laureolam in
mustāceō quaerere. At ille cohortem prīmam tōtam
perdidit centuriōnemque prīmī pīlī nōbilem suī generis
Asinium Dentōnem et reliquōs cohortis ejusdem et Sex.
25 Lūcīlium, T. Gāvī Caepiōnis locuplētis et splendidī hominis
fīlium, tribūnum mīlitum. Sānē plāgam odiōsam accēperat cum rē tum tempore. Nōs ad Pindenissum, quod
oppidum mūnītissimum Eleutherocilicum omnium memoriā in armīs fuit. Ferī hominēs et ācrēs et omnibus rēbus
30 ad dēfendendum parātī. Cīnximus vāllō et fossā; aggere
maximō, vīneīs, turre altissimā, magnā tormentōrum

ALEXANDER THE GREAT

cōpiā, multīs sagittāriīs, magnō labōre, apparātū, multīs
sauciīs nostrīs, incolumī exercitū, negōtium fēcimus.
Hilara sānē Sāturnālia mīlitibus quoque, quibus, equīs
exceptīs, reliquam praedam concessimus. Mancipia vēnī-
bant Sāturnālibus tertiīs. Cum haec scrībēbam, in tri- 5
būnālī rēs erat ad HS ⌐cxx⌐. Hinc exercitum in hīberna
agrī male pācātī dēducendum Quīntō frātrī dabam; ipse
mē Lāodicēam recipiēbam.

Letter X (Ad Att. vii, 4; December 50 B.C.)

Pompey foresees civil war

CICERO ATTICO SAL.

Pompejum vīdī iv Īdūs Decembrīs. Fuimus ūnā hōras
duās fortasse. Magnā laetitiā mihi vīsus est afficī meō 10
adventū; dē triumphō hortārī, suscipere partīs suās,
monēre nē ante in Senātum accēderem quam rem cōn-
fēcissem, nē dīcendīs sententiīs aliquem tribūnum aliē-
nārem. Quid quaeris? In hōc officiō sermōnis nihil
potuit esse prōlixius. Dē rē pūblicā autem ita mēcum 15
locūtus est quasi nōn dubium bellum habērēmus, nihil ad
spem concordiae. Plānē illum ā sē aliēnātum cum ante
intellegeret, tum vērō proximē jūdicāsse. Vēnisse Hirtium
ā Caesare, quī esset illī familiārissimus; ad sē nōn accessisse
et, cum ille ante diem viii Īdūs Decembrēs vesperī vēnisset, 20
Balbus dē tōtā rē cōnstituisset ante diem vii ad Scīpiōnem
ante lūcem venīre, multā dē nocte eum profectum esse ad
Caesarem. Hōc illī τεκμηριῶδες vidēbātur esse aliēnā-
tiōnis. Quid multa? Nihil mē aliud cōnsōlātur nisi quod
illum, cui etiam inimīcī alterum cōnsulātum, Fortūna 25
summam potentiam dederit, nōn arbitror fore tam āmen-
tem ut haec in discrīmen addūcat. Quod sī ruere coeperit,

nē ego multa timeō quae nōn audeō scrībere. Sed **ut**
nunc est, ante diem Nōnās Jānuāriās ad urbem cōgitō.

Letter XI (Ad Att. vii, 5; December 50 B.C.)

The political situation

CICERO ATTICO SAL.

Dē rē pūblicā cottīdiē magis timeō. Nōn enim bonī,
ut putantur, cōnsentiunt. Quōs ego equitēs Rōmānōs,
5 quōs senātōrēs vīdī, quī ācerrimē cum cētera tum hōc iter
Pompeī vituperārent! Pāce opus est. Ex victōriā cum
multa mala, tum certē tyrannus exsistet. Sed haec
propediem cōram. Jam plānē mihi deest quod ad tē
scrībam; nec enim dē rē pūblicā, quod uterque nostrum
10 scit eadem, et domestica nōta sunt ambōbus.

Reliquum est jocārī, sī hīc sinat. Nam ego is sum quī
illī concēdī putem ūtilius esse quod postulat quam signa
cōnferrī. Sērō enim resistimus eī quem per annōs decem
aluimus contrā nōs. "Quid sentiēs igitur?" inquis.
15 Nihil scīlicet nisi dē sententiā tuā nec prius quidem quam
nostrum negōtium cōnfēcerimus aut dēposuerimus. Cūrā
igitur ut valeās.

Letter XII (Ad Fam. xvi, 11; January 49 B.C.)

Civil war about to break

TULLIUS TIRONI S. P. D.

Ego ad urbem accessī prīdiē Nōnās Jānuāriās. Obviam
mihi sīc prōditum est, ut nihil possit fierī ōrnātius; sed
20 incidī in ipsam flammam discordiae vel potius bellī. Cui
cum cuperem mederī et, ut arbitror, possem, cupiditātēs
certōrum hominum (nam ex utrāque parte sunt quī
pugnāre cupiant) impedīmentō mihi fuērunt. Omnīnō et

ipse Caesar, amīcus noster, minācīs ad Senātum et acer-
bās litterās mīserat et erat adhūc impudēns, quī exercitum
et prōvinciam, invītō Senātū, tenēret; et Cūriō meus illum
incitat; Antōnius quidem noster et Q. Cassius, nūllā vī
expulsī, ad Caesarem cum Cūriōne profectī erant, post- 5
eāquam Senātus cōnsulibus, praetōribus, tribūnīs plēbis
et nōbīs, quī prō cōnsulibus sumus, negōtium dederat
ut cūrārēmus nē quid rēs pūblica dētrīmentī caperet.
Numquam majōre in perīculō cīvitās fuit; numquam improbī cīvēs habuērunt parātiōrem ducem. Omnīnō ex hāc 10
quoque parte dīligentissimē comparātur. Id fit auctōritāte et studiō Pompeī nostrī, quī Caesarem sērō coepit
timēre.

Nōbīs inter hās turbās Senātus tamen frequēns flāgitāvit
triumphum; sed Lentulus cōnsul, quō majus suum bene- 15
ficium faceret, simul atque expedīsset quae essent neces-
sāria dē rē pūblicā dīxit sē relātūrum. Nōs agimus nihil
cupidē eōque est nostra plūris auctōritās. Italiae regiōnēs discrīptae sunt, quam quisque partem tuērētur.
Nōs Capuam sūmpsimus. 20

Haec tē scīre voluī. Tū etiam atque etiam cūrā ut
valeās litterāsque ad me mittās, quotiēnscumque habēbis
cui dēs. Etiam atque etiam valē. Data prīdiē Īdūs
Jānuāriās.

Letter XIII (Ad Fam. xiv, 18; January 49 B.C.)

Advice to Terentia and Tullia in the crisis

TULLIUS TERENTIAE SUAE ET PATER SUAVISSIMAE FILIAE,
CICERO MATRI ET SORORI S. D. P.

Cōnsīderandum vōbīs etiam atque etiam, animae meae, 25
dīligenter putō quid faciātis, Rōmaene sītis an mēcum an

aliquō tūtō locō; id nōn sōlum meum cōnsilium est sed
vestrum. Mihi veniunt in mentem haec, Rōmae vōs
esse tūtō posse per Dolābellam, eamque rem posse nōbīs
adjūmentō esse, sī quae vīs aut sī quae rapīnae fierī coe-
5 perint. Sed rūrsus illud mē movet, quod videō omnīs
bonōs abesse Rōmā et eōs mulierēs suās sēcum habēre.
Haec autem regiō, in quā ego sum, nostrōrum est cum
oppidōrum tum etiam praediōrum, ut et multum esse
mēcum et, cum abieritis, commodē et in nostrīs esse
10 possītis. Mihi plānē nōn satis cōnstat adhūc utrum sit
melius. Vōs vidēte quid aliae faciant istō locō fēminae et
nē, cum velītis, exīre nōn liceat. Id velim dīligenter etiam
atque etiam vōbīscum et cum amīcīs cōnsīderētis. Domus
ut prōpugnācula et praesidium habeat Philotīmō dicētis;
15 et velim tabellāriōs instituātis certōs, ut cottīdiē aliquās
ā vōbīs litterās accipiam; maximē autem date operam ut
valeātis, sī nōs vultis valēre. ix Kalendās Formiīs.

Letter XIV (Ad Att. viii, 3; February 49 B.C.)
Cicero's perplexities and uncertainties
CICERO ATTICO SAL.

Maximīs et miserrimīs rēbus perturbātus, cum cōram
tēcum mihi potestās dēlīberandī nōn esset, ūtī tamen tuō
20 cōnsiliō voluī. Dēlīberātiō autem omnis haec est, sī
Pompejus Italiā excēdat, quod eum factūrum esse suspicor,
quid mihi agendum putēs. Et quō facilius cōnsilium
dare possīs, quid in utramque partem mihi in mentem
veniat explicābō brevī.
25 Cum merita Pompeī summa ergā salūtem meam fa-
miliāritāsque quae mihi cum eō est, tum ipsa reī pūblicae
causa mē addūcit ut mihi vel cōnsilium meum cum illīus

cōnsiliō vel fortūna mea cum illīus fortūnā conjungenda
esse videātur. Accēdit illud: Sī maneō et illum comitātum
optimōrum et clārissimōrum cīvium dēserō, cadendum est
in ūnīus potestātem. Quī etsī multīs rēbus significat
sē nōbīs esse amīcum (et ut esset, ā mē est, tūte scīs, 5
propter suspīciōnem hūjus impendentis tempestātis,
multō ante prōvīsum), tamen utrumque cōnsīderandum
est et quanta fidēs eī sit habenda et, sī maximē explōrātum
sit eum nōbīs amīcum fore, sitne viri fortis et bonī cīvis esse
in eā urbe in quā, cum summīs honōribus imperiīsque ūsus 10
sit, rēs maximās gesserit, sacerdōtiō sit amplissimō praeditus, nōn futūrus sit, quī fuerit, subeundumque perīculum
sit cum aliquō fore dēdecore, sī quandō Pompejus rem
pūblicam recuperārit. In hāc parte haec sunt.

Vidē nunc quae sint in alterā. Nihil āctum est ā 15
Pompejō nostrō sapienter, nihil fortiter, addō etiam nihil
nisi contrā cōnsilium auctōritātemque meam. Omittō
illa vetera, quod istum in rem pūblicam ille aluit, auxit,
armāvit, ille lēgibus per vim et contrā auspicia ferendīs
auctor, ille Galliae ulteriōris adjūnctor, ille gener, ille in 20
adoptandō P. Clōdiō augur, ille restituendī meī quam
retinendī studiōsior, ille prōvinciae prōpāgātor, ille absentis in omnibus adjūtor, īdem etiam tertiō cōnsulātū,
postquam esse dēfēnsor reī pūblicae coepit, contendit ut
decem tribūnī plēbis ferrent ut absentis ratiō habērētur, 25
quod īdem ipse sānxit lēge quādam suā, Mārcōque Mārcellō cōnsulī fīnientī prōvinciās Galliās Kalendārum Mār-
tiārum diē restitit — sed ut haec omittam, quid foe-
dius, quid perturbātius hōc ab urbe discessū sīve potius
turpissimā fugā? Quae condiciō nōn accipienda fuit 30
potius quam relinquenda patria? Malae condiciōnēs

erant, fateor; sed num quid hōc pejus? At recuperābit
rem pūblicam. Quandō? Aut quid ad eam spem est
parātī? Nōn ager Pīcēnus āmissus? Nōn patefactum
iter ad urbem? Nōn pecūnia omnis et pūblica et prīvāta
5 adversāriō trādita? Dēnique nūlla causa, nūllae vīrēs,
nūlla sēdēs quō concurrant qui rem pūblicam dēfēnsam
velint.

Letter XV (Ad Fam. xiv, 12; November 48 B.C.)

The return to Italy after Pharsalia

TULLIUS TERENTIAE SUAE S. P. D.

Quod nōs in Italiam salvōs vēnisse gaudēs, perpetuō
gaudeās velim; sed perturbātī dolōre animī magnīsque
10 injūriīs metuō nē id cōnsilī cepērimus quod nōn facile
explicāre possīmus. Quā rē quantum potes adjuvā!
Quid autem possīs mihi in mentem nōn venit. In viam
quod tē dēs hōc tempore nihil est. Et longum est iter et
nōn tūtum, et nōn videō quid prōdesse possīs, sī vēneris.
15 Valē. Data prīdiē Nōnās Novembrīs Brundisiō.

Letter XVI (Ad Fam. xiv, 19; November 48 B.C.)

Distress over Tullia's ill health

TULLIUS TERENTIAE SUAE S. D.

In maximīs meīs dolōribus excruciat mē valētūdō
Tulliae nostrae, dē quā nihil est quod ad tē plūra scrībam;
tibi enim aequē magnae cūrae esse certō sciō. Quod mē
propius vultis accēdere, videō ita esse faciendum et jam
20 ante fēcissem, sed mē multa impedīvērunt, quae nē nunc
quidem expedīta sunt. Sed ā Pompōniō exspectō lit-

terās; quās ad mē quam prīmum perferendās cūrēs velim.
Dā operam ut valeās.

Letter XVII (Ad Att. xi, 8; December 48 b.c.)

Cicero seeks to gain the favor of Caesar

CICERO ATTICO SAL.

Quantīs cūrīs cōnficiar etsī vidēs, tamen cognōscēs ex
Leptā et Trebātiō. Maximās poenās pendō temeritātis
meae quam tū prūdentiam mihi vidērī vīs; neque tē 5
dēterreō quō minus id disputēs scrībāsque ad mē quam
saepissimē. Nōn nihil enim mē levant tuae litterae hōc
tempore. Per eōs quī nostrā causā volunt valentque
apud illum dīligentissimē contendās opus est, per Balbum
et Oppium maximē, ut dē mē scrībant quam dīligentissimē. 10
Oppugnāmur enim, ut audiō, et ā praesentibus quibusdam
et per litterās. Eīs ita est occurrendum, ut reī magnitūdō postulat. Fūfius est illīc, mihi inimīcissimus. Quīntus mīsit filium nōn sōlum suī dēprecātōrem sed etiam
accūsātōrem meī. Dictitat sē ā mē apud Caesarem op- 15
pugnārī, quod refellit Caesar ipse omnēsque ejus amīcī.
Neque vērō dēsistit, ubicumque est, omnia in mē male-
dicta cōnferre. Nihil mihi umquam tam incrēdibile
accidit, nihil in hīs malīs tam acerbum. Quī ex ipsō
audīssent cum Sicyōne palam, multīs audientibus, lo- 20
querētur nefāria quaedam, ad mē pertulērunt. Nōstī
genus, etiam expertus es fortasse. In mē id est omne
conversum. Sed augeō commemorandō dolōrem et faciō
etiam tibi. Quā rē ad illud redeō. Cūrā ut hūjus reī
causā dēditā operā mittat aliquem Balbus. Ad quōs 25
vidēbitur velim cūrēs litterās meō nōmine. Valē. xiii
Kalendās Jānuāriās.

Letter XVIII (Ad Fam. xiv, 23 ; August 47 B.C.)

Caesar has written to Cicero

TULLIUS TERENTIAE SUAE S. D.

Sī valēs, bene est ; valeō. Redditae mihi tandem sunt
ā Caesare litterae satis līberālēs, et ipse opīniōne celerius
ventūrus esse dīcitur. Cui utrum obviam prōcēdam an
hīc eum exspectem cum cōnstituerō, faciam tē certiōrem.
5 Tabellāriōs mihi velim quam prīmum remittās. Valētū-
dinem tuam cūrā dīligenter. Valē. Data prīdiē Īdū.
Sextīlīs.

Letter XIX (Ad Fam. xiii, 67 ; 46 B.C.)

A letter of introduction

M. CICERO P. SERVILIO PROPR. S.

Ex prōvinciā meā Ciliciēnsī nūllō sum familiārius ūsus
quam Andrōne, Artemōnis fīliō, Lāodicēnsī, eumque
10 habuī in eā cīvitāte cum hospitem tum vehementer ad
meae vītae ratiōnem et cōnsuētūdinem accommodātum ;
quem quidem multō etiam plūris, posteāquam dēcessī,
facere coepī, quod multīs rēbus expertus sum grātum
hominem meīque memorem. Itaque eum Rōmae liben-
15 tissimē vīdī ; nōn tē enim fugit, quī plūrimīs in istā prōvinciā benignē fēcistī, quam multī grātī reperiantur.

Haec proptereā scrīpsī, ut et mē nōn sine causā labōrāre
intellegerēs et tū ipse eum dignum hospitiō tuō jūdicārēs.
Fēceris igitur mihi grātissimum, sī eī dēclārāris quantī
20 mē faciās, id est, sī recēperis eum in fidem tuam et, quibuscumque rēbus honestē ac sine molestiā tuā poteris,
adjūveris. Hōc mihi erit vehementer grātum idque ut
faciās tē etiam atque etiam rogō.

Letter XX (Ad Att. xii, 15; March 45 B.C.)

Cicero is crushed by the death of his daughter

CICERO ATTICO SAL.

Apud Appulejum, quoniam in perpetuum nōn placet,
in diēs ut excūser vidēbis. In hāc sōlitūdine careō omnium
colloquiō, cumque māne mē in silvam abstrūsī dēnsam et
asperam, nōn exeō inde ante vesperum. Secundum tᴬ
nihil est mihi amīcius sōlitūdine. In eā mihi omnis sermō 5
est cum litterīs. Eum interpellat flētus; cui repugnō
quoad possum, sed adhūc parēs nōn sumus. Brūtō, ut
suādēs, rescrībam. Eās litterās crās habēbis. Cum erit
cui dēs, dabis.

Letter XXI (Ad Att. xii, 37; May 45 B.C.)

Cicero proposes to erect a shrine in memory of Tullia

CICERO ATTICO SAL.

Ā tē herī duās epistulās accēpī, alteram prīdiē datam 10
Hilarō, alteram eōdem diē tabellāriō, accēpīque ab Aegyptā
lībertō eōdem diē Piliam et Atticam plānē bellē sē habēre.
Quod mihi Brūtī litterās, grātum. Ad mē quoque mīsit;
quae litterae mihi redditae sunt tertiō decimō diē. Eam
ipsam ad tē epistulam mīsī et ad eam exemplum meārum 15
litterārum.

Dē fānō, sī nihil mihi hortōrum invenīs, quī quidem tibi
inveniendī sunt (sī mē tantī facis quantī certē facis), valdē
probō ratiōnem tuam dē Tusculānō. Quamvīs prūdēns
ad cōgitandum sīs, sīcut es, tamen nisi magnae cūrae 20
tibi esset ut ego cōnsequerer id quod magnō opere vellem,
numquam ea rēs tibi tam bellē in mentem venīre potuisset.
Sed nesciō quō pactō celebritātem requīrō; itaque hortōs

mihi cōnficiās necesse est. Maxima est ın Scapulae celebritās, propinquitās praetereā urbis, nē tōtum diem in vīllam. Quā rē antequam discēdis, Othōnem, sī Rōmae est, conveniās pervelim. Sī nihil erit, etsī tū meam 5 stultitiam cōnsuēstī ferre, eō tamen prōgrediar utī sto-machēre. Drūsus enim certē vēndere vult. Si ergō aliud nōn erit, mea erit culpa, nisi ēmerō. Quā in rē nē lābar, quaesō, prōvidē. Prōvidendī autem ūna ratiō est, sī quid dē Scapulānīs possumus. Et velim mē certiōrem 10 faciās quam diū in suburbānō sīs futūrus.

Apud Terentiam tam grātiā opus est nōbis tuā quam auctōritāte. Sed faciēs ut vidēbitur. Sciō enim, sī quid meā intersit, tibi majōrī cūrae solēre esse quam mihi.

Letter XXII (Ad Att. xii, 38 ; May 45 b.c.)

Young Quintus Cicero calumniates his uncle

CICERO ATTICO SAL.

Nōn dubitō quīn occupātissimus fuerīs, quī ad mē 15 nihil litterārum ; sed homō nēquam, quī tuum commodum nōn exspectārit, cum ob eam ūnam causam missus esset. Nunc quidem, nisi quid tē tenuit, suspicor tē esse in suburbānō. At ego hīc scrībendō diēs tōtōs nihil equi-dem levor sed tamen aberrō.

20 Asinius Polliō ad mē scrīpsit dē impūrō nostrō cognātō. Quod Balbus minor nūper satis plānē, Dolābella obscūrē, hīc apertissimē. Ferrem graviter, sī novae aegrimōniae locus esset. Sed tamen ecquid impūrius ? Ō hominem cavendum ! Quamquam mihi quidem, — sed tenendus 25 dolor est. Tū, quoniam necesse nihil est, sīc scrībēs aliquid, sī vacābis.

Letter XXIII (Ad Att. xiv, 4; April 44 B.C.)

Caesar's assassination brings fresh problems

CICERO ATTICO SAL.

Numquid putās mē Lānuviī? At ego tē istīc cottīdiē
aliquid novī suspicor. Tument negōtia. Nam cum
Matius, quid cēnsēs cēterōs? Equidem doleō, quod
numquam in ūllā cīvitāte accidit, nōn ūnā cum lībertāte
rem pūblicam recuperātam. Horribile est, quae loquan- 5
tur, quae minitentur. Ac vereor Gallica etiam bella,
ipse Sextus quō ēvādat. Sed omnia licet concurrant,
Īdūs Mārtiae cōnsōlantur. Nostrī autem hērōēs, quod
per ipsōs cōnficī potuit, glōriōsissimē et magnificentissimē
cōnfēcērunt; reliquae rēs opēs et cōpiās dēsīderant, quās 10
nūllās habēmus. Haec ego ad tē. Tū sī quid novī (nam
cottīdiē aliquid exspectō), cōnfestim ad mē et, sī novī
nihil, nostrō mōre tamen nē patiāmur intermittī litte-
rulās. Equidem nōn committam.

Letter XXIV (Ad Fam. xi, 3; August 44 B.C.)

Brutus and Cassius to Antony

BRUTUS ET CASSIUS PRAETORES S. D. ANTONIO CONSULI

Sī valēs, bene. Litterās tuās lēgimus simillimās ēdictī 15
tuī, contumēliōsās, minācīs, minimē dignās quae ā tē
nōbīs mitterentur. Nōs, Antōnī, tē nūllā lacessiimus
injūriā neque mīrātūrum crēdidimus, sī praetōrēs et eā
dignitāte hominēs aliquid ēdictō postulāssēmus ā cōnsule.
Quodsī indignāris ausōs esse id facere, concēde nōbīs ut 20
doleāmus nē hōc quidem abs tē Brūtō et Cassiō tribuī.
Nam dē dēlēctibus habitīs et pecūniīs imperātīs, exercitibus
sollicitātīs et nūntiīs trāns mare missīs quod tē questum

esse negās, nōs quidem tibi crēdimus optimō animō tē
fēcisse, sed tamen neque agnōscimus quicquam eōrum et
tē mīrāmur, cum haec reticuerīs, nōn potuisse continēre
īrācundiam tuam quīn nōbīs dē morte Caesaris obicerēs.
5 Illud vērō quem ad modum ferendum sit tūte cōgitā, nōn
licēre praetōribus concordiae ac lībertātis causā per ēdictum dē suō jūre dēcēdere quīn cōnsul arma minētur.
Quōrum fīdūciā nihil est quod nōs terreās ; neque enim
decet aut convenit nōbīs perīculō ūllī summittere animum
10 nostrum neque est Antōniō postulandum ut eīs imperet
quōrum operā līber est. Nōs sī alia hortārentur ut bellum
cīvīle suscitāre vellēmus, litterae tuae nihil prōficerent ;
nūlla enim minantis auctōritās apud līberōs est ; sed
pulchrē intellegis nōn posse nōs quōquam impellī et for-
15 tassis eā rē mināciter agis, ut jūdicium nostrum metus
videātur. Nōs in hāc sententiā sumus, ut tē cupiāmus in
līberā rē pūblicā magnum atque honestum esse, vocēmus
tē ad nūllās inimīcitiās, sed tamen plūris nostram lībert-
tātem quam tuam amīcitiam aestimēmus. Tū etiam atque
20 etiam vidē quid suscipiās, quid sustinēre possīs, neque
quam diū vīxerit Caesar sed quam nōn diū rēgnārit, fac
cōgitēs ! Deōs quaesumus cōnsilia tua reī pūblicae salū-
tāria sint ac tibi ; sī minus, ut, salvā atque honestā rē
pūblicā, tibi quam minimum noceant optāmus. Prīdiē
25 Nōnās Sextīlīs.

Letter XXV (Ad Fam. x, 27 ; April 43 B.C.)

Cicero urges Lepidus to avoid a fresh tyranny

CICERO LEPIDO SUO.

Quod mihi prō summā ergā tē benevolentiā magnae
cūrae est, ut quam amplissimā dignitāte sīs, molestē tulī

tē Senātuī grātiās nōn ēgisse, cum essēs ab eō ōrdine ōrnātus summīs honōribus. Pācis inter cīvīs conciliandae tē
cupidum esse laetor. Eam sī ā servitūte sējungis, cōnsulēs et reī pūblicae et dignitātī tuae; sīn ista pāx perditum hominem in possessiōnem impotentissimī dominātūs 5
restitūtūra est, hōc animō scītō omnīs sānōs, ut mortem
servitūtī antepōnant. Itaque sapientius meō quidem
jūdiciō faciēs, sī tē in istam pācificātiōnem nōn interpōnēs, quae neque Senātuī neque populō nec cuiquam
bonō probātur. Sed haec audiēs ex aliīs aut certior fīēs 10
litterīs; tū prō tuā prūdentiā quid optimum factū sit
vidēbis.

NOTES

NOTES

B.=Bennett's *New Latin Grammar;* A.=Allen and Greenough's *New Latin Grammar;* G.=Gildersleeve's *Latin Grammar;* H.=Harkness' *Complete Latin Grammar.*

FIRST ORATION AGAINST CATILINE

Lucius Sergius Catilina,[1] descended from an ancient patrician family, was born about 108 B.C. He first appears in the public life of Rome in connection with the horrors of the Sullan proscriptions (82 B.C.), when at the head of a band of Gallic mercenaries he is said to have taken the lives of many Roman knights, among them his own brother-in-law.

Vice and crime seem to have stained his whole career. Yet he possessed unusual gifts of body and mind. His personality was fascinating, and he early gained a following of devoted adherents. In the year 68 B.C. he filled the praetorship, and after his year of office took Africa as his province. This post, however, he left in the middle of the year 66, in order to return to Rome and stand as a candidate for the consulship for the year following. Being accused by envoys from Africa of maladministration in that province, he withdrew from his candidacy and united with other reckless characters in the movement usually known as the First Catilinarian Conspiracy. This belongs to the last months of 66 B.C. At the elections held that year, Autronius Paetus and Cornelius Sulla had originally been chosen consuls, but their election had been declared void, as having been secured by bribery, and the rival candidates, Torquatus and Cotta, were ultimately chosen instead. The plan of Catiline and his associates was to murder the new consuls the day before their inauguration, January 1, 65 B.C. But the plot leaked out and was postponed till the

---

[1] The traditional accounts of Catiline and of the Conspiracy are here given. They contain many inconsistencies. Catiline's character, though undoubtedly bad, has probably been blackened by history. The true significance of the Conspiracy, too, has presumably been not a little distorted.

5th of February, when it was frustrated by Catiline's giving the signal for the assassination before his accomplices were prepared to act.

Abandoning for the present these schemes of violence, Catiline was preparing to present himself anew as candidate for the consulship in 65 B.C., but was again brought to trial by his political enemies on the charge of extortion while governor of Africa. These charges were probably brought solely for the purpose of preventing Catiline's candidacy; at all events they had that effect, for though he was finally acquitted, it was not till after the consular elections of 65 B.C. were over.

Undaunted by these failures, he decided again to seek the consulship, and presented himself as a candidate at the elections of 64 B.C. This time he formed a political alliance with C. Antonius. Both men were identified with the growing democracy of the day championed by Caesar and Crassus, and hoped by powerful backing and mutual assistance to win the election. The aristocratic party, represented by the Senate, in alarm at the prospect of Catiline's success, nominated Cicero as a rival candidate. Their action seems to have been only half-hearted. For Cicero had hitherto been identified chiefly with the popular party, and in 66 B.C., in the face of strong senatorial opposition, had successfully advocated the appointment of Pompey to the command of the Mithridatic War. At the polls, however, Cicero was elected, along with Antonius. Catiline was defeated by only the narrowest margin.

While renewing his candidacy yet again in the year 63 B.C., Catiline at the same time began the systematic organization of the famous Conspiracy, rallying to his support the elements of discontent throughout Italy and planning for simultaneous uprisings at various points, in the event of another defeat at the polls. Despite all his efforts to secure an election, Silanus and Murena were chosen consuls in the fall of 63. Catiline had probably foreseen this outcome, for on the day before the election, C. Manlius, one of his chief adherents, had raised the standard of revolt at Faesulae in Etruria. The news of this uprising and of other details of Catiline's treasonable projects moved Cicero at length on November 8th to summon a meeting of the Senate in the Temple of Jupiter Stator. When Catiline appeared at this gathering, Cicero arraigned him in the bitter speech known as the *First Oration against Catiline*.

PAGE 1, LINE 1. **quo usque tandem**: *how long, pray! Tandem* is frequently thus used to emphasize interrogative and exclamatory expressions. **abutere:** as shown by the quantity of the penult, this form is future. **patientia:** for the ablative, see B. 218, 1; A. 410; G. 407; H. 477, I.

2. etiam: *still.* **iste tuus:** *iste* alone means 'that of yours'; hence *tuus* is not strictly necessary here.

3. quem ad finem: *to what lengths?* In prepositional phrases where the substantive is limited by a pronoun or adjective, the preposition, as here, often stands in the second place. **audacia:** Catiline's effrontery was shown particularly in his presuming to appear in the presence of the very men against whose lives he was plotting. **nihilne . . . nihil . . . nihil . . . nihil . . . nihil . . . nihil:** note the emphasis produced by the repetition. The figure is called Anáphora; *nihilne* is a stronger *nonne*, just as *nihil* alone is a stronger *non.* For the way in which *nihil* (originally an Accusative of Result Produced) acquires adverbial force, see B. 176, 3, *a*; A. 390, *c*, and N. 2; G. 333, R. 2; H. 416, 2.

4. nocturnum praesidium Palati: *the night guard of the Palatine.* This was a special guard recently established for the purpose of forestalling any attempt to assassinate the chief magistrates and senators, many of whom resided on the Palatine. As the Palatine was the most abrupt and secure of the seven hills of Rome, there was the further danger that it might be seized by the conspirators as a stronghold. **urbis vigiliae:** night watches posted at various points throughout the city.

5. concursus bonorum omnium: *the rallying of all good citizens;* namely, to the defence of the government. Probably many of these had actually gathered around the temple in which the present meeting of the Senate was held. Note the emphatic position of *omnium; omnis* regularly precedes its substantive.

6. hic munitissimus . . . locus: namely, the Temple of Jupiter Stator on the Palatine. The regular meeting-place of the Senate was the Curia or senate-house, situated on the northern edge of the Comitium, adjoining the Forum (see view, p. xxxiv), but the Senate might be convened in any *templum.* In the present instance the Temple of Jupiter Stator was chosen for the meeting, since it was in a specially secure location and was near Cicero's own residence. **horum ora vultusque:** *the faces and looks of these (senators).* Cicero refers to the contempt and indignation pictured in the faces of the senators; *ora* and *vultus* are synonyms. Cicero is particularly fond of such pairs of synonyms, even where a single word would have been adequate to convey the idea.

7. **moverunt**: *i.e.* ' have all these things made no impression on your mind? Have you still the effrontery to appear in the presence of these senators?' **patere, constrictam**: note the emphasis of the position. **non**: in questions, *non* is stronger than *nonne*, and is used particularly in impassioned utterance.

8. **constrictam teneri**: *is held fast bound; constrictam* is in predicate relation to *conjurationem*.

9. **proxima**: understand *nocte; viz.* the night of November 7 **superiore nocte**: November 6.

10. **egeris, fueris**, *etc.*: Subjunctives of Indirect Question objects of *ignorare*. **quid consili**: *what plan;* literally, *what of plan;* Genitive of the Whole.

11. **quem nostrum**: as Genitive of the Whole, *nostrum* (not *nostri*) must be used. **o tempora, o mores**: *i.e.* ' alas that we have fallen on such times and such ways!' Accusative of Exclamation.

12. **haec**: namely, the fact of Catiline's conspiracy. **consul**: namely, Cicero.

13. **hic**: Catiline. **immo vero**: *nay more, nay rather; immo* or *immo vero* is used to correct a previous statement, sometimes denying it outright, sometimes, as here, restating it in a stronger form. **etiam**: *actually.*

14. **publici consili**: for the genitive, see B. 204, 1 ; A. 349, *a* ; G. 374 ; H. 451, 2. **notat et designat oculis**: Cicero conceives Catiline as glancing about among the senators and silently marking them for assassination. Note the repetition of synonyms, as above, line 6.

15. **fortes viri**: ironical and sarcastic.

16. **satis facere**: *do our duty to;* literally, *do enough.* **videmur**: *think;* literally, *seem, i.e.* to ourselves. **si vitemus**: a subordinate clause in indirect discourse. **istius**: *of that scoundrel; iste* is very often thus used to denote contempt.

17. **ad mortem**: note the emphasis of the position. **te duci oportebat**: *you ought to have been led.* Where we say in English ' ought to have,' the Latin regularly uses the *present* tense of the infinitive combined with a *past* tense of the verb meaning ' ought.' **jussu consulis**: except when commanding troops in the field, the consuls did not ordinarily possess the right of summary execution of citizens. But in times of public peril the Senate had the authority to invest the consuls with such power. This was done by issuing a formal injunction to the effect that the consuls should protect the state from harm (*consules videant ne quid detrimenti res publica capiat*), the so-called *consultum ultimum*, or ' extreme precaution.' This was the equivalent of a modern proclamation of martial law. Such action had been taken by

the Senate in the present crisis, on the 21st of October,[1] nearly three weeks before the date of the present oration.

18. in te, *etc.: on you ought to have been brought.*

20. an vir amplissimus: *did not a most distinguished man?* Ordinarily *an* is used to introduce the second member of a *double* question; it was not, however, originally confined to double questions, but also might be used to introduce single questions having the force of *-ne, nonne,* or *num.* Here *an* is equivalent to *nonne;* B. 162, 4, *a*; A. 335, *b*; G. 457, 1; H. 380, 3. **P. Scipio:** Publius Cornelius Scipio Nasica, consul in 138 B.C. **pontifex maximus:** the *pontifex maximus* was the highest official representative of the Roman state religion, and occupied special official headquarters, the *regia* (see view at p. xxxiv), located in the Roman Forum. According to the best ancient evidence, Scipio was not *pontifex maximus* at the time here mentioned, but was subsequently elected to that office.

21. Ti. Gracchum: the famous popular agitator. He first became prominent at the time of his election to the tribunate for the year 133 B.C. Actuated by patriotic motives and a sincere desire to ameliorate the condition of the lower classes, he secured the enactment of a land law which was of the highest benefit to the poorer citizens. He was, however, guilty of irregular procedure in the passage of this bill, and when, at the close of his year as tribune, he undertook in the face of law to stand again for the same office, he was attacked by a number of aristocrats headed by Scipio and was beaten to death. Thus one act of lawlessness provoked another. **mediocriter labefactantem statum:** *i.e.* as compared with Catiline. Gracchus's offence was unconstitutional, but did not strike at the very existence of the state, as did the schemes of Catiline.

PAGE 2, 1. privatus: *i.e.* he held no office as magistrate, as did Cicero at the present juncture. Cicero means: " If Scipio, invested with no magisterial authority, felt justified in slaying Gracchus, how much more should I, the consul, feel justified in taking the extremest measures against Catiline? "

As a matter of fact, Scipio's high-handed conduct met with severe condemnation even in his own day, and he was virtually forced to withdraw from Rome to avoid the storm of unpopularity his deed had provoked. From the standpoint of reason,

[1] All dates in this edition are reckoned in accordance with the so-called Julian calendar (established seventeen years after the date of this oration, in 46 B.C., by Julius Caesar). Prior to the Julian calendar, January, April, June, August, September, November, December had only 29 days each.

therefore, Cicero's reference to Scipio's action has no argumen.
tative weight. It is rather one of those oratorical appeals to
prejudice of which Cicero was often guilty. The very name of
Gracchus was always enough to rouse aristocratic feeling, particularly at a time when party spirit ran as high as in the present
crisis.

3. **illa nimis antiqua praetereo, quod**, *etc.*: *I pass over as too
ancient the fact that, etc.; illa*, explained by the appositional
quod-clause, need not be translated; *antiqua* is in predicate
relation to *illa*. Note that Cicero, while professedly ' passing
over ' the incident referred to, really impresses it effectively on
the minds of his audience. This rhetorical figure, very frequent
in Cicero's speeches, is called *praeteritio* (' passing over ').

4. **C. Servilius Ahala Sp. Maelium**: the events here alluded
to belong to the early period of the Republic. In a time of
famine (440 B.C.), Maelius, a wealthy plebeian, furnished grain
to the poor either gratuitously or at a merely nominal price.
This led to the accusation that he was aiming at regal power.
Cincinnatus was appointed dictator, and Ahala master of the
horse (*magister equitum*). When Maelius failed to answer the
summons to appear in court, Ahala sought him out and slew
him. Maelius was probably innocent of the crime alleged,
though Cicero doubtless thought him guilty. **novis rebus**:
a revolution, namely, the overthrow of the Republic (then only
seventy years old) and a restoration of kingly rule. The dative
depends upon *studentem*.

5. **fuit, fuit**: Anaphora. **ista**: *such.* **quondam**: *once;*
viz. in the good old days.

8. **senatus consultum**: the *consultum ultimum* already referred to. **in te**: *against you.* **vehemens et grave**: *severe
and weighty.*

9. **non deest**, *etc.*: *the state does not lack the advice or authorization of this body; rei publicae* is dative, dependent upon
deest; consilium implies that the Senate had debated the matter;
auctoritas that it had acted.

10. **hujus ordinis**: namely, the Senate.

11. **decrevit quondam senatus**: namely, in 121 B.C., when the
attempt was made by the aristocrats to repeal certain laws
passed in the interest of the popular party. **ut videret, ne
caperet**: Substantive Clauses Developed from the Volitive (' let
the consul see,' ' let not the state incur '); B. 295, 4, 5; A. 563,
d, e; G. 546; H. 565, 5; 566, 2; *ut videret* is the object of *decrevit; ne caperet* of *videret.*

12. **nox nulla intercessit**: *i.e.* not a single night intervened
between the decree of the Senate and action by the consul.

Note the emphasis indicated by the position of *nulla,* — *not a single; nullus* regularly precedes its substantive.

13. interfectus est C. Gracchus: C. Gracchus, brother of Tiberius Gracchus, had, along with his partisans, vigorously protested against the attempted repeal by the aristocrats of certain laws whose passage Gaius had secured. It was feared that in the heat of party passion Gaius and his followers would resort to open violence. Hence the Senate invested the consuls with dictatorial power, and in the friction that followed Gracchus and 3000 of his adherents were slain. **propter quasdam seditionum suspiciones:** *i.e.* merely on suspicion of intended violence, as opposed to the certainty of Catiline's purposes; *quasdam* indicates that the suspicions were somewhat vague and uncertain. The plu. in *seditionum* is used to suggest various revolutionary acts.

14. clarissimo patre, avo, majoribus: Ablatives of Quality. Gracchus's father, Tiberius Sempronius Gracchus, had had a distinguished career as statesman and general. Gracchus's grandfather on his mother's side was the elder Scipio Africanus.

15. cum liberis: two sons. **M. Fulvius consularis:** M. Fulvius Flaccus was one of Gracchus's chief adherents; *consularis* is the regular designation for all who had filled the office of consul.

16. C. Mario et L. Valerio consulibus: this was in 100 B.C., when Marius was consul for the sixth time. Marius had taken office as a political ally of Saturninus and Glaucia, but owing to the violent and illegal methods of these two men he subsequently abandoned them and became active in the movement which resulted in their summary death. *Mario* and *Valerio* are datives.

17. est permissa res publica: *the care of the state was committed,* another way of saying that, by a *senatus consultum ultimum,* the consuls were charged with absolute power. In *est permissa* (for *permissa est*) the regular order is inverted. This is not uncommon. **unum diem:** the emphatic member of the sentence, and therefore put immediately after the interrogative, which regularly stands first.

18. tribunum plebis, praetorem: the tribunes had the privilege of introducing bills in the popular legislative assembly, the *Comitia Tributa;* Introd. p. xxxi. The praetors were the chief judicial officers of the government; Introd. p. xxvii. **C. Servilium:** usually known as Glaucia, his full name being Gaius Servilius Glaucia.

19 mors ac rei publicae poena: not two coördinate ideas! *ac* is merely explanatory; *rei publicae* is a Subjective Genitive, *i.e.* the penalty which the state imposed for such acts. **remorata est**: *did death fail to overtake?* Literally, *delay, keep waiting*.

20. **nos**: the consuls. **vicesimum jam diem**: *already for the twentieth day*. Cicero uses a round number. Only eighteen days had elapsed since the passage of the *senatus consultum*. **hebescere aciem**: the *senatus consultum* is conceived of as a sword whose edge is growing dull.

21. **horum**: referring to the senators. The word was doubtless accompanied by a gesture. **hujusce modi**: *i.e.* a decree investing the consuls with absolute power. On *hujusce*, as a more emphatic *hujus*, see B. 87, footnote 2; A. 146, N. 1; G. 104, 1, N. 1; H. 178, 2.

22. **inclusum in tabulis**: *locked up in the records* of the Senate. Cicero means that the decree is not put into operation. To apply it to the punishment of Catiline and his fellow-conspirators would have been to bring it out from the records. **tamquam in vagina reconditum**: *i.e.* like a sword hidden in its scabbard. Cicero continues the figure begun above in *hebescere aciem*.

23. **quo ex consulto**: *in accordance with which decree.* **confestim . . . convēnit**: *you ought to have been put to death forthwith;* literally, *it was fitting for you to have been put to death, etc.* The only peculiarity in the sentence is the use of the perfect infinitive for the present; B. 270, 2, *a*; A. 486, *b*; G. 280, 2; H. 620, 1.

25. **ad deponendam audaciam**: for the gerundive construction as a means of expressing purpose, see B. 339, 2; A. 506; G. 432; H. 628.

26. **patres conscripti**: this designation of the senators is ordinarily rendered *conscript fathers*, but at the outset probably *patres* and *conscripti* were applied to two classes of senators. The designation seems to go back to the early republic (509 B.C.) when new senators were enrolled. These were called *conscripti* (from *conscribo*, ' enroll '). The older senators were called *patres*. Previously a senator had addressed his colleagues as *patres*. From now on it was customary to address them as *patres, conscripti,* 'fathers (and) newly enrolled ones.' But by Cicero's day it is probable that the origin of the formula had been long forgotten. **(cupio) me esse clementem, cupio me non dissolutum videri**: *cupio* regularly takes the simple infinitive without subject accusative, to denote another action of the same person, but *esse* and passive or deponent verbs often take the infinitive with subject accusative as here; B. 331, IV, *a*; G. 532, R. 2; *cupio me non dissolutum videri* is not a repetition of the idea in *cupio me esse clementem.* Cicero means that on the one hand

he desires to be considerate (*clementem*), on the other he wishes
not to neglect his duty.

27. **me ipse condemno** : note that *ipse* when emphasizing the
reflexive, instead of agreeing with it, more commonly agrees
with the subject; B. 249, 2; A. 298, *f*; G. 311, 2; H. 509, 1.

28. **inertiae nequitiaeque** : for the genitive, see B. 208, 2;
A. 352; G. 378; H. 456.   **sunt collocata** : for the order, see
note on *est permissa*, p. 2, line 17.

29. **in Etruriae faucibus** : at Faesulae (the modern Fiesole),
near the present city of Florence.

PAGE **3**, 1.   **in dies singulos** : this phrase (sometimes shortened
to *in dies*) is regularly used where there is an idea of increase or
decrease ; *cottidie* is used of daily repetition of the same act without change.

2. **eorum castrorum imperatorem**, *etc.*: *viz.* Catiline, who was
directing the actions of the revolutionists.

5. **comprehendi** : like *interfici*, infinitive dependent upon
jussero.   **credo** : ironical and implying just the opposite of
the statement that follows.

6. **erit verendum mihi**, *etc.*: *I shall have to fear, I suppose,
that all right minded men will fail to declare that this was done
too late, rather than that any one should say it was done too cruelly.*
Cicero means that he *is sure* all right minded men will say the
act was done too late and that no one will say it was too cruel.
For *ne non* after verbs of *fearing*, see B. 296, 2, *a*; A. 564;
G. 550, 2; H. 567, 2.   **hoc** : Catiline's arrest and execution.
omnes boni : as verb supply *dicant* from *dicat* in line 7.   **serius,
crudelius** : the comparative of adjectives and adverbs is often
best translated by *too*.

8. **hoc** : object of *faciam*.   **factum esse oportuit** : for the
tense of *factum*, see the note on *interfectum esse convenit*, p. 2,
line 23.   On *oportuit*, see the note on *oportebat*, p. 1, line 17.

9. **tum denique** : *i.e.* then and not before.

10. **interficiere cum**, *etc.*: explaining the *certa causa* just
alluded to.   Cicero declares his intention of postponing Catiline's
execution until all men, even the lowest and most abandoned,
shall acknowledge its justice.   **tam, tam, tam** : Anaphora;
cf. p. 1, line 3 f., *nihil, nihil, nihil*.

11. **tui** : B. 204, 3; A. 385, *c*, 2; G. 359, N. 4; H. 435, 4, N.
qui non fateatur : *as not to admit;* literally, *who does not admit.*
Relative Clause of Result; B. 284, 2; A. 537, 2; G. 631, 1;
H. 591, 2.

13. **qui audeat** : Clause of Characteristic; B. 283, 2; A.
535, *a*; G. 631, 2; H. 591, 1.

14. multis meis et firmis: *my many strong.* For the use of *et*, see B. 241, 3. **praesidiis**: Ablative of Means, not of Agent; hence the absence of *a*.

16. non sentientem: *even though you do not notice it.* Participles often have this adversative force; B. 337, 2, *e*; A. 496; G. 667; H. 638, 2.

18. quod exspectes: either a Relative Clause of Purpose, — *for you to wait for,* — or a Clause of Characteristic, — *which you wait for.*

20. privata domus: the house of Laeca referred to in the next chapter.

21. illustrantur, erumpunt: the first of these words is contrasted with *obscurare*, the second with *continere*. **omnia**: note the emphasis of this word, brought out by placing it at the end of the clause.

22. mihi crede: *i.e.* take my advice. **caedis atque incendiorum**: when referring to things, *memini, reminiscor*, and *obliviscor* take either the genitive or accusative, without difference of meaning.

23. teneris: *i.e.* you are held fast.

24. quae . . . recognoscas: *which you may now review with me; recognoscas* is a Substantive Clause Developed from the Volitive, used as the subject of *licet;* B. 295, 6, 8; A. 565 and N. 1; G. 553, R. 1; H. 564, II, 1.

25. meministine: *do you not remember?* For -*ne* with the force of *nonne*, see B. 162, 2, *c*; A. 332, *c*; G. 454, N. 5. **ante diem XII Kalendas Novembris**: October 21; B. 371, 372; A. 631; G. p. 491; H. 754–756; *Novembris* is not genitive of a noun, but is an adjective agreeing with *Kalendas.*

26. dicere: we should naturally have expected the perfect infinitive here, but after *memini* the Latin often uses the present, where the reference is to some event in one's personal experience. **in senatu**: this was the occasion on which the consuls were invested with absolute power. **fore**: the subject is *Manlium*, p. 4, line 1.

27. futurus esset: subordinate clause in indirect discourse. To denote future time in the subjunctive, periphrastic forms are generally used, as here. **ante diem VI,** *etc.*: October 27.

PAGE **4, 2. num me fefellit,** *etc.*: *I was not mistaken, was I, either in the fact . . . or . . . the day?* Literally, *there did not escape me, did there, not only the fact, etc.?*

4. dixi ego idem: *I also said;* literally, *I the same;* a common idiom.

5. optimatium: the aristocratic party. **in ante diem,** *etc.*:

the expression *ante diem V Kalendas Novembres* is used as an indeclinable noun in the accusative, governed by *in;* B. 371, 6; A. 424, *g*; G. p. 491; H. 754, III, 3.

6. tum cum: *a time when; tum* is in apposition with the preceding date.

7. sui conservandi causa: *for the purpose of saving themselves;* gerundive construction. Inasmuch as *sui* is plural, we should have expected *conservandorum;* but with the genitive plural of the personal pronouns (*nostri, vestri, sui*), the Latin regularly uses the singular of the gerundive; B. 339, 5; *cf.* A. 504, *c*; G. 428, R. 1, R. 2; H. 626, 3.

8. profugerunt: for the indicative in date clauses introduced by *cum*, see B. 288, *A*; A. 545; G. 580; *cf.* H. 600, I.

10. cum dicebas: see preceding note.

11. discessu: Ablative of Time. **nostra caede**: *the murder of us;* the possessive pronoun is here equivalent to an objective genitive **tamen**: *i.e.* despite the departure of the rest. **qui**: the antecedent is implied in *nostra*, which is here equivalent to *nostri,* ' of us.'

12. quid: as often, a mere transitional particle, — *further !*

13. Praeneste: a town situated on a hill-top, about twenty miles southeast of Rome. Its strong fortifications made it a place of great strategic importance.

14. sensistine: see note on *meministine*, p. 3, line 25. **illam coloniam**: Sulla had planted a military colony at Praeneste some twenty years before the date of this oration. This did not mark the beginning of the town; it was an ancient Etruscan settlement, as old as Rome itself.

15. meo jussu, *etc.*: AT *my order*, BY *my forces, etc.*

16. agis, moliris, cogitas: notice the gradual climax, each succeeding word involving more than the one before it. **non**: the force of the negative extends to *videam* and *sentiam* as well as *audiam*.

18. tandem: with the same force as at the beginning of this oration. **noctem illam superiorem**: *that night before last, viz.* the night of November 6.

20. quam te: had the verb been supplied, we should have had *tu vigilas*. By omission of *vigilas, tu* becomes attracted to the case of *me*. **priore** = *superiore*.

21. inter falcarios: *i.e.* into the scythe-makers' quarter.

22. eodem: the adverb. Note that *convenire* regularly takes the construction of verbs of motion; hence *eodem* (literally, *to the same place*); *in templum* (not *in templo*), *etc.*

24. si negas: the future tense would have been more exact here.

25. **tecum una** : *along with you.*

26. **ubinam gentium** : *where in the world?* For the genitive, see B. 201, 3 ; A. 346, *a*, 4 ; G. 372, N. 3 ; H. 443.

28. **hoc consilio** : the Senate.

29. **qui** : its antecedent is the omitted subject of *sunt, — are those, who, etc.* **nostro omnium** : *of all of us; omnium* is in apposition with the genitive idea implied in the possessive *nostro.* **de hujus urbis** : understand *exitio.*

30. **cogitent** : subjunctive in a Clause of Characteristic ; B. 283, 2 ; A. 535, *a* ; G. 631, 2 ; H. 591, 1.

31. **hos ego video et . . . rogo** : *i.e.* I look into their faces and ask them to vote on public questions. **sententiam rogo** : it was customary, in the deliberations of the Senate, for the presiding magistrate to call upon individual senators for their opinions.

PAGE **5**, 1. **ques . . . oportebat** : *though they deserved to be executed by the sword.* Relative clauses in the indicative often have adversative force. **eos . . . vulnero** : *i.e.* I refrain as yet from attacking them even in words.

2. **fuisti igitur** : *you were, now; igitur* is merely resumptive of the description interrupted at p. 4, line 23. This illustrates a very frequent use of the word. **distribuisti partes Italiae** : *i.e.* assigned each conspirator a special territory in which to foment sedition and execute the plans of Catiline.

3. **quemque** : *viz.* of the conspirators. **placeret** : indirect question.

4. **quos relinqueres, quos educeres** : best taken as Relative Clauses of Purpose, — *(picked out) men to leave at Rome, men to take with you.*

5. **confirmasti** = *confirmavisti.*

6. **dixisti paulum tibi, etc.** : *you said the fact that I was alive constituted still a slight cause of delay to you; morae* is Genitive of the Whole with *paulum; viverem* is in the subjunctive, because a subordinate clause in indirect discourse. The clause *quod viverem* is the subject of *esse, paulum* being a predicate noun.

7. **duo equites** : L. Vargunteius and C. Cornelius.

8. **qui liberarent et pollicerentur** : Relative Clauses of Purpose, — *to relieve you . . . and to promise.*

9. **in meo lectulo** : *on my couch; viz.* while receiving the morning visits of friends, as explained below in the note on *salutatum.*

10. **vixdum . . . dimisso** : *i.e.* almost before your meeting broke up.

11. **comperi**: Cicero's agents gave him information of all the proceedings of the conspirators.

12. **exclusi**: *refused to admit.*   **salutatum**: the supine; B. 340, 1; A. 509; G. 435; H. 633; as object understand *me.* It was customary for men of prominence in Roman public life to hold each morning a formal reception, at which their supporters called to pay their respects.

13. **cum venissent**: a Causal Clause, giving the reason for Cicero's refusal to admit the callers.

14. **multis ac summis**: *many eminent;* see the note on *multis et firmis*, p. 3, line 14.   **id temporis**: *at that time; temporis* is Genitive of the Whole limiting *id; id* is in the accusative, but the origin of the construction is obscure.

16. **quae cum ita sint**: *since these things are so;* literally, *since which things are so.*

18. **diu desiderant**: *has long been yearning;* for this use of the present, see B. 259, 4; A. 466; G. 230; H. 533   **tua illa Manliana castra**: *that Manlian camp of yours, viz.* the camp at Faesulae in charge of Catiline's lieutenant, Manlius.

19. **educ**: for the form, see B. 116, 3; A. 182; G. 130, 5; H. 241.   **si minus**: *i.e. si minus omnes,* ' if not all.'

21. **dum modo intersit**: a Clause of Proviso; B. 310, ii; A. 528; G. 573; H. 587.   **murus**: *i.e.* wall of the city.

22. **non feram, non patiar, non sinam**: for the sake of emphasis, the orator expresses the idea by three synonymous verbs.

24. **atque**: *atque,* as here, often adds no new idea, but merely gives a special illustration of a general idea, — *to the immortal gods (in general) and (particularly) to, etc.*   **huic ipsi Jovi Statori**: the god in whose temple the meeting of the Senate was now being held. Doubtless Cicero accompanied his words by a gesture toward the statue of the god. Jupiter Stator was Jupiter the Stayer, *i.e.* the god who stopped or stayed the tide of battle when the Sabines in the reign of Romulus had almost defeated the Romans. The temple was erected much later near the site of the battle.

27. **saepius**: *too often.*   **in uno homine**: *because of* (literally, *in*) *one man.* The reference is to Catiline.

28. **consuli designato**: *consul elect.* The consular election regularly took place in July, nearly six months before the consuls took office. After election and until they began their official duties (January 1), they were technically known as *consules designati.* Cicero is therefore referring to the events of the preceding year.

PAGE **6**, **1.** **proximis comitiis**: *viz.* for the current year, 63 B.C. Owing to the troubled state of political affairs, the election had been deferred to the end of October.

2. **Campo**: the Campus Martius, a large area of level ground to the north of the Capitoline Hill. The *comitia centuriata*, the assembly which elected the consuls, regularly met here. **competitores tuos**: the rival candidates were Decimus Silanus, Lucius Murena, and Servius Sulpicius. Silanus and Murena were elected.

4. **nullo tumultu publice concitato**: *without causing any public disturbance; publice* is, of course, the adverb. At the time of the election (October 28) the consuls had already been invested with extraordinary authority. Hence Cicero might have issued a public call to arms; but he forbore to do so, and, as he asserts, used only the private help of friends.

7. **conjunctam**: *linked;* the participle used as a predicate adjective. **nunc jam**: *now actually.*

9. **vitam**: in English we use the plural.

11. **id quod est primum**: *i.e.* what first occurs to all, *viz.* the summary execution of Catiline. **hujus imperi proprium**: *in accordance with my* (literally, *this*) *authority.* Cicero refers to the extraordinary powers with which the consuls had been invested by the *senatus consultum.*

13. **ad**: *as regards.*

14. **si jussero, sin exieris**: simple future conditions.

15. **sin**: for the use of *sin*, see B. 306, 3 ; G. 592 ; H. 575, 5. **quod te jam dudum hortor**: *what I have long been urging you;* the antecedent of *quod* is the idea of departing involved in *exieris; hortor* takes two accusatives, one of the Person Affected, the other of Result Produced; B. 178, 1, *d*; *cf.* A. 390, *c*; G. 341, N. 2; H. 412.

16. **exhaurietur . . . sentina**: Catiline's followers are compared to the bilge water of a ship. The orator means that if Catiline departs, his followers will be drawn after him. **tuorum comitum . . . sentina**: *the political refuse consisting of your followers; comitum* is an Appositional Genitive.

19. **quod faciebas**: *what you were proposing to do, viz.* to leave the city and assume command of the revolutionists. For this force of the imperfect tense, see B. 260, 3 ; A. 471, *c*; G. 233 ; H. 530.

22. **quod possit, qui metuat, qui oderit**: Clauses of Characteristic.

25. **nota inusta est**: the figure is drawn from the brands burnt into the hides of sheep or cattle.

26. **privatarum rerum**: in *private matters; domesticae turpitudinis* refers to family scandals; *privatarum rerum* to his private life outside the family.

PAGE **7**, 1. **quem irretisses**: Clause of Characteristic.
    2. **audaciam**: *i.e.* for some daring crime.   **aut ad libidinem
facem praetulisti**: *or act as leader in rousing his lustful passion?*
To ' carry the torch before one ' (as slaves carried them before
their masters at night) became a figurative expression in the
sense of ' act as leader.' Yet with *ferrum, praetulisti* is to be
taken literally, — *offer.* This use of the same verb with different meanings in the same sentence is called Zeugma.
    4. **novis nuptiis**: *for a new marriage;* Dative of Purpose.
domum vacuefecisses: the form of the expression implies that
Catiline had murdered his first wife. Catiline was doubtless
depraved enough to commit such a crime, but there is no evidence to support the charge.
    5. **alio incredibili scelere**: referring to Catiline's alleged
murder of his son. He was credited with having committed
this crime to please his second wife, Orestilla.
    7. **tanti facinoris immanitas**: *a crime of such enormity;*
literally, *the enormity of so great a crime.*
    8. **ruinas fortunarum**, *etc.: the total ruin of your fortunes,
which, etc.* Grammatically *omnis* limits *quas*, but logically it
belongs with *ruinas.*
    9. **proximis Idibus**: *viz.* of November. The Ides and Ka-
lends were regular dates for the settlement of accounts. Cicero
means that Catiline will soon find himself unable to pay the heavy
sums he has borrowed on the strength of the anticipated success
of his revolutionary schemes, and so will become bankrupt.
    12. **summam rem publicam**: *the highest welfare of the state.*
    15. **cum scias**: *since you know.*   **horum**: the senators.
    16. **pridie Kalendas Januarias**: December 31.   **Lepido et
Tullo consulibus**: this was in 66 B.C. Catiline had planned to
kill the consuls-elect, Cotta and Torquatus, on the last day of
the year and so prevent their installation in office on January 1.
    17. **Comitio**: an open space adjoining the Forum used for
the meetings of the popular assembly; see plan at p. xxxv.
manum . . . paravisse: Catiline's first conspiracy is here referred to. See introduction to this oration, p. 185.
    19. **sceleri ac furori**: with *obstitisse.*   **mentem**: *purpose, i.e.*
change of purpose.
    21. **illa**: *the following,* a fairly common force of *ille.*   **neque
enim**: *nor indeed; enim* did not originally mean ' for,' but ' indeed,' and this meaning often survives in the phrase *neque enim.*
non multa: *few;* Litotes.
    22. **commissa postea**: *your subsequent misdeeds.*   **quotiens
tu me interficere**, *etc.:* explanatory of *illa.*   **designatum . . .
consulem**: *when consul elect . . . when consul.*

23. petitiones, declinatione, corpore: all technical expressions connected with the gladiator's art. By *declinatione* and *corpore* the orator wishes to emphasize the fact that he has parried Catiline's assaults without recourse to violence.

26. conari ac velle: as object understand *assequi*. **tibi de manibus:** *from your hands;* literally, *to you from the hands;* *tibi* is Dative of Reference; B. 188, 1; A. 377; G. 350, 1; H. 425, 4, N.

28. quae quidem, *etc.:* I *know not by what rites it* (literally, *which) has been consecrated and dedicated, that you deem it necessary, etc.* Cicero suggests that Catiline, in accordance with a custom existing in antiquity, had vowed to offer up the poniard to some god after he had plunged it in the heart of the consul.

29. quod putas: really the reason for Cicero's remark, *quae quidem, etc.*

PAGE 8, 2. **quo debeo:** understand in thought *permotus esse*.

3. quae nulla, *etc.: none of which;* literally, *which none.*

6. hoc: *i.e.* this ignoring of a senator by his colleagues. **post:** *within.* **vocis exspectas:** the absence of an introductory interrogative word is especially characteristic of impassioned questions.

8. quid, quod, *etc.: what! with what feelings do you think you ought to bear the fact that, etc.?* The *quod*-clauses are the subject of *ferendum* (*esse*). **ista:** *those where you are.*

9. tibi: *by you;* Dative of Agent. This construction is most frequent with the gerundive, but sometimes occurs with the compound tenses of the passive, as here.

13. servi: emphatic, and hence placed at the beginning of the sentence. **isto pacto ut:** *in that way in which* (literally, *as*).

14. omnes cives tui: *i.e.* all but Catiline's fellow-conspirators.

15. urbem: supply in thought *relinquendam esse.* **non arbitraris:** *non* for *nonne* is specially characteristic of impassioned questions.

16. suspectum tam graviter: *an object of such grave suspicion.*

17. carere: *to dispense with.* **me:** on the employment of *me* here, see B. 331, IV, *a*; G. 532, R. 2. **civium:** *of my fellow-citizens;* Objective Genitive.

19. justum: *as just;* predicate accusative.

20. quorum mentes sensusque vulneras: Catiline is not merely an object of suspicion; he causes positive pain by his presence in the city. All the more, therefore, ought he to withdraw.

22. neque posses: *and you could not.*

23. ut opinor: modifying *concederes.* **aliquo:** the adverb.

24. **nunc,** *etc.: i.e.* precisely this is now the case, for your country is your parent, and she *does* fear and hate you.

25. **jam diu judicat:** for the idiomatic use of *jam diu* with the present, *cf. jam dudum hortor*, p. 6, line 15. **nihil te cogitare,** *etc.: that you have no thought (think nothing) except concerning her destruction.*

28. **agit:** *pleads.*

PAGE **9,** 1. **aliquot annis:** *for several years;* literally, *in the course of several years;* Ablative of Time within Which.

2. **tibi uni:** *in the case of you only;* Dative of Reference. **multorum civium neces:** Catiline had been active at the time of the Sullan proscriptions, 82 B.C.

3. **vexatio direptioque sociorum:** in 67 B.C. Catiline as propraetor had governed the province of Africa. Cicero implies that he had been guilty of flagrant misrule in this position; but see introduction to this oration, p. 186. Note that *socii* is the regular word for ' *provincials.*' **impunita fuit:** the singular because *vexatio direptioque* constitutes one idea.

5. **quaestiones:** standing courts having jurisdiction over various special fields of the criminal law. Thus one *quaestio* had jurisdiction in cases of extortion, another in cases of assault, *etc.*

6. **superiora illa:** *those former misdeeds.*

7. **ut potui:** *i.e.* as best I could. **nunc vero,** *etc.: but now for me to be utterly in terror . . . for Catiline to be feared at the least noise . . . is intolerable.* The infinitives *esse, timeri, videri* are the subjects of *est ferendum.* The antecedent of *quicquid* is understood;' we may supply *propter id,* modifying *timeri, —* literally, *to be feared on account of (that) whatever has rattled.* The orator implies that at present people live in such dread of Catiline that at the least unusual noise they start, saying, ' That's Catiline ! '

8. **increpuerit:** Subjunctive by Attraction; B. 324, 1; A. 598; G. 663, 1; H. 652.

10. **posse:** dependent on *videri.* **quod abhorreat:** *which is not connected with;* literally, *which shrinks from;* Clause of Characteristic.

11. **mihi:** Dative of Separation; B. 188, 2, *d*; A. 381; G. 347, 5; H. 427.

12. **ne opprimar:** dependent upon *eripe.*

15. **nonne impetrare debeat:** *would she not have a right to secure her request?*

17. **quid, quod,** *etc.: what of the fact that you voluntarily (ipse) offered to put yourself in custody?* Catiline had recently been

arraigned for his turbulent conduct, by a young patrician, L. Aemilius Paulus. To give the impression that he was prepared to meet his accusers, he thereupon offered to put himself in the custody of some citizen, who would thus be responsible for his appearance in court. This was called *custodia libera*. It was freedom on parole.

18. ad M'. Lepidum: *at the house of Manius Lepidus,* who had been consul three years before. Lepidus naturally refused to harbor Catiline. The use of *ad* in this sense is unusual; *apud* is the regular word.

21. id responsum: explained by what follows.

22. isdem parietibus: *in* or *within the same house walls;* Ablative of Place Where without the preposition; B. 228, 1, *b*; A. 429, 2; G. 385, N. 1; H. 485, 2. **tuto:** the adverb. **qui essem:** *since I was;* a Clause of Characteristic with accessory causal force; B. 283, 3; A. 535, *e*; G. 626, R.; H. 592.

23. moenibus: *city walls,* as opposed to *parietibus;* Ablative of Means.

24. Q. Metellum: praetor in 63 B.C., and consul three years later. **ad sodalem tuum:** *to a crony of yours.*

25. virum optimum: ironical; M. Metellus is unknown, but evidently he was not highly esteemed.

26. videlicet: here, as often, with ironical force. The orator means that Catiline's proposal to put himself in the custody of Marcus Metellus was a farce.

28. sed quam longe, *etc.: but how far from jail does he seem to deserve to be, etc.?* Confinement in jail or prison was customary among the Romans only for the purpose of detaining prisoners awaiting trial. Cicero's point is that Catiline ought to be awaiting trial in jail, since he had adjudged himself worthy of custody.

PAGE **10, 1. qui judicarit:** Clause of Characteristic.

2. custodia: for the Ablative, see B. 226, 2; A. 418, *b*; G. 397, N. 2; H. 481.

3. si emori . . . non potes: *if you cannot die with resignation, i.e.* unless you are prepared to die. Cicero implies that if Catiline remains in Rome, his condemnation and death are certain.

7. refer ad senatum: *bring the matter before the Senate; refero* is the regular term for bringing a matter before the Senate for action.

8. placere decreverit: *shall decree that it is their pleasure;* as indirect object of *placere,* understand in thought *sibi* referring to *ordo; placere* is impersonal, its subject being *te ire.*

9. id quod abhorret a meis moribus: *a thing which is at variance with my principles.* The Senate had no power to banish a citizen.   Hence Cicero probably means that it is not his practice to introduce unconstitutional measures.

10. faciam ut intellegas : *I will make you understand;* B. 297, 1 ; A. 568 ; G. 553, 1 ; H. 571, 3.

12. hanc vocem : *this command, viz. in exsilium proficiscere.* **proficiscere** : after this word, the orator must be supposed to pause a moment, as though waiting for some word of protest from the Senate.

14. patiuntur : *i.e.* they make no protests.   **quid exspectas, etc.**: *why do you await the uttered command of those whose wish you perceive by their silence?*   Literally, *the command of those speaking, the wish of whom silent you perceive.*

16. hoc idem : *viz. in exsilium proficiscere.*

17. P. Sestio : quaestor at this time.   He was defended by Cicero in 56 B.C. in an oration (*pro Sestio*) that has come down to us.   **fortissimo** : *most honorable.*   **M. Marcello** : consul twelve years later, 51 B.C.   Cicero in 46 B.C. delivered in his behalf an oration of thanks to Caesar, by whom Marcellus, despite his opposition in the Civil War, had just been pardoned.

18. hoc ipso in templo : *i.e.* even in this sacred spot.   **jure optimo** : *with perfect justice.*

19. vim et manus : *violent hands;* Hendiadys.   **de te autem** : *as regards you, on the other hand;*   *de te* is emphatic and therefore put first.

20. cum quiescunt, probant, etc.: instances of *cum* explicative (B. 290, 1 ; G. 582) ; *i.e.* ' their quiet is approval; their toleration of my words is a decree; their silence is a shout (of condemnation).'

22. auctoritas est cara : referring to Catiline's proposal to abide by the decision of the Senate (above, line 8 f.).   **vita vilissima** : as shown by the fact that he was plotting for their murder.

23. equites : the middle order at Rome, below the Senate and above the common citizens.   The equestrian property qualification was 400,000 sesterces, about $20,000.   As a class, the equites were capitalists, being engaged in farming the taxes of the provinces and in other large financial enterprises.

25. voces paulo ante : apparently they had given some demonstration of their interests and sympathies by shouting.

26. quorum : its antecedent is *eosdem* in the following line. **abs te** : *abs* is another form of *ab.*   In Cicero's day it was antiquated except before *te.*

27. adducam ut te prosequantur : *will induce to escort you.* Persons going into exile were regularly escorted to the city gates by friends.   Cicero assures Catiline that he need have no fear that such an escort will be lacking in his case. Men will accompany him for the satisfaction of seeing the city rid of his presence.

28. haec: object of *relinquentem*. The reference is to the buildings and homes of the city.

PAGE **11**, 1. **quamquam**: *and yet.* **te ut ulla res frangat,** *etc.: anything ever crush you! You ever reform! You ever meditate flight, etc.!* 'Repudiating questions,' a variety of the Deliberative Subjunctive. In this idiom *ut* is an adverb and is untranslatable. By the form of the question, Cicero implies that Catiline will do none of the things suggested.

4. duint: an archaic form equivalent to *dent*, but from a different root; B. 127, 2; A. 183, 2; G. 130, 4; H. 244, 3. Optative Subjunctive; B. 279; A. 441; G. 260; H. 558. **ta-metsi**: *and yet;* used like *quamquam* in line 1.

5. ire: the infinitive is object of the idea contained in *animum induxeris.* **animum induxeris**: *you resolve.*

6. nobis: indirect object of *impendeat.* **si minus**: *if not.*

7. recenti memoria: *on account of the fresh memory.* **at**: *yet, at least.*

8. tanti: *worth while;* predicate Genitive of Value; B. 203, 3; A. 417; G. 380; H. 448, 1. **dum modo sit et sejungatur**: a Clause of Proviso; B. 310, ɪɪ; A. 528; G. 573; H. 587.

9. privata calamitas: Cicero means that he is willing to suffer himself, provided the state escape.

10. ut commoveare, ut pertimescas, ut cedas: Substantive Clauses Developed from the Volitive, subjects of *est postulandum.*

11. temporibus cedas: *yield to the needs, i.e.* consult the needs.

12. non est postulandum: *i.e.* it is not to be expected from a man of Catiline's character. **neque enim is es ut . . . re-vocarit**: *for you are not such a man, that shame ever checked you, etc.; ut revocarit* is a Clause of Result.

15. mihi: *against* (literally, *to*) *me;* with *conflare.* **inimico, ut praedicas**: *inimicus* is a personal, as opposed to a public enemy; *praedicas* is from *praedīco.* Catiline had declared that Cicero was actuated by motives of personal enmity.

16. recta: the adverb; *straightway;* originally *rectā viā.*

17. vix feram sermones, *etc.:* Cicero means that Catiline's revenge is easy. He has only to go into exile. That will bring down upon the orator a storm of odium that he can scarcely endure.

20. egredere cum importuna manu: *i.e.* show the criminal character of your projects. This, of course, would vindicate Cicero's course.

23. **non**: to be joined closely in thought with *ejectus;* B. 282, 1, *c*; A. 531, 1, N. 2; G. 545, 2; H. 568, 5.

24. **quid invitem**: *why should I urge?* Deliberative Subjunctive; B. 277; A. 444; G. 265; H. 559, 4.

25. **a quo sciam**: *(a man) by whom I know;* Clause of Characteristic. **qui tibi praestolarentur**: *to await you;* Relative Clause of Purpose.

26. **ad Forum Aurelium**: *near Forum Aurelium,* a hamlet in Etruria, on the Via Aurelia. On *ad* with the accusative of town names, see B. 182, 3; A. 428, *d*. **cui**: *by whom;* Dative of Agency with *pactam et constitutam (esse).*

27. **pactam . . . diem**: *i.e.* a day had been agreed upon for an uprising. The date was October 27. Manlius and his followers had appeared in arms at Faesulae on this day.

28. **aquilam illam argenteam**: subject of *esse praemissam.* The eagle was the standard of the Roman legion. The silver eagle here referred to is said by Sallust *(Catiline,* 59) to have been one that had belonged to the army of Marius in the campaign against the Cimbrians (101 B.C.).

30. **cui**: *for which.* **sacrarium constitutum fuit**: the spot in the Roman camp where the standards were kept was held sacred. Catiline is represented as reposing such faith in the good genius of this particular standard that he erected a shrine for it in his own home. It had brought good fortune to Marius, and Catiline is represented as believing it would do the same for him.

PAGE **12**, 1. **tu ut illa**, *etc.: you able to do without it !* Another ' repudiating question '; see note on p. 11, line 1.

2. **altaribus**: *altar.* The word in classical Latin is found only in the plural.

5. **jam pridem rapiebat**: for the force of *jam pridem* with the imperfect, see B. 260, 4; A. 471, *b*; G. 234; H. 535, 1.

7. **haec res**: rebellion against your country.

10. **numquam non modo**: *not only never.*

12. **perditis atque derelictis**: *men abandoned and deserted.* **ab omni fortuna**: limiting *derelictis;* Ablative of Agent; B. 216, 1; A. 405, N. 3; G. 401, 2, R. 1; H. 468, 1.

14. **hic**: *i.e.* with this band of desperate men. **laetitia**: for the ablative, see B. 218, 1; A. 410; G. 407; H. 477, I.

16. **quemquam** · here used adjectively; *ullus* would have been the regular word.

17. **hujus vitae**: *of this kind of life, viz.* that of an outlaw. **meditati sunt**: *were practised.* Though ordinarily deponent, *meditor* is here used passively.

18. **qui feruntur**· *which are mentioned (as yours).* **jacere,**

vigilare: these infinitives are in apposition with *labores*, and are best translated by English verbal nouns, — *lying on the ground, staying awake.*

19. **ad obsidendum stuprum:** *for compassing some intrigue.*

20. **insidiantem somno maritorum:** *plotting against the slumbers of husbands, i.e.* seeking some opportunity to seduce their wives; *insidiantem* agrees with the implied subject (*te*) of *vigilare.*

21. **bonis otiosorum:** *the property of peaceful citizens.* Cicero means that Catiline practised assault and robbery. **habes ubi ostentes,** *etc.: you have a field for exhibiting your endurance, etc.; ubi ostentes* is a Relative Clause of Purpose. The antecedent of *ubi* is some such word as *locum*, to be supplied in thought as the object of *habes.*

23. **quibus:** its antecedent is *famis, frigoris, inopiae.*

24. **tantum:** *this much;* explained by the following *ut*-clauses. **tum cum reppuli:** B. 288, 1, *a*; A. 545; G. 580; H. 600, ɪ. Catiline had been a candidate for the consulship at the election held only a few days before the delivery of this oration. Cicero had opposed and thwarted Catiline's election.

25. **ut posses:** a Substantive Clause of Result, in apposition with *tantum.* **exsul . . . consul:** *as exile . . . as consul;* the sarcastic pun of the Latin is not easily reproduced in English. **temptare:** *to assail*, from without. **vexare:** *to ravage*, from within.

27. **quam bellum:** had Catiline been elected consul, he would naturally have been invested with the regular consular *imperium.* Any attack he then made upon the state might have been dignified with the name of war, as opposed to brigandage (*latrocinium*).

PAGE **13**, 1. **ut detester ac deprecer:** *that I may avert by protest and plea.*

2. **querimoniam:** explained by what follows, lines 7 to 29.

7. **M. Tulli:** for the form of the vocative, see B. 25, 1; A. 49, *c*; H. 83, 5.

10. **evocatorem servorum:** Catiline's programme was said to include the use of slaves in murdering and plundering the citizens.

11. **ut non emissus . . . sed immissus,** *etc.: that he may seem not banished from the city but let free against the city.* In permitting Catiline to depart, Cicero was virtually letting him loose to execute his treasonable designs against the city.

12. **duci, rapi, mactari imperabis:** the usual construction after *impero* is a substantive clause in the subjunctive, but the infinitive must be used when the dependent verb is in the passive; B. 295, 5, ɴ.; A. 563, ɴ.; G. 546, ɴ. 3.

15. **persaepe**: an exaggeration. Cicero is thinking of the cases of Gracchus and others cited at the opening of this oration. Such cases were quite exceptional.

16. **an leges**, *etc.*: various laws had been passed safeguarding the rights of citizens in capital cases. Thus the *leges Valeriae* forbade the scourging or execution of a citizen without appeal to the people, while the later *lex Porcia* made exile an alternative of death, at the option of the condemned.

17. **rogatae sunt**: *rogo*, literally 'ask,' applied primarily to the act of the magistrate who *asked* the legislative assembly their pleasure as to the enactment of measures proposed. Hence it came to mean 'passed,' 'enacted.' **at numquam . . . tenuerunt**: this principle was not sound in law. Its application to the cases of the detected Catilinarian conspirators was later one of the prime causes for Cicero's banishment. See Introd. p. xi f.

19. **praeclaram refers gratiam**: *fine gratitude you are showing* (ironical); *i.e.* to fear odium is ungrateful in the case of a man who had been honored by the people as Cicero had been.

20. **hominem per te cognitum**, *etc.*: *i.e.* a man known *only* through yourself. Cicero was what was technically called a *novus homo*, *i.e.* a man who had no ancestors that had filled any curule magistracy (consulship, praetorship, curule aedileship).

21. **nulla commendatione**: Ablative of Quality. **tam mature**: legal enactments fixed the age at which men might fill the various magistracies. Thus for the quaestorship the candidate must have attained his thirty-first year, for the curule aedileship the thirty-seventh, for the praetorship the fortieth, and for the consulship the forty-third. Cicero filled all these offices at the earliest age compatible with law. He prided himself on being the first *novus homo* to do this. **summum imperium**: the consulship.

22. **per omnis honorum gradus**: *i.e.* through all the magistracies; *honor* here means 'office,' a common signification of the word. The reference is only to the lower magistracies, which are conceived of as steps (*gradus*) to the consulship.

PAGE **14**, 1. **mentibus**: *sentiments*.

2. **hoc**: explained by the following infinitive, *multari*. **optimum factu**: *best to do;* B. 340, 2; A. 510; G. 436; H. 635.

4. **gladiatori isti**: *gladiator* is used as a term of contempt.

5. **summi viri**: referring to magistrates, such as L. Opimius and C. Marius; see p. 2, lines 11, 16. **clarissimi cives**: private citizens, *e.g.* P. Scipio Nasica; see p. 1, line 20. **Saturnini et Gracchorum et Flacci et superiorum**: note the emphasis pro-

duced by, the Polysyndeton (repetition of the conjunction).
On Saturninus, the Gracchi, and Flaccus, see notes to p. 2, lines
16, 13, 15 and p. 1, line 21.

6. superiorum complurium: *of very many men of earlier days,*
i.e. earlier than the time of Saturninus and those mentioned.
But Cicero exaggerates when he says *complurium*. Instances of
the kind were extremely rare.

7. honestarunt: as object understand *se* from the preceding
clause. Cicero's statement that such acts redounded to the
honor of their authors is hardly true.

8. verendum mihi non erat: *I had no occasion to fear;*
literally, *it was not to be feared by me.* **hoc . . . interfecto:**
by putting to death this assassin.

10. quodsi ea impenderet, fui: a peculiar form of conditional
sentence. Cicero begins with a contrary-to-fact condition, but
completes the sentence by an indicative, instead of the subjunctive, which we should naturally expect.

11. ut putarem: a Clause of Result, explanatory of *hoc*
(*such*). **invidiam virtute partam:** *odium incurred by duty;*
partam is from *pario*. **gloriam:** *as glory;* predicate accusative.

13. qui non videant aut dissimulent, etc.; qui aluerunt, etc.:
videant and *dissimulent* are Subjunctives of Characteristic; *qui*
aluerunt, on the other hand, is not felt to be closely connected
with *nonnulli*, but begins a new thought. Hence the indicative.

14. mollibus sententiis: *by irresolute purposes.* Many from
timidity were unwilling to take a resolute stand and to bring
matters to a decisive issue.

15. non credendo: *by not believing, viz.* in the existence of any
conspiracy.

17. si in hunc animadvertissem: *i.e.* if I had put him to death.

18. regie: *tyrannically.* As a derivative of *rex* this word
naturally suggests the hated tyranny of the kings. Since the
days of the Tarquins, the word *rex* had been abhorrent to Roman
ears. **dicerent:** *would be saying; dicerent* refers to present
time; *animadvertissem* to past. **nunc:** *i.e.* now that I have
spared Catiline's life.

19. si pervenerit: subjunctive; a subordinate clause in indirect discourse. **iste:** Catiline. **quo intendit:** the antecedent of *quo* is *castra*.

21. improbum: *shameless.*
25. eodem: the adverb.

PAGE **15, 1. jam diu:** it was three years since the formation
of Catiline's first conspiracy.

2. nescio quo pacto: *somehow or other; nescio quis* is a compound indefinite pronoun; B. 253, 6; A. 575, *d*; G. 467, N.; H. 512, 7.

4. **in tempus**: (*has burst*) *upon the time*.

5. **latrocinio**: here, *band of ruffians*.

9. **aestu febrique**: *the heat of fever;* Hendiadys.

12. **relevatus**: *though relieved*.

13. **reliquis vivis**: *if the rest remain alive;* Ablative Absolute.

14. **unum in locum**: the Latin says *into;* the English idiom requires *in*.

15. **quod**: the antecedent is the clause *muro . . . secernantur*. **secernantur**: the passive here has reflexive force, - *let them separate themselves;* B. 256, 1; A. 156, *a*; G. 218; H. 517.

16. **insidiari domi suae consuli**: referring to the attempt to assassinate Cicero on the morning of the preceding day; p. 5, line 9. **circumstare tribunal praetoris urbani**: *viz*. in the attempt to intimidate the court. The tribunal of the praetor was the seat from which he dispensed justice; *praetor urbanus* is distinguished from the *praetor inter peregrinos*. The former tried cases involving Roman citizens only; the latter, cases involving foreigners residing at Rome. The tribunal of the city praetor was probably in or adjoining the Forum.

17. **cum gladiis**: *i.e.* with swords in their hands. **Curiam**: the senate-house, situated on the northern edge of the Comitium. See plan at pp. xxxii, xxxiii.

18. **sit inscriptum**: *let it be written; inscriptum* is the participle used predicatively. The subject of *sit* is the indirect question *quid sentiat*.

19. **unius cujusque**: *of each and every one*.

20. **hoc**: explained by what follows.

23. **omnibus bonis**: the common citizens as opposed to the senators (*vobis*) and the knights (*equitibus*). The orator's enumeration thus includes all classes of citizens. **ut videatis**: *that you will see*. When the main clause refers to future time, a dependent result clause shares the future character.

24. **patefacta . . . vindicata**: the gradual climax is heightened by the Asyndeton.

26. **hisce ominibus**: *with exactly these prospects, i.e.* such as I have just stated. The enclitic *-ce* added to the forms of *hic* gives emphasis; *ominibus* (like *pernicie, exitio*) is an Ablative of Attendant Circumstance; B. 221; H. 473, 3. **cum summa rei publicae salute**, *etc.: to the greatest advantage of the state, to the ruin, etc.*

PAGE **16**, 1. **omni scelere parricidioque**: *in all wickedness and murder*.

2. Juppiter: the orator addresses the statue of the god in whose temple the Senate was assembled.

3. qui es constitutus: *i.e.* whose temple was founded. **isdem quibus**: *the same as*. The statement is inexact. The temple was vowed at the time of the war with the Sabines, but was not erected till 294 B.C.   **haec urbs**: sc. *constituta est*.

4. Statorem: in a somewhat different sense from that originally attaching to the word (see note on p. 5, line 24).   *Stator* here means ' support,' ' protector.'

5. hunc arcebis et mactabis: the future is here, as not infrequently in the lofty style, used as an imperative; B. 261, 3: A. 449, *b*; G. 243; H. 560, 4, N.

SECOND ORATION AGAINST CATILINE

At the close of Cicero's First Oration, Catiline arose in the Senate and attempted to make reply to the charges made by Cicero. But the Senate refused him a hearing, drowning his words with cries of " traitor," " murderer." He thereupon left the temple and withdrew the same night from the city, professing that he was going into exile at Marseilles. His real goal was the camp of Manlius at Faesulae. The next day Cicero delivered his Second Oration to the assembled citizens.

PAGE **17**, 1. **tandem aliquando**: *at length, at last*.   **Quirites**: the most honorable appellation of citizens.

3. ferro flammaque: in the English formula we invert the order of these words, — *fire and sword*.

4. vel, vel, vel: *vel* here merely indicates indifference as to the appropriate designation, — ' we may say either that we drove him out, or let him go, or that he went voluntarily, and we escorted him to the gates with our good wishes.' Cicero feels so jubilant over the fact of Catiline's departure, that he is willing to characterize it in any terms that may be preferred by members of his audience.   **ipsum**: *of his own accord*.

5. abiit, excessit, evasit, erupit: a famous climax, made stronger by the Asyndeton; compare Caesar's memorable report of his victory over Pharnaces, — *Veni, vidi, vici*.

6. nulla jam: *no more will any*.

7. moenibus: *against our walls* (dative).

10. sica illa: *i.e.* that familiar dagger of which so many stood in dread; *ille*, when it follows its substantive. often means ' that well-known.'   **non, non, non, non**: Anaphora (emphatic repetition of the same word).   **in Campo**: the Campus Martius, where

the elections were held.   Catiline had attempted violence here
more than once.   **in Foro** : the Forum was the centre of the
public life of Rome.   Around it were many temples, while in
or near it was probably the tribunal of the praetor.

11. intra domesticos parietes : *within the walls of our houses.*
Cicero is doubtless thinking of the attempt on his own life at his
residence only two days before.

13. loco ille motus est : *he lost his vantage;* literally, *was
moved from his place.*   The expression is apparently a technical
one, drawn from the gladiatorial profession ; *loco* is Ablative of
Separation ; B. 214, 2 ; A. 401 ; G. 390, 2, N. 2 ; H. 433.

14. nullo impediente : *without the interference of anybody ; nemo*
lacks the ablative (*nemine*), *nullo* being regularly used instead.
bellum justum : *regular war,* as opposed to the struggle against
conspirators in their own midst.   At first sight Cicero's attitude
seems to contradict his utterances in the First Oration (p. 12,
line 27), where he declares that the operations of Catiline's army
will be brigandage, not war.   But here he simply means that the
struggle will now be war in its *openness,* as contrasted with the
insidiousness of a conspiracy.

17. cruentum : a predicate adjective, — *that he did not carry
out his sword reeking with blood.*

18. vivis nobis : *leaving us (me) alive;* literally, *we living;*
Ablative Absolute.   **ei** : Dative of Reference ; B. 188, 1 ; A. 376,
377 ; G. 350, 1 ; H. 425, 4 and N. ; *cf.* the similar passage, *quotiens
tibi jam extorta est sica de manibus,* p. 7, line 23.

PAGE 18. 2. tandem : *pray;* frequently thus used to reinforce
interrogative words.

5. retorquet oculos, e faucibus ereptam : the figure is that
of a beast of prev.

7. quod evomuerit, projecerit : not the speaker's reason, but
the reason attributed by him to the city ; hence the subjunctive ;
B. 286, 1 ; A. 540 ; G. 541 ; H. 588, II.

9. talis quales esse omnes oportebat : *such as all ought to
have been; i.e.* all ought naturally to have desired the arrest of
Catiline, though this was not really the wisest policy.   On the
use of the imperfect tense in *oportebat,* see the note on p. 1, line 17.

10. qui accuset : Clause of Characteristic.   **in hoc ipso**, *etc.:
in this very particular, viz.* the departure of Catiline.

12. ista : attracted from the neuter to the gender of the
predicate noun ; B. 246, 5 ; A. 296, *a* ; G. 211, R. 5 ; H. 396, 2.

13. interfectum esse : for the perfect instead of the present
infinitive, see B. 270, 2, *a* ; A. 486, *b* ; G. 280, R. 2.

14. et . . . affectum : the punishment naturally precedes the

killing.   Such an inversion of the natural order is called Hýsteron
Próteron.

15. hujus imperi: *i.e.* the power with which the consul had
been invested by the *senatus consultum ultimum*.

16. res publica :   *i.e.* the common weal.   **postulabat**: agreeing with the near.st subject.   **quam multos**, *etc.*: Cicero gives
the reasons for not arresting and executing Catiline, — the
skepticism of some as to the very existence of any conspiracy,
and the sympathy of others with Catiline himself.

18. defenderent: sc. *eum*.   **si judicarem**: *if I had thought;*
an instance of the imperfect used for the pluperfect; B. 304, 2;
A. 517, *a*; G. 597, R. 1; H. 579, 1.   **illo sublato** : *by getting rid
of him; i.e.* by executing him; Ablative Absolute denoting
means.

21. ne vobis quidem . . . probata: *inasmuch as the matter
had not been made clear to all of you even then; re* refers to the
existence of the conspiracy ; *vobis* refers to the people in general,
to whom Cicero was now speaking.

22. si illum multassem : the subjunctive is due entirely to
the indirect discourse ; *multassem* here represents a future perfect indicative of direct statement (*si illum multavero*) ; B. 319, *a* ;
A. 484, *c* ; G. 654; H. 644, 2.

23. fore . . . ut non possem : *that I, overwhelmed with odium,
would be unable, etc.;* literally, *it would happen* (*be*) *that I . . .
should not be able, etc.; fore* is the object of *viderem; ut possem*
is a Substantive Clause of Result used as the subject of *fore.*

24. rem huc deduxi, *etc.*: *I brought matters to this issue, viz.
that you should be able, etc.; huc* is explained by the clause *ut
possetis.*   Cicero had made open war possible by driving Catiline
from the city, thus virtually compelling him to assume command
of the insurgents.

25. cum videretis : the subjunctive is due to attraction.

26. quem quidem ego hostem, *etc.*: *and as regards this enemy,
how seriously I think he ought to be dreaded at a distance, you may
know from this circumstance, viz. that, etc.; quem hostem,* the
subject of *esse timendum,* is emphatic and hence placed at the
beginning of the sentence.   Further emphasis is lent to *quem*
by *quidem; ego,* too, is emphatic, as shown by the fact that the
pronoun is expressed.   **quam putem** : indirect question, object
of *intellegatis.*

27. licet intellegatis: *you may know;* Substantive Clause
Developed from the Volitive ; B. 295, 6.   For the absence of
ut, see B. 295, 8; A. 565 and N. 1; G. 546, R. 2; H. 562, 1.
hinc : *from this circumstance* (literally, *hence*) ; explained by
quod fero.   **quod etiam illud moleste fero, quod** : *that I am*

actually vexed because; moleste ferre (literally, *bear ill*) often has
the force of ' be vexed at,' ' resent '; *illud,* literally *that,* refers
to the following clause, *quod exierit.*

28. parum comitatus : *with too small an escort;* literally, *too
little attended; i.e.* Cicero wishes he had taken more of his accomplices with him.   Note the use of the deponent *comitatus* as
passive.

PAGE **19, 2. Tongilium, Publicium, Minucium** : all nonentities,
of whom nothing further is known.   **mihi** : this Ethical Dative
may be translated by *I note.*   **in praetexta** : =*in his boyhood.*

3. quorum aes alienum, *etc.: i.e.* these men's debts were so
insignificant, that their departure was unnecessary.   Even had
they stayed, no one would have felt the least concern.

5. reliquit : emphatic and so placed at the beginning of the
sentence.   Cicero wishes to call attention to the men left behind
as opposed to those Catiline took with him.   **quanto aere
alieno** : *in how great debt;* but the ablative is really one of Quality.
quam valentis, quam nobilis : ironical.   The orator really means
how worthless, how low !

6. itaque : there seems to be a gap in the argument here.
After *quam nobilis,* understand in thought some such idea as
" And yet we know Catiline's whole army is composed of just
such fellows."   **illum exercitum** : *i.e.* Catiline's army.

7. Gallicanis legionibus : the regular Roman forces stationed
in Cisalpine Gaul.   **hoc delectu,** *etc.: i.e.* the levy recently
made for the protection of the government.

8. agro Piceno et Gallico : Picenum was situated on the
Adriatic Sea, east of Umbria.   The *ager Gallicus* adjoined
Picenum on the north.   The name *ager Gallicus* dates from the
time when this district had belonged to the Senonian Gauls.   In
Cicero's day it had long been a Roman possession, but the old
name still clung to it.   **Q. Metellus** : the praetor.   He is referred to in the preceding oration, p. 9, line 24, and had recently
levied troops for the purpose of withstanding the conspirators,
should they take the field.   **habuit** : *made; delectum habere*
is the regular expression for ' make a levy.'   **copiis** : also dependent upon *prae.*

10. senibus desperatis : *i.e.* old men who have failed in life,
and in their despair are ready for any enterprise.   **agresti
luxuria** : *country debauchees,* literally *country luxury;* abstract
for concrete.   The implication is that these men have squandered
their fortunes in riotous living on their country estates.   Ex-
travagant self-indulgence was severely condemned by public
opinion at Rome.

11. rusticis decoctoribus: this class hardly differs from the preceding, except in name.   **vadimonia deserere quam illum exercitum**: *to forfeit their bail rather than fail to join that army,* *i.e.* the class here referred to consisted of men under indictment, who had been released on bail. Rather than fail Catiline, they preferred to forfeit the bail guaranteed by their bondsmen. Note the peculiar force of *deserere* in connection with *exercitum*.

13. edictum praetoris: the edict of the praetor was the formal proclamation which he issued when he entered upon his office. In it he stated the principles which he intended should govern his acts as presiding official of the Roman courts. These principles doubtless covered the procedure to be followed against men who jumped bail. Hence Cicero's statement, ' If I show them the praetor's edict, they will collapse with terror.'

14. hos . . . eduxisset: the orator returns to the thought expressed in line 1; *hos* is emphatic.   **volitare . . ., stare . . ., venire**: Cicero is not alluding to different classes of persons, but to different acts of the same class, — young nobles, apparently, who sympathized with Catiline.

15. nitent unguentis: *i.e.* they anoint their heads with costly perfumes, thus posing as representatives of fashion.

16. purpura: the reference is to the vertical purple stripe worn on the breast of the tunics of knights and senators. Great elegance was often affected in this detail.   **mallem eduxisset**: *I should prefer that he had led out; mallem* is Potential Subjunctive; B. 280, 2, *a*; A. 447, 1; G. 257, 2; H. 556; *eduxisset* is a Substantive Clause Developed from the Optative: B. 296, 1, *a*; *cf.* A. 565 and N. 1; G. 546, R. 2; H. 565, 2.   **suos milites**: *as his soldiers;* predicate accusative.

17. permanent: in strictness we should have expected *permanebunt,* as the reference is to future time, and the Latin usually employs the future tense in such cases, though English ordinarily employs the present.

18. nobis: Dative of Agency.

19. deseruerunt: *failed to join;* as above, line 11.   **pertimescendos**: the subject of *esse pertimescendos* is *exercitum,* but the gerundive is made to agree with *hos* as being nearer.

20. hoc: Ablative of Cause.

22. cui: *i.e.* to which one of the conspirators.

24. urbanas: grammatically in agreement with *insidias,* but logically to be taken with *caedis* and *incendiorum,* — *schemes of murder and conflagration in the city.*

25. superioris noctis: *i.e.* the former of the two nights specially mentioned in the first oration, *viz.* the night of November 6.

27. **hi**: *i.e.* his partisans in the city. **ne**: the intensive particle, — *I assure you.*

PAGE **20**, 1. **quod exspectavi**: the antecedent of *quod* is *id* understood, the object of *sum assecutus*. **ut videretis**: *viz. that you should see;* a substantive clause, in apposition with the omitted object of *sum assecutus*.

3. **nisi vero**: *nisi vero* regularly implies that the suggestion is absurd (B. 306, 5). Thus here it is implied that it is ridiculous to assume that men like Catiline do not entertain his sentiments. **si quis**: *si* is redundant after *nisi*. Translate, *any one.* **Catilinae similis**: *men like Catiline;* the adjective, though used as a substantive, takes its usual construction. **cum Catilina sentire** *i.e.* entertain the same revolutionary purposes.

4. **non jam**: *no longer.*

5. **severitatem**: note the emphasis — *sternness is what the situation demands.*

6. **desiderio sui**: *with longing for them; sui* (plural) is here the *indirect* reflexive, referring not to the subject of *tabescere*, but to that of the main verb, *patiantur.*

7. **miserum**: the adjective here has adverbial force. **Aurelia Via**: Ablative of the Way by Which. The Aurelian Way ran northwest from Rome along the coast of the Mediterranean. This was a somewhat indirect route to the camp of Manlius at Faesulae ; but Catiline pretended to be going to Marseilles.

8. **ad vesperam**: *along toward evening.*

10. **hanc sentinam**: the reference is to Catiline's supporters in the city. **Catilina exhausto**, *etc.*: the figure is drawn from a ship conceived of as free of bilge water (*sentina*). The state is the ship ; the bilge water consists of Catiline and his followers. Cicero's prayer is that this entire *sentina* may be pumped out and got rid of ; yet the removal (literally, *the pumping out, exhausto*) of Catiline alone gives the ship of state new buoyancy (*levata*) and fresh life (*recreata*). *Catilina exhausto* is an Ablative Absolute denoting cause.

13. **quis**: as an interrogative adjective, *quis* means *what; qui, what kind of.* **tota Italia**: for the absence of the preposition, see B. 228, 1, *b* ; A. 429, 2 ; G. 388 ; H. 485, 2.

19. **hosce**: for the form, see B. 87, footnote 2 ; A. 146, N. 1 ; G. 104, 1, N. 1 ; H. 178, 3.

21. **jam vero**: *furthermore, again.*

22. **alios ; aliorum**: *some; of others.*

24. **fructum, mortem**: objects of *pollicebatur.*

25. **impellendo, adjuvando**: gerunds ; Ablative of Attendant Circumstance. In English we may best bring out the sense

by rendering: *not only urging them on, but actually helping them.*

27. collegerat: *viz.* before his departure.

PAGE **21, 2. fuit:** as shown by the sequence of tenses (*asciverit*), *fuit* is here a present perfect, — *there has been.*

3. ut possitis: this clause does not denote the purpose of the statement itself, but of the speaker in making it. Its force may be brought out by supplying (before *nemo est*) some such expression as *I will state;* B. 282, 4; A. 532; G. 545, R. 3; H. 568, 4.

4. diversa studia in dissimili ratione: *his different interests in opposite lines.* Cicero is emphasizing Catiline's great versatility. This he illustrates by examples drawn from two opposite classes of men : (1) aggressive and dangerous gladiators; (2) inert and worthless actors. With both classes Catiline was on terms of intimacy. Yet the two classes were totally unlike, a fact which shows the diversity of his interests (*diversa studia*).

5. ludo gladiatorio: regular training schools for gladiators were maintained at Rome. **paulo audacior:** *i.e.* a little bolder than his fellows.

6. nemo in scaena: the social position of actors at Rome was very low. Freeborn Romans were forbidden to appear on the stage.

7. levior et nequior: the comparative has the same force as in *audacior.*

8. stuprorum et scelerum exercitatione, *etc.: (because) accustomed by the practice of debauchery and crime to bearing cold and hunger, etc.; frigore, fame, etc.,* are Ablatives of Association, — literally, *familiarized with cold, etc.;* B. 222 A. The clause as a whole gives the reason for the statement *fortis praedicabatur.*

10. perferendis: agreeing not merely with *vigiliis,* but with *frigore, fame, etc.,* as well. **fortis praedicabatur:** *fortitudo* (' sturdiness ') was one of the most fundamental and admirable traits of Roman character. Cicero therefore naturally objects to its application to Catiline by his followers. Catiline's endurance for bad purposes did not, to Cicero's mind, entitle him to be called *fortis.* **ab istis:** with contemptuous force, as frequently.

11. industriae subsidia atque instrumenta virtutis: *means of industry and instruments of virtue.* The allusion is to Catiline's physical and intellectual powers. He might have made these powers ' the means of industry and instruments of virtue,' but he used them up in debauchery and crime (*libidine audaciaque*).

12. hunc si, *etc.:* the orator here takes up the thought dropped at p. 20, line 11.

13. sui comites: *suus* sometimes occurs, as here, in the meaning *his own,* referring not to the subject but to an oblique case; B. 244, 4; A. 301, *b*; G. 309, 2; H. 503, 2.

16. mediocres: *within bounds.* **hominum:** *viz.* Catiline's followers.

17. audaciae: *deeds of crime; audacia* usually signifies criminal boldness. The plural of abstract nouns is often used, as here, to denote instances of a quality. **nisi, nisi, nisi:** Anaphora.

19. res, fides: *money, credit.*

20. nuper: *viz.* since the collapse of Catiline's hopes of winning the consulship. Up to that time, his adherents had been able to command credit.

21. quae erat: *which they had.* **in abundantia:** *in their time of plenty.*

23. quidem: *to be sure.*

24. hoc: explained by the following *insidiari, etc.* **quis possit** *who would be able?* Potential Subjunctive. The question is, of course, purely rhetorical, *i.e.* it serves in place of an emphatic *nemo potest.* **inertes homines,** *etc.: that indolent fellows should lie in wait for most sturdy men.* There is an intentional contrast between *homines* and *viris.*

26. qui: referring loosely to the several classes of persons just enumerated. **mihi:** Ethical Dative, and here, as frequently, incapable of satisfactory translation. **accubantes:** the Romans regularly reclined at low couches when they ate.

27. complexi: *embracing.* The perfect participle of deponents occasionally has the force of the present.

28. obliti: from *oblino.*

29. sermonibus suis: *in their talk.*

PAGE 22, **2. poenam:** subject of *instare* and *appropinquare.*

5. sustulerit: the future perfect, where the future might have been used, and where in English we use the present. The Latin is more exact in indicating relations of time. **non:** *i.e.* not merely. **nescio quod:** *some;* a compound indefinite pronoun (literally, *I know not what*).

6. propagarit: *i.e. propagaverit; it will succeed in having added;* literally, *will have added.*

8. omnia externa: *all foreign (hostilities).*

9. unius: *viz.* Pompey, who had just completed the subjugation of Mithridates in the East. **terra marique:** *terra* refers to the campaign against Mithridates, which had been waged on land; *mari* to Pompey's earlier successes (67 B.C.) against the pirates who infested the eastern Mediterranean. For the ablatives, see B. 228, 1, *c*; *cf.* A. 427, *a*; G. 385, N. 1; H. 485, 2.

10. intus, intus, intus: notice the emphasis of the Anaphora, — *'tis within that the plots are, etc.*

12. huic bello: *huic* is emphatic, — *this is the war for which*, *viz.* a war with luxury, folly, and vice.

14. quae: its antecedent is *ea* to be supplied in thought as object of *sanabo.* **quacumque ratione**: *in whatever way (I can).*

15. resecanda erunt: *shall need to be cut away*, *i.e.* from the diseased organism of the state; a figure drawn from surgery.

17. permanent: inasmuch as this refers to future time, we should naturally expect the future tense here. But the Latin present (as regularly the English) sometimes refers to future time.

19. etiam: *actually.* **sunt**: *there are (some).*

20. ejectum in exsilium: in Cicero's First Oration, Catiline had been bidden to depart, and had left Rome almost immediately afterwards; hence the allegation that Cicero had driven him into exile. **quod si**, *etc.*: *if I could accomplish this*, *viz.* sending men into exile. **verbo**: *i.e.* by telling them to go.

22. homo: referring to Catiline. Note the contempt involved in the choice of the word, — *homo*, not *vir.* **videlicet**: *videlicet* (literally, *one may see;* then, *of course, I suppose*) here, as frequently, has ironical force.

23. vocem: *i.e.* the reproof or censure.

25. paene interfectus essem: referring to the unsuccessful attempt of emissaries of Catiline to assassinate Cicero at his residence.

27. quo cum, *etc.*: *when Catiline had come thither.*

PAGE **23**, **1. ita . . . ut**: *as;* literally, *so . . . as;* but to our English sense the *so* is redundant.

3. quin etiam: *why actually.* **principes ejus ordinis**: *i.e.* the leading men of the Senate. These were especially the ex-consuls.

5. hic: *at this juncture, hereupon.* **vehemens ille consul**, *etc.*: a sarcastic allusion to the criticisms of Cicero's opponents.

7. fuisset necne: *whether he had been . . . or not;* a double indirect question. The particle of the first member (*in nocturno, etc.*) is omitted; B. 300, 4 and *a*; A. 335, N.; G. 459; H. 650, 1, 2.

8. homo audacissimus: *(though) a most brazen fellow.*

10. quem ad modum: *in what way.* **ei**: *by him;* Dative of Agency; B. 189, 2; A. 375; G. 354; H. 431, 2.

11. teneretur: *was embarrassed.*

12. **jam pridem pararet**: *had long been preparing.* The subjunctive is due to the indirect discourse.

13. **secures, fasces**: a Roman army was commanded only by such magistrates (consul, praetor, dictator) as were entitled to use the axes and *fasces* as symbols of authority. Catiline held no magistracy, but evidently felt the traditional emblems of power to be necessary to his enterprise.

14. **aquilam illam**: see First Oration, p. 11, line 28.

16. **in exsilium eiciebam**: Conative Imperfect; B. 260, 3; A. 471, *c*; G. 233; H. 530. Note that this question lacks any introductory interrogative word. This indicates surprise or indignation; B. 162, 2, *d*.

17. **credo**: ironical, as often.

19. **suo nomine**: *on his own responsibility;* really, of course, at Catiline's bidding.

23. **o condicionem miseram, etc.**: *Oh, thankless task!* Cicero voices his despair over the difficulties of his position. Not only is the task of managing the ordinary affairs of state (*administrandae rei publicae*) a thankless one; but even the task of saving the state is no less so, since his efforts in this line meet with criticism from many quarters.

24. **nunc si**: *if at the present moment.* Cicero here begins a justification of the statement contained in the previous sentence.

26. **mutaverit**: this and the succeeding future-perfects are all parts of the protasis.

29. **non, non, non**: note the emphasis of the Anaphora. **ille**: the subject of *dicetur.*

PAGE **24**, 1. **spe conatuque**: *viz.* of overthrowing the republic.

3. **et erunt qui velint**: *and there will be people who will wish.*

4. **improbum**: predicate, with *existimari.*

7. **est mihi tanti**: *it is worth while for me; tanti* is a predicate Genitive of Value; B. 203, 3; A. 417; G. 380, 1, R.; H. 448. The subject of *est* is *subire.*

8. **dum modo depellatur**: Subjunctive of Proviso; B. 310, II; A. 528; G. 573; H. 587.

10. **sane**: *if you wish.*

11. **non est iturus**: *he does not intend to go.*

13. **ut audiatis**: Substantive Clause Developed from the Optative, object of *optabo;* B. 296, 1; *cf.* A. 563; G. 546; H. 565.

14. **triduo**: note that the Latin regularly says *triduum,* not *tres dies;* so also *biduum* and *quadriduum* (not *duo dies* and *quattuor dies*).

15. illud: *illud* is frequently used referring forward to an infinitive or clause, as here to the clause *ne sit.* In such cases it may be translated *this.*

16. quod emiserim potius quam quod ejecerim: *because I let him go rather than because I drove him out.* Cicero means that he fears he may be condemned for not having arrested and executed Catiline. For the subjunctive, see B. 286, 1; A. 540; G. 541, 542; H. 588, ii.

17. profectus sit: *i.e.* has departed voluntarily.

18. idem: nominative plural, subject of *dicerent.*

19. quamquam: corrective, — *and yet.*

20. dictitant: notice the force of the frequentative, — *keep saying.*

21. nemo est istorum tam misericors, *etc.:* if Catiline's friends were really merciful, they would wish him to go into exile. Instead of that, they really hope he is going to Manlius, not to Marseilles.

23. hoc quod agit: *viz.* the present conspiracy.

24. tamen . . . vivere: *i.e.* the notion that he would under any circumstances go into exile is absurd. **se interfici mallet:** *volo, nolo, malo* ordinarily take a simple object infinitive to denote another action of the same subject, but passive infinitives and *esse* often have the subject accusative.

27. vivis nobis: *leaving me alive;* Ablative Absolute; Cicero is referring to the attempt upon his own life; *nobis* for *me* illustrates the so-called **editorial** *we.* The general thought of the sentence is this: Since Catiline has succeeded in his plans thus far, let us hope he will also succeed in his plan of going into exile (since he pretends to be doing that); at all events, let us not complain that he is going.

PAGE **25, 3. quod volui:** the antecedent of *quod* is the idea contained in *murus interest.* **interest:** *i.e.* is between him and me. **de his,** *etc.: cur* (from line 1) is to be understood with this sentence.

4. qui dissimulant: *i.e.* who conceal their real sentiments of sympathy with Catiline.

5. si possit: for the indicative in the apodosis, see B. 303, *b.*

6. sibi ipsos: *for their own sakes;* literally, *themselves for themselves; ipse* has a tendency to ally itself with the subject or object rather than with the reflexive.

8. me audire: *i.e.* listen to me, take my advice.

9. istae copiae: *viz.* the partisans of Catiline at Rome.

10. comparentur: *are composed.* **singulis:** *i.e.* to each of the several classes.

11. **si quam**: *i.e. si quam medicinam afferre potero; quam* is the indefinite pronoun.

12. **est eorum**: *consists of those.*   **magno in aere alieno**: *(although) in great debt.*

14. **dissolvi**: *tear themselves away,* viz. from their possessions, *i.e.* use a part to pay their debts; *dissolvi* has middle force; B. 256, 1; A. 156, *a*; G. 218; H. 517.

15. **sunt enim locupletes**: *i.e.* they are well to do, and have the respectable appearance of persons of that class.

16. **tu**: the orator in imagination addresses some individual representative of the class just mentioned.   **argento, familia**: *silver plate, slaves.*

17. **tu ornatus sis et dubites**: *are you to be supplied . . . and are you to hesitate?* A so-called ' repudiating question,' a variety of the Deliberative Subjunctive; B. 277; *cf.* A. 444; G. 466; H. 559, 4.

18. **detrahere, acquirere**: note the antithesis.   **acquirere ad fidem**: *(and) to add to your credit, i.e.* by paying your debts. Note the Asyndeton.

19. **quid enim exspectas,** *etc.*: *i.e.* ' what do you expect which will relieve you from ultimate payment of your obligations? War? That is the very thing to sweep your entire property out of existence.'

20. **omnium**: *of all things.* Neuter plural adjectives used substantively are confined mainly to the nominative and accusative cases. Such forms as *omnium, omnibus* would ordinarily lead to ambiguity. Hence to say, *of all things, etc.,* the Latin ordinarily has *omnium rerum, omnibus rebus. Omnium* and *omnibus* usually mean *of all (persons), etc.*

21. **tabulas novas**: literally, *new accounts; i.e.* a cancellation or reduction of debts, such as had been legally brought about at various times in Roman history; in 86 B.C. all debts were scaled down three fourths.   **errant, qui . . . exspectant**: we are told by Sallust that Catiline had promised *tabulae novae.*

22. **meo beneficio**: *thanks to me.*   **tabulae novae,** *etc.*: *tabulae novae* in another sense, — the advertising placards of the auctioneer, who will sell the property of delinquent debtors to satisfy their creditors.

23. **isti qui possessiones habent**: *i.e.* the class Cicero is referring to.

24. **salvi**: *i.e.* financially solvent.   **quod si,** *etc.*: *quod* is here the relative, — *if they had wished to do this,* viz. dispose of part of their property to pay their debts.

25. **neque**: *and not;* introducing *certare,* which, like *facere,* is also object of *voluissent.*   **id quod**: *id* is an appositive of *certare.*

26. certare cum usuris fructibus praediorum: these men owned landed property and were vainly striving to pay the interest on borrowed money by means of the income from their farms. Cicero picturesquely represents their efforts as a fight against interest (*certare cum usuris*). The class of men referred to is one often found in the history of all nations,— landed proprietors who, through no fault of their own, but simply as a result of economic changes, suddenly find themselves unable to make farming pay. Cicero blames these men for postponing so long a settlement with their creditors; but they had probably been living in hopes of better times, while a forced sale would have meant certain ruin. **locupletioribus his et melioribus civibus uteremur**: *we should be finding in these men richer and better citizens;* literally, *we should be using these as richer and better citizens; his* depends directly upon *uteremur; civibus* is a predicate ablative (not an appositive).

28. minime: *i.e.* least of all, among the six classes to be enumerated.

PAGE **26, 1. permanebunt**: *i.e. in eadem sententia.* **magis vota facturi**, *etc.: i.e.* more likely to sympathize with the conspiracy than fight for it.

4. alterum genus: *the second class.* **qui quamquam premuntur**, *etc.:* this class differs from the first in that its members, while loaded down with debt, apparently lack resources with which to pay.

6. rerum potiri: the genitive *rerum* is the regular idiom with *potiri.* Otherwise, *potiri* ordinarily takes the ablative; B. 212, 2; A. 357, *a*; G. 407, N. 2, *d*; H. 458, 3. **honores**: *the offices;* object of *consequi.* The different Roman magistracies are regularly designated as *honores.* **quos desperant**: *which they despair of; desperare* takes either the accusative or the ablative with *de.*

7. perturbata: understand *re publica.*

8. quibus: indirect object of *praecipiendum.* **hoc**: explained by the following appositional infinitives, *vigilare, adesse, etc.* **unum scilicet et idem quod**: *one and the same thing, in fact, as.*

9. reliquis omnibus: indirect object of *praecipiendum est* to be supplied in thought. **ut desperent se posse**: *in order that they may abandon hope of being able.*

10. primum omnium: another illustration of the genitive plural neuter of *omnis* used substantively.

12. animos: *courage.*

15. praesentis: *in person;* accusative plural agreeing with *deos*

16. **quodsi jam**: *but even if.*   **sint adepti**: the perfect in conditional sentences of the second type has the same force as the present.   **id quod cupiunt**: *viz.* a condition of turmoil and bloodshed.

17. **quae**: its antecedent is *cinere* and *sanguine.*

19. **non**: *non* for *nonne* occurs particularly in impassioned questions.

20. **fugitivo . . . concedi**: *i.e.* if these men should succeed in their purposes, it would be only temporarily; the strong arm of some low-born man would soon force them to surrender their power.

21. **sit necesse**: *it would be necessary.* The conditional sentence *si adepti sint, sit necesse* is of the second type ('should' . . . 'would').

22. **aetate jam affectum**: these men had been soldiers of Sulla, twenty years or more before the present time.

23. **quo ex genere est**: *to which class belongs.*

24. **ex eis coloniis quas Sulla constituit**. Sulla had settled some 120,000 of his veterans in colonies, assigning each soldier a certain amount of land as a reward for his military services.

25. **universas**: *on the whole.*

27. **ei sunt coloni**: *there are those (i.e. some) colonists.*   **se jactarunt**: *i.e.* have made display.   **insperatis ac repentinis pecuniis**: *i.e.* the estates they had received from Sulla.

28. **sumptuosius insolentiusque**: the comparatives have the force of *somewhat, rather, too.*

PAGE **27**, 1. **tamquam beati**: the means of these men were really relatively modest. Yet they acted as though wealthy. **familiis**: *retinues of slaves.*

2. **delectantur**: with middle force.

3. **salvi**: *solvent.*   **Sulla sit excitandus**: *i.e.* to come to their rescue. Sulla had now been dead for fifteen years.   **eis**: Dative of Agency.

5. **rapinarum veterum**: *i.e.* the pillage and confiscations of Sulla's day.

6. **quos utrosque**: *both of whom, i.e.* both of the two subdivisions of the *tertium genus, viz.* (1) Sulla's veterans; (2) the needy peasants whom they had filled with hopes of plunder. For the plural of *uterque* (a rare usage), see B. 355, 2, *a*, 2.

7. **hoc**: explained by the following *desinant.* Note that *moneo* takes two accs., one of the person, and one of the thing.

8. **desinant**: Substantive Clause Developed from the Volitive, in apposition with *hoc.* For the absence of *ut*, see B. 295, 8; A. 565. *a*; G. 546, R. 2; H. 565, 4.

10. civitati: indirect object of *inustus est.* **ista**: *i.e.* repetition of such terrors. **non modo**: for *non modo non*, as often when combined with *ne . . . quidem*, if the common idea is placed with the second member; B. 343, 2, *a*; A. 217, *e*; G. 482, R. 1; H. 656, 3.

13. qui: its antecedent is implied in *genus.* **premuntur**: *viz.* by debt.

14. male gerendo negotio: *from bad management of their business.*

16. vadimoniis, judiciis, proscriptione bonorum: the three stages in an action for debt: the giving of bail, judgment, and execution (sale of property).

17. permulti: with adverbial force, — *in great numbers.*

19. lentos: *i.e.* slow to pay. **quam primum**: *as soon as possible.*

20. si stare non possunt, corruant: *i.e.* if they cannot pay their debts, let them take the consequences. For this variety of a ' Simple ' conditional sentence, see B. 302, 4; A. 515, *a*; G. 595; H. 580, 1; *corruant* is Jussive Subjunctive. **non modo**: used (as above, line 10) for *non modo non.*

22. illud: where by the English idiom we should expect *hoc.* The word is explained by the following indirect questions.

23. minore dolore: Ablative of Attendant Circumstance.

24. pereant: the subjunctive is due entirely to the indirect discourse.

26. quos non revoco: Conative Present; B. 259, 2; A. 467; G. 227, N. 2; H. 530. Cicero has expressed a desire to effect the reformation of the members of the other classes. But the fifth class is beyond hope.

27. neque: correlative with *et* before *pereant.*

PAGE **28, 1. sane**: *for aught I care.* **Carcer**: situated at the northwest corner of the Forum, over the Tullianum or Dungeon (see view, p. xxxiv). The Tullianum was used for executions (by strangulation), the Carcer for detention. Imprisonment as a punishment for capital offences was not customary at Rome.

3. postremum genus, *etc.*: *the last class is such not only in order, but also in its very character, etc.; i.e.* the class is the last and its members are the lowest in character.

4. proprium Catilinae: *Catilinae* is genitive.

5. de ejus delectu: *i.e.* his chosen companions. **immo vero**: *in fact.* **de complexu ejus ac sinu**: *i.e.* his bosom friends.

6. pexo capillo: *i.e.* with carefully dressed hair, a mark of foppery. The Ablative (like *tunicis* in line 7) is one of Quality.

nitidos: with reference to the perfumed unguents with which the hair was dressed.   **aut imberbis aut bene barbatos**: *i.e.* either without any natural growth of hair (hence ' lacking manhood ') or else with full beards, at variance with the Roman custom of this era.   In Cicero's day men ordinarily wore no beards at all, except in times of mourning, when the full beard was permitted to grow.

7. **manicatis et talaribus tunicis**: the tunic was a loose garment worn over the shirt and underneath the toga.   Ordinarily it had very short sleeves (reaching only part way to the elbow), and fell only to the knees.   Those who wore long-sleeved tunics reaching to the ankles stamped themselves as effeminate. **velis non togis**: *i.e.* their togas (the outer garment) are so full and flowing that they are sails rather than togas.   Only fops wore the toga in the style here referred to.

8. **vigilandi labor**, *etc.*: one might, of course, keep awake for a worthy purpose, but these men keep late hours only when engaged in all-night revels.

9. **gregibus**: Cicero regards these people as scarcely above the level of animals, and hence speaks of them collectively as ' herds.'

12. **saltare et cantare**: practices considered unworthy of a true Roman.

13. **spargere venena**: *viz.* in the food or wine of some enemy. **qui nisi exeunt, nisi pereunt**: an excellent illustration of the use of the relative at the beginning of the sentence, where English employs the demonstrative (*unless these*).   We have also a fresh instance of the (rather infrequent) use of the present, where the future is more exact.

14. **scitote**: the present imperative forms, *sci, scite*, are not found in classical Latin; the future forms are used instead. **hoc**: for *hos*, by attraction; B. 246, 5; A. 296, *a*; G. 211, R. 5; H. 396, 2.

16. **quid sibi volunt**: *i.e.* what are they thinking of?   They can't do without their mistresses, and yet they can't think of taking them along into camp.   The implication is that these men would better reconsider their intention and remain at home.

18. **his praesertim noctibus**: it was now November according to the current calendar; but the Roman calendar at this time was over two months in advance of the actual seasons, and the real date was therefore about September 1.   But the nights at that season are not ordinarily cool in Italy.

20. **nisi idcirco**, *etc.*: a sarcastic remark; *idcirco* is explained by the *quod*-clause.

22. **o bellum magno opere pertimescendum**: ironical.

23. **cohortem praetoriam**: *praetor* originally meant general, and *praetorius* ' of the general,' ' the general's.' Hence *cohors praetoria*, ' the general's body-guard.'

26. **confecto et saucio**: Catiline's expulsion from Rome has left him, figuratively speaking, wounded and exhausted; *cf.* the opening sentences of this speech. **imperatores**: not different from the consuls. When the consuls took the field in command of the troops they became *imperatores*.

PAGE **29, 2**. **jam**: *straightway*. **coloniarum ac municipiorum**: these differed only in their origin. *Coloniae* were originally settlements of Roman citizens; *municipia* were original Italian communities. In Cicero's day, both enjoyed Roman citizenship and the right of local self-government.

3. **respondebunt Catilinae tumulis silvestribus**: *i.e.* they will answer the challenge of Catiline's followers marshalled on the wooded heights about Faesulae. There is an intentional contrast between *urbes* (with their strong walls) and *tumulis silvestribus* (mere wooded elevations without walls).

5. **vestra**: limiting *copias* and *ornamenta* as well as *praesidia*.

6. **omissis his rebus**: *leaving out of account these things; his rebus* is explained by the following appositives, *senatu, equitibus, etc.* **quibus**: with *suppeditamur, quibus* is an Ablative of Means; with *eget*, an Ablative of Separation. **suppeditamur, eget**: Adversative Asyndeton, — *but which he lacks.*

8. **provinciis omnibus**: such as Sicily, Gaul, Asia, Spain, Africa, all of which could lend support in case of need.

9. **si velimus**: for this type of conditional sentence, see B. 303, *b*. **causas, quae inter se configunt**: *the conflicting issues, viz.* of order on the one side and disorder on the other.

10. **contendere**: *to compare.* **ex eo ipso**: *i.e.* by this very comparison.

11. **quam valde illi jaceant**: *how utterly at a disadvantage that side is; illi* refers to Catiline and his followers. **ex hac parte**: *on this side, viz.* of the government.

14. **pietas**: *righteousness.*

16. **aequitas, temperantia, fortitudo, prudentia**: the four cardinal virtues of Plato and the Stoics.

18. **postremo**: *in short;* often used to introduce a final summary.

19. **bona ratio cum perdita**: *sound policy with recklessness,* literally, *with reckless (policy).* The orator probably means to contrast the political methods of the two opposing parties here mentioned. **mens sana**: *sanity, sobriety.*

20. **omnium rerum**: *concerning all things.*

24. **quae cum ita sint**: *since these things are so.* **quem ad modum jam antea dixi**: apparently an oversight on Cicero's part. There is no previous injunction of the kind here mentioned.

26. **mihi**: *by me;* B. 189, 2; A. 375; G. 354; H. 431, 2. **ut urbi esset satis praesidi**: *that the city should have sufficient protection;* a substantive clause, subject of *consultum atque provisum est; urbi* is Dative of Possession.

28. **coloni omnes**, *etc.; i.e.* your fellow-citizens in the colonies and *municipia.*

29. **nocturna excursione**: referring to Catiline's departure the previous night.

PAGE **30**, 1. **quam manum**: *a force which;* the relative is regularly incorporated with its antecedent when the antecedent is an appositive.

2. **quamquam . . . patriciorum**: notice that this clause is purely parenthetical; it is not related to the following *tamen continebuntur.* **animo meliore**: *of better disposition, i.e.* less hostile to the government.

3. **quam pars patriciorum**: a caustic allusion to the fact that a number of the ringleaders of the conspiracy (Catiline, Cethegus, Lentulus) were of patrician origin. **tamen**: *i.e.* despite Catiline's great reliance upon them.

4. **continebuntur**: the gladiators were removed from Rome and stationed at various remote points in Italy. **hoc**: *i.e.* the present state of affairs.

8. **quem vocari videtis**: apparently messengers were passing through the Forum summoning senators to a meeting.

10. **adeo**: *in fact.*

11. **omnium vestrum**: for the use of *vestrum* as a possessive genitive, see B. 242, 2, *a.*

13. **monitos**: in predicate relation to *illos.* **etiam atque etiam**: *again and again.* **mea lenitas adhuc**: *my previous forbearance; adhuc* is here used with adjective force limiting *lenitas.*

14. **solutior**: *too lax.* **hoc exspectavit**: *looked forward to this, had this object.*

15. **ut . . . erumperet**: *i.e.* that the conspiracy might come to a head; *ut erumperet* is in apposition with *hoc.* **quod reliquum est**: *as for the future:* literally, *(as regards that) which is left.* Cicero wishes to say that, while he has exercised forbearance in the *past (lenitas adhuc)*, in the *future* his course will be different.

16. **jam non**: *no longer.* Cicero implies that his past for-

bearance had in a sense involved forgetfulness of his country and of the loyal citizens. In future he cannot repeat this.

17. horum, his: *i.e.* his loyal fellow-citizens. **mihi . . . vivendum aut . . . esse moriendum:** *I must either live with these or die for them* (literally, *it must be lived by me, etc.*); *i.e.* I must either save them or die in the attempt.

18. nullus est portis custos: *i.e.* no one prevents the departure of anybody who wishes to go.

19. qui: the indefinite.

20. qui, cujus: the antecedent is the omitted subject of *sentiet.* Translate *cujus: on whose part.*

21. ullum: with *factum* as well as with *inceptum* and *conatum.* **contra patriam:** prepositional phrases limiting nouns are much less frequent in Latin than in English. They occur chiefly, as here, with nouns having verbal force.

24. carcerem: alluding to ' The Dungeon,' *Tullianum* (beneath the *Carcer*), in which criminals were sometimes executed, see illustrations facing pp. 60 and 61.

27. minimo motu, nullo tumultu: Ablatives of Attendant Circumstance.

PAGE **31,** 1. **post:** *within.*

2. me: not Ablative of Agent (which would require *a*), but Ablative Absolute with *duce et imperatore.* **togato:** *i.e.* in the garb of peace, without resort to arms.

3. sedetur: *shall be brought to an end.* **quod:** *viz. bellum.*

7. patriae: dative, dependent upon *impendens.*

8. illud: explained by *ut intereat, etc.*

9. optandum: *to be hoped for.* **ut intereat . . . possitis:** substantive clauses in apposition with *illud.* **neque . . . -que:** correlatives.

11. prudentia: for the ablative, see B. 218, 3; A. 431, *a*; G. 401, N. 6; H. 476, 1.

13. multis et non dubiis: for this use of *et,* which seems to us redundant, see B. 241, 3; *non dubiis* illustrates the figure known as Litotes.

14. significationibus: these signs and portents are enumerated in the Third Oration, p. 41, line 8 ff. **quibus ducibus:** *under whose leadership.* **hanc spem sententiamque:** *i.e.* the hope and purpose of crushing the conspiracy without resort to arms.

16. ab externo hoste atque longinquo: *i.e.* from the Roman troops when fighting foreign enemies; inasmuch as the gods were supposed to abide in their temples at Rome, they could not be present with the Roman troops in the field. Now, however, they are near at hand.

19. ut defendant: a substantive clause, object of *precari, venerari, implorare*.   **quam urbem**: the antecedent is incorporated in the relative clause, instead of being combined with *hanc*. Such incorporation is regular when the relative clause stands first.

20. omnibus . . . superatis: *i.e.* now that we have no enemies to fear from without.

THIRD ORATION AGAINST CATILINE

On the departure of Catiline from Rome the direction of the conspiracy fell into the hands of Lentulus, a man of irresolute and indolent character. Treasonable negotiations were begun by him with certain Allobrogian envoys, who happened to be in the city. Cicero, obtaining information of these schemes, arranged to surprise and capture the envoys as they were leaving Rome with incriminating documents upon their persons. The evidence thus procured was laid before the Senate, which was convened by the consul in the Temple of Concord. In the present oration, delivered before the people, December 3, 63 B.C., Cicero presents the details of these recent occurrences.

PAGE **32, 1. vitam**: in English we should use the plural. **omnium vestrum**: for *vestrum* as a Possessive Genitive, see B. 242, 2, *a*.

4. urbem: explaining *domicilium*.

7. ereptam, conservatam, restitutam: agreeing with the nearest object (*urbem*), but logically belonging with the others also.   **videtis**: news of the arrest of the conspirators had already reached the ears of the citizens.

8. et si non minus, *etc.*: *i.e.* ' if the day of one's deliverance from danger is as joyous an occasion as one's birthday, then, since you honor him who gave this city birth (Romulus) you ought also to honor me, who have saved it.'   **non minus jucundi**: *i.e.* fully as pleasant ; Litotes.

10. quod salutis, *etc.*: Cicero has already implied that the condition expressed by *si non minus, etc.*, is true, and now proceeds to tell why it is true, — deliverance is something certain, while the lot of birth is full of uncertainty ; furthermore there is pleasure in deliverance from danger, but there is no conscious pleasure in being born.   **certa laetitia est, nascendi incerta condicio**: Adversative Asyndeton.

11. sensu: *i.e.* sensation.   **voluptate**: *with (conscious) pleasure.*

12. **profecto**: the apodosis begins here.

13. **ad deos sustulimus**: literally, *have exalted to the gods;* *i.e.* have deified. Romulus was worshipped by the Romans as a god under the name of Quirīnus. The *Quirinalia* were celebrated annually in his honor on the 17th of February.   **benevolentia famaque**: *in gratitude and praise.*

14. **debebit**: *will deserve.*

15. **is qui servavit**: *viz.* Cicero.

16. **toti urbi**: emphatic and so placed first; the dative depends upon *subjectos* and *circumdatos.*   **templis, delubris**, *etc.*: explanatory of *toti urbi.*

17. **prope jam**: *already all but;* these words modify *subjectos,* and are placed after it for the sake of emphasis. Adverbs ordinarily precede the words they modify.

18. **idem**: *likewise;* literally, *the same;* nominative plural.

PAGE **33**, 1. **quae quoniam**: *since these facts.*   **comperta**: logically and in order of time we should expect this to precede *illustrata* and *patefacta.*

2. **exponam**: as object supply in thought *ea,* ' them,' referring to the same thing as *quae.*

3. **ut**: introducing *possitis.*   **et quanta**, *etc.*: *how great matters and how bare-faced were traced out and detected, and in what way;* *et* before *quanta* is correlative with the *et*'s following. **investigata et comprehensa sint**: Subjunctives of Indirect Question, object of *scire.*

4. **exspectatis**: *are waiting (to hear).*

6. **ut**: *since the time when.*   **paucis ante diebus**: really nearly a month ago. It was now December 3, and Catiline had left Rome the night of November 8; but Cicero, to avoid the charge of dilatoriness, aims to represent the interval as brief.

7. **cum reliquisset**: *leaving* or *having left;* the *cum*-clause here is purely circumstantial.

10. **possemus**: Deliberative Subjunctive in an indirect question, — *how we were to be able;* B. 300, 2; A. 575, *b*; G. 467; H. 642, 3.   **cum eiciebam**: for the indicative here, see B. 288, 1, *A*; A. 545; G. 580; H. 601, 2.

11. **hujus verbi**: *viz. eicere.* In the Second Oration Cicero had hesitated somewhat to use this word; see p. 17, line 4.

12. **illa**: *viz. invidia.*   **quod vivus exierit**: explanatory of *illa (invidia),* and giving the reason existing in the minds of Cicero's imagined critics.

14. **restitissent**: representing a future perfect of direct discourse.

16. **atque**: *but;* here with adversative force.   **quos . . . sciebam**: *viz.* Catiline's chief accomplices, — Lentulus, Cethegus, and others.

17. **nobiscum esse et remansisse**: *i.e.* Cicero's expectations had not been realized.   He had hoped that Catiline's accomplices would follow their leader.

18. **in eo**: *in this, on this;* explained by the substantive clause, *ut sentirem ac viderem.*

19. **ut ita comprehenderem**: *in order that I might so grasp;* a clause of purpose, dependent upon *sentirem ac viderem.*

20. **quoniam faceret**: Subjunctive by Attraction.

21. **minorem fidcm**. *i.e.* less than Cicero desired or less than was proper.   **oratio mea**: *my words.*

22. **ut provideretis**: *that you should make provision;* a Clause of Result.   **animis**: *in your thoughts.*   The word is not necessary to the sense, and is expressed only for the sake of rhetorical antithesis with the following *oculis.*

23. **cum videretis**: the subjunctive is due entirely to attraction.

24. **comperi**: *viz.* through Q. Fabius Sanga, *patronus* of the Allobroges at Rome.   **Allobrogum**: a tribe in Farther Gaul. They had been conquered by Fabius in 121 B.C., but were now becoming restless and were ripe for a revolt.   From what follows, we gather that Catiline with his customary adroitness had been quick to take advantage of their present temper.   **belli, tumultus**: *bellum* is the usual designation for a war outside of Italy; *tumultus* designated an uprising either in Italy or in the neighboring province of Cisalpine Gaul.

25. **Gallici**: *viz.* in Cisalpine Gaul.   **Lentulo**: a man of bad record, though one of the praetors for the year.

28. **T. Volturcium**: one of the conspirators.

PAGE **34**, 1. **ut tota res deprehenderetur**: a substantive clause depending upon *facultatem,* — *chance of the whole thing's being discovered.*   **quod**: the antecedent is the general idea involved in the clause *ut deprehenderetur.*

2. **ut**: merely a repetition (for the sake of clearness) of the *ut* in line 1.

5. **praetores**: primarily judicial officers, but also possessing the military *imperium,* and so competent to command troops. **amantissimos rei publicae**: *most patriotic.*

7. **qui sentirent**: a Clause of Characteristic with the accessory notion of cause, — *since they entertained,* lit., *(as being men) who entertained.*   **omnia praeclara atque egregia**: *all admirable and excellent sentiments.*

10. **Pontem Mulvium**: a bridge across the Tiber about two miles north of the city, near the Via Flaminia. Its modern name is Ponte Molle.

11. **ita fuerunt**: *i.e.* were so arranged or located.   **inter eos**: *i.e.* between the two parties.

12. **interesset**: singular, because *Tiberis et pons* are practically one *idea.*   **eodem**: the adverb.   **et**: the adverb, — *also.*

13. **multos fortis viros**: we might have expected *multos et fortis* in accordance with the idiom noted on p. 31, line 13, but *fortis vir* had come to represent a single idea, *fortis* no longer being felt as a separate word; *cf.* English *gentleman,* originally *gentle man.*   **praefectura Reatina**: *the praefecture of Reāte.* Reate was in the Sabine district, about forty miles to the northeast of Rome.   Praefectures were original Italian communities, governed from Rome by a resident *praefectus.*   In 90 B.C. these had all received the privilege of self-government; yet the old designation was retained.   Cicero, as we learn from another oration, was *patronus* (or official protector) of the Reatines, and as such was specially qualified to command the services of trustworthy assistants from this source.

16. **tertia fere vigilia exacta**: between 3 and 4 A.M.   The time from sunset to sunrise was divided into four *vigiliae* of equal length.

17. **magno comitatu**: for the absence of the preposition, see B. 222, 1; A. 413, *a*; G. 392, R. 1; H. 474, 2, N. 1.

19. **res**: *i.e.* the purpose and occasion of the attack.   Not only the Allobrogian envoys but also the troops of the praetors were in ignorance of the purpose of the attack.

23. **ipsi**: the Allobrogian envoys and Volturcius.

25. **horum omnium scelerum**: the reference is to the treasonable negotiations with the Allobrogian envoys.

26. **Gabinium, Statilius, Cethegus, Lentulus**: these men were all prominent members of the conspiracy, and had been left in the city by Catiline as his agents. Cethegus had been entrusted with the murder of the senators; Gabinius and Statilius with setting fire to the city. Note the inversion of the name *Gabinius Cimber.* Such inversion occurs occasionally in Cicero, especially if the praenomen (Lucius, Gaius, *etc.*) be omitted.

28. **tardissime Lentulus venit**, *etc.:* a sarcastic allusion to Lentulus's well-known laziness.

29. **credo quod**, *etc.:* ironical. The letter (given later) contained but four or five lines.   **in litteris dandis**: *in writing the letter.*

PAGE 35, 1. cum: *though.*

2. viris: indirect object of *placeret.* frequentes: the adjective here has adverbial force, — *in great numbers.*

3. a me prius aperiri, *etc.: should be opened by me before they were laid before the Senate; quam* here is used as a coördinate conjunction connecting *aperiri* and *deferri;* more commonly in sentences like this *prius . . . quam* governs the subjunctive. The infinitives are the subject of the impersonal *placeret.*

4. si nihil esset inventum: the subjunctive is due to the indirect discourse. In the direct form we should have the future perfect indicative.

5. negavi me esse facturum, *etc.: I stated that I would not commit (the error) of failing to bring a matter involving the danger of the state before the council of the state untampered with;* literally, *I said that I would not commit that I should not bring; ut non deferrem* is a Substantive Clause of Result, the object of *esse facturum.*

6. consilium publicum; the Senate.

7. rem integram: *i.e.* with the seals of the captured correspondence unbroken. Otherwise it would have been possible to allege that the correspondence had been forged by Cicero or his agents. si: *i.e.* even if.

8. reperta non essent: *viz.* in the correspondence. The pluperfect subjunctive here represents a future perfect indicative of direct statement.

10. senatum coëgi: *viz.* in the Temple of Concord, at the northwest corner of the Forum. See Plan of Forum, p. xxxv, and view of Forum, p. xxxiv.

13. si quid telorum esset: *whatever weapons there were;* Subjunctive by Attraction.

16. Gallis: *viz.* the Allobroges. fidem publicam: *promise of safety, in the name of the state; i.e.* Volturcius was to turn state's evidence, and in return was guaranteed freedom from punishment.

20. ut uteretur, ut accederet: *to use, to approach;* Substantive Clauses Developed from the Volitive, dependent upon the idea of ordering involved in *mandata et litteras.* servorum praesidio: Catiline had previously rejected this suggestion; but the bare mention of the plan, recalling as it did the horrors of the slave insurrection of Spartacus only ten years previously, was sufficient to rouse the indignation of Cicero's audience.

21. quam primum: *as soon as possible.* id: *viz.* Catiline's approach to the city.

22. eo consilio: explained by the following *ut*-clause. quem ad modum discriptum . . . erat: not a part of the indirect

discourse, but an explanatory addition of the speaker; hence the indicative; B. 314, 3; A. 583; G. 655, 2; H. 643, 3.

23. incendissent, fecissent: *viz.* the conspirators.

25. ille: Catiline. **qui . . . exciperet:** *i.e.* to cut off any of his enemies who might attempt to escape.

PAGE **36, 1. ita sibi esse praescriptum:** *they had received the following instructions;* literally, *it had been directed to them thus; ita* is explained by the following *ut*-clause. **L. Cassio:** one of the conspirators. He adroitly left town just before the arrest of the envoys.

2. ut equitatum mitterent: a substantive clause, used as subject of *esse praescriptum*. Gaul was a famous breeding-place for horses. In Caesar's Gallic campaigns, his cavalry came almost exclusively from the Gallic allies.

3. pedestres copias non defuturas (esse): the infinitive depends upon the idea of saying involved in *esse praescriptum,* (*it being urged that*) *infantry would not be lacking.* **sibi:** referring to the conspirators; indirect reflexive.

4. sibi: this reflexive refers to the Allobrogian ambassadors. **ex fatis Sibyllinis:** the Sibylline books. The original collection was said to have been purchased by Tarquinius Superbus from the Cumaean Sibyl. This was destroyed by fire at the burning of the Capitol in 83 B.C., but at the order of the Senate a new collection was prepared soon after. These books were consulted only in times of public calamity or upon the appearance of certain portents. **haruspicum:** these interpreted the will of the gods by examining the vital organs (especially the liver or heart) of sacrificial victims. They were originally Etruscans, summoned to Rome as occasion demanded. Later the Romans established a permanent board of *haruspices*, elected from Roman citizens.

5. tertium illum Cornelium: *i.e.* that third member of the Cornelian gens mentioned in the Sibylline books. Lentulus's name was Publius Cornelius Lentulus.

6. esset necesse: *i.e. it was destined.*

7. Cinnam et Sullam: Lucius Cornelius Cinna and Lucius Cornelius Sulla. Cinna had been consul from 86 to 84 B.C., and was for the time being virtual despot of Rome. Sulla returned from the East in 83 B.C., overthrew the party of Cinna, and established himself as dictator. **eundem:** *viz.* Lentulus.

9. qui esset: the clause has causal force, — *since it was the tenth year, etc.* Evidently some prophecy set this date for the downfall of the state. **post Virginum absolutionem:** we have no knowledge of this acquittal of the Vestals. The **Vestal Virgins** were six priestesses, charged with maintaining the sacred fire on the hearth of Vesta's temple. The regular period of their service was thirty years, after which they were at liberty to retire and, if they wished, to marry.

10. **Capitoli incensionem**: in 83 B.C. The cause of the fire is unknown.

11. **Cethego fuisse**: *that Cethegus had had;* Dative of Possession.

12. **quod placeret**: *that it seemed best;* a substantive clause in apposition with *hanc controversiam*. **Saturnalibus**: *on the Saturnalia,* a festival in honor of Saturnus, the Roman god of agriculture. It fell at this period on the 19th of December, and was a season of unrestrained merriment and festivity, — an opportune time for executing the plans of the conspirators.

13. **Cethego**: *but to Cethegus;* Adversative Asyndeton, **nimium longum videretur**: this accords well with the impatient headstrong temper attributed to Cethegus by Sallust.

15. **ne longum sit**: *i.e.* to be brief. **tabellas**: thin tablets of wood covered with black wax, on which it was customary to write with the *stilus,* a sharp-pointed instrument of ivory or metal.

16. **quoque**: from *quisque.* **datae**: *written;* literally, *given, i.e.* by the writer to the person who was to carry them to their destination. **ostendimus Cethego**: *i.e.* showed Cethegus his letter.

17. **signum, linum**: it was customary to tie a pair of tablets together and seal the knot with the seal-ring of the person sending the letter. As the Romans often dictated their letters to slaves, the seal thus became a guarantee of the actual authorship. In this particular case Cethegus had not only sealed the letter, but had also written it with his own hand.

19. **sese**: the reflexive ordinarily refers to the subject of the main or dependent clause, but occasionally it refers to an oblique case of the main clause, as here to *ipsius.*

20. **orare**: as subject understand *sese* from the previous clause. **sibi**: *viz.* to Cethegus.

21. **recepissent**: *had promised.* **qui respondisset dixissetque**: for the subjunctive, see B. 283, 3; A. 535, *e;* G. 634; H. 593, 2. **tamen**: *i.e.* despite the evidence against him.

23. **ferramentorum**: Cethegus purposely chose a word which should not suggest the murderous purpose of the weapons.

24. **recitatis litteris**: *by the reading of the letters.*

26. **manum**: *handwriting.*

PAGE **37**, 1. **avi tui**: P. Cornelius Lentulus. He had been consul in 162 B.C., and had remained a conspicuous figure in public life for more than forty years afterwards.

3. **revocare debuit**: *ought to have recalled.* **eadem ratione**: *of the same tenor;* Ablative of Quality with *litterae.*

4. **si vellet**: Subjunctive in implied indirect discourse (direct: ' if you want to say anything, you may '); B. 323; A. 592, 1; G. 508, 3; H. 649, I.

8. **quam ob rem venissent**: not an indirect question coordinate with *quid esset*, but a relative clause dependent on *quid, — what he had to do with them, that they had come, etc.*

10. **venissent**: Subjunctive in Indirect Question.

12. **subito**: the adverb. **quanta conscientiae vis esset**: *how great the power of conscience is;* by the sequence of tenses we have the imperfect here; but in English we should use the present, as the clause states a general truth.

13. **posset infitiari**: *might have denied.*

15. **eum**: object of *defecit.* **ingenium illud**: *i.e.* that ability for which he was celebrated; Lentulus, despite his defects of character, was a man of acknowledged gifts; *ille* in the sense of ' that well known ' regularly stands after its noun.

22. **erant**: *it was.* The subject is *litterae* understood. **sine nomine**: *i.e.* without the regular formula with which the Romans customarily began their letters, *e.g.* " P. Cornelius Lentulus sends greetings to Catiline." This corresponded to our custom of placing a signature at the end of a letter. **ita**: *as follows.*

23. **ex eo**: *viz.* from Volturcius.

24. **quem in locum**, *etc.. i.e.* ' how thoroughly committed to treasonable purposes you are.'

26. **infimorum**: suggesting the slaves.

29. **cum . . . tum**: *while . . . at the same time.* **illa**: explained by the appositives, *tabellae, signa, manus, etc.* **certissima**: here, *very certain.*

PAGE **38**, 2. **inter sese**: *at each other.*

3. **se ipsi**: *ipse* regularly tends to connect itself with the subject rather than with the oblique cases of *se.*

6. **de summa re publica**: *concerning the supreme welfare of the state.*

7. **principibus**: particularly the ex-consuls and the consuls-elect. **acerrimae ac fortissimae**: *most earnest and patriotic.*

8. **sine ulla varietate**: *without dissent, unanimously.*

12. **virtute**: *energy.*

14. **quod eorum opera forti fidelique usus essem**: *because I had found their assistance efficient and faithful; forti* and *fideli*

are in predicate relation to *opera;* see note on p. 25, line 26, *locupletioribus his et melioribus civibus uteremur.* Observe that we have the pluperfect in *usus essem,* while we have the perfect in *liberata sit.* The historical present (here *aguntur, laudantur*) may be followed by either primary or secondary sequence.

16. collegae meo : C. Antonius, the other consul.   **quod removisset :** Antonius had openly sympathized with Catiline, but had been induced to withdraw his support by Cicero, who yielded up to him the rich province of Macedonia for his proconsular rule.

17. a suis et rei publicae consiliis : *i.e.* both from his private and official concerns.

19. ita : explained by the following *ut*-clause.   **cum abdicasset :** Roman magistrates could not be brought to trial while in office, but they were sometimes forced to resign, as in this instance.   **praetura :** note the ablative. The Latin idiom differs from that familiar to us in the English *abdicate.*

20. in custodiam : we learn that this was the so-called *custodia libera* (mentioned p. 9, line 17), by which the prisoner was released on parole.

21. qui omnes : *all of whom;* B. 201, 1, *b* ; A. 346, *e.*

22. idem hoc : *viz. ut in custodiam traderentur.*

26. eis colonis quos, *etc.: i.e.* members of the third class in Cicero's enumeration of Catiline's adherents. See Second Oration, p. 26, line 24.

PAGE **39, 3. ea :** *such.*

4. lenitate : this moderation was shown in the small number of those punished.   **ut arbitraretur :** Subjunctive of Result, but the form of statement is inexact. Cicero says, ' The Senate exercised such moderation that they thought the rest of the conspirators could be brought to their senses by the punishment of nine.' What he really means is, ' The Senate exercised such moderation that they punished only nine men, thinking that the rest could thereby be brought to their senses.'   **ex tanta conjuratione :** to be joined closely with *novem hominum.*

6. novem hominum : only five of the nine were actually punished. Cassius, Furius, Annius, and Umbrenus succeeded in escaping from the city. Caeparius also fled, but was captured.   **poena :** Ablative of Means with the Ablative Absolute *re publica conservata.*

10. meo nomine : *in my honor.*   **quod :** its antecedent is implied in the statement *supplicatio decreta est.*

11. mihi primum togato : *i.e.* Cicero was the first civilian to whom the honor had fallen. Previously it had been decreed only to generals for military successes.

12. his verbis: the exact words are not given. These would have been *quod . . . liberavit.*

13. si conferatur, interest: for this form of conditional sentence, see B. 303, *b.*

14. hoc interest: *it differs (in) this; hoc* is Accusative of Result Produced ('Internal Object'); literally, *differs this;* B. 176, 2, *a*; A. 390, *c*; G. 332; H. 409, 1. **quod . . . constituta est:** explanatory of *hoc.*

15. bene gesta: understand *re publica* from *conservata re publica.* Both phrases are in the Ablative Absolute, denoting cause, — *in consequence of the good administration of the government, etc.* The difference, however, between the good administration of the government and its preservation is largely a rhetorical one.

18. indiciis, confessionibus: Ablatives of Cause. **judicio:** Ablative of Accordance.

19. praetoris jus: *i.e.* immunity from prosecution while in office. **magistratu abdicavit:** *i.e.* was permitted or forced to resign.

20. ut . . . liberaremur: *so that in punishing Publius Lentulus as a private citizen we were freed from misgivings, which (however) had not prevented Gaius Marius from putting to death Gaius Glaucia, etc.;* literally, *which had not been to Gaius Marius by which the less he should put to death.* **religio:** the antecedent, besides being expressed in *religione* (line 23), is also incorporated in the relative clause. **C. Mario:** consul seven times. In 102 and 101 B.C., he defeated the Cimbrians and Teutons. In 106 B.C. he had brought the Jugurthine War to a close.

21. quo minus occideret: dependent upon the idea of hindering involved in *religio fuerat.* **C. Glauciam:** praetor in 100 B.C. He had joined with the tribune Saturninus in the execution of certain illegal schemes. **de quo nihil nominatim decretum erat:** *i.e.* the consuls had simply been invested (by the *senatus consultum ultimum;* see note on p. 1, line 17) with absolute power. Marius was consul for the year.

26. omnis copias . . . concidisse: hardly correct. Catiline was still a formidable enemy. But Cicero wishes to reassure his listeners.

PAGE **40, 1. cum pellebam, hoc providebam:** *in endeavoring to drive him out, I foresaw this;* an instance of *cum*-explicative; hence the indicative; B. 290, 1; A. 549, *a*; G. 582.

2. P. Lentuli somnum, L. Cassi adipes, C. Cethegi temeritatem: *i.e.* the indolent Lentulus, the corpulent Cassius, the headstrong Cethegus.

5. **tam diu dum**: (*only*) *so long as.*
6. **norat** = *noverat.*
7. **appellare, temptare, sollicitare**: note the climax.
8. **consilium**: *a shrewdness.*
9. **jam**: *furthermore.* **certas**: *special, definite.*
11. **cum aliquid mandarat**: *whenever he had ordered anything;* for the indicative with *cum* in clauses of recurring action, see B. 288, 3; A. 548; G. 567; H. 601, 4.
12. **quod obiret**, *etc.: which he did not personally attend to, encounter, watch for, toil for.* But *quod* can be construed only with *obiret; occurreret* would require the dative (*cui*), while with *vigilaret, laboraret* we should have *ad quod* or *in quo.* This use of one case-form with verbs taking different constructions is called ἀπὸ κοινοῦ ('in common').
19. **non Saturnalia constituisset**: *i.e.* he would have set a much earlier date; as protasis of *constituisset,* understand in thought *si in urbe remansisset.*
20. **tanto ante**: *so long in advance.* **rei publicae**: dative with *denuntiavisset.*
21. **neque commisisset ut**, *etc.: nor would he have permitted the capture of his seal, etc.*
22. **quae**: referring loosely to the capture of the correspondence of the conspirators.
23. **gesta sunt**: *have been managed.*
28. **ut levissime dicam**: *to say the least.*
30. **dum esset**: Subjunctive by Attraction.
31. **tanta pace**, *etc.:* Ablatives of Manner.

PAGE **41**, 1. **quamquam**: corrective, — *and yet.*
3. **id consequi**: *to reach that conclusion; id* refers to the statement just made. **cum**: *while.*
4. **conjectura**: *by reasoning, by inference.* **humani consili**: (*a matter*) *of human wisdom;* predicate Genitive of Quality, limiting *gubernatio.*
5. **tum**: *at the same time.*
6. **his temporibus**: *viz.* the last few weeks.
8. **ut omittam**: *to pass over;* Praeteritio. **illa**: explained by the following appositives, *faces, etc.* **ab occidente**: *in the west,* the quarter for unlucky omens. English uses *in* in many expressions where the corresponding Latin idiom calls attention to the point of view from which a thing presents itself to the eye of the observer or to the mind of the speaker, and hence uses *ab* or *ex.*
10. **tam multa**: *in such numbers.*
14. **memoria**: Ablative of Means. **Cotta et Torquato**:

these were consuls in 65 B.C., at the time of Catiline's first conspiracy; see Introd. to First Oration against Catiline, p. 185.

15. Capitolio: the temple of Jupiter, Juno, and Minerva on
the southwest summit of the Capitoline Hill. It was Rome's
greatest sanctuary. **de caelo esse percussas**: *were struck by
lightning.*

16. cum depulsa sunt: *at the time when;* hence the indicative.
depulsa, dejectae: *i.e.* from their supports.

17. legum aera: *i.e.* the bronze tablets of the laws.

19. quem inauratum, *etc.: i.e.* whose gilded statue representing him as a suckling infant, *etc.* A statue in the Palazzo dei
Conservatori at Rome has with some probability been identified
with the statue referred to by Cicero. See the illustration
opposite p. 41.

20. uberibus lupinis: dative; indirect object of *inhiantem.*
fuisse: *stood.*

22. caedes atque incendia: the plural to denote special instances.

24. appropinquare, nisi flexissent: the direct discourse would
be: *appropinquant, nisi flexerint* (future perfect).

25. fata ipsa: superior even to the gods themselves.

26. illorum: *viz.* the *haruspices.* **responsis**: Ablative of
Cause. **ludi**: games, consisting of chariot-races, contests of
gladiators, *etc.*, were often celebrated to appease divinities supposed to be hostile.

27. neque res ulla: *and nothing.* The Latin regularly says
neque ullus (*a, um*), not *et nullus.*

28. idem: *they likewise; viz.* the *haruspices.*

29. facere: as subject understand some such idea as ' the
Roman people,' ' the Senate.' **majus**: *i.e.* larger than the
old one.

30. contra atque antea fuerat: *opposite to its former position,
i.e.* of the old statue. With words of likeness and difference, *atque*
at times has the force of *as, than;* hence, literally, *opposite than, etc.*

PAGE **42**, 1. **signum**: *statue.* **quod videtis**: the statue was
on the summit of the Capitoline and could easily be seen from
the Forum, where Cicero was speaking; see the view, p. xxxii.

2. fore ut illustrarentur: customary periphrasis for the
future passive infinitive (*illustratum iri*).

4. ut possent: Subjunctive of Result.

5. illud signum collocandum locaverunt: *contracted for the
placing of that statue;* B. 337, 8, *b*, 2 ; A. 500, 4 ; G. 430; H. 622.
consules illi: *i.e.* Cotta and Torquatus, two years before the
present time. The duty of contracting for the erection of public

buildings belonged regularly to the censors, but the censors for 65 B.C. had resigned. Thus their duties devolved upon the consuls.

7. **superioribus consulibus**: *viz.* in 64 B.C. The construction is Ablative Absolute, *superioribus* being used substantively, — literally, *the former ones being consuls.* **nobis**: understand *consulibus.*

9. **hic**: *in view of this.*

10. **tam mente captus**: *so crazy; mente* is Ablative of Specification; literally, *so stricken in mind.* **qui neget**: *as to deny;* Relative Clause of Result. **haec omnia quae videmus**: *i.e.* all this universe. Cicero is thinking of those who, like the Epicureans, denied that the gods had any share in the government of the world. On the contrary, he declares, the hand of the gods is most manifest in human affairs.

13. **cum esset responsum**: *though the reply had been given.* **ita**: explained by *caedes . . . comparari.* **rei publicae**: dative with *comparari.*

14. **et ea**: *and that too.* **quae**: *things which.* The antecedent of *quae* is involved in *caedes . . . comparari.*

16. **ea non modo,** *etc.: tamen* is to be supplied in thought at the beginning of this clause.

17. **illud**: *the following circumstance;* explained by the clause *ut . . . statueretur.* **praesens**: *providential.*

18. **Optimi Maximi**: *Optimus Maximus;* standing epithets of the god.

20. **in aedem Concordiae ducerentur**: *viz.* to be confronted with the evidences of their guilt, as described in the earlier part of this oration.

22. **ad vos senatumque**: the Forum and senate-house (*Curia*) were nearly east of the Capitol, where the statue was set up, turned toward the east, according to the directions of the soothsayers.

24. **quo**: *wherefore.*

25. **qui sunt conati**: *since they undertook.* Relative clauses in the indicative often, as here, exhibit causal force.

27. **me**: the emphasis rests upon this word. **restitisse**: from *resisto.*

28. **ille, ille,** *etc.:* note the Anaphora.

PAGE **43**, 1. **salvos**: logically modifying *Capitolium, templa,* and *urbem,* as well as *vos,* but agreeing in form with the nearest subject.

2. **hanc mentem**: *this purpose;* referring to his purpose of crushing the conspiracy.

3. jam vero: *furthermore.*

5. et ignotis et barbaris: referring to the Allobroges.

7. huic tantae audaciae: the abstract for the concrete, — *these so reckless men.* The dative is one of Separation; B. 188, 2, *d*; A. 381; G. 345, R. 1; H. 427.

8. ut homines Galli neglegerent . . . anteponerent: *that Gauls should disregard . . . and should prefer;* Substantive Clauses of Result, subject of *factum esse.* **civitate male pacata:** though technically subdued and under Roman control, the Allobroges were restless and ripe for the revolt which occurred soon after the date of this oration; *male* here has the force of *scarcely.*

9. quae gens una: *the only race which;* referring to the Gauls in general, not to the Allobroges.

10. non nolle: *not unwilling;* Litotes.

11. ultro: with *oblatam.* **a patriciis hominibus:** several of the conspirators were of patrician families. A proposition coming from such a source would naturally have great weight.

12. suis opibus: *their own interests.* Dative of Indirect Object with *anteponerent.*

13. id: resuming the substance of *ut neglegerent, anteponerent.* **praesertim qui,** *etc.:* *especially since they would have been able, etc.;* Subjunctive in Clause of Characteristic with accessory idea of cause; B. 283, 3; A. 535, *e*; G. 633; H. 592.

14. tacendo: *i.e.* by keeping the secret. **potuerint:** this represents a perfect indicative of independent statement, and is not merely a Clause of Characteristic, as already explained, but is likewise the conclusion of a contrary-to-fact protasis. B. 304, 3, *a*; 322, *c*; A. 517, *c*; G. 596, R. 3; 597, 5, *c*; H. 583.

15. ad omnia pulvinaria: *at all the shrines; pulvinaria* were properly cushioned couches; on these were set images of the gods, with viands placed before them; the ceremony was designated a *lectisternium* (' couch-spreading '), and was a regular accompaniment of a thanksgiving *(supplicatio).*

16. celebratote: the future imperative is used because the reference is not to the immediate but to the remoter future.

18. habiti sunt: *have been paid.* **ac:** connecting *justi* and *debiti.*

19. justiores: *i.e.* than those just decreed.

21. togati: agreeing with the subject of *vicistis.*

22. recordamini: imperative.

23. dissensiones: *recordor* never takes the genitive.

24. audistis: *have heard of;* a common meaning of *audio.*

25. vidistis: many of Cicero's auditors had been witnesses of the civil disturbances at Rome in 88–87 and 83–81 B.C.   **L.**

Sulla P. Sulpicium oppressit: in 88 B.C. the Romans declared war against Mithridates, king of Pontus, and committed its conduct to the consul, L. Cornelius Sulla. But the popular party resented this appointment, and P. Sulpicius Rufus, one of the tribunes for the year, secured the passage of a law annulling Sulla's appointment and investing Marius, the popular idol, with the chief command. This act was unconstitutional, and Sulla, who had already set out for the scene of conflict, straightway returned to Rome, defeated his opponents, put Sulpicius and others to death, and then proceeded again to the East.   **C. Marium . . . ejecit**: Marius escaped capture at the time of Sulla's return to Rome and took to flight.

26. custodem hujus urbis: alluding to Marius's defence of Rome against the Teutons and Cimbrians.

27. Cn. Octavius consul . . . collegam: Cn. Octavius, a partisan of Sulla, was consul in 87 B.C., the year after Sulla's departure for the Mithridatic War. Octavius's colleague was L. Cornelius Cinna, an adherent of Marius. The two consuls soon became involved in open hostilities, and Cinna was driven from the city.

28. omnis hic locus, *etc.*: *viz.* the Forum, in which the adherents of Octavius and Cinna had fought a pitched battle.

PAGE **44, 1. redundavit**: a bold Zeugma; *redundavit* applies properly only to *sanguine*, — *was piled with heaps of corpses and ran with blood*.   **superavit postea Cinna cum Mario**: after Cinna had been driven from Rome by Octavius, he gathered his partisans about him, recalled Marius, and soon made himself master in the city.

2. clarissimis viris: among these were Cn. Octavius, Quintus Catulus, Marius's old colleague in the campaign against the Teutons and Cimbrians, and Lucius Caesar, the commander in the Social War.

3. ultus est . . . postea Sulla: Marius died soon after his triumph over Octavius, but the Marian party remained in undisputed control for the next four years, *viz.* till the close of 83 B.C., when Sulla returned in triumph from the Mithridatic War, took vengeance on his enemies, and established himself as 'perpetual dictator.'

5. quanta deminutione, quanta calamitate: Ablatives of Attendant Circumstance.

6. Lepidus . . . Catulo: Marcus Aemilius Lepidus and Quintus Lutatius Catulus were consuls in 78 B.C., the year following Sulla's abdication of the office of perpetual dictator. Lepidus represented the popular party, Catulus the aristocratic.

The two consuls became involved in civil strife, in which Lepidus was defeated. He died soon after. Catulus was son of the victor over the Cimbrians.

7. **ipsius**: Lepidus. He was of less importance than the others (*ceterorum*) whom he involved in his own ruin.

8. **rei publicae**: dative.

9. **quae pertinerent**: Relative Clause of Result. **non ad delendam rem publicam**: *i.e.* they were not like the present conspiracy.

12. **se esse, se florere**: for the use of *se*, see B. 331, IV, *a*; G. 532, R. 2. **hanc urbem**: the subject of *conflagrare*.

16. **dijudicatae sint**: for the perfect subjunctive used as an historical tense, see B. 268, 6; A. 485, *c*; G. 513; H. 550.

17. **uno**: this simply serves to emphasize the superlatives, and is scarcely translatable in English.

20. **ut omnes ducerentur**: a Substantive Clause Developed from the Volitive, in apposition with *lex haec*. **qui salva urbe salvi esse possent**: *who could be solvent, if the city was safe, i.e.* without a revolution. Cicero plays upon the two meanings of *salvus; salva urbe* is Ablative Absolute.

23. **tantum civium**: *i.e.* only so many citizens.

27. **pro**: *in return for.*

PAGE **45**, 5. **nihil mutum**: *i.e.* nothing like a statue or any outward mark of honor. Cicero asks only to be remembered in the hearts of his countrymen.

6. **minus digni** = *indigni.*

8. **litterarum monumentis**: *i.e.* in historical works.

9. **eandem diem**: *the same space of time.* Note the unusual gender of *dies.*

10. **propagatam esse**: *has been established, ordained.*

12. **alter (terminaret)**: Pompey, who had recently triumphed over Sertorius in Spain, over the pirates of the Mediterranean, and lastly over Mithridates in Asia.

13. **alter (servaret)**: Cicero.

16. **fortuna atque condicio**: the two words together mean hardly more than ' character.' **quae illorum**: elliptical for ' as the character of the exploits of those.'

18. **illi**: *but they;* Adversative Asyndeton.

19. **vestrum est**: *it is your duty.* **sua**: referring to *ceteris;* B. 244, 4; A. 301, *b*; G. 309, 2; H. 503, 2.

20. **recte**: *with reason.* **mea ne obsint**: a substantive clause, object of *providere; mea* is put first for emphasis.

24. **mihi quidem ipsi nihil noceri potest**: *no injury can be done me myself;* literally, *it can be injured nothing to me; nihil*

is Accusative of Result Produced, retained in the passive. Compare the corresponding active idiom, *mihi nihil nocet*, ' does me no harm.'

26. **dignitas**: *majesty*.

28. **quam qui neglegunt**: *and those who neglect that.*

29. **is animus**: *this resolve;* explained by the following *ut-*clauses.

PAGE **46**, 4. **qua condicione**, *etc.: in what situation; i.e.* whether you wish them to be safe or not. Ablative of Quality.

7. **ad vitae fructum**: *to life's satisfaction* (= *achievements*).

8. **in honore vestro**: *i.e.* in any office within your gift.

9. **quicquam altius**: *any loftier height.* Cicero was consul, the highest magistrate of the republic. **quo libeat**: Clause of Characteristic.

11. **illud**: explained by the *ut-*clauses. **ea privatus tuear,** *etc.: i.e.* he will guard the reputation he has recently won and will strive to add to it.

13. **laedat**: as subject understand *invidia*.

14. **mihi valeat**: Copulative Asyndeton.

15. **curem ut ea virtute**, *etc.: i.e.* he will strive by an honorable life in future to continue worthy of his past.

18. **vestrum**: *of you;* the possessive pronoun has here the force of an objective genitive.

19. **aeque ac**: *the same as.*

21. **ut in perpetua pace . . . providebo**: foreshadowing the execution of the arrested conspirators.

FOURTH ORATION AGAINST CATILINE

Cicero's Fourth Oration against Catiline was delivered in the Senate on the 5th of December, in the course of the discussion concerning the penalty to be inflicted on the captured conspirators. By Roman law no citizen could legally be executed without an appeal to the people. By the specious plea that the conspirators were no longer citizens, Cicero persuaded the Senate to deny them this privilege, and to decree their execution. They were strangled forthwith in the Tullianum, or ' Dungeon,' adjoining the Forum.

This act caused many desertions from the band of followers which Catiline had gathered in Etruria. The remnant, while endeavoring to make their way to Gaul with Catiline at their head, were forced into an engagement at Pistoria, in which after a fierce struggle they all perished.

PAGE **47**, **2.** **vestro**: with *periculo*.

5. **voluntas**: *good will.*

7. **si haec condicio consulatus,** *etc.*: *i.e.* if the consulship was bestowed upon me on these terms.

8. **ut perferrem**: a substantive clause in apposition with *condicio*.

10. **dum modo pariatur**: a Clause of Proviso.

11. **dignitas**: *honor.*

12. **Forum, in quo omnis aequitas,** *etc.*: the Forum was the centre of the judicial life of Rome. Around it were grouped the various basilicas or law courts, in which justice was administered. Note the number of such basilicas in the Plan on p. xxxiii.

SELLA CURULIS

13. **Campus consularibus auspiciis consecratus**: the Campus Martius was the meeting place of the Comitia Centuriata, the assembly which elected the consuls. Auspices were regularly taken before the Comitia proceeded with its business; *auspiciis* is ablative.

14. **Curia, summum auxilium,** *etc.*: *i.e.* the Senate (which regularly met in the Curia) is the support and protector of all foreign nations. The Senate directed the foreign policy of Rome.

15. **domus, lectus**: alluding to the attempts made to assassinate Cicero in his own house; see p. 5, line 9 ff.

16. **haec sedes honoris**: *viz.* the curule chair, the official seat of curule magistrates (consuls, praetors, censors, curule aediles). It was in shape like a camp chair without a back, and its frame was constructed of ivory. Cicero probably accompanied these words with a gesture toward the seat from which he had just risen to address the Senate.

17. periculo, insidiis: Ablatives of Separation with *vacua*. **multa tacui:** *i.e.* he had withheld incriminating evidence against certain persons.

18. meo quodam dolore: Ablative of Attendant Circumstance.

19. in vestro timore: *at the time of your alarm.* **hunc exitum esse:** *this to be the outcome; hunc* is for *hoc,* attracted to the gender of the predicate noun, as regularly; B. 246, 5; A. 296, *a*; G. 211, R. 5; H. 396, 2.

20. ut eriperem: in apposition with *hunc.*

PAGE **48, 6. suum nomen . . . fatale ad perniciem:** Lentulus had been told by the soothsayers that he was ' that third Cornelius to whom the mastery of Rome was destined to come '; p. 36, 5.

8. cur non laeter: *why should I not rejoice?* Deliberative Subjunctive; B. 277; A. 444; G. 466; H. 559, 1.

9. prope fatalem: Cicero does not mean that his consulship fell short of bringing safety to the state, but merely wishes to apologize for using so strong a word as *fatalis* in reference to his consulship. **exstitisse:** hardly more than *fuisse.*

14. pro eo ac mereor: *in accordance with my deserts;* literally, *in accordance with that as I deserve.*

15. mihi relaturos esse gratiam: *i.e.* will reward me. **si quid obtigerit:** a euphemism for *si occisus ero.*

17. immatura: *untimely.* If a man has reached the consulship, he has reached the summit of public honor.

18. sapienti: *to a philosopher* (the ideal wise man). **ille ferreus:** *so unfeeling;* literally, *that unfeeling (person).*

19. qui non movear: *as not to be moved.* **fratris carissimi:** Quintus Cicero, praetor elect.

20. horum omnium: the senators. **lacrimis:** the ancients were less inclined than we to conceal emotion.

21. neque meam mentem non domum, *etc.: nor does my distracted wife fail to recall my thoughts often toward home.* Cicero's wife was Terentia. Though he later divorced her, there is no reason to doubt the genuineness of his affection at this time.

23. filia: Tullia, now probably eighteen years old. Her death eighteen years later was a severe blow to her father. **parvulus filius:** the young Marcus, at present two years old. The diminutive adjective implies affection, — *dear little.*

24. ille gener: C. Calpurnius Piso. He married Tullia in 63 B.C. Piso was not a member of the Senate, and consequently must have been outside the temple in which the Senate was assembled. Cicero merely means that the thought of his son-in-law is joined with that of his wife and children.

26. **in eam partem**: *to this purpose or resolve.*

28. **una peste**: *i.e. one general ruin.*

PAGE 49, 1. **pereamus**: in the same construction as *sint*, to which it is connected by the coördinate conjunction *potius quam*. For the use of the first person, see B. 255, 4; A. 317, *a*; G. 287. **incumbite, circumspicite procellas**: nautical figures. The state, as often, is conceived of as a ship; *incumbere* is literally 'to bend to (the oars).'

3. **non, non, non**: in translation connect the negatives closely with the proper names. **Ti. Gracchus, C. Gracchus**: for the unlawful acts of these agitators, see the notes on p. 2, lines 1, 13.

5. **L. Saturninus**: the demagogic tribune of 100 B.C., already mentioned, p. 2, line 17. With Glaucia he led the mob that killed C. Memmius, Glaucia's rival for the consulship.

7. **severitatis**: not in the sense of undue severity, but rather of strictness.

8. **vestram omnium**: a variation of *omnium vestrum*.

11. **servitia**: *the slave bands*. Abstract for the concrete.

12. **id consilium**: *this plan;* explained by *ut relinquatur*. **ut relinquatur**: as *initum est* is clearly historical, we should have expected the imperfect subjunctive here. Greater vividness is attained by employing the present.

15. **rei**: from *reus*.

16. **quod**: *in that.*

21. **dandos**: *i.e. dandos esse.*

22. **qui honos**: *an honor which.*

24. **hesterno die**: December 4.

PAGE 50, 1. **illa praedicam**: *I will say by way of preface (to the discussion) those things.* **sunt consulis**: *belong to the consul (to say).* For the predicate Genitive of Possession, see B. 198, 3; A. 343, *b*; G. 366; H. 447.

3. **jam pridem videbam**: *i.e. had already noticed long before.*

4. **haberi**: *was being formed.*

6. **ante noctem**: to be valid, a decree of the Senate must be passed before sunset. In other words, the Senate never continued its sessions after that hour.

9. **latius opinione**: *more widely than is thought.*

11. **provincias occupavit**: alluding to the reports that Catiline had secured promises of support in Spain and Africa.

15. **adhuc**: *i.e.* thus far in the debate. **sententias**: *motions.* **D. Silani**: consul elect.

17. **C. Caesaris**: the conqueror of Gaul and author of the Commentaries on the Gallic War. At the time of this oration he had already held the offices of quaestor and aedile, and had just been elected praetor for the year 62 B.C. He was recognized as the leader of the popular party and was even credited with having secretly encouraged the schemes of Catiline.

18. **ceterorum . . . amplectitur**: note the Adversative Asyndeton.

20. **in summa severitate versatur**: *insists on* (literally, *is engaged in*) *the greatest severity.* **alter**: *the one, viz.* Silanus.

22. **punctum temporis**: Accusative of Duration of Time.

23. **vita, spiritu**: Ablative of Means with *frui.*

25. **recordatur**: *calls to mind; i.e.* reminds us.

26. **intellegit**: *recognizes the fact that.*

PAGE **51**, 2. **inviti**: the adjective with adverbial force, — *unwillingly.*

3. **vincula**: *imprisonment.* **et la sempiterna**: *and that too for life.* **ad singularem poenam . . . inventa sunt**: *i.e.* in Caesar's opinion.

5. **habere**: *to involve.* **ista res**: *i.e.* the plan of distributing the condemned conspirators among the municipal towns. **iniquitatem, si velis,** *etc.: i.e.* the proposition is unjust, if we wish to *require* the municipal towns to receive the conspirators; if we simply *request* them to, it is likely to be difficult to secure compliance.

6. **si velis**: *if one wishes;* an instance of the indefinite second singular. When this use occurs in a *subordinate* clause, the verb regularly stands in the subjunctive.

7. **decernatur**: *let it be decreed;* Jussive Subjunctive.

8. **reperiam**: understand *eos* as object. **qui non putent**: *who will not think;* Clause of Characteristic.

9. **suae dignitatis**: *consistent with their honor;* Predicate Genitive limiting *recusare,* the subject of *esse.*

10. **si quis ruperit**: subjunctive in implied indirect discourse. Direct form: *si quis ruperit* (future perfect), *poena erit.* **eorum**: with *vincula.*

12. **ne quis possit**: *that no one be able;* Substantive Clause Developed from the Volitive, object of *sancit.* In such clauses (as also in purpose clauses) the Latin regularly has *ne quis,* not *ut nemo.* Yet, to avoid confusion, *ut nemo* may be used for *ne quis* where *ne . . . quidem* follows, as p. 49, line 12.

13. **per populum**: in the legislative assembly.

17. **una**: *along with it.* **dolores . . . ademisset**: *i.e.* Cicero here means to say that "death ends all." This view doubtless represented the sentiments of many of the senators to whom he was speaking. It did not represent the views of Cicero himself or the sentiments to which he had himself given expression at the close of the First Oration (p. 16, line 9), *aeternis suppliciis vivos mortuosque mactabis.*

18. **itaque**: *i.e.* because it was recognized that there was no life after death, and consequently no future punishment. **ut . . . posita**: *that some terror might be set before the wicked; improbis* is dative.

20. **illi antiqui**: *i.e.* those ancient writers whose works we know.

21. **voluerunt** *would have it, represented; i.e.* they represented that punishment in a future state awaited the wicked. **his remotis**: the Ablative Absolute has the force of a condition; *his* refers to *suppliciis.*

23. **mea video quid intersit**: *I see what my interest is.* Instead of using the genitive of the personal pronouns with *interest* and *refert,* the Latin regularly employs the ablative singular feminine of the corresponding possessive; B. 211, 1, *a*; A. 355, *a*; G. 381; H. 449, 1.

24. **quoniam is secutus est**: the reason for the following statement: *minus erunt mihi populares impetus pertimescendi, i.e.* Caesar represents the masses, and they will not criticise the decree that has come from him.

25. **is viam . . . secutus est**: *i.e.* represents democratic sentiments. **in re publica**: *in public life.* **habetur**: *is regarded.*

26. **hoc auctore et cognitore**, *etc.:* the Ablatives Absolute have causal force, — *since he is the author and advocate, etc.*

28. **sin**: for the use of *sin,* see B. 306, 3; G. 592; H. 575, 5. **illam alteram**: understand *sententiam,* governed by *secuti eritis* to be supplied from the previous sentence. **nescio an amplius,** *etc.: I am inclined to think that more trouble will be occasioned for me.* On the force of *nescio an,* see B. 300, 5; G. 457, 2.

PAGE **52**, 1. **vincat**: Jussive Subjunctive.

2. **majorum ejus amplitudo**: the Julian gens traced its descent from Venus and Anchises.

3. **tamquam obsidem**, *etc.: i.e.* Caesar's disposition to punish the acts of men of his own party (Catiline, Lentulus, *etc.*) is a pledge oı constant devotion to the state.

4. **intellectum est quid interesset**, *etc.: we have seen what the difference is between, etc.; i.e.* we have seen this in Caesar. He himself has given us an illustration of the difference, exem-

plifying as he does the *animus vere popularis.* Note that *interesset,* though expressing a general truth, follows the principle for the sequence of tenses. In English we put such general truths in the present, irrespective of tense sequence. **levitatem contionatorum**: this represented the ordinary type of popular leaders, — loud-mouthed demagogues without depth of convictions or insight.

5. **saluti populi consulentem**: defining *vere popularem.*

7. **video . . . non neminem**: many members of the popular party absented themselves from the present meeting of the Senate, to avoid putting themselves on record by voting against the conspirators. **de istis**: *from among those;* dependent upon *non neminem.* **se haberi volunt**: for the infinitive with *se,* see B. 331, IV, *a;* G. 532, R. 2.

8. **non neminem**: *several.* **ne videlicet**, *etc.:* *of course, that they may not vote; ferat* is singular, since it refers to *non neminem.* The English idiom calls for the plural.

9. **at is**: *yet they;* again referring to *non neminem.* **in custodiam . . . dedit**: *i.e.* voted to commit the arrested conspirators to custody. Cicero wishes to emphasize the inconsistency of men who had shared in the previous acts of the Senate and now refused to join in the discussion of the penalty to be imposed upon the conspirators.

10. **mihi**: *i.e.* in my honor, in my name.

12. **hoc**: explained by the following indirect question: *quid judicarit.* **qui . . . decrerit, quid . . . judicarit**: *what opinion he has entertained, who has decreed, etc.; decrerit* (for *decreverit*) is attracted into the subjunctive. The antecedent of *qui* is the subject of *judicarit.* **quaesitori**: Cicero, who had directed the investigation.

14. **tota re et causa**: *re* is the whole affair; *causa* refers to the legal case. **at vero**: *now.* **intellegit**, *etc.:* *recognizes.* Caesar had not expressly said this, though his attitude certainly implied it. Hence Cicero dexterously avails himself of the opportunity of adding weight to his own views by attributing them to Caesar.

15. **legem Semproniam**: this law reaffirmed the principle that no citizen should be put to death except by decree of the people. It was called *lex Sempronia* from its author, Gaius Sempronius Gracchus, the popular agitator.

16. **qui autem rei publicae sit hostis**, *etc.:* this plea is shallow and specious. It marks the attorney rather than the true jurist. Roman jurisprudence recognized no forfeiture of citizenship *except by due process of law.* **eum civem**: *eum* is subject; *civem* predicate accusative.

17. **ipsum latorem**: *viz.* Gaius Gracchus.

18. **injussu populi poenas dependisse**: Cicero refers to Gracchus's death as furnishing an exception to the Sempronian law. But Gracchus was killed by a mob in defiance of law; hence the circumstances of his death had no bearing on the present cases; *injussu populi* refers to the fact that the death penalty was ordinarily imposed by the people gathered in formal assembly (the *Comitia Centuriata*), p. xxxii, 2, *c*. **rei publicae**: dative. **idem ipsum**, *etc.*: *he also thinks that even Lentulus, despite his lavish generosity* (a popular quality), *can no longer be called a true friend of the people.*

21. **etiam**: *still*, or with *non*, *no longer*. This temporal sense of *etiam* is rare in classical prose.

22. **homo mitissimus atque lenissimus**: *though a most considerate and merciful man;* *homo* is in apposition with the omitted subject of *dubitat*, *viz. is*, referring to Caesar. **non dubitat**: *does not hesitate.*

24. **se jactare**: *to make himself conspicuous;* literally, *to exhibit himself.*

25. **in pernicie**: *to the ruin.*

27. **egestas ac mendicitas consequatur**: the two conceptions are felt as a whole; hence the singular verb.

PAGE **53**, 1. **hoc**: Caesar's proposal. **dederitis**: the future perfect originally had the force of a simple future, and that function often appears, as here, in the classical period.

2. **comitem ad contionem**: *a colleague in the meeting, i.e.* in the public gathering before which Cicero would naturally announce the results of the Senate's deliberation. The Third Oration is an example of such a *contio*. **populo**: dependent upon *carum atque jucundum*.

4. **populo Romano**: *in the eyes of the Roman people.*

5. **obtinebo**: *i.e. I shall prove.* **eam**: Silanus's proposition.

7. **de meo sensu**: *from my own feelings.*

8. **ita mihi salva re publica**, *etc.*: literally, *so may I be permitted to enjoy . . . as I am not moved; i.e. may I not be permitted to enjoy, . . . if I am not moved; ita* ' so,' ' on these terms,' is explained by the *ut*-clause. The English ' So help me God ' illustrates this use of *ita; liceat* is Optative Subjunctive.

9. **quod . . . vehementior sum**: *because I am unusually earnest in this case.* This parenthetical statement gives the reason for Cicero's explanation, — ' I say it because,' *etc.*

14. **animo**: *in imagination.* But the ablative is really one of Means. **sepulta**: the word is unusual in this sense and is chosen for the sake of antithesis with the following *insepultos.*

15. versatur mihi ante oculos: *there hovers before my eyes;*
mihi is Dative of Reference.

16. bacchantis: *as he exults;* limiting *ejus*, to be understood
with *furor*. **mihi proposui**: *i.e.* in imagination.

17. regnantem: *as king.* The words *rex* and *regnare* represented conceptions detestable in the eyes of free Romans.

18. purpuratum esse huic Gabinium: *Gabinius as his prime
minister.* But *purpuratum* really includes more than this. It
was a designation of the high officials under oriental tyrants,
and hence suggests the despotic rule that Lentulus intended to
inaugurate; *huic* is Dative of Reference. **cum exercitu venisse
Catilinam**: *Catiline's arrival with an army;* esse and venisse are
objects of *proposui.*

19. tum: the main clause begins here. **lamentationem**:
this and the following accusatives depend on *perhorresco;* B.
175, 2, *b*; A. 388, *a*; G. 330, R.; H. 405, 1.

20. familias: for this archaic genitive, see B. 21, 2, *a*; A.
43, *b*; G. 29, R. 1; H. 79, 2.

26. supplicium de servo: the Latin idiom is ' to take punishment *from* some one '; we speak in English of ' inflicting punishment *on* some one.'

29. qui non lenierit: *for not relieving;* Clause of Characteristic, with accessory notion of cause; B. 283, 3; A. 535, *e*;
G. 633; H. 592. **nocentis**: *i.e.* of the guilty slave.

30. in his hominibus: *in the case of these men;* limiting
vehementissimi fuerimus.

PAGE **54**, 4. **id egerunt**: *aimed at this;* id is explained by *ut
collocarent*, a Substantive Clause Developed from the Volitive.

8. crudelitatis: dependent upon *fama.*

9. nisi vero: *nisi vero* regularly implies that the supposition
introduced is absurd. **cuipiam**: with *visus est*. **L. Caesar**: a
distant relative of Julius Caesar. He had been consul in 64 B.C.

10. crudelior: *particularly cruel.*

11. sororis suae virum, *etc.*: *his sister's husband.* This was
Lentulus.

13. cum: *and when;* Copulative Asyndeton. **avum suum
. . . filiumque**, *etc.*: L. Caesar's grandfather on his mother's
side was M. Fulvius Flaccus, who was one of the chief adherents
of C. Gracchus. When the Gracchan party became involved in
open hostilities with the Senate and its supporters, Flaccus sent
his son, a youth of eighteen, to negotiate for terms. The young
man was promptly put in prison and subsequently strangled.
Cicero cites these summary acts as furnishing a full warrant for
the severest punishment of the conspirators. **consulis**: Opi-

mius, who had been invested with the duty of 'seeing that the state suffered no harm.'

15. **quorum quod simile factum**: *what deed of these* (Flaccus and his son) (*was*) *like* (*the purposes of the conspirators*)? *quorum* is the relative; *quod* the interrogative adjective.

16. **largitionis voluntas**: *a disposition for lavish treatment, viz.* of the common people. Gracchus had secured the passage of a law by which wheat was furnished to Roman citizens at a merely nominal price.

17. **versata est**: *was prevalent.* **partium quaedam contentio**: *i.e.* Gracchus's programme involved little beyond a high state of party spirit; it did not aim at the destruction of the government.

18. **avus**: a stanch upholder of the aristocracy; see note on p. 37, line 1.

19. **armatus**: emphasis rests on this word.

20. **ne quid**, *etc.: i.e.* lest the interests of the state should suffer.

21. **hic**: *the present* (*Lentulus*); in contrast with *ille*.

25. **vereamini, censeo**, *etc.: I urge you to entertain the fear lest, etc.;* highly ironical. Cicero means that any such fear is, under the circumstances, absurd; *censeo* is parenthetical.

PAGE **55**, 1. **ea quae exaudio**: *those objections that I clearly hear.* Reference is to the open misgivings of the senators, uttered in Cicero's hearing.

4. **ut habeam**: *that I have not;* B. 296, 2; A. 564; G. 550, 2; H. 567, 1.

5. **omnia provisa**, *etc.: i.e.* the fears of the senators are groundless.

6. **cum, tum etiam**: *not only, but also.* **mea summa cura**: *with the greatest care on my part.*

7. **majore**: with *voluntate.*

8. **summum imperium**: *i.e.* the supreme authority of their country.

12. **hujus templi**: the Temple of Concord.

13. **sentirent unum atque idem**: *entertain one and the same* (*conviction*).

14. **sibi esse pereundum**: *that they must perish.*

20. **quid commemorem**: *why should I mention?* Deliberative Subjunctive.

21. **qui vobis ita summam**, *etc.: who yield you preëminence in rank and wisdom, only to vie with you in love, etc.; ita* is explained by the *ut*-clause, which here has so-called " stipulative " force, — ' on condition that,' ' on the understanding that.'

23. **ex**: *after.* **multorum annorum dissensione**: in 122 B.C. Gaius Gracchus had secured the passage of a law whereby the control of the jury courts was transferred from the senators to the equites. Sulla later (81 B.C.) restored this control to the senators. Later still, in Pompey's consulship (70 B.C.), the control was divided between the senators, equites, and *tribuni aerarii.*

24. **hujus ordinis**: *with this body, viz.* the Senate; dependent upon *societatem* and *concordiam.*

25. **conjungit**: agreeing with the nearer subject.

26. **confirmatam**: *cemented; confirmo* in line 27 is used in a different sense, — *viz. declare.*

27. **perpetuam**: in predicate relation to *conjunctionem.*

30. **tribunos aerarios**: representatives of the thirty-five tribes. Barring their representation in the jury-courts, little is known of them.

PAGE **56**, 1. **scribas**: *clerks;* particularly the quaestor's clerks employed in the treasury. **universos**: *in a body.* **cum hic dies ad aerarium frequentasset**: *when this day* (December 5) *had brought them in crowds to the Treasury.* The Treasury (*aerarium*) was in the Temple of Saturn at the west end of the Forum, adjacent to the Temple of Concord.

2. **casu**: *by chance; i.e.* it accidentally happened that the day of the allotment and of Cicero's speech were the same. **exspectatione sortis**: *i.e.* the allotment of the provinces to the quaestors, who regularly entered upon their duties on the Nones of December (December 5). Very likely lots were also cast to determine under what quaestor the various *scribae* should serve.

5. **cui non sit carum**: Clause of Characteristic.

7. **solum**: *soil.* **cum**: not with *sit,* but correlative with *tum vero.*

10. **sua virtute**: *by their merit.* By industry slaves could often save enough to purchase their freedom. **fortunam hujus civitatis**: *the good fortune of citizenship here.*

12. **quidam hic nati**: *viz.* the conspirators. Slaves were more often of foreign birth. **summo loco**: Ablative of Source.

17. **servus est nemo**: *there is no slave; nemo* for *nullus,* as not infrequently.

18. **qui modo sit**: *provided only he be.* A relative Clause of Proviso. **tolerabili condicione**: Ablative of Quality. **qui non perhorrescat**: Clause of Characteristic.

19. **haec stare**: *i.e.* the city and its institutions to remain.

20. **quantum audet**, *etc.:* many slaves were naturally hampered by the fact that their masters sympathized with the conspiracy.

21. **voluntatis**: Genitive of the Whole with the omitted antecedent (*tantum*) of *quantum*.

22. **si quem**, *etc.*: this clause may be rendered by the English passive, — *if any one of you is troubled by this; hoc* is explained by the following infinitives, *concursare, sperare*. **quod**: the relative.

23. **lenonem quendam**: *a certain agent*. **concursare**: the frequentative suggests frantic haste. **tabernas**: *the shops*.

24. **pretio sollicitari posse**: *i.e.* can be bribed.

25. **est id quidem coeptum**: the logical apodosis of the sentence begun by *si quem* is not *est coeptum*, but rather something to be supplied, *e.g.* ' I will state '; *est coeptum*, for *coeptum est*, means ' that *has* been attempted.'

26. **fortuna miseri**: *wretched in estate*.

27. **voluntate perditi**: *abandoned in purpose*. **sellae**: *i.e.* the seat on which the artisan or tradesman sat in his shop. **operis**: *trade*.

28. **cubile ac lectulum**: *lectulus* is a synonym of *cubile*, and introduces no new idea.

Page **57**, 4. **instrumentum**: *stock in trade*. **opera**: *occupation*.

5. **frequentia sustentatur, alitur otio**: note the Chiasmus. **quorum**: referring to *eorum* in line 1.

6. **occlusis tabernis**: Ablative Absolute with temporal force, — *when the shops are closed*. **quid tandem**, *etc.*: *what would have happened, if, etc.?* A conditional sentence of the contrary-to-fact type. The protasis is in (*tabernis*) *incensis*, equivalent to *si tabernae incensae essent*. For the form of the apodosis, see B. 304, 3, *b*; A. 517, *d*; G. 597, R. 3; H. 582.

11. **atque**: *and in fact*.

17. **Arcem**: the Arx was the northern summit of the Capitoline Hill. On this summit was the temple of Juno Moneta. **Capitolium**: the southern summit of the Capitoline Hill, crowned by the Temple of Jupiter, Juno, and Minerva, which also was called Capitolium. **aras Penatium**: *i.e.* the altars of the city Penates on the Palatine. Besides the regular household Penates of each family, there were the *Penates publici* of Rome itself, said to have been brought from Troy by Aeneas.

18. **illum ignem**: the Temple of Vesta was on the edge of the Forum but a short distance from the Temple of Concord, where Cicero was now speaking.

24. **quae facultas**: *an advantage which;* referring to *memorem vestri, oblitum sui*. **omnis ordines**: *viz.* the senatorial order, the equestrian order, and the common people. These three orders constituted the Roman state.

26. **in civili causa:** *i.e.* on a political question.
27. **cogitate quantis laboribus,** *etc.: consider with how great toil the government was established, with how great valor freedom was assured* . . . *and how one night almost destroyed these;* **imperium, libertatem,** and **fortunas** are all the objects of *delerit* (= *deleverit*); literally, *one night destroyed a government established by how great toil, etc.*

PAGE **58**, 1. **id ne umquam:** *that that may never.*
3. **haec:** object of *locutus sum.*
4. **mihi studio praecurritis:** *outstrip me in zeal.*
6. **functa:** understand *esse.*
7. **ad sententiam:** *to asking your views.* The consul asked the individual senators in turn to indicate their opinions.
8. **quanta manus est . . . tantam:** *as great as is the band;* *quanta* is correlative with *tantam.*
11. **turpem et infirmam et abjectam:** note the repetition of the conjunction (Polysyndeton), the less usual and therefore more emphatic form of enumeration.
12. **alicujus:** *i.e.* of some ringleader. The contingency here alluded to by Cicero was actually realized in 58 B.C., when Cicero was exiled in consequence of his action " in putting Roman citizens to death without trial," as the formal decree recited. See Introd. p. xii f.
13. **dignitas:** *authority.*
14. **factorum:** B. 209, 1; A. 354, *b*; G. 377; H. 457.
15. **quam minitantur:** *with which they threaten (me);* *minitor* may take the Accusative of Result Produced (' Internal Object '), either with or without the dative of the person threatened.
16. **vitae:** the emphatic word in the clause. In the previous sentence the orator has just said that, as for *death*, that is the inevitable lot of all. Now, in contrast, he adds, as for *life*, no one has attained so much glory from it as himself. The two considerations together are his reason for the declaration that he will never regret his conduct.
17. **quanta honestastis:** *as you have honored me with.*
18. **bene gesta:** understand *re publica;* Ablative Absolute with causal force, — *in consequence of the successful management of the government.*
19. **sit Scipio clarus:** Cicero here begins an enumeration of the chief Roman heroes who had won recognition for their successful conduct of the interests of the state. To all he concedes their well-earned glory, confident that his own title to fame will be no less readily acknowledged. *Scipio ille* is Scipio Africanus the Elder; *sit* is Jussive Subjunctive.

20. in Africam redire atque Italia decedere: an instance of Hýsteron Próteron, *i.e.* an inversion of the natural order of events. Hannibal's withdrawal from Italy naturally preceded his return to Africa. The events referred to marked the close of the Second Punic War, when Scipio carried operations into Africa, thus forcing Hannibal to withdraw from Italy and return to the protection of Carthage. *Italia* is Ablative of Separation. The absence of the preposition with *decedere* is unusual.

22. alter Africanus: Scipio Africanus the Younger. He was the son of Lucius Aemilius Paulus, but was adopted by the son of the elder Africanus, taking the name Publius Cornelius Scipio Aemilianus.

23. Carthaginem Numantiamque: Carthage was razed to the ground at the conclusion of the Third Punic War, 146 B.C. Numantia, the chief town of the Celtiberians in northern Spain, was captured and destroyed by Scipio in 133 B.C. It had long been the headquarters of the Celtiberians in their wars against the Romans.

24. Paulus ille: Lucius Aemilius Paulus, who successfully conducted the Third Macedonian War, defeating and capturing King Perseus at Pydna in 168 B.C. **currum honestavit**: *i.e.* he walked before Paulus's chariot in the triumphal procession.

25. quondam: with *potentissimus*. **Perses**: also known as Perseus.

26. gloria: Ablative of Quality. **Marius**: see note on p. 39, line 20. **bis Italiam . . . liberavit**: *viz.* in 102 B.C., when Marius defeated the Teutons at Aquae Sextiae, and in 101 B.C., when, in company with his colleague Catulus, he repulsed the Cimbrians near Vercellae. **obsidione**: *i.e.* invasion.

27. omnibus: indirect object of *anteponatur*.

28. Pompejus: for his achievements prior to this time, see note on p. 45, line 12. He was at present a popular idol, though viewed with jealousy by the aristocratic Senate. It is most likely that this laudatory reference to Pompey was not included in the speech delivered before the Senate by Cicero, but was inserted afterwards when it was prepared for publication.

PAGE **59**, 2. **aliquid loci**: *some place.* For the genitive, see B. 201, 2; A. 346, *a*, 3; G. 369; H. 442. **nisi forte**: *nisi forte* regularly implies that the suggested case is absurd.

3. majus est: *i.e.* is a more glorious thing. **patefacere nobis provincias quo exire possimus**: *i.e.* to supply provinces for provincial governors to rule, as Pompey had done.

4. curare ut habeant quo revertantur: *i.e.* to preserve the state, as Cicero had done. **ut habeant**: substantive clause, object of *curare*. **etiam**: *also*.

5. **quo victores revertantur**: *(a place) to which to return when victorious*. The antecedent of *quo* (here the adverb) is implied in the omitted object of *habeant; victores* is used as an adjective limiting the subject of *revertantur*. **quamquam**: corrective, — *and yet*. **uno loco**: *in one respect, one point;* Ablative of Specification.

6. **domesticae**: *sc. victoriae; i.e.* a victory over one's fellow-citizens.

7. **aut**: correlative with the *aut* following *serviunt*. **oppressi serviunt**: *i.e.* are crushed and become slaves.

10. **cum reppuleris**: all subordinate clauses in which the indefinite second singular occurs, regularly stand in the subjunctive. Here the subject of *reppuleris* is entirely general, — *when one has driven them away*.

11. **possis**: Potential Subjunctive. The second person is indefinite here also; but the clause is a *principal* one, and the subjunctive is due entirely to the potential force of the thought.

12. **mihi**: Dative of Agency; B. 189, 2; A. 375; G. 354; H. 431, 2.

13. **id**: subject of *posse* in line 17.

18. **quae possit**: Relative Clause of Result.

22. **pro imperio, pro exercitu, pro provincia**: *in place of the imperium, in place of the army, in place of the province*. These three conceptions are partly identical. The *imperium* was the absolute military authority exercised *over* the army *in* the province.

23. **quam neglexi**: instead of proceeding to cast lots for proconsular provinces, Cicero had renounced his claims in favor of his colleague Antonius, who thereby secured the rich province of Macedonia for his proconsular command. Cicero's object was to detach Antonius from support of the conspiracy, with which he was known to be in sympathy. **triumpho ceterisque laudis insignibus**: in yielding up Macedonia to Antonius, Cicero was virtually foregoing a triumph, since that province offered a promising field for military successes.

25. **clientelis hospitiisque**: *relations of clientship and guest-friendship*. Provincial governors usually formed such relations both with provincial communities and with individuals. These often became an important element of prestige and influence after their return to Rome.

26. **quae tamen**, *etc.:* Cicero means to say that he has certain provincial clients and guest-friends despite his distance from the provinces. **urbanis opibus**: *i.e.* by such influence as I can

exert in the city. **non minore labore tueor quam comparo**: *I maintain no less industriously than I establish them;* *i.e.* he strives zealously to establish such relations and afterwards to keep them up.

27. **pro his**, *etc.*: *in view of all these considerations;* *pro* in this and the following phrases appears in a different sense from that above.

PAGE **60**, 5. **fefellerit, superaverit**: future perfects, — *shall disappoint and crush.*

6. **commendo, . . . cui erit**: the form of expression is slightly illogical. Cicero means, ' if my hope is disappointed, yet my son, whom I commit to you, will have adequate protection.'

8. **suo solius periculo**: *with risk to himself alone;* Ablative of Attendant Circumstance. For the genitive *solius*, see B. 243, 3, *a*; A. 302, *e*; G. 321, R. 2; H. 446, 3.

14. **ut instituistis**: *as you have begun.* The debate was in process before Cicero rose to speak.

15. **qui dubitet**: Relative Clause of Result. For *is = talis*, see B. 247, 1, *a*.

17. **praestare**: *vouch for the execution of.*

THE ORATION ON POMPEY'S APPOINTMENT
66 B.C.

In the year **88** B.C. the Romans became involved in a serious conflict with Mithridates, king of Pontus. They had long been jealous of the growing influence and dominion of this able and powerful ruler, and now prepared to dispute with him the mastery of western Asia. The war begun in 88 B.C. lasted till 84, and is known as the First Mithridatic War. The Roman forces were ably commanded by Sulla, who finally granted terms of peace to Mithridates on condition that he should confine himself to his own kingdom of Pontus, should surrender eighty ships, and pay an indemnity of 3000 talents (over $3,000,000).

Sulla returned to Rome in 83 B.C. to take vengeance on his own political opponents, who in his absence had gained control of the government. The province of Asia was left in charge of Lucius Murena, whose military ambition soon led to a renewal of hostilities with Mithridates. This struggle, which lasted till 81 B.C., when Murena was peremptorily commanded by Sulla to desist from further warfare, is known as the Second Mithridatic War.

The succeeding years were utilized by Mithridates in preparation for a new trial of strength with Rome. In the year 74 B.C. he invaded Bithynia, a Roman province, and thus precipitated the Third Mithridatic War. The struggle continued for a number of years, marked by changing fortunes on land and sea. Lucullus, who had been entrusted with the command of the Roman forces, was an able general, and won many brilliant successes, but failed to capture Mithridates himself. At Kabira (72 B.C.) the Roman victory was decisive; but Lucullus's soldiers, through their eagerness for plundering the camp of the enemy, allowed Mithridates to slip through their hands. Assisted by his son-in-law Tigranes, the king succeeded in protracting the stubborn contest. In 67 B.C. he inflicted a crushing defeat at Zela upon the Roman *legatus* Triarius. Meanwhile Lucullus's troops had mutinied, and he himself had been superseded in the command by M'. Acilius Glabrio, consul for the year 67, an utterly incompetent general, who made no effort to retrieve the recent disasters, but remained inactive in his province of Bithynia.

It was at this juncture that the tribune C. Manilius brought forward (in the popular assembly; Introd. p. xxxi) a bill for the appointment of Pompey to the command of the Roman forces in the East. Gnaeus Pompey was born in 106 B.C. He had served under his own father in the Social War (90–88 B.C.), in the Civil War under Sulla (83–82 B.C.), and in the war against Sertorius in Spain (76–71 B.C.). His brilliant military successes in these struggles had earned him two triumphs before he had filled even the lowest magistracy, — events quite at variance with Roman custom, which limited the honor of a triumph to consuls, praetors, and dictators. In 67 B.C. he had been chosen to take charge of the war against the pirates. For a generation or more Mediterranean commerce had suffered severely from these marauders, who at times had the boldness to descend even upon the coast towns of Italy itself. Under Pompey's command the war was brought to a decisive close in the short space of three months, and the Mediterranean was once more safe for peaceful commerce.

Such was the man whom Manilius now proposed to invest with the supreme command of the Roman armies in the war against Mithridates. When the bill came up for discussion before the popular assembly, it was bitterly opposed by the aristocratic party, represented by Catulus and Hortensius, who naturally looked with a jealous eye upon the proposal to invest a representative of the popular party with such unprecedented power as was contemplated in the bill of Manilius. Cicero, who at this stage of his career was allied with the democracy, supported

the measure in the speech which has come down to us, an effort
which, barring certain exaggerations of Pompey's merits and
certain distortions of fact, is a model of a public oration.   In its
orderly arrangement, its careful analysis, and its wealth of well-
chosen illustration, it could hardly be surpassed.

The bill of Manilius was enacted into law by the votes of all the
tribes of the assembly; Pompey was appointed to the command
in the East, and realized completely the hopes and promises of his
friends by bringing the Mithridatic War to a triumphant close.

PAGE **61**, 1. **frequens conspectus vester**: *the sight of your
crowded assembly*, the Comitia Tributa; see Introd. p. xxx.

2. **multo jucundissimus**: *i.e.* far the pleasantest of all
sights; *jucundissimus* (like *amplissimus* and *ornatissimus*) is a
predicate adjective with *visus est*. **hic locus**: the Rostra, from
which the assembly was addressed.   It was situated between
the Forum and Comitium.   See the Plan on p. xxxv.   **ad
agendum**: in its technical sense, *agere* is used of bringing measures before the assembly.   Only the presiding magistrate was
authorized to do this.   In the present instance the presiding
magistrate was the tribune Manilius.

3. **ad dicendum**: only those might speak in debate to whom
the presiding magistrate gave permission.   Thus in the present
meeting Cicero spoke by permission of Manilius, not by virtue
of his own official position as praetor.

4. **hoc aditu laudis**: *this avenue to fame.*   The reference is
to speaking before the public assemblies; *aditu* is Ablative of
Separation with *prohibuerunt*.   **optimo cuique**: *to all the best
men;* literally, *to each best man.*

6. **ab ineunte aetate**: *i.e.* from early manhood, the time of
assuming the *toga virilis*, usually about the sixteenth year.   There
weɪ ɜ various ways of securing public advancement.   Cicero had
chosen the profession of law from his earliest years, and steadfastly devoted himself to that as a means of winning public
recognition.   Others chose the profession of arms.

7. **cum**: *since.*   **antea**: *hitherto.*   **per aetatem**: *on account
of my age.*   Cicero was now forty years old.   Evidently he
deemed great maturity essential for success in legislative discussion.   **hujus . . . attingere**: *i.e.* to aspire to the glory
attaching to those who speak before the assembly.

8. **nihil huc nisi perfectum**, *etc.*: *i.e.* that no speech ought
to be delivered before you unless carefully prepared; *perfectum
ingenio* refers to the matter of the speech; *elaboratum industria*
to the form of presentation.   We should expect a connective
(*et*) between *perfectum* and *elaboratum.*

10. amicorum temporibus: *to the necessities of my friends; temporibus* refers to the legal difficulties in which his friends might become involved. Fees were not paid for legal services at this time. A Roman ambitious for political advancement gave his legal assistance gratuitously to those in need of it, and in this way built up a political following.

11. ita: logically this belongs only with *meus labor, etc.* The meaning is brought out by rendering: *and so, while this place has not lacked, etc., my efforts have secured, etc.* **neque**: correlative with *et* in line 12. **vacuus fuit ab eis**: *has lacked those; eis* is Ablative of Separation.

12. qui defenderent: Clause of Characteristic.

13. periculis: *i.e.* the legal dangers in which they had become involved. The word has almost the same force as *temporibus* above in line 10. **caste integreque**: Cicero means that he enlisted himself only in righteous causes. **versatus**: *employed.*

14. ex vestro judicio: *i.e.* the verdict they had rendered in choosing him praetor. Cicero had been elected by the Comitia Centuriata, while he was now addressing the Comitia Tributa; but the constituency of the two bodies was essentially the same.

15. cum renuntiatus sum, intellexi: an instance of *cum* explicative, — *in being the first to be elected, I understood;* B. 290, 1; G. 582. **dilationem comitiorum**: the assemblies were often adjourned in consequence of the occurrence of unfavorable omens. **ter**: there had been two adjournments before the completion of the election, but Cicero had been elected each time. **praetor primus renuntiatus sum**: *was the first to be reported elected.* There were eight praetors in all.

16. centuriis cunctis: the Comitia Centuriata voted by centuries (groups of one hundred). There were three hundred and seventy-three centuries at this time. A majority elected. Apparently Cicero's election was unanimous.

17. quid aliis praescriberetis: *viz.* that others should do as Cicero had done.

18. auctoritatis tantum, etc.: *i.e.* the influence the people had given him by electing him to the praetorship and other positions of trust.

19. honoribus mandandis: by *honoribus* Cicero means the magistracies to which he had been chosen. He had previously held the quaestorship and curule aedileship. The Ablative is one of Means. **ad agendum facultatis tantum**: *so much capacity for discussion; agere* is here used in a general sense.

PAGE 62, 2. **ex forensi usu**: *i.e.* from legal practice. The law-courts were on the borders of the Forum.

3. **apud eos**: *before those, i.e.* for the benefit of those.

4. **utar**: understand *eā*, referring to *auctoritate*.

5. **potissimum**: *especially.* **ei rei**: *viz.* ability in speaking. **quoque**: *i.e.* eloquence as well as other accomplishments, — military prowess, for example.

7. **illud**: explained by the following clause, *quod oblata est.* **in primis**: *especially.* **laetandum esse**: *is matter for rejoicing;* literally, *ought to be rejoiced at.*

8. **mihi**: with *insolita*, — *this to me unusual circumstance.*

11. **virtute**: *worth, capacity.* **hujus orationis**: *of a speech on this subject,* or *of this theme.*

12. **copia**: *fulness.*

13. **modus**: *restraint.* The difficulty is not to find material, but to restrain oneself from speaking at too great length.

14. **ut proficiscatur**: a parenthetical clause of purpose giving Cicero's reason for the subsequent statement.

15. **ducitur**: *springs.*

16. **vestris vectigalibus**: *your tributaries; vectigalibus* is from *vectigalis.* Further on we have *vectigalia,* from *vectigal,* ' taxes.' **sociis**: the regular word for ' provincials.'

17. **alter relictus**: Mithridates. Lucullus had defeated Mithridates in battle, but had not succeeded in capturing him.

18. **alter lacessitus**: Tigranes. He had given shelter to Mithridates, and in consequence had been attacked by the Romans and defeated.

COIN OF MITHRIDATES

19. **Asiam**: the Roman province of Asia consisting of the western coast provinces of Asia Minor. **arbitratur**: with two disjunctive subjects, the verb is regularly singular.

21. **magnae res**: *heavy capital.* **aguntur**: *is at stake.* The provincial revenues were regularly farmed out to companies of equestrian capitalists. **in vestris vectigalibus exercendis**: *in managing your revenues.*

22. **occupatae**: *invested.* **pro necessitudine**, *etc.:* Cicero himself belonged originally to the equestrian order.

24. **Bithyniae**: in northern Asia Minor on the Black Sea. **quae nunc vestra provincia est**: Nicomedes III, king of Bithynia, had died in 74 B.C., bequeathing his dominions to the Roman people.

25. **exustos esse**: this and the following infinitives are the objects of *detulerunt* (' reported '). **regnum Ariobarzanis**: Ariobarzanes was king of Cappadocia.

27. **totum**: *wholly.* **L. Lucullum . . . discedere**: owing to the mutinous disposition of his troops. For Lucullus's previous exploits, see the Introduction to this oration.

28. **qui**: the antecedent of *qui* is *eum* understood, the subject of *esse.* Lucullus's successor was M'. Acilius Glabrio, a general of utter incompetency. Cicero's *non satis paratum* is decidedly euphemistic.

PAGE **63**, 1. **unum**: *viz.* Pompey.

2. **imperatorem**: predicate accusative.

7. **genus belli ejus modi**: by the English idiom we should say either, ' the war is of such a sort,' or ' the nature of the war is such,' not ' the nature of the war is of such a sort.' **ejus modi, quod . . . debeat**: *such that it ought; quod debeat* is a Relative Clause of Result.

9. **persequendi**: *of following it up to the end.* **agitur**: in the same sense as above, p. 62, line 21. Notice the Anaphora, — *agitur, agitur* (12), *aguntur* (13, 16).

10. **gloria**: emphatic, as shown by its unusual position at the end of its clause. **quae . . . tradita est**: *which has been handed down to you . . . not only great in all respects, but particularly so in military affairs; magna* and *summa* are predicate adjectives.

14. **certissima**: *i.e.* Asia was a rich and fertile province. Hence the income from that source was certain.

15. **quibus amissis**: the Ablative Absolute here has conditional force, — *if these are lost.* **pacis ornamenta, subsidia belli**: *i.e.* money is essential to secure the refinements of peace; also for the prosecution of war.

16. **civium**: Roman citizens doing business in Asia. **quibus est a vobis**: *quibus vobis* would have been ambiguous, — either *for whom by you* or *by whom for you.* In such cases agency is expressed not by the dative (the usual construction with the gerundive), but by *a* with the ablative; B. 189, 1, *a*; A. 374, *a*, N. 1; G. 355, R.; H. 431, 1.

17. **et ipsorum**, *etc.:* both *for their own sakes and that of the republic.*

20. illa macula . . . concepta: the reference is to the whole-sale massacre of Roman citizens executed by Mithridates's orders in 88 B.C.; 80,000 are said to have perished in a single day. **bello superiore:** the First Mithridatic War (88–8 ? B.C.).

21. penitus insedit: *has sunk in deeply,* like a stain in a garment; *insedit* is from *insido.*

23. una significatione litterarum: *by one despatch.*

24. necandos trucidandosque: *trucidandos* is explanatory of *necandos,* — not merely 'put to death,' but 'put to death by massacre.'

PAGE **64,** 1. **Ponti Cappadociae latebris occultare:** *i.e.* to confine himself to his own dominions; *latebris* is Ablative of Means; *cf.* Caesar's *se tenuit castris.* The English idiom leads us to expect the Ablative of Place.

3. hoc est: *that is.*

4. in Asiae luce: as contrasted with the *latebrae Ponti.*

5. insignia victoriae: explained by the following *triumphavit* etc.

6. triumphavit L. Sulla, triumphavit L. Murena: *triumpho* refers to the celebration of a formal triumph at Rome. Such triumphs were determined by vote of the Senate, but could regularly be granted only when the following conditions were fulfilled: (1) The victorious general must have fought a decisive engagement in which at least 5000 of the enemy were slain; (2) The war must have been brought to a close; (3) The victorious army must have returned with their general. Sulla returned in 83 B.C. and celebrated a triumph in 81 B.C. Murena returned in 81 B.C. and celebrated a triumph in the following year. But neither general met all the above conditions for granting a triumph, — Murena far less than Sulla.

9. pulsus superatusque: the participles have adversative force, — *though defeated and conquered.* **regnaret:** *i.e.* continued to reign.

10. laus est tribuenda quod, *etc.: praise must be bestowed (for) what they did, indulgence allowed (for) what they left undone.* The antecedent of *quod* in each case is *(propter) id* understood.

12. Sullam res publica revocavit: *i.e.* the condition of public affairs at Rome demanded Sulla's return. After Sulla's departure for the Mithridatic War in 88 B.C., the Marian party had gained the upper hand at Rome and had despatched a rival army to the scene of conflict. This made it difficult for Sulla to continue the successful conduct of the war. **Murenam Sulla revocavit:** Sulla had returned to Rome in 83 B.C., and left his lieutenant

Murena in command in the East. Although peace had been made with Mithridates, Murena became engaged in a fresh struggle (the Second Mithridatic War), until peremptorily ordered to desist and to return to Rome.

14. **reliquum**: *succeeding.*

17. **exercitus permagnos**: said to have numbered 140,000 infantry and 16,000 cavalry.

18. **potuisset**: Subjunctive by Attraction. **Bosporanis**: those who dwelt near the Cimmerian Bosporus, in the modern Crimean peninsula.

20. **ad eos duces quibuscum tum bellum gerebamus**: *viz.* Sertorius and his officers. After the overthrow of the Marian party by Sulla in 82 B.C., Sertorius, with other leading Marians, had withdrawn to Spain, where they established an independent government in defiance of Rome.

21. **duobus in locis disjunctissimis**, *etc.*: *viz.* Pontus and Spain; *disjunctissimis* refers to the distance apart of the two countries; *diversis* calls attention to the fact that they were in opposite directions from Rome.

22. **binis hostium copiis**: for the use of *binis* here instead of *duobus*, see B. 81, 4, *b*; A. 137, *b*; H. 164, 3.

23. **gereretur**: Subjunctive by Attraction, representing a future indicative of more direct statement.

24. **de imperio**: *i.e.* for the supremacy. **alterius partis, Sertorianae,** *etc.*: *in the one quarter, viz. Sertorius and Spain.*

26. **firmamenti ac roboris**: *firmamentum* is outward support; *robur,* inward strength. **Cn. Pompei . . . depulsum est**: Cicero's statement exaggerates Pompey's services. Sertorius had been assassinated, after which Pompey found it an easy task to defeat his successor.

27. **in altera parte**: *viz.* in the East.

29. **initia illa rerum gestarum**: *those initial successes.* **non felicitati**: *not to good luck; felicitati* depends on *tribuenda.*

30. **haec autem extrema**: *i.e.* Lucullus's recent reverses in Pontus; see p. 71, line 2 ff.

31. **tribuenda**: *attributable.*

PAGE **65,** 1. **videantur**: *are seen.* **alio loco**: § 20 of this oration.

2. **vera, falsa**: *deserved, undeserved.* **ei**: *from him;* Dative of Separation; B. 188, 2, *d*; A. 381; G. 345, R. 1; H. 427.

4. **exorsus**: *the first topic.*

6. **mercatoribus tractatis**: the Ablative Absolute here denotes cause, — *because our traders had been treated, etc.*

7. **injuriosius**: for the force of the comparative, see B. 240,

1; A. 291, *a*; G. 297; H. 498.   vos: in emphatic contrast with *majores*.

9. quo animo: Ablative of Quality.   **legati . . . appellati superbius:** in 148 B.C., Roman ambassadors had intervened in behalf of Sparta at Corinth, demanding that Sparta and certain other Greek states be allowed to withdraw from the Achaean League. On this occasion and again a year later the Roman envoys were treated with great rudeness by the Corinthian assembly. On their second mission they were howled down and compelled to leave the platform where their spokesman was speaking. This afforded an easy pretext for war, the real reason for which doubtless lay in Rome's commercial jealousy of Corinth.

10. totius Graeciae lumen: Corinth was an important centre of culture as well as of commerce.

11. exstinctum: *Corinthum* is feminine; but the participle is attracted to the gender of the appositive, *lumen*. For the perfect infinitive where we should expect the present, see B. 270, 2, *a*; A. 486, *d*; G. 280, *c*; H. 620, 1.   **eum regem qui,** *etc.*: at the outbreak of the first Mithridatic War, Mithridates had captured M'. Aquillius, thrown him in chains, and finally poured molten gold down his throat.

12. legatum consularem: while Aquillius had originally been sent as ambassador, he had exceeded his diplomatic capacity and actively engaged in the war against Mithridates. Aquillius had been consul (with Marius as colleague) in 101 B.C.

14. excruciatum necavit: *tortured and killed;* B. 337, 5; A. 496, N. 2; G. 664, R. 1; H. 639.   **libertatem imminutam:** *the impairment of the freedom;* for this use of the participle, see B. 337, 6; A. 497; H. 636, 4. The same use appears also in *ereptam, violatum, interfectum*.

16. persecuti sunt: *avenged.*

17. relinquetis: *ignore.*

18. ut: *as.*   **illis:** *viz.* your ancestors.

19. sit: the subject is *non posse.*

21. quid: a common particle of transition in Latin.   **quod . . . vocatur:** this clause is the object of *ferre.*

22. vocatur: *is brought* (literally, *called*).

23. Ariobarzanes: king of Cappadocia.   **socius atque amicus:** an honorary title often bestowed by the Senate.

26. cuncta Asia: to denote place, the preposition *in* is usually necessary. But *in* is often lacking with nouns limited by *totus;* less frequently with nouns limited by *cunctus*, as here.

27. vestrum auxilium: the emphasis rests on these words, — ' 'tis to you they are compelled to look for help.'

PAGE **66**, 1. **certum**: *a particular*. The student should not confound *certus* and *quidam*.

2. **alium**: *viz*. Glabrio, another than they had hoped for.

3. **sine summo periculo**: *i.e.* danger to themselves. They feared that Glabrio might resent their opposition to his command.

5. **esse**: in apposition with *hoc*.   **summa omnia**: *all the highest qualities*.   **et eum propter esse**: *and that he is near at hand*. Pompey was now in southern Asia Minor, having just finished the war with the pirates.   **quo etiam carent aegrius**: *for which reason also they resent the more bitterly not securing him;* literally, *go without (him) the more bitterly; eo* (Ablative of Separation) is to be understood with *carent*.

6. **adventu ipso**: *by his very arrival*.   **atque nomine**: Pompey, when he came to Asia Minor to hunt out the pirates in their Cilician strongholds, had already defeated the Sertorian forces in Spain, had assisted in crushing the gladiators under Spartacus, and had swept the pirates from the waters of the Mediterranean.

7. **ad maritimum bellum**: *i.e.* the pirate war.   **venerit**: subordinate clause in indirect discourse.   **impetus hostium**: *i.e.* the activity of Mithridates's forces.

8. **hi**: the provincials.

9. **ut se dignos existimetis**: *that you consider them worthy to have their welfare entrusted to such a man;* more literally, *worthy that you entrust their safety to such a man;* B. 282, 3; A. 535, *f*; G. 631, 1; H. 591, 7.

10. **sicut ceterarum provinciarum socios**: *i.e.* like the provincials in the provinces of which Pompey was now in charge.

11. **hoc**: *viz. rogant*.

12. **cum imperio**: *i.e.* with absolute military power.

13. **defendant**: *viz.* the province. The subjunctive is due to attraction.

14. **adventus**: plural.   **in urbes**: prepositional phrases limiting nouns are not frequent in Latin. They usually occur, as here, with nouns derived from verbs.   **non multum . . . differant**: *i.e.* provincial governors were wont to plunder the people as though enemies.

15. **hunc**: in emphatic contrast with *ceteros* in line 12.

16. **tanta temperantia**, *etc.*: Ablatives of Quality in predicate relation to *hunc*, — *this man they previously heard to be, and now see to be, of such self-restraint, etc.*

19. **propter socios, nulla ipsi injuria lacessiti**, *etc.*: three wars are here referred to, the War with Antiochus (terminated by the battle of Magnesia, 190 B.C.), the Second Macedonian War (terminated by the battle of Cynoscephalae, 197 B.C.), and the

Third Punic War, marked by the destruction of Carthage, 146 B.C. In each case the pretext for war was found in an alleged injury to Roman allies. The real reason was Roman imperial ambition. The Aetolians did not wage a separate war against Rome, but were allies of Antiochus.

22. una cum: *along with.*

23. de . . . agatur: *your most important revenues are at stake;* literally, *it is being agitated concerning, etc.*

25. tanta: here, *so small.* **ut . . . possimus**: *i.e.* the revenues of most provinces are barely sufficient to pay for their maintenance and protection.

27. ubertate agrorum, *etc.*: a reference to the different kinds of revenue yielded by Asia: tithes (*decumae*) on the produce of the fields; grazing taxes (*scriptura*) on pasture lands; duties (*portoria*) on exports and imports.

29. exportentur: Subjunctive by Attraction. **terris**: B. 187, III; A. 370 and *a*; G. 347; H. 429.

PAGE **67**, 2. **belli utilitatem**, *etc.*: *what lends advantage in war, and honor in peace, viz.* money; *cf.* above, p. 63, line 15, *pacis ornamenta et subsidia belli.*

8. pecuaria, agri cultura, mercatorum navigatio: another reference to the three sources of revenue already mentioned.

10. ita = *itaque.* **ex portu, ex decumis, ex scriptura**: Cicero still dwells upon the three sources of provincial revenue, changing the order of enumeration followed on p. 66, line 27 ff.; *decumae* were 'tenths,' a ten per cent tax on all farm products; *scriptura*, the grazing tax, apparently derived its designation from the practice of listing (*scribere*) the cattle or sheep of each owner who used the public pasture lands.

14. exercent atque exigunt: *manage and collect.*

16. propter: the adverb, as above, p. 66, line 5.

18. familias maximas: *i.e.* companies of slave assistants, who managed the details of collecting the revenues. Roman slaves were often persons of intelligence and education, and were not seldom entrusted with responsible clerical and administrative duties. **in saltibus**: for collecting the *scriptura.* **in agris**: for collecting the *decumae.*

19. in portubus: for collecting the *portoria.* For the form *portubus*, see B. 49, 3; A. 92, *c*; G. 61, R. 1; H. 131, 2. **custodiis**: *guard-posts*, for preventing smuggling.

20. habere: *maintain.* **illis rebus frui**: for the ablative, see B. 218, 1; A. 410; G. 407; H. 477, I.

21. fructui: B. 191, 2; A. 382, 1; G. 356; H. 433. **conservaritis**: future perfect indicative.

23. **liberatos**: a predicate modifier of *eos*, — *keep them free(d)*.
24. **illud**: explained by the appositional clause, *quod perti-net*.
25. **extremum**: *as the last point.* **cum essem dicturus**: *as I began to speak;* see p. 63, line 5 ff.
26. **quod** . . . **pertinet**: *the fact that it involves the possessions; quod* is the conjunction; B. 299, 1; A. 572; G. 525, 2; H. 588, 3. As subject understand *bellum* from *belli*.
27. **quorum** . . . **habenda est ratio**: *for whom you must exercise consideration; quorum* depends on *ratio*.
28. **et**: we should expect a following *et* correlative with this; but owing to the number of intervening clauses the orator forgets the construction here begun, and proceeds with *deinde* (p. 68, line 4).
29. **honestissimi**: almost a standing epithet of the *equites*, to which class the *publicani* belonged, **rationes et copias**: *their interests and property.*

PAGE 68, 1. **per se**: *on their own account;* referring to *res et fortunae; i.e.* the money itself is of great importance, apart from all other considerations of humanity or justice.
3. **eum ordinem qui exercet illa**: *viz.* the equestrian order. **ceterorum ordinum**: *viz.* the senators and the common people.
5. **partim** . . . **partim**: *some . . . others;* here used as nouns, in apposition with the subject of *negotiantur.* The first *partim* refers to men from the common people, the second to members of the senatorial order. The latter, while forbidden by Roman custom to engage in trade, often had capital invested in the large financial enterprises conducted by the equestrian syndicates or stock-companies.
7. **pecunias**: *capital.*
8. **est humanitatis vestrae**: *it belongs to you as men;* literally *it is of your humanity;* B. 198, 3; A. 343, *c*; G. 366; H. 439, 3.
9. **sapientiae**: *(it is) the part of wisdom; sapientiae* has the same construction as *humanitatis.* **videre**: *i.e.* to recognize.
10. **a re publica** = *a rei publicae calamitate.* **sejunctam esse** *be separated.*
11. **illud**: explained by *nos recuperare.* **parvi refert**: *is of small account;* B. 211, 3, *a*; A. 417; G. 379, 380; H. 449, 3. **nos recuperare**: *for us to recover.*
12. **publicanis omissis**: *if we abandon the publicans, i.e.* leave them to their fate.
13. **isdem**: referring to the *publicani.* **redimendi**: *viz.* the *vectigalia.*
15. **quod**: the relative pronoun.

16. **belli Asiatici**: the First Mithridatic War. **docuit**: agreeing with the nearer subject.

17. **memoria retinere**: *hold in memory*. But the ablative is really one of Means. **tum cum amiserant**: for the pluperfect indicative with *cum* temporal, see B. 288, *A* and *a*; A. 545; G. 580; H. 601, 2.

18. **solutione impedita**: *in consequence of the suspension of payment*.

19. **non enim possunt**, *etc.*: as indicated by the position of the words, the emphasis rests on *non enim possunt*, — *for it is impossible that many should lose, etc.*

20. **ut non plures**, *etc.*: *without involving others in the same disaster*.

22. **id**: in apposition with the statement, *haec fides, etc.*

23. **haec fides atque haec ratio pecuniarum**: *these relations of credit and finance*.

24. **Foro**: the Wall Street of Rome. Here were the bankers' offices. **versatur**: *prevail*. **implicata est**: *are bound up with*.

25. **illa, haec**: *illa* refers to the financial affairs of the East; *haec* to those at Rome. **ut . . . concidant**: *without our interests (haec) collapsing*.

27. **num dubitandum sit**: *whether you ought to hesitate*. The orator's implication is that the Romans ought not to hesitate.

28. **gloria nominis, salus sociorum, vectigalia, fortunae plurimorum civium**: the four topics separately considered under the head of *genus belli*.

30. **re publica**: *the interests of the state*. **defendantur**: subjunctive in a Clause of Characteristic.

PAGE **69**, 2. **belli genus**, *etc.*: the Latin says, ' the nature of the war is so necessary.' We should say, ' the war in its nature is so necessary.'

3. **non esse ita magnum**: *but is not so great;* Adversative Asyndeton.

4. **maxime laborandum est**: *special effort must be made*.

6. **contemnenda**: the pupil should note that *contemno* is seldom as strong a word as the English *despise*. It conveys rather the notion of slighting, neglecting, or ignoring. Cicero here means that the Romans must guard against the impression that the necessary provisions for the conflict can be ignored.

7. **ut omnes intellegant**, *etc.*: Manilius's bill would naturally seem to involve a criticism of Lucullus. To guard against alienating Lucullus's supporters, Cicero frankly recognizes his qualities and achievements.

9. **debeatur**: subordinate clause in indirect discourse. **ejus**

adventu: *at the time of his arrival* to take command in 74 B.C. **Mithridati**: Dative of Possession.

10. **ornatas, instructas**: participial adjectives.

11. **urbem Asiae**, *etc.*: *a city of Asia, most renowned, etc.* For the location of Cyzicus and other towns, see the Map of Asia Minor facing p. 62.

12. **Cyzicenorum**: *viz. that of the Cyzicenes.* We should have expected the name of the city (Cyzicus) in apposition. **obsessam esse et oppugnatam**: these infinitives represent *imperfect* indicatives of direct discourse; B. 317, *a*; A. 584, *a*; G. 653, R.

16. **classem magnam**: said to have consisted of fifty ships bearing 10,000 men. **ducibus Sertorianis**: *under Sertorian leaders;* Ablative of Attendant Circumstance. Only one of the leaders was actually a Sertorian. **ad Italiam raperetur**: the object was to incite an uprising of the Marian party.

17. **studio**: *i.e.* by party passion. **superatam esse**: in the battle of Tenedos, 73 B.C.

23. **permultas**: not with *Cappadociae* only, but *the other cities of Pontus and Cappadocia, very many in number*.

24. **uno aditu**: hardly in accordance with the facts. Some of the cities made prolonged resistance.

25. **ad alios reges**: to his son Machares, king of Bosporus, and Tigranes, king of Armenia.

27. **salvis sociis**, *etc.*: *i.e.* without loss to the provincials or impairment of the revenues, *i.e.* Lucullus did not draw upon either of these sources to defray the expenses of his campaigns, but lived on the country of the enemy.

28. **satis haec esse laudis**: *that these things constitute sufficient glory*. **atque ita**: *and (are bestowed by me) in such a way, i.e.* so generously.

29. **nullo**: *nullo* supplies the lacking ablative of *nemo*. **istorum qui obtrectant**: *i.e.* Lucullus's own supporters.

30. **legi**: *bill.* **causae**: *proposal, movement.*

31. **hoc loco**: the Rostra, from which Cicero was now speaking.

PAGE **70**, 3. **hoc**: *this question.*

4. **primum**: there is no *deinde* corresponding to this. Cicero apparently forgets to continue his contemplated enumeration. **ex suo regno**: Pontus.

5. **ex eodem Ponto**: Pontus is here used in the broad sense of the entire district around the Black Sea. Medea's home was Colchis at the eastern extremity of the Sea. **Medea illa**: *the famous Medea;* B. 246, 3; A. 297, *b*; G. 307, 2; H. 507, 4. Medea was the most noted of mythical sorceresses. She married

Jason, leader of the Argonautic expedition, after assisting him to secure the Golden Fleece, and then fled with him from Colchis, taking along also her brother Absyrtus.

7. se: indirect reflexive, referring to Medea.   **parens:** Aeëtes, king of Colchis.

8. eorum collectio dispersa: *the gathering of them here and there;* by Hypallage, *dispersa* is joined with *collectio;* logically it belongs with *eorum.*

12. bello superiore: the First Mithridatic War, as p. 63, line 20.   **direptas congesserat:** *had plundered and accumulated.*

13. omnem: with *vim.*

14. diligentius: *too carefully.* The soldiers were so intent on plunder that they let the king slip through their hands.

15. illum: Medea's father, Aeëtes.

16. hunc: Mithridates.

17. rebus: B. 187, II, *a;* A. 367; G. 346, R. 2; H. 426, 1.

18. cujus: Tigranes.

22. neque . . . neque: *either . . . or;* for the use of negatives here, see B. 347, 2; A. 327, 2; G. 445; H. 656, 2.   **lacessendas, temptandas:** *i.e.* the Romans not only never thought of attacking (*lacessendas*) these tribes, but not even of testing (*temptandas*) their temper.

23. alia = *besides, further.*   **gravis atque vehemens opinio:** *deep-seated and excited notion;* Latin *opinio* is not English *opinion,* but *notion, impression, surmise, etc.*

25. fani locupletissimi: thought to be the temple of Nanaea or Anaïtis on the lower Euphrates.

27. multae atque magnae: *many great;* B. 241, 3.

28. concitabantur: notice the picturesque force of the imperfect tense, which describes events as in progress. Compare *concitatae sunt* (above, in line 20), which merely states the occurrence as a bald fact.

29. urbem ex Tigranis regno: Tigranocerta, the capital of Armenia.   **proeliis usus erat secundis:** *had fought* (literally, *used, enjoyed) successful engagements.*

30. nimia longinquitate locorum: *i.e.* the too great distance from home.

PAGE **71,** 1. **suorum:** *for their friends.* From natural motives Cicero suppresses the real causes for discontinuing the campaign, *viz.* the mutiny of Lucullus's troops.   **commovebatur:** another instance of the picturesque imperfect.   **hic:** *on this point.*

2. fuit illud extremum: *this was the upshot; illud* is explained by the clause *ut quaereretur.*   **ut quaereretur:** Substantive Clause of Result; B. 297, 3; A. 570; G. 553, 4; H. 571, 2.

3. magis quam: *rather than*.

5. eorum: if the text is correct, *auxiliis* must be supplied with *eorum*. The two classes alluded to are then (1) those who had come from Mithridates's own kingdom; (2) those who came from the outside (*adventiciis auxiliis*).

7. sic, solere: *sic* is redundant after *hoc*, just as *solere* is redundant after *fere*.

10. nomen regale: *the name of king.*

11. tantum quantum numquam: our English idiom is: *more than . . . ever.*

12. incolumis: *i.e. in the height of his power.*

14. eo: further explained by the clause *ut attingeret*.   **ut attingeret**: Substantive Clause of Result; B. 297, 3; A. 570; G. 557; H. 571, 4.

15. posteaquam pulsus erat: *postquam* and *posteaquam* when referring to a single past act regularly take the perfect indicative; yet occasionally the pluperfect is found; B. 287, 1, 3; A 543, *a*; G. 561, 5G3; H. 602 and 1.

16. victorem: here used as an adjective.   **impetum fecit**: in the battle of Zela, 67 B.C., in which the Roman forces were almost annihilated.

17. hoc loco: *at this point.*   **poetae qui . . . scribunt**: these words naturally suggest the early epic poets, Naevius (270–199 B.C.), author of the *Bellum Punicum* (on the First Punic War), and Ennius (239–169 B.C.), author of the *Annales*, a history of Rome from the earliest times down to and including his own day.

19. imperatoris: Lucullus.   **non ex proelio nuntius**: *i.e.* no one of the Roman army was left to tell the tale; this was almost literally true.

22. aliqua ex parte: *in some respect, to some extent.*   **incommodis**: the overwhelming disasters of the Romans are euphemistically called *incommoda*, ' inconveniences,' ' embarrassments.'

23. potuisset: *i.e.* if he had continued in command; subjunctive in the apodosis of a contrary-to-fact condition, with implied protasis; B. 305, 1.   **vestro jussu**: *i.e.* by a law enacted by the assembly which Cicero was now addressing.   **quod . . . putavistis**: it was not regard for precedent that led to the recall of Lucullus. The real cause of superseding him was the mutiny among his own soldiers combined with the intrigues of his enemies at home.

24. vetere exemplo: *in accordance with ancient precedent;* B. 220, 3; *cf.* A. 418, *a* and N.; G. 399, N. 1; H. 475, 3.

27. ea: *this;* explained by the indirect question, *quantum* *putetis.* **conjectura**: not *by conjecture*, but *by reflection* (literally, *putting* (*things*) *together*), or (with *perspicite*), *reflect and consider.*

28. **factum** (**esse**): *has become.* **conjungant**: *are waging jointly;* literally, *unite.* **reges potentissimi**: Mithridates and Tigranes.

29. **renovent, suscipiant, accipiat**: *quod* is to be understood with all these. **agitatae nationes**: *i.e.* nations that had already been involved in the struggle. **integrae gentes**: nations not yet involved in the war. Compare p. 70, line 21 f.

30. **novus imperator noster**: *a new general of ours.* **accipiat**: *is entering upon.* **vetere exercitu pulso**: the emphasis of the clause rests upon these words, as is indicated by their position. The consideration which Cicero wishes to emphasize is not that one general had superseded another, — such changes were common, — but that the step had been taken under peculiar circumstances,— *after the rout of the previous army.*

PAGE **72**, 1. **quare esset**, *etc.*: (*to show*) *why this war is, etc.*; *esset* is a Subjunctive of Indirect Question. Notice also the sequence of tenses. In English we should use the present. In Latin the regular sequence of tenses is followed; B. 268, 2; A. 585, *a*; G. 518; H. 548.

3. **restat ut**, *etc.*: *in addition it seems to me that I ought to speak;* literally, *it remains that it seems it ought to be spoken,* a faulty redundancy; *ut videatur* is a Substantive Clause of Result.

4. **ac tantis rebus praeficiendo**: *and putting him in charge of so important interests.*

5. **utinam haberetis**: B. 279, 2; A. 441; G. 260, 261; H. 558, 1, 2. **innocentium**: *blameless, irreproachable.*

6. **haec deliberatio**: explained by the clause *quemnam putaretis.*

7. **quemnam putaretis**: a Deliberative Subjunctive in an indirect question. The direct form would have been: *quemnam putemus,* 'whom are we to consider?' B. 300, 2; A. 575, *b*; G. 467; H. 642, 3; *putaretis* is redundant; *praeficeretis* alone would better have expressed the thought. **potissimum**: *in particular, in preference to all others.*

9. **qui superarit**: rhetorical exaggeration of Pompey's merits.

10. **antiquitatis memoriam**: *the records of the past.* But Cicero's form of comparison is not exactly logical. He says 'who has surpassed the glory not only of men now living but the records of the past.' He means, 'but the glory of those whom we know from the records of the past.' **virtute**: in the broad sense of *capacity, ability.*

12. sic: explained by the following infinitive.

14. auctoritatem: *personal influence.*

15. quis igitur: *who now?*   **scientior:** *i.e.* in military matters. **aut esse debuit:** *or deserved to be?*

16. e ludo atque pueritiae disciplinis: *straight from school and boyhood's studies.*   **bello maximo atque acerrimis hostibus:** *in a great war and against most bitter foes;* Ablative of Attendant Circumstance; B. 221; H. 473, 3. The war referred to was the Social War (90–89 B.C.), and the *acerrimi hostes* were the confederated tribes of Central and Southern Italy. Pompey's father was one of the commanders of the Roman forces in this war. Pompey himself was a lad of sixteen at the time.

18. in militiae disciplinam: *i.e.* to learn the profession of arms.   **extrema pueritia:** *at the close of his boyhood, viz.* in 87 B.C., when he was nineteen years old. The period of *pueritia* is here rhetorically extended by a couple of years. Ordinarily it terminated with the seventeenth year, when a youth put on the *toga virilis.*

19. miles: *i.e.* he had already served his apprenticeship in arms and had enlisted as a regular soldier.   **summi imperatoris:** this also refers to Pompey's father, who commanded the forces of the government in the civil war inaugurated by Cinna.   **ineunte adulescentia:** in 83 B.C., after the return of Sulla from the Mithridatic War, when Pompey, at the age of twenty-three years, raised an army of three legions and placed them at Sulla's disposal. When the two leaders first met, Pompey greeted Sulla as *imperator*, whereupon Sulla generously addressed Pompey by the same title.

21. quisquam: the regular indefinite pronoun in clauses of comparison; B. 252, 4.   **inimico:** *i.e.* a personal or private enemy, while *hostis* is a public enemy.

24. alienis: *of others; alienus* serves regularly for the possessive genitive of *alius.*

25. suis imperiis: *his own commands; suis* is in sharp contrast with *alienis.*

26. non stippendiis: *i.e.* not by serving campaigns in the ranks, like most men of his age.   **triumphis:** Pompey celebrated two triumphs before he was thirty-six years old, one over Africa in 81 B.C., at the age of twenty-five; the other over Spain, ten years later.

28. Civile: the Civil War between Sulla and the Marian party, 83–82 B.C.   **Africanum:** the war against one remnant of the Marian party, which had formed an alliance with King Hiarbas of Numidia, 82 B.C.   **Transalpinum:** on the march through Gaul, to begin operations against Sertorius in Spain, 76 B.C.

PAGE **73**, 1. **Hispaniense**: the war against Sertorius, the leader of the surviving remnants of the Marian party in Spain. This war continued from 76 to 71 B.C.   **mixtum ex civitatibus,** *etc.*: *involving the most warlike states and tribes;* literally, *mingled from, etc.;* **bellicosissimis** limits both substantives. Sertorius succeeded in drawing to his standard extensive support from the native Spaniards.

2. **servile**: on his return from Spain in 71 B.C., Pompey fell in with and cut to pieces a body of 5000 slaves belonging to the army of Spartacus, which had just suffered a crushing defeat at the hands of Crassus in Lucania. This achievement, however, was not of great moment. The main credit for ending the Servile War belonged to Crassus.   **navale bellum**: the war against the pirates, referred to more fully in §§ 31–35 of this oration.

3. **genera et bellorum et hostium**: an inexact expression. Cicero means that the wars were different in character and in the kinds of enemies involved.   **gesta, confecta**: participles, limiting the plural idea involved in *civile, Africanum, etc., bellum.*

4. **nullam rem esse**: *that nothing exists.*   **in usu positam militari**: *connected with military practice.*

6. **jam vero**: *furthermore.*   **virtuti**, *etc.*: *virtuti* is emphatic, — *as regards ability, what language can be found adequate to express that of Pompey?*

7. **illo**: B. 226, 2; A. 418, *b*; G. 397, N. 2; H. 481.

9. **neque enim illae sunt solae virtutes**: we naturally expect Cicero to add ' but other qualities are equally great,' and then to proceed with the enumeration of these as exemplified in Pompey.   Instead of this, he dwells for some time on *illae virtutes,* and does not take up a consideration of Pompey's other qualities till § 36, *quid, ceterae, etc.,* p. 76, line 10.

12. **tanta quanta non**: equivalent to *greater than.*

14. **testis, testis, testis,** *etc.*: note the emphasis of the Anaphora.

15. **quam hujus virtute liberatam (esse)**: *viz.* in the Civil War, 83 B.C.   Compare the note on *civile,* p. 72, line 28.

16. **Sicilia**: just prior to the African War (see note on p. 72, line 28), Pompey had successfully fought against a remnant of the Marian party in Sicily.

18. **Africa**: see note on *Africanum,* p. 72, line 28.

20. **Gallia**: see note on *Transalpinum,* p. 72, line 28.

22. **Hispania**: Spain was finally reduced, but the contest was long and stubborn, involving many reverses to the Roman arms.

24. **iterum et saepius**: *again and again.*   Italy has already occurred once in this enumeration of witnesses (line 14).

25. **taetro periculosoque**: the Servile War is characterized as

taetrum, because the very thought of a war with slaves was revolting. Its danger was seen in the repeated victories won by the slaves over the government forces. **ab hoc auxilium expetivit**: in view of the successes of Spartacus, Crassus had at one time urged that Pompey be recalled from the war against Sertorius; but he afterwards withdrew the recommendation.

26. **quod**: the relative. **exspectatione . . . imminutum est**: this is probably pure assumption.

27. **adventu . . . sepultum**: Crassus had effectively crushed the insurrection before Pompey's return.

PAGE **74**, 1. **nunc vero jam**: *just at present moreover.* Pompey had just finished the war against the pirates, a topic which Cicero now takes up.

2. **universa**: *in their entire extent.*

6. **servitutis periculo**: the pirates regularly sold as slaves those whom they captured.

7. **cum . . . navigaret**: *since he sailed, etc.; i.e.* men sometimes sailed in winter, the dangerous season, to avoid the pirates. They then incurred the risk of death. Navigation on the Mediterranean was usually suspended from November to March. **referto . . . mari**: Ablative Absolute denoting time, — *when the sea was swarming with pirates, viz.* in those seasons when navigation was otherwise safe. **praedonum**: *refertus* governs the genitive as well as the ablative.

8. **hoc tantum bellum**: *viz.* against the pirates. **turpe**: for the justification of the epithet, see § 33, in which reference is made to descents of the pirates even upon the coast towns of Italy itself.

9. **vetus**: at irregular intervals war had been waged against the pirates for more than a generation before Pompey's appointment in 67 B.C., but no permanent successes had been gained by the Romans. **tam late divisum,** *etc.:* the war extended over all the eastern Mediterranean. **quis umquam arbitraretur**: *who would ever have thought?* B. 280, 4; 304, 2; A. 517, *a*; G. 596, R. 1; H. 579, 1.

13. **hosce**: *these recent.*

14. **cui praesidio,** *etc.:* *whom did you protect?* Literally, *to whom were you for a protection?* B. 191, 2; A. 382, 1; G. 356; H. 433.

18. **quid longinqua commemoro**: *why do I speak of occurrences at a distance?* Cicero means that it is unnecessary to speak of the depredations of the pirates in distant provinces, when men have seen these marauders almost at their very doors. **fuit, fuit**: the use of the perfect emphasizes the fact that the custom

belongs to the past and exists no longer. The Anaphora lends additional force.

19. populi Romani: B. 204, 2; A. 385, *c*; G. 359, R. 1; H. 435, 4.

20. propugnaculis imperi: *i.e.* troops and navies. **non sua tecta defendere**: as is now necessary, when the pirates make descents upon the coast towns of Italy itself.

21. sociis . . . dicam: *am I to say that the sea was closed to our allies?* *i.e.* ' am I to dwell on what happens to our allies at a distance, when we sail from Brundisium, an Italian port, only in midwinter? '

22. cum transmiserint, redempti sint, pervenerint, sciatis: B. 309, 3; A. 549; G. 587; H. 598; but translate *cum* by *when*.

23. a Brundisio: for the force of *a* with the ablative of town names, see B. 229, 2; A. 428, *a*. The preposition is needed here, since the ships sailed not from the town itself but from the harbor near the town. **hieme summa**: *in the dead of winter*. **qui**: its antecedent is *eos* understood, the subject of *captos* (*esse*).

24. venirent: *viz.* as ambassadors. **cum legati . . . redempti sint**: we have no certain information of such occurrences as are here mentioned. An ancient Latin commentator on this passage, however, mentions an instance in which a captured envoy was ransomed by his wife.

26. duodecim secures: by metonymy for ' two praetors.' The praetor, when in his province, had a right to an escort of six lictors, each bearing an axe (*securis*) in a bundle of rods (*fasces*).

29. vestros portus: *i.e.* the harbors of Italy, on which at various times the pirates had made descents. **atque eos portus**, *etc.: and that, too, the harbors from which*. The Italian harbors received heavy imports of grain from Sardinia, Sicily, Africa, and Egypt. Italy itself had long been unable to raise sufficient grain for the support of its population.

30. vitam ac spiritum ducitis: in the shape of grain.

PAGE **75**, 1. **an vero ignoratis**: *you actually are not ignorant, are you?* For the use of *an* in single questions, see note on p. 1, line 20.

2. celeberrimum: *most frequented*. **inspectante praetore**: apparently some praetor holding a special command of the coast district.

4. liberos: the reference is apparently to the kidnapping of the daughter of M. Antonius, who had commanded in the war against the pirates in 103 B.C. The plural *liberos* is rhetorical exaggeration.

6. Ostiense incommodum: on one occasion the pirates had made a descent upon Ostia, burning a Roman fleet in the harbor and plundering the town.

7. prope inspectantibus vobis: Ostia was but a few miles from Rome at the mouth of the Tiber.

8. classis ea, cui praepositus esset: *a fleet in charge of which, etc.; ea* is indefinite; *cui praepositus esset* is a Clause of Characteristic.

10. pro: the interjection.

12. qui modo, *etc.:* observe the antithesis between the different words of this and the following clauses; " *nunc* is contrasted with *modo, intra Oceani ostium* with *ante ostium Tiberinum, nullam navem* with *classem, audiatis* with *videbatis* " (D'Ooge).

13. ei: *you, the selfsame persons;* emphatic appositive of the subject of *audiatis*. **Oceani ostium**: the Strait of Gibraltar.

14. audiatis: for the sequence of tenses, see B. 268, 7; A. 485, *a*; G. 513.

15. haec qua coloritato gesta sint: dependent upon *videtis*.

16. a me: for the usual dative.

19. celeriter: this repeats the notion of *brevi tempore*, and may be omitted in the English rendering. **Cn. Pompejo duce**: *under the lead of Gnaeus Pompey*. **tanti belli impetus navigavit**: *the storm of so great a war swept the sea;* a bold poetical figure.

22. frumentaria subsidia: *granaries*.

24. duabus Hispaniis: Spain was divided into two provinces, *Hispania citerior*, north of the River Ebro (*Hibērus*), and *Hispania ulterior*, south of the Ebro.

25. confirmata: agreeing with the nearer subject; *confirmatis* would have been ambiguous.

26. Achaiam omnemque Graeciam: *Achaia, and in fact all Greece; -que* is corrective. The name *Achaia* at this time was often restricted to the Peloponnesus.

27. Italiae duo maria: *i.e.* the Adriatic, and the Mediterranean to the west of Italy. These two seas were respectively known as the Mare Superum and the Mare Inferum or Mare Tuscum.

28. ut: *from the time when*.

29. totam Ciliciam: Cilicia was the great stronghold of the pirates.

PAGE **76**, 2. **idem**: *likewise;* literally, *he the same*. **Cretensibus**: with *ademit*, this is a Dative of Separation; with *imperavit*, a simple indirect object. **usque in Pamphyliam**: from Crete to Pamphylia was not a specially long distance. Cicero, in saying *usque in*, ' even to,' is thinking of the remoteness of Pamphylia from Rome.

3. **legatos deprecatoresque**: not two classes of persons; the *legati* were also *deprecatores; -que*, as often, is merely explanatory (epexegetic).   **spem deditionis non ademit**: *i.e.* encouraged them to hope that he would receive them in surrender.   The Cretans had been practically subdued by Metellus, but, seeking relief from his severity, had requested Pompey to accept their surrender.   Their hopes were never realized.   Cicero cites this incident merely as illustrating Pompey's prestige.

4. **obsidesque imperavit**: *but demanded; -que*, as not infrequently, is here adversative.   **ita**: for *itaque, — accordingly.*

9. **est**: emphatic, — *is really, is truly.*   **haec**: referring to what precedes, but attracted to *virtus;* B. 246, 5; A. 296, *a;* G. 211, R. 5; H. 396, 2.

10. **imperatoris**: *on the part of a commander.*   **ceterae**: *sc. virtutes,* 'qualities.'   **quas . . . coeperam**: with reference to p. 73, line 9.   Cicero had not actually begun to enumerate these other qualities ; he had merely intimated an intention of doing so.

12. **summo ac perfecto**: *consummate and ideal.*

14. **administrae**: B. 168, 1; A. 282, *c;* G. 321; H. 393, 1.

15. **innocentia**: *integrity,* particularly in money matters.

17. **quae qualia sint**: *of what nature these (qualities) are.*

18. **summa enim omnia sunt**: *i.e.* Pompey possesses them all in the highest degree ; *summa* is emphatic.   This sentence, though grammatically coördinate with *sed possunt,* is logically subordinate.   Cicero means : (*let us briefly consider these qualities*), *for, though Pompey possesses them all in the highest degree, yet they can be better understood, etc.; i.e.* Cicero means to give a reason for the previous statement *quae . . . consideremus.*

19. **ex aliorum contentione**: Brachylogy (condensed expression) for, *by a comparison with the qualities of others, i.e.* of other commanders.

21. **quem enim imperatorem**, *etc.:* in this and the next section, Cicero, following out his plan of comparing Pompey with others (*ex aliorum contentione*), enumerates some of the chief defects of previous commanders, — the sale of military appointments, use of the army funds for bribery or for personal profit, oppression of the provincials, *etc.*   **ullo in numero putare**: *regard of any account.*

22. **veneant atque venierint**: *are sold and have been sold;* from *veneo;* subjunctives in Clauses of Characteristic.   Some commanders apparently made a practice of selling appointments to the post of centurion.

23. **quid magnum aut amplum**, *etc.: what great or worthy purpose (can we conceive) that that man entertains who, etc. ? cogitare* depends upon *putare possumus* to be supplied in thought from

the preceding sentence, although *putare* in the first sentence is employed in a different sense (*regard*) from that required in the second sentence (*think, conceive*); *hunc* does not refer to any particular man, but is general.

25. propter cupiditatem provinciae: *i.e.* on account of his desire of retaining the province in which he is already stationed. Provinces furnished rich opportunities for plunder and extortion.

26. magistratibus diviserit: *divided among the magistrates,* *i.e.* as bribes. The higher magistrates naturally had great influence in the appointment and retention of provincial governors.

27. in quaestu: *at interest.*

28. facit . . . videamini: *i.e.* shows that you recognize. **fecerint**: Subjunctive by Attraction.

PAGE **77, 1. ante**: the adverb. **de se confiteri**: *i.e.* admit his guilt.

3. quocumque ventum sit: *wherever they have come;* literally, *wherever it has been come* (*by them*), Subjunctive by Attraction. For the impersonal use, see B. 138, IV; A. 208, *d*; G. 208, 2; H. 302, 6.

4. itinera quae fecerint: the implication is that Roman armies when marching through Italy had plundered even Roman citizens; Subjunctive of Indirect Question: *itinera* is emphatic.

7. quid existimetis: *what you are to think;* Deliberative Subjunctive in an indirect question; B. 300, 2; A. 575, *b*; G. 467; H. 642, 3.

8. plures: with *civitates* as well as *urbes.*

9. hibernis: *by your soldiers wintering there.* Owing to the lax discipline of their commanders, Roman troops often conducted themselves with great license when quartered in the provincial towns. **sociorum**: with *civitates.*

12. in judicando: the provincial governor was also charged with supreme judicial power.

14. hic: *under these circumstances.* **tantum**: the adverb, with *excellere,* — *so much, so greatly.*

15. cujus legiones, etc.: *since his legions, etc.* Clause of Characteristic with accessory notion of cause. The reference is to Pompey's recent arrival in Pamphylia. **ut non modo**: *i.e.* the troops not only refrained from plunder and extortion, but did not even do injury by marching through the fields; *non modo* is for *non modo non;* B. 343, 2, *a*; A. 217, *e*; G. 482, R.; H. 656, 3.

17. jam vero: *further.* **quem ad modum hibernent**: *i.e.* how Pompey's troops are now conducting themselves in winter quarters

19. **ut sumptum,** *etc.: to induce him to spend money on the soldiery;* the subject of *faciat* is to be supplied from *nemini; militem* is used collectively.

20. **cupienti:** *viz.* to spend money on the soldiers.

21. **hiemis:** *from winter;* Objective Genitive. **avaritiae:** *for greed; avaritiae* is genitive.

23. **age vero:** *but come.*

25. **inventum (esse):** *were derived.*

PAGE **78,** 2. **non amoenitas ad delectationem:** *i.e.* the charms of places did not induce him to stop to enjoy them.

3. **denique:** *in short.* **labor:** *i.e.* weariness from toil.

5. **quae . . . arbitrantur:** many generals and provincial governors ruthlessly plundered the choice works of art found in foreign cities.

7. **aliquem:** *as one;* predicate accusative.

9. **fuisse:** *there actually were.* **hac continentia:** *i.e.* such as Pompey's.

10. **incredibile,** *etc.: was beginning to seem incredible and to have been falsely reported.*

13. **tum cum habebamus:** for the indicative, see B. 288, 1, A; A. 545; H. 601, 2. **ea temperantia:** *i.e.* such as Pompey now exhibits.

15. **aditus:** the plural is used because repeated instances are thought of.

17. **principibus:** *princes.*

20. **copia:** *fluency.* **in quo ipso:** *in which very thing;* the antecedent of *quo* is the general idea involved in the clause *quantum valeat.*

21. **hoc ex loco,** *etc.: i.e.* Pompey had often addressed the assembly from the Rostra, on which Cicero is now speaking.

22. **fidem:** emphatic by position, — *as regards his honor.* **socios, hostes:** note the force of the antithesis: ' if our enemies prize Pompey's honor, what must our allies think of it? '

23. **quam . . . judicarint:** *i.e.* when all enemies have judged it, *etc.*

24. **dictu:** B. 340, 2; A. 510; G. 436; H. 635, 1.

25. **pugnantes, victi:** *when fighting; when conquered.*

28. **nostrae memoriae:** *of our time.*

PAGE **79,** 3. **ea re:** *in that respect.*

4. **plurimum possit:** *is especially strong.* **vehementer . . . quis ignorat:** *who is ignorant that what the enemy think, what the provincials think, concerning our commanders, bears vitally on the conduct of war? pertinere* is the object of *ignorat;* the indirect question *quid existiment* is the subject of *pertinere.*

7. ut contemnant, *etc.:* dependent upon *commoveri,* — *are induced to disregard or to fear, etc.; contemno* is the opposite of *metuo; contemnant* and *metuant* apply to the enemy; *oderint, ament,* to the *socii.* Note that *oderint,* though perfect in form, is present in sense.

9. igitur: *now.*

12. tanta et tam praeclara judicia: *viz.* by appointment to important commands and election to civil office. Pompey had been consul in 70 B.C. **an vero**, *etc.:* for the force of *an,* see note on p. 1, line 20.

13. quo . . . pervaserit: *that the fame of that day has not reached it;* a Relative Clause of Result; *quo* is the adverb; *illius diei* refers to the time, a year before (67 B.C.), when Gabinius introduced his bill for the appointment of Pompey as commander in the war against the pirates.

15. completis omnibus templis: *i.e.* their steps and porticoes. The Temple of Saturn and the Temple of Concord would have afforded a clear view of the Rostra in Cicero's day; see the view of the Forum, at p. xxxiv.

16. sibi: *for themselves.* **commune omnium gentium bellum:** *a war of common concern to all nations, i.e.* the depredations of the pirates concerned all the Mediterranean peoples. For the genitive, see B. 204, 2; A. 385, *c;* G. 359, R. 1; H. 451, 2, N.

18. ut non dicam, *etc.:* *non* is closely associated with *dicam* (*non dicam = omittam*); hence *ut non dicam neque confirmem,* where we might have expected *ne dicam neve confirmem.*

20. exempla sumantur: *let examples be taken;* Jussive Subjunctive; B. 275; A. 439; G. 263, 3; H. 559, 2.

21. qui quo die, *etc.:* *(for) on the day that he, etc.;* literally, *on which day who (viz.* Pompey) *was appointed, etc.*

22. ex: *after.*

23. consecuta est: *ensued.* **unius hominis:** Objective Genitive with *spe;* Possessive Genitive with *nomine.*

25. potuisset: apodosis of a contrary-to-fact condition; the protasis is implied in *ex summa ubertate.*

26. ex eo proelio: the Battle of Zela; see p. 71, line 18.

27. invitus: the adjective has adverbial force.

28. provincia: Asia.

29. haberet: also governed by *cum.*

30. Cn. Pompejum . . . attulisset: Pompey had arrived in Cilicia shortly after the Battle of Zela.

PAGE **80, 1. ad eas regiones:** *i.e.* to the vicinity of those districts. Pompey was really a long way from the scene of war.

2. et: correlative with *et* in line 3.

4. perfecturus sit: *will achieve.* For the mode of expressing future time in the subjunctive, see B. 269, 3; A. 575, *a*; G. 515; H. 541, 2, N. 1.

5. qui perfecerit: Subjunctive by Attraction.

7. rumore: *i.e.* the report of his proximity.

8. illa res: explained by the clauses *quod dediderunt, quod dixerunt.*

12. noster imperator: *a general of ours, viz.* Metellus; see note on p. 76, line 3.

13. in ultimas prope terras: for the exaggeration, see note on p. 76, line 2.

16. usque in Hispaniam: where Pompey was conducting the war against Sertorius. **eum**: subject of *judicari.*

17. ei quibus erat molestum, *etc.: i.e.* Pompey's political opponents, the aristocrats.

18. ad eum potissimum: *i.e.* to Pompey rather than to the aristocrat Metellus, who was associated with Pompey in the Sertorian War. **speculatorem quam legatum judicari maluerunt**: despite Cicero's implication, this view was probably correct. The envoy seems to have been sent to Sertorius, not to Pompey. If he entered Pompey's camp at all, it was probably as a spy.

20. hanc auctoritatem . . . existimetis: *how much you are to think this influence, enlarged by subsequent exploits, etc., will weigh with those kings, etc.;* for the purpose of emphasis, *hanc auctoritatem* is placed at the beginning of the subordinate clause. The reference in *postea rebus gestis* is to Pompey's achievements subsequent to the Sertorian War. **multis postea rebus gestis**: *res gestae* is usually felt as a single substantive idea, ' exploits,' ' achievements,' but traces of the participial force of *gestis* are here seen in the adverbial modifier *postea.*

21. judiciis: as p. 79, line 12.

23. existimetis: Deliberative Subjunctive in Indirect Question.

24. reliqua est ut timide et pauca dicamus: *it remains for us to speak humbly and briefly;* a Substantive Clause Developed from the Volitive; B. 295, 6. In the sense, ' the fact remains (that),' *reliquum est* is followed by a Substantive Clause of Result; in *dicamus* we have the editorial ' we.'

25. meminisse et commemorare, *etc.: but which we can remember, etc.;* Adversative Asyndeton. **altero**: *another.*

26. sicut aequum est, *etc.: as is fitting men (should speak) with reference to (a matter lying in) the power of the gods, viz.* good fortune. *felicitas;* the *sicut*-clause modifies *dicamus; homines* is subject accusative of *dicere*, to be supplied in thought as subject of *aequum est.*

27. **sic**: explained by the following infinitives. **Maximo**: Quintus Fabius Maximus Cunctator (dictator 217 B.C.), who followed the policy of avoiding an engagement with Hannibal. Hence he was often called " The Shield of Rome."

28. **Marcello**: Marcus Claudius Marcellus, the captor of Syracuse (212 B.C.) in the Second Punic War. His aggressive tactics won him the name of " The Sword of Rome." **Scipioni**: presumably Scipio Africanus the Elder, who by defeating Hannibal at Zama (202 B.C.) brought the second Punic War to a close. **et**: *et* does not usually stand between the last two members of an enumeration, unless used between all the preceding members. When used as here, it contrasts the total of the preceding members with another total usually indicated by *ceteri, reliqui*, or some such word.

PAGE **81**, 1. **saepius**: *i.e.* oftener on account of the good fortune which seemed to attend them than on account of *virtus*.

2. **quibusdam summis viris**. indirect object of *adjuncta*.

3. **ad res magnas bene gerendas**: *for the successful conduct of great enterprises*.

4. **fortuna**: the emphatic idea of the sentence. For the subject, the place of greatest emphasis is the end of the sentence.

5. **hac moderatione**: *such reserve*.

6. **in illius potestate fortunam positam esse**: to assert this would, to Cicero's mind, be blasphemous.

7. **reliqua**: *the future*.

8. **invisa**: as would be the case, if he should assert that Pompey's fortune rested with himself (*in illius potestate fortunam positam esse*).

9. **ingrata**: with reference to *praeterita meminisse*. To forget the past would be ungrateful. **non sum praedicaturus**: *I do not propose to tell*.

11. **ut**: *how*, introducing an indirect question.

12. **assenserint**: this verb is ordinarily deponent. Hence we should expect *assensi sint;* but the rare perfect *assenserint* is used for symmetry with *gesserit, obtemperarint, etc.*

14. **brevissime**: *by way of summary*.

15. **qui auderet**: *as to dare;* Relative Clause of Result.

16. **quot et quantas**: *as*.

17. **quod ut . . . sit**: *that this may be permanent, etc.;* Substantive Clause Developed from the Optative, dependent on *velle et optare*; B. 296, 1; *cf.* A. 563, *b*; G. 546; H. 565.

19. **sicuti facitis**: *just as you do, viz.* wish and hope.

22. **accuratissime**: *with the greatest pains*.

25. **dubitatis quin conferatis**: *do you hesitate to devote?* In

NOTES ON PAGE 82, LINES 1–18

the sense of 'hesitate,' *dubito* is ordinarily construed with an object infinitive, not a *quin*-clause, as here; B. 298, *b*; A. 558, *a*, N. 2; G. 555, 2, R. 2.

PAGE **82**, 1. is **erat deligendus**, *etc.*: *he would deserve to be chosen and sent.* For the use of the indicative in the conclusion of a condition contrary-to-fact, see B. 304, 3, *b*; A. 517, *c*; G. 597, R. 3; H. 582.

2. **haec opportunitas**: explained by the clauses *ut adsit, etc.*

4. **eis qui habent**: *viz.* Lucullus and Glabrio. With *habent* understand *exercitus*, as object.

5. **eidem cui**: *to the same man as.*

6. **cetera**: *sc. bella.*

7. **regium**: *against the king, viz.* Mithridates; or, *against the kings*, Mithridates and Tigranes. **(non) committamus**: *should we not commit?* Deliberative Subjunctive.

8. **at enim**: *but to be sure; at* is often thus used to introduce the opinion of some opponent; *enim* did not originally mean *for*, but *indeed, to be sure.* This force has for the most part disappeared in classical Latin, but survives in a few phrases, such as *at enim, sed enim, neque enim* ('nor indeed'). **amantissimus rei publicae**: *most patriotic.*

9. **vestris beneficiis amplissimis**: *i.e.* by election to important offices. Catulus had been consul in 78 B.C. **Q. Catulus**: son of the Catulus who defeated the Cimbrians (101 B.C.). He was at this time the leader of the aristocrats.

10. **honoris, fortunae**, *etc.*: the genitives are appositional, explaining *ornamentis; honoris* refers to Hortensius's election to the consulship (69 B.C.); *fortunae* to his wealth; *virtutis* to his character; *ingeni* to his special gifts as orator.

11. **Q. Hortensius**: one of the ablest advocates and orators of the day. He was Cicero's chief rival as an orator. **ab hac ratione**: *from this way of thinking, from this view.*

12. **multis locis**: here in a temporal sense, — *on many occasions.*

13. **et**: connecting *valuisse* and *oportere*, — *has had great weight, and ought to have; valere* is the subject of *oportere.*

16. **ipsa re ac ratione**: *by considering the facts themselves;* literally, *by the matter itself and consideration;* Hendiadys.

17. **hoc**: Ablative of Cause, — *for this reason;* explained by the following *quod*-clause.

18. **idem** (nom. plu.) **isti**: *they likewise;* literally, *they, the same (ones).* **et (necessarium)** . . . **et (in uno)**: correlatives, *on the one hand,* . . . *on the other.* **esse, esse**: explanatory of *ea omnia.*

19. summa esse omnia : *are all the highest qualifications.*

20. igitur : *now;* transitional merely, as often. **si tribuenda sint :** subordinate clause in indirect discourse. **uni :** *upon a single man.* **omnia :** *i.e.* absolute power.

23. obsolevit : *has lost its force;* literally, *has grown old.* **oratio :** *plea.* **re magis quam verbis :** *by experience rather than by argument.*

24. pro : *in accordance with.*

25. et : correlative with *et,* p. 83, line 2. **in senatu, cum promulgasset :** the Senate regularly discussed matters that were to be proposed for legislative action by the popular assembly.

26. Gabinium : the tribune who had given notice of an intention to introduce the bill in the assembly. **graviter ornateque :** *impressively and eloquently.*

PAGE **83, 2. legem promulgasset :** *i.e.* had given notice of the bill. Notice of bills was required seventeen days in advance of the time when the vote was to be taken.

**4. tum . limiting *valuisset.* Note the emphasis of the position.

6. vera causa : *real interests.*

8. cum legati . . . capiebantur, *etc.: viz.* by the pirates; *cf.* § 32. For the indicative, see B. 288, 1, *A* and *a*; A. 545; G. 580; H. 601, 2. Note the use of the imperfect tense in these *cum*-clauses, indicating that the events referred to were regular and customary occurrences.

9. ex omnibus provinciis commeatu : *from intercourse with all the provinces; commeatu* is an Ablative of Separation with *prohibebamur; ex provinciis* is an attributive modifier of *commeatu,* — literally, *a going back and forth from the provinces.*

12. iam : *any longer.*

14. Atheniensium : dependent on *civitatem* to be supplied in thought. **quae . . . dicitur :** especially at the time of the Confederacy of Delos, after the Persian Wars.

15. Carthaginiensium : masters of the Mediterranean till the overthrow of Carthage at the close of the Second Punic War, 201 B.C.

16. Rhodiorum : these enjoyed considerable maritime importance in the first and second centuries B.C.

18. antea : *ever before.*

19. quae non defenderet : *as not to defend.* **aliquam :** *some considerable.*

20. regionis : *territory.* **per se ipsa :** the Romans regularly avoided making *ipse* agree with the reflexive, preferring to join it with some other word of the sentence.

22. **cujus . . . permanserit**: *though its name continued;* a Clause of Characteristic with an accessory adversative idea.

24. **ac**: corrective, — *and in fact.*   **parte**: with *caruit.*

25. **utilitatis**: with reference to the grain supplies from Asia. **caruit**: *i.e.* was forced to forego.

26. **Antiochum**: brilliantly successful naval operations were an important feature in the war against Antiochus (192–190 B.C.). **Persem**: defeated by Paulus in the Macedonian War, 168 B.C. The naval successes in this war were hardly as conspicuous as Cicero here implies.

27. **omnibus navalibus pugnis**: Mylae, the Aegatian Islands, *etc.*

29. **ei**: *we;* the first and second persons are sometimes thus indicated after relative clauses; *cf. ei*, p. 75, line 13.

31. **habebamus**: *maintained, kept.*   **omnes socios salvos praestare**: *to keep all the provincials safe.*

PAGE 84, 2. **quo omnes . . . commeabant**: after the fall of Corinth, Delos became the great emporium of Greece.

4. **referta divitiis, parva, sine muro**: these facts would naturally invite attack. The phrases have adversative force. Translate: *though stored with, etc.*   **idem**: nominative plural, — *we also.*

6. **Appia Via**: an important highway leading south from Rome. **jam**: *actually.*   **carebamus**: *were deprived of the use of.*

7. **non pudebat**, *etc.*: *magistrates were not ashamed to mount.* Cicero implies that they ought to have kept away from a place hallowed by trophies of Roman victory, until they had wiped out the stain of the existing disgrace.

8. **cum**: *though.*

9. **exuviis nauticis . . . ornatum**: the very name *Rostra* ('Beaks') is derived from the beaks of captured galleys suspended as trophies.

10. **bono animo**: *with good motives.*

12. **in salute communi**: *i.e.* in a matter involving the general welfare.

13. **dolori suo obtemperare**: *i.e.* to follow the promptings of their feelings of resentment.

16. **vere**: with *imperare.*   **videremur**: *were seen.*

18. **obtrectatum esse**: impersonal, — *that objection has been offered.*

19. **id**: in apposition with the idea contained in (*obtrectatum esse*) *utrique.*

20. **ne legaretur**: *to prevent Gabinius being sent as lieutenant to Pompey.* Pompey had desired to have Gabinius appointed his *legatus* in the war against the pirates; but the *lex Licinia et*

Aebutia forbade that any one should receive a military appointment under a law proposed by himself. This obviously proper principle seems to have had so much weight with Pompey that he refrained from appointing Gabinius, though technically empowered to name his own *legati* by Gabinius's law. Instead, he had vainly been striving to induce the Senate to name Gabinius. As yet (*adhuc*) the Senate had refused. This was perfectly natural, since the aristocratic Senate had been hostile to Gabinius's bill from the outset.   **expetenti ac postulanti:** *who begged, etc.*

21. **utrum . . . an:** these particles usually introduce disjunctive double questions, *i.e.* questions proposing an alternative. Here the second question merely suggests in other words the substance of the first, *viz.* the appointment of Gabinius. **ille qui,** *etc.: viz.* Pompey.

22. **quem velit, idoneus non est,** *etc.: does he not deserve to secure the man whom he wishes? non* for *nonne* occurs particularly in excited questions. For the mood of *impetret*, see B. 282, 3; A. 535, *f*; G. 631, 1; H. 591, 7; *velit* is Subjunctive by Attraction (to *impetret*).

23. **cum:** *when;* but the clause is really adversative.

24. **ipse:** *the very man, viz.* Gabinius.

27. **periculo:** *at his risk.* The proposer of a law naturally felt responsible for its consequences.

28. **an** = *nonne*, as repeatedly before in this oration.   **C. Falcidius,** *etc.:* names of tribunes who, at least after their tribunate was ended, had received appointments as *legati*. Cicero implies that possibly the earlier opposition to Gabinius had been based upon the fact that he was still tribune. That reason, the orator urges, can no longer hold, since Gabinius's tribunate is over and other ex-tribunes have been appointed *legati*.

Cicero is unfair here; he seeks to cloud the real issue by attributing to the Senate motives that did not actuate it. Cicero assumes that the opposition to Gabinius was based on the fact that he was a tribune. The real ground undoubtedly was that Gabinius was the author of the law under which it was proposed to appoint him *legatus*. Falcidius and the other tribunes here named presumably had not proposed the laws under which their appointments were made.

29. **honoris causa:** *i.e.* with respect.

30. **plebi:** for the form of the genitive, see B. 52, 2; A. 98, *d*, N.; G. 68, 8; H. 134, 2.

31. **in:** *in the case of.*   **sunt:** as subject understand the aristocratic senatorial opponents of Gabinius's appointment. **diligentes:** *scrupulous.*

PAGE **85**, 1. **in hoc imperatore atque exercitu**: *i.e.* under this commander and in this army; with *imperatore, sub* would have been the more appropriate preposition.

2. **praecipuo jure**: *with especial justice.*

3. **deberet**: apodosis of a contrary-to-fact conditional sentence the protasis of which is omitted; *deberet*, though standing in the imperfect, here refers to past time.

4. **ad senatum relaturos**: *will bring the matter up for action before the Senate.*

5. **ego me profiteor relaturum**: *I give notice that I, etc.* It was the prerogative of the praetor to introduce matters in the Senate for consideration.   **cujusquam inimicum edictum**: the consuls might by edict declare that the "order of the day" should be adhered to, and so attempt to block Cicero's proposed action.   He declares he will tolerate no such procedure.

6. **quo minus defendam**: *from defending;* B. 295, 3; A. 558, *b*; G. 549; H. 568, 8.   **vobis fretus**: B. 218, 3; A. 431, *a*; G. 401, N. 6; H. 476, 1.   **vestrum jus beneficiumque**: *the prerogative and favor conferred by you, viz.* that Pompey should appoint his own *legati.*

7. **neque quicquam audiam**: *i.e.* I will heed no interference.   **praeter intercessionem**: *barring intercession,* the formal veto of a tribune.   The tribunes possessed a constitutional right to veto the action of all magistrates.

8. **qui minantur**: *i.e.* who threaten to make use of the tribunician veto.

9. **etiam atque etiam . . . considerabunt**: *i.e.* they will think twice how far they may go.   Technically a veto was always possible, but it might exhibit such a defiance of public sentiment as to rouse popular indignation.

11. **Cn. Pompejo socius ascribitur**: *i.e.* is associated with Pompey in the public mind as a partner in his achievements.

12. **alter**: Gabinius.   **uni**: *upon a single commander,* Pompey.   **illud bellum suscipiendum**: *the charge of that war.*

13. **alter**: Pompey.

14. **reliquum est ut**, *etc.:* like *restat ut videatur,* p. 72, line 3. **Q. Catuli auctoritate et sententia**: *i.e.* the opinion of the influential Q. Catulus.

15. **cum ex vobis quaereret**: *viz.* in the speech he delivered before the assembly.

16. **si in uno . . . essetis habituri**: *if you vested all power in Pompey alone, in whom you would repose hope, in case anything happened to him; poneretis* and *factum esset* represent respectively the future and future-perfect indicative of direct discourse (*ponetis, factum erit*).

17. **eo**: for the ablative, see B. 218, 6; A. 403, *c*; G. 401, N. 7; H. 474, 3. **cepit magnum**, *etc.*: *i.e.* received a great tribute to his character and standing.

18. **cum dixistis**: *in that you declared;* an instance of *cum* explicative; B. 290, 1; *cf.* A, 549, *a*; G. 582.

19. **in eo ipso**: *viz.* Catulus.

22. **in hoc ipso**: *i.e.* in the matter at issue.

23. **quo minus . . . hoc magis**: *the less certain . . . so much the more;* Ablatives of Degree of Difference; B. 223; A. 414, *a*; G. 403; H. 479.

26. **at enim nc quid fiat**: the expression is elliptical, — *but, to be sure, (the cry is raised), ' let nothing be done,'* etc. For the force of *enim*, see the note on p. 82, line 8: *fiat* is Jussive Subjunctive.

27. **non dicam**, *etc.*: an admirable illustration of Praeteritio.

28. **paruisse**: with *consuetudini*, '*followed*'; with *utilitati*, '*consulted.*'

29. **consiliorum rationes**: *the character of their plans.*

PAGE 86, 2. **Punicum atque Hispaniense**: the Third Punic War and the war in Spain against Numantia. **ab uno imperatore**: Scipio Africanus the Younger, chosen consul, in violation of precedent, before he had been praetor, in 147 B.C., to assume the conduct of the Third Punic War. In 134 B.C., he was chosen consul a second time, to conduct the Spanish War. This was another violation of precedent, for at that time it was illegal for ary man to hold the consulship twice.

6. **nuper**: over forty years before. But *nuper* is a very elastic term. **ita**: explained by the following *ut*-clauses, and hardly translatable. **vobis patribusque vestris**: some in Cicero's audience had been alive at the time referred to; others were sons of those who were then living but had since died. **esse visum**: *it seemed best.* **ut poneretur**: B. 295, 4; A. 563, *d*; G. 546; H. 565, 5.

7. **C. Mario**: elected consul in violation of all precedents for five successive years, 104–100 B.C. He had also previously held the consulship once (107 B.C.). **cum Jugurtha**: 107 B.C.

8. **cum Cimbris, cum Teutonis**: 102–101 B.C.

9. **novi nihil**: *nothing new.*

10. **summa voluntate**: *with the full consent.*

12. **quid tam novum**: understand *est.* **quam adulescentulum . . . conficere**: *as for a mere stripling to muster, etc.* The reference is to Pompey's enrolment of legions to assist Sulla; see note on p. 72, line 19. He was only twenty-three years of age at the time. **privatum**: *i.e.* holding no public office.

13. **difficili tempore** : *at a crisis.*

14. **huic** : *viz. exercitui.* **praeesse, gerere** : in the same construction as *confixere.*

15. **quam . . . dari** : *as for a command and an army to be given,* etc.

16. **cujus aetas**, *etc.:* no one could enter the Senate until he had held the office of quaestor. Candidates for the quaestorship were at this time regularly required to be at least in their thirty-seventh year.

17. **Siciliam, Africam** : see notes, p. 73, line 16, p. 72, line 28.

21. **exercitum deportavit** : *brought home his army,* showing that his work was complete. This was a necessary preliminary to receiving a triumph.

22. **equitem Romanum triumphare** : ordinarily only a consul or praetor might enjoy this honor. For Pompey's triumphs, see note on p. 72, line 26.

24. **omnium studio** : *with enthusiasm on the part of all;* Ablative of Attendant Circumstance.

25. **ut mitteretur** : Substantive Clause of Result. **cum duo consules**, *etc.: viz.* Lepidus and Brutus. The consuls were the natural persons to take command in the field.

26. **essent** : *there were.* **ad bellum maximum** : the war against Sertorius in Spain.

27. **pro consule** : *i.e.* with proconsular power. Pompey was not strictly proconsul. That term properly designated an ex-consul exercising his *imperium* as provincial governor.

28. **quidem** : *by the way.*

29. **non nemo** . *some,* with plural force.

30. **L. Philippus** : consul in 91 B.C. and subsequently censor; a devoted partisan of Sulla and Pompey, and famous for his ready repartee.

31. **non se mittere** : *i.e.* that he was not voting to send. **sua sententia** : *in his judgment.* **pro consule, pro consulibus** : a pun on the meaning of *pro.* In the first instance the word has its ordinary meaning; in the second it means ' in place of,' ' as a substitute for.' Philippus sarcastically calls attention to the fact that the consuls were unfit or unwilling to take the field.

PAGE **87**, 1. **rei publicae bene gerendae** : *of a successful management of the state's interests.*

2. **duorum consulum munus** : *viz.* the command of the armies.

4. **ex senatus consulto**, *etc.: released from the laws by a decree of the Senate;* the laws required that a candidate for the consul-ship should be forty-two years old and should first have held the

quaestorship and praetorship. Pompey fulfilled neither of these requirements. Here and in line 7 below, Cicero takes especial satisfaction in pointing out that the action referred to was taken by the Senate itself, the body now opposed to Pompey.

5. ante . . . quam ullum alium, *etc.: before it would have been lawful, etc.* In strictness it was not lawful to stand for the lowest magistracy (the quaestorship) before one's thirty-seventh year; see Introd. p. xxii. Pompey was in only his thirty-sixth year in 70 B.C., when he entered upon the consulship; *licuisset* is an apodosis of a contrary-to-fact conditional sentence whose protasis is omitted; *ante . . . quam* for *antequam* is frequent.

7. iterum triumpharet: Pompey's second triumph was celebrated upon the eve of his entrance upon the consulship, the last day of December, 71 B.C.

8. quae nova constituta sunt, ea, *etc.: the innovations which have been introduced, those, etc.*

11. profecta sunt in, *etc.: have been conferred upon the same man by the influence, etc.;* literally, *have proceeded to . . . from the influence.*

12. Q. Catuli atque ceterorum: *i.e.* leading members of the aristocratic party, who are now most conspicuous in opposing Pompey's appointment. ejusdem dignitatis: *i.e.* senatorial rank.

14. non ferendum: *intolerable.*

15. illorum: Catulus and his followers.

16. vestrum judicium: *(but) that your verdict.*

18. cum jam suo jure suam auctoritatem possit defendere, *etc.:* Cicero means that the Roman people are able to justify their present right to choose Pompey by the brilliant outcome of their former choice.

19. vel: intensive, — *even.*

20. isdem istis: the senatorial opponents.

22. quem praeponeretis: *to put in charge;* Relative Clause of Purpose.

25. plus in re publica vidistis: *had a deeper insight in affairs of state.* eis repugnantibus: Ablative Absolute with adversative force, — *despite their opposition.*

27. attulistis: this also is a part of the protasis. isti principes: Catulus, Hortensius, and the other senatorial leaders.

28. et sibi et ceteris, *etc.: let them admit that both they and all others must obey the sovereign will of the Roman people;* sibi and ceteris are Datives of Agency; *auctoritati* is indirect object of *parendum esse,* — literally, *it must be obeyed (to) the authority; fateantur* is Jussive Subjunctive.

29. bello Asiatico et regio: *i.e.* the war against the king in Asia.

PAGE **88**, **2**. **singularis**: *to a signal degree.*

4. **ita versari**: *so to conduct himself.*

5. **nostrum imperatorem**: *a commander of ours; i.e.* any and all Roman commanders.

6. **qui**: the indefinite.

8. **cupidorum**: *avaricious.*

12. **nostris magistratibus**: *in the eyes of our magistrates.*

15. **quibus . . . inferatur**: *against which a pretext for war may be brought.*

17. **coram**: *i.e.* privately.

21. **hostium simulatione**: *i.e.* under the pretence of proceeding against the enemy.

23. **tribuni militum**: there were six of these in each legion and they exercised command in rotation.

24. **capere**: literally, *hold, contain,* and so *satisfy.*

25. **quem**: *any one.* **collatis signis**: *i.e.* in a pitched battle.

27. **nisi erit idem**: *unless he shall also be a man.*

29. **manus, oculos, animum**: note the climax, — ' not only his hands but his eyes, and not only his eyes but his mind.'

PAGE **89**, **2**. **ecquam putatis**, *etc.: i.e.* if it seems reduced to peace, it is because it no longer has wealth to be plundered.

3. **pacatam fuisse**: *i.e.* has been regarded as reduced to peace. So long as a state was rich it was regarded as hostile.

4. **ora maritima**: *i.e.* the inhabitants of the coast provinces of Asia, who were chiefly concerned in the operations against the pirates.

7. **imperatores**: *i.e.* provincial governors. **locupletari**: *enriched themselves;* passive with middle force; B. 256, 1; A. 156, *a*; G. 218; H. 517.

8. **pecunia publica**: *i.e.* the state funds put at their disposal for maintaining troops and ships. **neque eos**, *etc.: eos* does not refer to *paucos,* but to provincial governors in general. This criticism applied particularly to M. Antonius Creticus, who had lost his fleet in the war against the Cretans.

9. **classium nomine**: *with their so-called fleets* (literally, *under the name of fleets*); *i.e.* owing to the misuse of the public funds, the fleets were unfit for effective service.

10. **majore turpitudine**: *i.e.* greater than if no fleets had been sent out. **videremur**: *we were seen.* **qua cupiditate**: *in what a spirit of avarice.*

11. **quibus jacturis**: *at what heavy expense; i.e.* they use money lavishly in buying their appointments. **quibus condicionibus**: *under what bargains; i.e.* corrupt agreements to reward those who have assisted their advancement.

12. **videlicet**: ironical.

14. **non**: to be joined with *videamus*. **cum**: correlative with the following *tum*. **suis**: emphatic, — *his own*.

15. **alienis vitiis**: *by the defects of others, i.e.* by contrast with the defects of others. **videamus**: for the mood, see B. 307, 1; A. 524; G. 602; H. 584 and 2. **nolite dubitare**: *do not hesitate*, the regular form of a prohibition in classical prose.

16. **quin credatis**: *to entrust;* the infinitive would have been the usual construction here; B. 298, *b*; A. 558, *a*, N. 2; G. 555, R. 3; H. 596, I. **qui . . . inventus sit**: *since he has been found to be the only one;* Clause of Characteristic with accessory notion of cause.

17. **quem . . . gaudeant**: *at whose arrival . . . the allies rejoice.*

20. **est vobis auctor**: *you have as an authority.* **omnium** = *omnium generum.*

21. **P. Servilius**: P. Servilius Vatia, who in 78–75 B.C. conducted a naval campaign against the pirates with great distinction, though with only temporary success.

22. **exstiterunt** = *fuerunt;* *tantae* is a predicate adjective.

24. **C. Curio**: consul in 76 B.C. For the next three years he was governor of Macedonia, in which post his military successes secured him the honor of a triumph. **summis vestris beneficiis**, *etc.*: grammatically *beneficiis* and *rebus gestis* depend upon *praeditus*, but logically they depend upon some word to be supplied. Translate: *honored by favors at your hands, distinguished by famous exploits; beneficiis*, as often, refers to public offices.

25. **summo ingenio**: this probably refers to Curio's ability as an orator. **Cn. Lentulus**: consul in 72 B.C. He was a *legatus* of Pompey in the war against the pirates.

26. **vestris honoribus**: *i.e.* offices conferred by you.

28. **C. Cassius**: consul in 73 B.C. He held a command in the war against Spartacus in 72 B.C.

29. **num videamur**: *whether we (i.e. whether we do not) seem.* **horum**: Servilius, Curio, *etc.* **auctoritatibus**: Ablative of Means.

PAGE **90, 1. Manili**: for the form of the vocative, see B. 25, 1; A. 49, *c*; G. 33, R. 2; H. 83, 5.

2. **et (legem)**: correlative with the *et*'s following.

3. **auctore populo Romano**: *since the Roman people supports you;* literally, *the Roman people being your voucher;* Ablative Absolute.

4. **neve pertimescas**: *and not to dread;* for the idea ' and

not,' *neve* (rather than *neque*) is the regular connective in Substantive Clauses Developed from the Volitive.

7. **iterum nunc**: *now for the second time.* The first time had been on the occasion of Pompey's appointment to the charge of the pirate war.

8. **quid est quod**, *etc.*: *what reason is there why we should hesitate?* The origin of the subjunctive in this idiom is obscure.

9. **perficiendi facultate**: in 'means of putting it through,' Cicero is thinking of the enthusiastic body of voters ready to enact the bill into law.

11. **quicquid possum**: *whatever power I have.* **hoc beneficio**: referring to his office as praetor.

14. **polliceor ac defero**: *promise and put at the disposal.*

15. **huic loco temploque**: referring to the Rostra. In the broadest sense of the term a *templum* was any place consecrated by taking the auspices. These were regularly taken before opening the public assemblies.

16. **ad rem publicam adeunt**: *enter public service.*

17. **perspiciunt**: *search.* **hoc facere**: namely, support this bill.

18. **neque quo putem**: *nor because I think;* B. 286, 1, *b*; A. 540, N. 3; G. 541, N. 2; H. 588, II, 2.

20. **periculis, honoribus**: *for (warding off) dangers; for (acquiring) office;* a loose use of the Dative of Purpose.

21. **ut hominem praestare oportet**: *so far as a mere mortal ought to undertake.* Such a matter naturally lay in the power of the gods.

22. **tecti**: the participle. **repellemus**: the editorial ' we.'

23. **ab uno**: referring to Pompey. **ex hoc loco**: *i.e.* from political speeches. **eadem . . . ratione vitae**: *i.e.* his devotion as advocate to his clients; see p. 61, line 10.

25. **feret**: *shall allow.*

26. **mihi**: Dative of Agency; B. 189, 2; A. 375, *b*; G. 354; H. 431, 2.

27. **tantumque abest ut**, *etc.*: *and so far am I from seeming to have sought advantage . . . that I am aware I have, etc.;* literally, *so far distant is my seeming; ut videar* is a Substantive Clause of Result, the subject of *abest; ut intellegam* is an ordinary Clause of Result.

PAGE **91**, 2. **me praeferre oportere**: *that I ought to prefer; me* is the subject of *praeferre; praeferre* is subject of *oportere; oportere* is the object of *statui.* **hoc honore**: the praetorship.

5. **rationibus**: *interests*

THE ORATION FOR ARCHIAS

The poet Archias was a native of Antioch, where he was born about 119 B.C. In early youth he displayed unusual poetic gifts, being particularly skilful in the art of improvisation. He travelled extensively in Asia Minor, Greece, and southern Italy, giving public exhibitions of his powers and winning general admiration. When about seventeen years of age, he came to Rome (102 B.C.), where his personal qualities and literary accomplishments secured him admission to the homes of the noblest families. Particularly close and friendly were the relations which he formed with the Luculli. Some time before the outbreak of the Social War (90 B.C.) he visited Sicily with M. Lucullus, and on his return came to Heraclea, where, apparently through Lucullus's influence, he secured the privilege of enrolling as a citizen. In the year 89 B.C., the *Lex Plautia-Papiria* was passed, by the terms of which Roman citizenship was guaranteed to all who at the time of the enactment of the law were enrolled in any city allied with Rome, provided they should register with a Roman praetor within sixty days. Inasmuch as Archias had been enrolled a citizen of Heraclea, which for two hundred years had been an allied city, he appeared before the praetor, Quintus Metellus Pius, at Rome, and was formally registered. This was in 89 B.C. It was not till twenty-seven years later (62 B.C.) that his citizenship was questioned. At this time one Grattius brought formal complaint in court that Archias was not entitled to the citizenship which he claimed. This action was taken under the *Lex Papia*, passed in 65 B.C. to protect the integrity of the Roman franchise.

Cicero undertook the defence of the case, and easily proved the baseless character of Grattius's charges. Less than half of the oration is devoted to the law and the facts of the case. The greater portion — and for us far the more important portion — is devoted to a glorification of the pursuit of letters, and to a description of Archias's poetic powers. The purpose of this digression was to persuade the jury that, even if Archias were not a citizen, his poetic gifts and especially his celebration of Roman achievements would entitle him to become one.

Archias was presumably acquitted, though we possess no positive assurance of the fact.

PAGE **92**, 1. **judices**: *gentlemen of the jury.* Jurymen at this time were chosen in equal numbers from the senators, *equites*, and *tribuni aerarii*. **quod sentio quam sit exiguum**: *and I feel* *how little it is; quod* is the subject of *sit;* literally, *I feel how little which* (referring to *quid ingeni*) *is.*

3. **versatum**: here an adjective. **hujusce rei**: namely, *dicendi.*

4. **ratio aliqua**: *any theoretical knowledge.* Cicero's theoretical knowledge of the art of speaking was extensive and profound. In later life he composed a number of important rhetorical treatises, which have come down to us; Introd. p. xvii. **optimarum artium**: the so-called liberal arts, those branches of study that were not primarily of direct practical value, such as grammar, rhetoric, music, philosophy, *etc.*

5. **profecta**: *proceeding from* (from *proficiscor*).

6. **earum rerum**: *viz. ingenium, exercitatio dicendi, ratio dicendi,* the three essential qualifications of an orator; the apodosis of the sentence begins here. **vel**: intensive, modifying *in primis (especially).* A. **Licinius**: *i.e.* Archias. Upon becoming a citizen, Archias had taken the name Licinius from that of his patron, M. Licinius Lucullus. Cicero's use of this name, therefore, is a virtual assertion of Archias's citizenship.

8. **quoad longissime**: *up to the very farthest point to which.*

10. **inde usque repetens**: *going back even that far;* literally, *retracing even from that point.* **mihi**: Dative of Reference. **principem**: *guide.*

11. **rationem**: *the systematic pursuit.* **horum studiorum**: *viz.* oratory.

12. **exstitisse** = *fuisse,* as often. **quodsi haec vox**, *etc.: i.e.* if my oratory has ever been of assistance to any, *viz.* persons under indictment for crime, or involved in civil suits.

13. **saluti**: Dative of Purpose.

14. **a quo**: the apodosis begins here. The antecedent of *quo* is *huic ipsi* in line 15. **id, quo**, *etc.:* his gift of oratory; *quo possemus* is a Clause of Characteristic. **accepimus**: the editorial 'we.' **ceteris, alios**: *ceteris* strictly means 'all the others'; *alios,* 'some others.' Here translate: *others, some.* Cicero, of course, could lend his legal help to all; but naturally he could not secure the acquittal of all his clients.

15. **huic ipsi**: Archias. **quantum est situm in nobis**: *so far as in me lies.*

17. **hoc ita dici**: *viz.* that I owe my early oratorical training to a poet.

18. **alia**: *viz.* other than mine. **in hoc**: *i.e.* in this Archias. **facultas ingeni**: *endowment.* **neque**: *and not.*

PAGE **93**, 1. **ne nos quidem**, *etc.: (I will say that) not even I, etc.* Cicero seems to be referring to his own poetic efforts.

Some fragments of his poetry have come down to us, but they lack merit; Introd. p. xviii.

2. **dediti**: here an adjective.

4. **quasi**: an instance of the ‘apologetic’ *quasi*, which is often used by way of apology for some bold or unusual figure. Thus here *cognatio*, ‘kinship,’ properly restricted to human relationships, is boldly used of the relations of the liberal arts. **inter se**: *with each other*.

6. **me**: subject of *uti* in line 9.   **in quaestione legitima**: *in an investigation conducted under warrant of law.* A *quaestio* was a formal investigation, or process of law; *legitima* here refers to the fact that the present investigation was held by virtue of a special *lex*, which prescribed just such trials as this in cases of doubtful citizenship. See Introduction to this oration, page 299.   **in judicio publico**: *in a state trial;* as opposed to a case in which only the interests of private parties were involved. **cum res agatur**, *etc.*: *though the case is being tried, etc.; i.e.* despite the dignity and formality of the occasion.

7. **apud praetorem**: this happened to be Cicero's own brother, Quintus.

8. **tanto conventu ac frequentia**: *before so great a throng and assemblage;* Ablative of Attendant Circumstance (literally, *with so great a throng*).

9. **hoc genere dicendi quod**, *etc.*: an allusion to the praise of literature, the theme of the greater part of this oration. **uti**: subject of *videatur* in line 5.

10. **forensi sermone**: *i.e.* public utterance in general.

12. **accommodatam huic reo, vobis non molestam**: Chiasmus, combined with Asyndeton, — *(and) to you not annoying.*

13. **ut patiamini**: a substantive clause, explanatory of *hanc veniam*.   **me**: subject of *loqui* in line 17.   **summo poeta, eruditissimo homine, hominum litteratissimorum, vestra humanitate, hoc praetore**: reasons why the orator should be allowed to speak in praise of literature: the defendant is a poet, the court is thronged with men of letters, and the presiding official is also a man of letters.

14. **hoc concursu**: *before this assemblage;* Ablative of Attendant Circumstance; literally, *with this assemblage.*

15. **hac vestra humanitate**: *such being your culture.* This is also probably an Ablative of Attendant Circumstance; literally, *with this culture on your part; vestra* refers to the jury.   **hoc praetore**: Quintus Cicero was a man of letters of some note; he is said to have been the author of several tragedies; *hoc praetore exercente* is Ablative Absolute.

17. **liberius**: *i.e.* more freely than is usual under such cir-

cumstances. **in ejus modi persona, quae**: *in the case of a person of this kind, who* (literally, *which*).

19. periculis: here, as often, in the sense of legal dangers, — *lawsuits.*

20. quod si, *etc.*: *if I perceive that this, etc.; quod* refers to his request.

21. perficiam: *I will bring about.* **ut putetis**: a substantive clause, object of *perficiam.*

22. segregandum: understand *esse.*

23. etiam, si non esset, asciscendum fuisse: *that even if he were not (a citizen), he ought to have been received (as one),* a conditional sentence of the contrary-to-fact type in indirect discourse. The direct form would have been *si non esset, asciscendus fuit;* B. 304, 3, *b*; A. 517, *c*; G. 597; H. 582.

25. ut primum: *as soon as.* **ex pueris**: *i.e. from boyhood.*

26. aetas puerilis: *boyhood.* **ad humanitatem informari**: *to be trained for culture.*

27. scribendi: *i.e.* composing poetry.

28. Antiocheae: *at Antioch;* limiting *coepit* on the next page. **loco nobili**: the English idiom is *in high station;* but in the Latin, *loco* is an Ablative of Source; B. 215; A. 403, *a*; G. 395; H. 469, 2. **celebri quondam urbe**: *once a much frequented city;* ablative in apposition with the locative *Antiocheae;* B. 169, 4; A. 282, *d*; G. 411, R. 3; H. 393, 7.

29. liberalissimis studiis: the *artes quae ad humanitatem pertinent* of line 2.

PAGE **94, 2. post**: the adverb. **Asiae**: Asia Minor.

3. adventus: English uses the singular here. The Latin emphasizes the repeated instances. **sic celebrabantur**: *were so thronged.*

4. famam: object, like *exspectationem,* of *superaret.* **exspectationem,** *etc.*: Adversative Asyndeton, — *(but) the arrival of (Archias) himself and the admiration (he evoked) exceeded people's expectation.* With *admiratio, ipsius* is an Objective Genitive: with *adventus,* Subjective.

5. Italia: here used of southern Italy, the district known as Magna Graecia.

6. studiaque haec: *viz.* poetry.

8. tranquillitatem rei publicae: there was almost continuous domestic tranquillity at Rome from the time of the Gracchi to the outbreak of the Social War, *i.e.* from about 120 to 90 B.C. It must have been about 105 B.C. that Archias first came to Italy from Greece and Asia.

9. et: correlative with *et* (before *omnes*) in line 11.

10. civitate: *with citizenship.* By Greek custom it was possible for a man to enjoy citizenship in different states. **ceteris praemiis:** such as crowns, drinking-cups, etc.

11. aliquid judicare: *to form any judgment; aliquid* is Accusative of Result Produced.

13. hac tanta celebritate: Ablative of Cause.   **cum esset jam notus:** *being already known;* a purely circumstantial *cum*-clause.   **absentibus:** literally, *(to people at Rome) distant from him;* English alters the idiom.   Translate (with the subject of *esset*): *while at a distance.*

14. Mario consule et Catulo: an unusual form of expression for the regular *Mario et Catulo consulibus.* Marius and Catulus were consuls in 102 B.C.   **nactus est primum consules eos:** *he first found consuls.*

15. quorum . . . posset: the first *alter* refers to Marius. For his exploits, see note on p. 58, line 26. The second *alter* refers to Catulus, who shared with Marius the honor of defeating the Cimbrians in 101 B.C. Catulus was also distinguished as a man of letters, and was the author of various works in prose and verse. Note the Zeugma in *adhibere (apply, lend).* This meaning fits only with *studium* and *aures;* with *res* and *in gestis* we must supply in thought some such word as *suppeditare (furnish).*

16. studium: *interest.*

17. aures: *critical attention, good taste.*   **posset:** subjunctive in a Clause of Characteristic.   **Luculli:** a noble family, wealthy and cultivated. Its two most conspicuous members at Rome at this time were L. Lucullus, subsequently commander in the Mithridatic War, and his brother M. Lucullus.   **praetextatus:** Cicero applies to Archias a term properly belonging only to Roman boys under the seventeenth or eighteenth years. As a foreigner, Archias could hardly have worn the *toga praetexta.*

19. erat ingeni, *etc.: was a mark not only of his ability and literary accomplishments, but also of his character and disposition;* Predicate Genitive.   **hoc:** explained by the clause *ut domus esset.*

20. adulescentiae: dative with *favit.*

21. esset: *remained; ut esset* is a Substantive Clause of Result.

22. Q. Metello illi Numidico: in 109 and 108 B.C., he had charge of the war against Jugurtha, winning a triumph and the title Numidicus. For *illi,* ' that famous,' *cf.* p. 70, line 5, *Medea illa.*

23. ejus Pio filio: for *Pio, ejus filio;* the grammatical figure is called Hyperbaton (' a stepping over '). Q. Metellus Pius received the surname Pius for his activity in securing the recall of his father from exile. **M. Aemilio**: M. Aemilius Scaurus, consul in 115 and 107 B.C., a leading orator of his time and long the leader of the Senate. **vivebat cum**: this expression always designates close intimacy.

24. **Q. Catulo et patre et filio**: the father was Marius's colleague, already mentioned. The son was consul in 78 B.C. He appears in the Oration on Pompey's Appointment as one of the leading opponents of Manilius's bill. **L. Crasso**: one of the most famous orators of his time. He died 91 B.C.

25. **Drusum**: M. Livius Drusus, an aristocratic leader. In 91 B.C. he broke away from his party and urged the granting of citizenship to the Italian *socii*. His efforts at reform led to his assassination by an unknown hand. **Octavios**: eminent members of this family were Cn. Octavius, consul with Cinna in 87 B.C., and his son Lucius, consul in 75. **Catonem**: probably the father of Cato Uticensis, the contemporary of Cicero.

26. **Hortensiorum domum**: the most distinguished member of the family was Q. Hortensius, the orator, who figured in the debate on Pompey's Appointment. His father was consul in 97 B.C.

28. **percipere**: *to learn.*

29. **si qui**: *whoever.*

PAGE **95**, 1. **satis longo intervallo**: *after quite a long interval;* a special development of the Ablative of Time within which.

3. **decederet**: *was on his way back.* **Heracleam**: a Greek city on the Gulf of Tarentum. It has been suggested that the father of the Luculli was living there. He had been banished from Rome soon after his praetorship in Sicily (103 B.C.).

4. **esset ... foedere**: *enjoyed most liberal treaty rights;* literally, *was of most liberal, etc.* In *jure et foedere* (Ablatives of Quality) we have Hendiadys. Heraclea had assisted the Romans in the war with Pyrrhus, and the treaty referred to dates from that time (278 B.C.). **ascribi se**: for the subject accusative here, see B. 331, IV, *a*; G. 532, R. 2.

5. **cum**: *while, though.*

7. **civitas**: *i.e.* Roman citizenship. **Silvani lege et Carbonis**: the so-called *Lex Plautia-Papiria* (from the gentile names of the two tribunes who introduced it). It was enacted in 89 B.C.

8. **si qui**, *etc.*: *(to) whoever should be enrolled, etc.* The passage gives the provision of the law in indirect discourse. Hence the subjunctives *ascripti fuissent, habuissent, essent professi*, representing future perfects of direct statement. The clause *cum lex ferebatur* is not properly a part of the quoted statement, but is an explanatory statement of the speaker; hence the indicative B. 314, 3; A. 583; G. 655, 2; H. 643, 3. **civitatibus**: dative.

9. sexaginta diebus: Ablative of Time within which.

12. Metellum: Quintus Metellus Pius (see p. 94, line 23), praetor in 89 B.C.

13. nihil dico amplius: *i.e.* I have nothing more to say.

14. horum: *of these things.* For the rare use of the genitive plural neuter of adjectives and pronouns with substantive force, see B. 236, 2; A. 288, *b*; G. 204, N. 4.

15. Gratti: the name of the man who instituted proceedings against Archias. He is otherwise unknown.

17. non: *i.e.* not merely.

18. egisse: *took active part.*

20. publico: *official.*

21. hic: *at this point.*

22. Italico bello: the Social War.

23. omnes: *completely;* with *quas.* Notice the emphasis secured by placing this word at the end of the sentence.

24. ad ea: *with reference to these things.* **quaerere**: *(and) to ask;* Asyndeton; so below, *flagitare* (line 26), *desiderare* (p. 96, line 1). **quae**: as antecedent understand *ea,* object of *quaerere.*

25. memoria: *testimony.*

26. amplissimi viri: Metellus.

27. municipi: since the Social War, Heraclea, which was previously a *civitas foederata,* had become a municipal town.

PAGE 96, 1. idem: *(you)* also.

2. tot annis: Ablative of Degree of Difference.

3. ante civitatem datam: *before the granting of citizenship; i.e.* by the law of Silvanus and Carbo; B. 337, 6; A. 497; H. 636, 4.

4. immo: *on the contrary.*

5. eis tabulis: *according to those records;* Ablative of Accordance. **solae**: evidently Metellus was not the only praetor with whom one could register. **illa professione**: *that registration, i.e.* the registration made in accordance with the law of Silvanus and Carbo.

6. collegio praetorum: *board of praetors.* The eight praetors. like the ten tribunes, formed a *collegium.*

7. Appi: Appius Claudius Pulcher, father of the notorious Clodius. **neglegentius**: *too carelessly.*

8. Gabini levitas, etc.: Asyndeton, — *and when the unsteadiness of Gabinius, etc.* Gabinius was another praetor before whom men appeared, to make registration. **quamdiu incolumis fuit**: *incolumis* is used in the legal sense. The whole clause = *ante damnationem.*

9. post damnationem: some years after his praetorship. Gabinius had been convicted of extortion as provincial governor of Achaia.   **calamitas**: *his downfall*.   **tabularum**: *in his recoras*.

10. **resignasset**: the figure is drawn from breaking the seal of a document and so vitiating its genuineness.

11. **diligentia**: *scrupulousness*.   **L. Lentulum**: another praetor of 89 B.C.   Apparently he presided over the court which had jurisdiction in questions of citizenship.

12. **judices**: *i.e.* the panel of jurors attached to Lentulus's court.   **venerit, dixerit**: for the perfect subjunctive as an historical tense, see B. 268, 6; A. 485, *c*, N. 2; G. 513; H. 550. **unius nominis . . . commotum**: the incident is cited merely to show Metellus's scrupulousness.   He was unwilling to tolerate even the slightest tampering with his records.

13. **igitur**: not *therefore*, which would be illogical here, but, as often, *now*.

15. **quid est quod**, *etc.*: *what reason is there why you should hesitate?*   The reason for the employment of the subjunctive in this idiom is not clear.

17. **et**: connecting *mediocribus* and *praeditis*.   But to our English sense the *et* is superfluous, — *upon many ordinary men, endowed either, etc.*   **humili aliqua arte**: *some inferior accomplishment*, such as dancing, acting, or the like.

18. **Graecia**: *i.e.* Magna Graecia (southern Italy).   **impertiebant**: for the indicative, see B. 288, 1, *A*; A. 545; G. 580; H. 601.   Note also the force of the imperfect tense, — *were constantly bestowing*.

19. **credo**: ironical, as often.

20. **quod**: its antecedent is *id*, which depends upon *largiri*, to be understood with *noluisse*.

21. **huic**: indirect object of *largiri* understood.

22. **ceteri non modo**; **hic, qui ne utitur**: two separate questions with the force: 'When others stole into the records, *etc.*, . . . shall this Archias be excluded?'   **post civitatem datam**: *cf.* p. 96, line 3.

23. **legem Papiam**: this law, enacted 65 B.C. (twenty-four years after Archias had acquired citizenship), was aimed at those who asserted illegal claims to citizenship.

24. **ne utitur quidem illis (tabulis)**: the reason for Archias's failure to make use of these evidences of citizenship is not clear. Possibly Cicero, counting on the sufficiency of other evidence, deliberately omitted to use the records of Rhegium and the other cities.

26. **census nostros**: *i.e.* the census lists at Rome.   **scilicet**: *of course*; sarcastic.   **est enim obscurum**: ironical.

27. **proximis censoribus**: *in the last censorship*; Ablative Abs: -

lute. The full form would be *proximis censoribus censoribus*, ' the last censors being censors '; but the expression is always abridged as above. The censors here referred to were those for 70 B.C. In 65 B.C. censors had been chosen, but took no census. Ordinarily censors were elected every five years, but from 89 B.C. to the present time there had been many irregularities in the office.

28. **L. Lucullo**: commander in the war against Mithridates. **apud exercitum**: not *in exercitu*, which would have meant that Archias was a soldier. He was merely in the suite of Lucullus. **superioribus**: understand *censoribus*. The censors of 86 B.C. are referred to.

29. **cum eodem quaestore**: *with the same man* (Lucullus) *serving as quaestor*. Lucullus was at this time quaestor under Sulla in the First Mithridatic War. **primis**: *i.e.* the first censors after he received citizenship. These belonged to the same year (89 B.C.) in which Archias was first enrolled at Rome.

PAGE 97, 1. **ita**: *thereby, viz.* by securing the admission of his name to the lists. **se gessisse pro cive**: *has given himself out to be a citizen*. **cis temporibus**: the main clause of the sentence begins here.

2. **quibus tu**, *etc.*: *when you charge that not even in his own judgment did he enjoy the right, etc.* As subject of *versatum esse*, supply in thought *eum*. **ipsius judicio**: Grattius had inferred that Archias did not consider himself a citizen, since his name did not appear in the census lists.

3. **et**: correlative with *et* in the following line. **testamentum fecit, adiit hereditates**: under Roman law only citizens could make a valid will or enter upon an inheritance.

5. **in beneficiis ad aerarium delatus est**: *i.e.* his name was reported to the treasury by Lucullus in the list of those recommended for rewards for their services in the Mithridatic War. Naturally only citizens would be considered entitled to an allowance from the state treasury.

7. **potes**: understand *quaerere*. **neque . . . neque**: for the use of a second negative after *numquam*, see B. 347, 2; A. 327, 3; G. 445; H. 656, 2.

9. **quaeres a nobis**: Cicero here begins a plea *extra causam* and devotes the remainder of this oration to a panegyric of literature.

10. **ubi . . . reficiatur**: *the means for refreshing our spirits; literally, wherein the spirit may be refreshed;* Relative Clause of Purpose. As antecedent of *ubi*, understand *id* with *suppeditat*. **ex**: *after*. **hoc**: *i.e.* this din with which we are all familiar.

11. **convicio**: referring to the disputes of litigants and their attorneys.

12. an tu, *etc.: you do not think, do you? an* is here equivalent to *num;* B. 162, 4, *a;* *cf.* A. 335, *b;* G. 457, 1; H. 380, 3.   **suppetere nobis posse**, *etc.: that we can have material for speaking on such a variety of topics:* literally, *that there can be on hand to us (that) which, etc.* Cicero means that the reading of poetry suggests to the orator many valuable ideas, figures, and phrases. As subject of *posse* and antecedent of *quod, id* is to be understood; *quod dicamus* is a Relative Clause of Purpose.

14. excolamus, relaxemus: subordinate clauses in indirect discourse.

16. ego vero: *for my own part, I.*   **ceteros pudeat**: *let others be ashamed; pudeat* is Jussive Subjunctive.

17. litteris: *in literature.* But the ablative is one of Means.

18. neque . . . neque: as above in line 7.   **ad communem afferre fructum**: *i.e.* to make their studies useful in the public service of the state.   **in aspectum lucemque proferre**: referring to literary productivity.   Cicero's point is, that, to justify one's devotion to literature, one must either make it directly practical in public life, or else must be an author.

19. me autem quid pudeat: *but why should I be ashamed? me* is emphatic, and contrasted with *ceteros;* hence its position; *pudeat* is a Deliberative Subjunctive.

20. vivo: the present here has the force of a present perfect. **nullius**: this form regularly supplies the place of the missing genitive of *nemo.*   **tempore**: *necessity,* referring especially to legal troubles.

23. quis . . . reprehendat: *who, pray, would censure me? reprehendat* is a Potential Subjunctive.

24. si quantum, *etc.: if I take as much time as; si* introducing *sumpsero* in line 29.   **quantum**: subject of *conceditur.*   **ceteris, alii** (line 27): used with the same difference of meaning as p. 92, line 14.   Everybody else (*ceteris*) is conceded time for attending to his private affairs, *etc.;* a few (*alii*) are even privileged to devote their leisure to long banquets, gaming, *etc.*

25. ludorum: referring to various spectacular exhibitions brought out on festal occasions, such as chariot racing, contests of gladiators, wild animals, *etc.*

26. requiem: for the form, see B. 59, 2, *c;* A. 105, *e;* G. 68, 8; H. 145, 3.

27. temporum: Genitive of the Whole dependent on *quantum.* We should expect it rather with *tantum.*   The plural is used, since different portions of time are referred to in the different cases cited.   **tempestivis conviviis**: four o'clock was the usual hour for dinner (*cena*) with the Romans.   Dinners that began earlier were a mark of luxury and were designated as *tempestiva,* ' early.'

PAGE **98**, 1. **eo magis** : *the more on this account; eo* is explained by the *quod*-clause.

2. **oratio et facultas** : *oratorical power.* Hendiadys. **quanta-cumque** : here in the sense of *however slight.*

3. **numquam . . . defuit** : *i.e.* Cicero's oratorical skill has always been at the service of his friends who were under indictment. For the voluntary nature of legal services at Rome, see note on p. 61, line 10.   **quae si** : *if this, viz. oratio et facultas.*

4. **levior** : *rather trivial.*   **illa quidem, quae,** *etc.: I know from what source I derive those ideals which are of consummate value, i.e.* ' I know that it is from literature that I derive them ' : *illa* refers to Cicero's ideals of life. It is from literature and philosophy that he has drawn them. In other words, from the study of literature he has gained two things, (1) oratorical power ; (2) a juster conception of life and duty. The former is perhaps a slight thing, — he does not undertake to say, — but the latter is a living reality of the highest moment.

5. **nam nisi,** *etc.:* explaining how his ideals have been formed by the study of literature.

6. **multis litteris** : *by extensive reading.*

8. **honestatem** : *honor.* Latin *honor* would have been ambiguous here, since it often means *office.*   **ea** : referring to *laudem et honestatem* considered as a single idea.

10. **exsili** : as severe a punishment as could befall a Roman. **parvi esse ducenda** : *ought to be considered of small account.* For the genitive, see B. 203, 3 ; A. 417 ; G. 379 ; 380, 1 ; H. 448, 1.

11. **dimicationes, profligatorum hominum impetus** : referring to the recent conspiracy of Catiline and the continued opposition of Catiline's former adherents.

13. **pleni, plenae** : *i.e.* full of the principle conveyed in line 7 f. Note the Anaphora in *pleni, plenae, plena.*

14. **exemplorum** : *i.e.* of instances of men who have guided their lives by this principle.   **vetustas** : *ancient history.*   **quae** : referring to *libri, voces, exemplorum.*

15. **nisi litterarum lumen accederet** : *i.e.* unless they had been immortalized in literature.

16. **imagines** : *models.*   **ad intuendum** : *for contemplation.*

17. **expressas** : the adjective, — *distinct, clear cut.* The word was originally applied to the clay or wax models of the sculptor, which were literally *squeezed out;* hence, *carefully modelled, clear.*

22. **illi ipsi summi viri** : *i.e.* men of action.

24. **eruditi** : here an adjective.

25. **tamen est certum,** *etc.: i.e.* yet my answer is certain.

26. **animo ac virtute** : *character and achievement.*

27. **sine doctrina** : this phrase is almost equivalent to a predi-

cate adjective, limiting *homines*.   **et**: connecting *fuisse* and *exstitisse*.   **naturae ipsius**, *etc.*: *by the almost divine character of their very natures.*

28. **moderatos et graves**: *wise and influential.*

29. **illud**: *this (further admission)*; explained by the words *saepius . . . doctrinam*.   **saepius ad laudem**, *etc.*: *that natural endowment (naturam) without culture has oftener redounded to men's glory and success, than culture without natural endowment.* Note the Chiasmus in *naturam sine doctrina* :: *sine natura doctrinam*. This adds further emphasis to the contrast.

PAGE **99**, 2. **atque idem**, *etc.*: *and yet I also maintain this;* hoc (Accusative of Result Produced, — *make this contention*) is further explained by *illud nescio quid solere*.

3. **accesserit**: *has been added.*   **ratio conformatioque doctrinae**: *a methodical course of literary training;* literally, *a theory and moulding process of literary culture.*   There is Hendiadys in *ratio conformatioque*.

4. **tum illud nescio quid**, *etc.*: *then that indescribable (nescio quid) excellence and distinction is wont to manifest itself.*   For the force of *nescio quid*, see B. 253, 6; *cf.* A. 575, *d*; G. 467, R. 1; H. 512, 7.

5. **ex hoc . . . numero**: *to this number belongs;* literally, *from this number is;* *esse* is dependent upon *contendo*.

7. **Africanum**: Scipio Africanus the Younger.   **ex hoc**: understand *numero*.   **C. Laelium**: Scipio's intimate friend.   **L. Furium**: L. Furius Philus, consul in 136 B.C.   Africanus, Laelius, and Furius were all members of the so-called Scipionic Circle, a group of leading Romans eminent alike for their distinction in public life and their sympathy with letters and philosophy.

8. **moderatissimos et continentissimos**: *cf. moderatos*, p. 98 line 28.

9. **fortissimum**: *most stalwart;* in the moral sense.   **illis temporibus**: *for those times;* but the case is ablative.   **doctissimum**: though primarily a man of affairs, Cato was nevertheless a man of letters, and wrote several important works.   Only one of these, the treatise on farming (*De Agricultura*), has come down to us.   **M. Catonem**: the famous censor (234 to 149 B.C.).

10. **senem**: he reached the age of eighty-five years.   **si nihil . . . adjuvarentur**: *if they had not been assisted at all; nihil* has adverbial force.   On the use of the imperfect *adjuvarentur*, referring to past time, see B. 304, 2; A. 517, *a*; G. 597, R. 1; H. 579, 1.   **ad percipiendam colendamque virtutem**: *for appreciating and practising virtue.*

12. **non ostenderetur**: *were not made manifest.*

16. ceterae: *viz. remissiones.*   **neque temporum sunt,** *etc.: do not befit all occasions, etc.*

17. at haec studia adulescentiam alunt: a famous passage and deservedly so, embodying as it does an important truth in simple and impressive language.

19. adversis: understand *rebus.* The case is dative.

22. sensu nostro gustare: *i.e.* appreciate.

23. deberemus: owing to the defective nature of the English verb *ought*, we must use some other word here, in order to bring out the contrary-to-fact idea. Translate: *it would be our duty.*

24. cum videremus: *when we see.* The subjunctive is due to attraction. The imperfect tense is due to the fact that in conditional sentences of the contrary-to-fact type, the imperfect subjunctive (here *deberemus*) is treated as a secondary tense.

25. Rosci morte: Q. Roscius Gallus, by birth a slave, was one of the most eminent comic actors of his time, and enjoyed the personal friendship of many Romans of the highest standing. He died in 62 B.C., only a short time before the trial of Archias.

26. qui cum esset senex, *etc.: and though he was an old man when he died;* literally, *though he died an old man; senex* is a predicate nominative.

27. venustatem: Roscius was famed for the grace of his movements on the stage.   **videbatur,** *etc.: it seemed as though he ought not to have died at all;* literally, *he seemed not to have deserved, etc.*

29. conciliarat, neglegemus: *i.e. when he won, etc., shall we ignore, etc.?*   **animorum motus,** *etc.:* referring to Archias's accomplishments.

PAGE **100, 3. hoc novo genere dicendi:** referring to Cicero's praise of literature, — a novel line of discourse for a law-court.

7. revocatum: *when encored;* understand *hunc vidi* from the previous sentence.   **eandem rem dicere:** *treat the same theme.*

9. veterum scriptorum: the old Greek authors.

10. non diligam: *should I not love?* Deliberative Subjunctive.

12. sic: in English *this.*   **ceterarum rerum studia,** *etc.: as regards other things (i.e.* other than poetry), *their pursuit consists in, etc.;* literally, *the pursuit of other things consists;* but *ceterarum rerum* is emphatic and contrasted with *poetam.*

13. doctrina et praeceptis et arte: *theory, rules, and practice.*

14. poetam: *(but) the poet.*   **natura ipsa valere:** compare the familiar, *Poeta nascitur, non fit.*

16. noster Ennius: Q. Ennius, the father of Roman poetry (239–169 B.C.), born at Rudiae in Calabria. His most important work was the *Annales*, a history of Rome in hexameter verse, from the earliest times to his own day.   Only fragments of Ennius's work have come down to us.

20. **barbaria**: *barbarous nation;* literally, *barbarism;* abstract for the concrete.   **saxa et solitudines**, *etc.:* compare the story of Orpheus, whose playing is said to have drawn after him the beasts and trees; also the story of Amphion, who was fabled to have built the walls of Thebes by the music of his lyre.

22. **rebus optimis**: *by the highest culture.*

23. **Homerum**, *etc.: Homerum* is emphatic.   The names of the seven cities claiming Homer are given in the hexameter line:

Smyrna, Chios, Colophon, Salamis, Rhodos, Argos, Athenae.

24. **Salaminii**: the inhabitants of Salamis in Cyprus, not of the Attic island.

27. **pugnant inter se**, *etc.:* for the honor of Homer's birthplace.

29. **etiam**: for emphasis, placed after the words it modifies.

PAGE **101**, 4. **Cimbricas res**:   *i.e.* the campaign against the Cimbrian invaders.

5. **durior**: *somewhat unsympathetic.*

6. **aversus a**: *hostile to.*

8. **Themistoclem**: the famous Athenian statesman, the hero of Salamis (480 B.C.).

9. **quaereretur**: impersonal.

10. **quod acroama**: *what kind of performer* (literally, *oral performance*) ; another instance of the use of the abstract for the concrete; yet this is the prevailing force of the word in Latin. **ejus**: *i.e. se ejus vocem audire.*

11. **a quo praedicaretur**: subordinate clause in indirect discourse.

12. **L. Plotium**: a rhetorical teacher at Rome in Cicero's boyhood.

13. **Mithridaticum bellum**: the Third Mithridatic War.

14. **in multa varietate versatum**: *conducted with many vicissitudes.*

15. **hoc**: *viz.* Archias.

17. **populus Romanus, populi Romani, populi Romani**: the emphatic idea, as indicated by the Anaphora, — *for it was the* ROMAN PEOPLE *that opened Pontus;* . . . *it was an army of the* ROMAN PEOPLE; . . . *it is the glory of the* ROMAN PEOPLE, *etc.*

18. **et**: correlative with *et* before *ipsa* in line 19.

19. **regiis**: *viz.* of King Mithridates.   **natura et regione** *i.e.* by the nature of the country.

20. **non maxima manu** . . . **fudit**: alluding to the Battle of Tigranocerta (69 B.C.), in which the Roman forces under Lucullus

put to rout an army of Armenians under Tigranes which out-
numbered them twenty to one.

22. urbem Cyzicenorum: Cyzicus was besieged by Mithridates
until finally relieved by Lucullus, 73 B.C. **ejusdem**: *viz.* Lucullus.

24. nostra: repeating again with emphasis the idea of *populi
Romani*. **feretur**: *will be declared.* Its subject is *pugna* in
line 27.

25. interfectis ducibus . . . pugna illa navalis: the so-called
Battle of Tenedos, fought off Lemnos in 73 B.C.; *hostium* limits
ducibus as well as *classis*.

28. quae quorum, *etc.*: *the glory of the Roman people is heralded
by those by whose talents these achievements are extolled; i.e.*
Archias's poem on the war had shed lustre on the Roman name.

30. Africano superiori: the elder Scipio.

31. is ex marmore: *i.e.* his marble bust; literally, *he in (from)
marble.* The Tomb of the Scipios was discovered and opened
toward the close of the eighteenth century. On a sarcophagus
within the tomb was discovered a bust which many have thought
to be the one here mentioned by Cicero. See the illustration
facing p. 101. The bust and sarcophagus are now in the Vatican
museum at Rome.

PAGE 102, 1. cujus laudibus: *i.e.* by the praises that Ennius
bestowed on Scipio in his *Annales*.

2. in caelum tollitur: *viz.* by Ennius.

3. hujus proavus Cato: *Cato, the great-grandfather of the one
now living; hujus* refers to Cato Uticensis. The great-grandfather is Cato, the Censor. **magnus honos adjungitur**: *viz.* by
Ennius's praise of Cato.

4. Maximi, Marcelli, Fulvii: all these were celebrated in
Ennius's *Annales*. On Maximus and Marcellus, see notes to
p. 80, lines 27, 28. There were two Fulvii of eminence in Ennius's
day, Q. Fulvius Flaccus, four times consul in the Second Punic
War, and M. Fulvius Nobilior, Ennius's patron, whom the poet
accompanied on his Aetolian campaign (189 B.C.). Note the
plurals *Maximi, Marcelli*, — men like Maximus and Marcellus.

6. illum Rudinum: Ennius, born at Rudiae in Calabria.
qui haec fecerat: *i.e.* who had composed these poems.

7. in civitatem receperunt: Ennius received Roman citizenship through the assistance of the sons of M. Fulvius Nobilior.
Such a privilege was of great significance in the early days.

8. Heracleensem: Cicero wishes to contrast the importance
of the flourishing city of Heraclea with the insignificance of the
little hamlet of Rudiae. **multis civitatibus**: *by many states;*
dative; B. 189, 2; A. 375; G. 354; H. 431, 2.

9. de nostra civitate: *from citizenship with us.* Note the use of *de* here; *de* means ' from ' in the sense of from a place where a person or thing properly belongs. The word is particularly appropriate here, therefore.

10. nam si, *etc.:* the passage is elliptical. Supply in thought ' Some may urge that Archias's poetry, being Greek, is of less account. This is scarcely valid, for,' etc.

12. Graeca leguntur: *Greek is read.* **in omnibus fere gentibus**: Greek was at this time practically the universal language of the civilized world, occupying much the same position that French has held in modern times.

13. suis finibus: *to its own boundaries;* literally, *by its own boundaries.* Latin at this time was not spoken to any extent outside of Latium and the Latin and Roman colonies. **exiguis sane**: *small, as we must admit.*

14. quare: introducing a general summing up of the substance of the argument from the beginning of Chapter IX. In the last few sections Cicero has been arguing at length that a poet's celebration of individual achievement is in reality a glorification of the Roman people. ' Therefore,' he now goes on to say, ' inasmuch as our conquering arms have already gone to the ends of the earth, we ought to desire our glory (*i.e.* the poetic record of our achievements) to be extended just as far, especially since such poems not only lend glory to us, but give heart and courage to our generals and heroes.' **si res eae quas gessimus,** *etc.:* *si* here has the force of *since*, inasmuch as the protasis is recognized as true. **orbis terrae regionibus**: *i.e. only* by the limits of the world, — a rhetorical exaggeration.

15. quo: its antecedent is *eodem* in line 16.

16. pervenerint: subjunctive in indirect discourse. **gloriam**: *sc. nostram.* **penetrare**: object of *cupere.*

17. cum: *while;* correlative with *tum* in line 18. **ipsis populis**: with *ampla.* Note that *populis* is ' nations,' not our collective ' people.' **de quorum rebus scribitur**: *whose achievements are celebrated.* **haec**: *i.e.* these poems celebrating great deeds.

18. eis certe qui, *etc.:* *i.e.* the commanders and soldiers of our armies. **de vita**: *at risk of life.*

19. hoc: *i.e.* the immortalizing of their deeds in verse.

23. adulescens: *young hero.* **qui . . . inveneris**: *since you secured a Homer as the herald of your valor;* praeconem is a predicate accusative; *qui inveneris* is a Clause of Characteristic with an accessory idea of cause, — (*as being one*) who secured, *i.e. since you secured.*

26. noster hic Magnus: *viz.* Pompey. He received the designation of Magnus from Sulla.

29. et nostri, *etc.:* the force of *nonne* extends also to this clause. **sed:** in English we should say, *though.*

PAGE 103, 2. illud: *viz.* the award of citizenship.

3. credo: ironical, as often when parenthetical.

4. ut donaretur: object of *perficere.* **ab aliquo imperatore:** usually citizenship could be granted only by the people, but commanders of influence sometimes exercised the prerogative.

5. non potuit: *would not have been able;* B. 304, 3 *a*; A. 517, *c*; G. 597, R. 3; H. 583. **Hispanos et Gallos:** *i.e.* persons of small consequence as compared with Archias. But it was to only a very few individuals of Spanish and Gallic nationality that Sulla granted citizenship. **donaret:** *viz.* with citizenship.

6. petentem: the protasis to *repudiasset* is contained in this participle, which is here equivalent to *si petisset.* **quem:** *(Sulla) whom;* the subject of *jubere* in line 10. **in contione:** this was in the Forum.

7. de populo: *from the lower classes.* Compare Archias, who was *loco nobili natus.*

8. quod fecisset: the reason of the poet for presenting the petition. **io eum:** *in his honor.* **tantum modo:** *i.e.* the only merit of the composition was that it was in verse form. **alternis versibus:** literally, *the alternate lines being a little longer; i.e.* in alternate hexameters and pentameters, the so-called elegiac distich.

9. ex eis rebus, *etc.:* the confiscated property of proscribed citizens. **quas tum vendebat:** not personally, but by an auctioneer.

10. jubere: governed by *vidimus.* **ea condicione,** *etc.: but (only) on condition that he should never write anything again; ne scriberet* is a so-called ' Stipulative Subjunctive,' a development of the Jussive, having the force, ' on the understanding that, that not.'

11. qui: its antecedent is the omitted subject of *expetisset, is* understood, referring to Sulla. **duxerit:** the subjunctive here is due to attraction. For the perfect subjunctive used as an historical tense, see B. 268, 6; A. 485, *c*, N. 2; G. 513; H. 550.

12. tamen: *i.e.* despite the wretchedness of his verses. **hujus:** Archias.

14. civitate multos donavit: while proconsul in Spain, conducting the war against Sertorius, 79–71 B.C.

16. qui praesertim, *etc.: especially since he* (Metellus) *so desired.*

17. pingue quiddam sonantibus, *etc.: composing in a dull provincial jingle;* literally, *sounding a certain dull and foreign* *thing.* Cicero shows the natural contempt for provincial efforts. For the construction of *quiddam,* see B. 176, 2, *a*; A. 390, *c*; G. 332; H. 409, 1.

21. optimus quisque maxime, *etc.: i.e.* the better the man, the keener his ambition. But translate: *all the best men.*

23. in eo ipso, in quo, *etc.: in the very act of scorning glory.*

25. praedicari de se ac nominari: the impersonal construction seems harsh to our sense. We should expect the personal construction: *se praedicari ac nominari.* **Decimus Brutus:** consul in 138 B.C. He won distinction as a general in a campaign against the Lusitanians, a people of the Spanish peninsula.

26. Acci: the famous tragic poet (170 to about 90 B.C.).

27. templorum ac monumentorum: *i.e.* temples and other memorial buildings.

28. suorum: *i.e.* built from the spoils of his campaigns. **ille Fulvius:** see note on p. 102, line 5.

29. Martis manubias Musis consecrare: Fulvius erected a Temple of Hercules and the Muses at Rome and decorated it with many works of art captured in his Aetolian campaign.

PAGE **104,** 1. **in qua urbe . . . in ea:** *in a city in which . . . in that.* **prope armati:** *i.e.* fresh from the field of war.

8. **quas res:** *eas res quas.* The reference is to the conspiracy of Catiline suppressed by Cicero the year before this oration was delivered.

10. **hic:** Archias.

14. **laborum periculorumque:** Objective Genitives.

15. **laudis et gloriae:** Appositional Genitives. **qua detracta:** the Ablative Absolute here has conditional force.

16. **quid est quod:** *what reason is there why?*

17. **nos:** object of *exerceamus.*

19. **quibus:** its antecedent is *eisdem (regionibus).*

21. **nec:** the apodosis begins here.

22. **vigiliis:** *wakeful nights.* **angeretur:** the passive here, as often, has middle force, — *would not harass itself.*

23. **nunc:** *but now, i.e.* as things are. **virtus:** *a noble instinct.*

25. **vitae tempore:** *i.e.* the termination of life.

26. **cum omni posteritate adaequandam:** *i.e.* ought to be made immortal.

27. **tam parvi animi:** *of such a small spirit;* Genitive of Quality. **videamur:** *are we to seem, should we seem?* Deliberative Subjunctive in indignant question.

PAGE **105,** 3. **spatium:** *sc. vitae.*

4. **nobiscum moritura omnia:** *i.e.* that everything connected with us will perish along with us. Cicero means that we ought to

hope that at least the memory of our lives and characters will survive.

5. **an statuas et imagines**, *etc.: i.e.* have not great men taken a pride in leaving marble statues to keep alive the memory of their features? And should not we much more wish to leave behind us an adequate picture of our minds? **statuas, imagines**: the former designates full length statues; the latter, more commonly *busts*.   **simulacra**: *as representations;* in predicate relation to *statuas* and *imagines*.

7. **consiliorum ac virtutum**: the emphatic member of the sentence; *virtutum* here means *glorious deeds*.

8. **multo malle**: *to wish much more*.   **summis ingeniis expressam**: finely drawn by the consummate genius of some poet.

9. **omnia**: object of *spargere ac disseminare*.   **quae gerebam**: *i.e.* which I ever did.

11. **haec**: *i.e. sempiterna memoria*.   **sive a meo sensu afutura est**: *i.e.* if I am to be unconscious of the fame I have won.

12. **sapientissimi homines**: *i.e.* those philosophers who believed in the immortality of the soul, for example, Pythagoras, Socrates, Plato.

13. **ad aliquam animi mei partem pertinebit**: this of course presupposes the continued existence of the individual soul after death.

14. **cogitatione speque**: *i.e.* the thought and hope that this memory will in some way be connected with my consciousness after death.

17. **vetustate**: *i.e.* by the length of the friendship.   **id**: subject of *existimari*.

18. **quod videatis**: for the subjunctive, see B. 324, 2; A. 593; G. 629.   **summorum hominum ingeniis**: *i.e.* by men of the highest genius, *e.g.* Lucullus, Marius, Catulus.

19. **causa vero ejus modi**: Ablative of Quality (like *pudore eo, ingenio tanto*), but the place of the adjective is taken by an equivalent Genitive of Quality (*ejus modi*); *ejus modi*, which is further explained by the clause *quae comprobetur*, may be omitted in translation.

20. **beneficio legis**: the *Lex Plautia-Papiria*.   **municipi**: Heraclea.

23. **ut**: introducing *accipiatis*, p. 106, line 1.

25. **his recentibus periculis**: those of the Catilinarian conspiracy.

27. **eo numero**: *viz.* the company of poets.   **qui**: agreeing with the plural notion involved in the collective noun *numero*.

28. **ita**: *viz. sancti*.

PAGE **106**, 3. **quae breviter simpliciterque dixi**: *i.e.* the first part of the oration bearing directly on the law and the facts of the case at issue.

4. **omnibus**: the passive of *probo* regularly takes the Dative of the Person Judging, instead of the Ablative of Agent.

5. **a . . . aliena**: *at variance with; aliena* is in predicate agreement with *quae*. **et . . . et**: *both . . . and.*

8. **ab eo qui**, *etc.: viz.* by his brother Quintus.

THE ORATION FOR MARCELLUS

Marcus Claudius Marcellus was a Roman noble, who in 51 B.C. had filled the office of consul. As the hostility between Caesar and Pompey developed, he had championed the cause of the latter, exhibiting his dislike of Caesar in particularly aggressive fashion. After the battle of Pharsalus, however, recognizing the hopelessness of further resistance, he had withdrawn into retirement at Mytilene and devoted himself to his favorite pursuits of rhetoric and philosophy. After Caesar's triumph in 46 B.C., an organized movement for Marcellus's pardon was begun by his friends. At length in a meeting of the Senate at which Caesar was present, C. Marcellus, the brother or cousin of the exile, throwing himself at Caesar's feet, formally petitioned for the pardon of his kinsman. Caesar magnanimously granted the request, whereupon Cicero arose and delivered the oration known as *pro Marcello.* This should be interpreted as ' on behalf of ' rather than ' in behalf of Marcellus.' As he was returning from Greece to Italy, Marcellus was assassinated by a member of his own retinue. The motive for the deed is not known.

PAGE **107**, 1. **diuturni silenti**: the emphatic idea of the sentence ; it is governed by *finem.* Cicero's long silence in regard to public affairs was occasioned by his dissatisfaction at Caesar's overthrow of the old constitution. **eram usus**: *I had observed.* In English the present perfect would be more natural here.

2. **timore, dolore, verecundia**: Ablative of Cause ; *dolore* refers to Cicero's regret at the trend of public affairs.

3. **idemque**: *and likewise.*

4. **quae**: as antecedent understand *ea*, object of the gerund *dicendi.* **vellem, sentirem**: the gerund is so similar to an infinitive that the subjunctive is used in accordance with B. 324, 2 ; A. 593 ; G. 629.

5. **dicendi**: dependent on *initium.* Note the Chiasmus in *diuturni silenti finem : : initium dicendi.*

6. **in summa potestate**: Caesar's power was now absolute. He had recently been appointed extraordinary dictator for a period of ten years.

7. **rerum omnium**: with *modum*.   **modum**: *moderation*.

8. **tacitus**: *in silence*.

9. **Marcello reddito**: *now that Marcellus has been restored.*

12. **dolebam**: explaining *dolore* in line 2.

13. **cum**: *though*.

14. **in eadem fortuna**: Cicero, who also had opposed Caesar, had been pardoned.   **esse**: governed by *dolebam et angebar*.

15. **nec persuadere . . . ducebam**: explanatory of *verecundia* in line 3.   **versari**: this is logically dependent upon *persuadere* as well as upon *fas esse ducebam*, but grammatically belongs to the latter expression alone; *persuadeo* regularly governs an *ut*-clause.

16. **in nostro vetere curriculo**: *i.e.* in my former participation in public affairs,   **illo aemulo distracto**: Ablative Absolute.

17. **studiorum ac laborum**: Marcellus like Cicero was an eloquent orator, and was a student of philosophy.   **quasi quodam**: *like some*.   **a me**: note the Hyperbaton; the phrase would naturally stand immediately before *distracto*.

19. **his omnibus**: the senators.

20. **quasi**: the apologetic *quasi*, introducing the figure in *signum sustulisti*.

PAGE **108**, 1. **mihi**: Dative of Agency.   **in multis**: in the case of many, *i.e.* many who had been pardoned.   **paulo ante**: *just recently*.

2. **omnibus**: in the same construction as *mihi*, with which it is sharply contrasted.

3. **te anteferre**: governed by *intellectum est*.

5. **ille**: Marcellus.

6. **ante actae**: *past*.

7. **cum**: correlative with *tum*.   **consensu senatus**: *i.e.* in the fact that the Senate was unanimous in requesting Marcellus's pardon.

8. **judicio tuo**: *i.e.* by the fact of Caesar's decision to pardon him.   **maximo**: *most significant*.

9. **in dato beneficio**: *in granting a favor*.

11. **quam ad ipsum ventura sit**: Cicero's expectations in this respect were not realized. Marcellus evinced little satisfaction at his pardon.

15. **aut ullo laudis genere**: *or any other praiseworthy quality*.

16. **nullius**: serving here as the genitive of *nemo*. Note the emphasis of the position, increased by the repetition.

18. exornare: *to give a suitable description of.* **enarrare:** *to give a full report of.*

19. in his: namely, *rebus gestis.*

21. idque usurpare: *and to speak of the fact; id* is explained by what follows.

22. omnis: agreeing with *res gestas.*

26. numero proeliorum: Pliny the Elder says that Caesar fought fifty pitched battles. **nec varietate regionum:** *viz.* Gaul, Britain, Germany, Greece, Pontus, Egypt, Numidia, Spain. **celeritate conficiendi:** Caesar was characterized by a truly marvellous rapidity of action, when once his decision was taken. Compare his famous dispatch after his victory over Pharnaces; *veni, vidi, vici.*

28. nec . . . potuisse peragrari: *and that . . . could not have been traversed.* **disjunctissmas terras,** *etc.:* in the Civil War (49–46 B.C.).

PAGE **109,** 4. **capere:** *compass.*

6. **ducibus:** *from the generals;* but the case is dative.

12. **hujus gloriae:** *viz.* of the pardon of Marcellus.

16. **quin etiam:** *nay, further.*

18. **tuam esse,** *etc.: is entirely your own;* as subject of *esse,* understand *istam gloriam.*

19. **numquam enim,** *etc.: i.e.* in Caesar's case.

21. **gentes barbaras:** referring to the Gauls and Germans.

22. **locis infinitas:** *boundless in extent.* **copiarum:** *resources.*

23. **tamen ea vicisti,** *etc.: i.e.* in subduing savage tribes, you triumphed over difficulties such as others have often triumphed over. **naturam et condicionem:** *i.e.* such a nature and character.

25. **ferro et viribus:** *i.e.* by the resources of war.

26. **victoriae:** dative.

29. **haec:** referring to the previous infinitives.

PAGE **110,** 1. **deo:** *similis* regularly takes the genitive of persons.

2. **itaque:** this belongs logically with the thought contained in *incendimur, etc.* (line 11); *celebrabuntur* and *conticescet* are logically subordinate to this, — 'and so, while your martial glory will be celebrated and no age will ever forget it, yet that is a small thing as compared with the affection and admiration evoked by your recent generous act.'

3. **paene omnium gentium litteris atque linguis,** *etc.:* this prophecy has been literally fulfilled.

6. **nescio quo modo:** *somehow or other.*

11. **gestis rebus**: the usual order (*rebus gestis*) is here inverted for the purpose of contrasting real achievements with imaginary ones (*fictis*).

14. **cujus mentem sensusque et os**, *etc.: whose purpose, feelings, and features we see, evincing the desire, etc.; ut velis* is a substantive clause depending loosely upon the three substantives *mentem, sensus, os.*

15. **quicquid**: its antecedent is *id.*   **reliquum fecerit**: *has left.*

16. **studiis** : *enthusiasm.*

19. **illa auctoritas**: *i.e.* that influential man, Marcellus.

21. **equidem** : *for my own part.*   **C. Marcelli**: the brother or cousin of M. Marcellus.

22. **pietate**: *devotion.*   **omnium Marcellorum**: *i.e.* the whole house extending back for generations.

24. **dignitatem suam** : for *suus* referring to an oblique case, see B. 244, 1; A. 301, *b*; G. 309, 2, H. 503, 2.

27. **innumerabilibus gratulationibus**: an obvious exaggeration. Four thanksgivings (*supplicationes*) had been decreed in Caesar's honor at different times, all of which, however, were of unprecedented duration.

29. **ceterae duce te**, *etc.: those other things done under your leadership were great to be sure, but yet they were done, etc.* With *ceterae*, supply in thought *res*, subject of *erant* understood. From *gestae*, which is used as a participle, understand *gestae sunt* as the verb of the second member of the sentence.

31. **idem**: *at the same time.*   **quae**: referring to *rei.*   **ut . . . allatura sit**: the mode of expression is illogical. Cicero means that, *though* time will bring an end to the trophies of Caesar's military achievements, yet it will add constantly to the fame of his mercy and generosity.

PAGE **111**, 1. **tropaeis et monumentis**: *i.e.* the tangible memorials of your victories.

6. **jam ante**: *i.e.* before the pardon of Marcellus.

7. **aequitate et misericordia**: Cicero's tribute to Caesar's clemency was well deserved. Previous victors in civil wars — for example, Cinna, Marius, Sulla — had exhibited an inhuman cruelty towards their defeated opponents.

8. **ut hoc . . . auditum**: *that this when heard may be incapable of being understood.*   **perinde atque**, *etc.: precisely as I think and feel it.*   Cicero evidently fears that he may fail to express adequate appreciation of Caesar's clemency.

9. **ipsam victoriam vicisse**: *i.e.* to have risen superior to the claims which victory gave.

11. **victoriae condicione**: *the rights of victory.*

12. **omnes victi**: *all of us, defeated as we were.* **occidissemus**: *would have perished; occidissemus* is not merely an adversative *cum*-clause; it is also the conclusion of a contrary-to-fact condition, of which the protasis is involved in *victoriae condicione; i.e.* 'if you had exercised your rights of victory, we should have perished.' **clementiae tuae judicio**: *through the verdict prompted by your clemency; clementiae* is a Subjective Genitive.

16. **omnes**: *all (of us).* **ad illa arma**: *to that struggle.*

18. **aliqua culpa tenemur**: *are guilty of some fault;* literally, *are held by, are involved in.*

19. **scelere**: from the crime of being enemies. **liberati sumus**: *viz.* by this act of Caesar's. **cum Marcellum conservavit**, *etc.: in saving Marcellus, in restoring me . . . and the other most eminent men;* the force of *cum* extends also to *reddidit.*

21. **nullo deprecante**: Cicero emphasizes Caesar's special generosity in pardoning Cicero himself without solicitation; *nullo* supplies the missing ablative of *nemo.*

22. **ipsos**: this word, in agreement with the object of *reddidit,* merely intensifies the force of the reflexive. **frequentiam et dignitatem**: literally, *numbers and rank, i.e.* men of rank present in great numbers.

23. **non hostes induxit in Curiam**: *i.e.* has not viewed as enemies those whom he has brought back to the senate house.

27. **de pace audiendum (esse)**: *that proposals of peace should be heeded; audiendum (esse)* is impersonal.

28. **civium pacem flagitantium**: by *civium* Cicero refers chiefly to himself. In one of his letters to Pompey, he writes: "I take it you bear in mind the importance of securing peace, even though on hard conditions."

29. **nec ulla**: *i.e.* not in the civil strife between Sulla and the Marian party, when Cicero was a young man.

PAGE **112**, 2. **togae**: a figurative equivalent of *pacis.* **socia**: *on the side of.*

3. **hominem**: *viz.* Pompey, the leader of the constitutional party opposed to Caesar. **privato officio**: *i.e.* from personal devotion.

4. **grati animi**: Subjective (not Objective) Genitive. **fidelis memoria**: *the loyalty.*

5. **nulla non modo cupiditate**, *etc.: i.e.* with neither desire of gain nor hope of success; Ablatives of Attendant Circumstance. **prudens et sciens**: *with my eyes open;* a redundant legal phrase.

8. **in hoc ordine**: the Senate. **integra re**: *i.e.* before the beginning of hostilities.

9. eadem sensi: *held the same sentiments.*   **cum capitis mei periculo:** after the battle of Pharsalus, Cicero refused to take further part in the struggle, and announced his intention of returning to Italy. Thereupon the hot-headed son of Pompey assaulted him, and was with difficulty restrained by the vigorous intervention of Cato.

10. ex quo: *wherefore.*

12. ceteris: dative, dependent on *iratior.*

13. fuerit iratior: Adversative Asyndeton.   **id:** understand *fuit.*   **tum cum esset:** the subjunctive is here used at apparent variance with the principle laid down in B. 288, 1, *a*; A. 545; G. 580; H. 601; but the exception is only apparent, for *tum* here does not refer to a definite time, but is general. Translate, *at a time when.*

15. victor: *as victor.*

17. hujus quidem rei, *etc.*: *hujus rei* refers to the idea of advocating peace; *i.e.* I can bear witness that Marcellus was an advocate of peace. Cicero's assertion exceeds what is warranted by the facts. Like Cicero, Marcellus had lacked enthusiasm for Pompey's cause, but he had not been an outspoken advocate of peace.

20. insolentiam certorum hominum: *the presumption of special persons, i.e.* persons who were well known, but whom Cicero will not name. The reference is to the insolent confidence of certain Pompeians, who after Pompey's first success at the battle of Dyrrhachium allotted among themselves the magistracies for the following year and the properties of their opponents, whose proscription they already anticipated.   **ipsius victoriae ferocitatem:** Pompey openly announced his intention of wholesale vengeance in case of success.

22. qui illa vidimus: *i.e.* who witnessed those threats of vengeance.

23. causae: the merits of the two sides.   **victoriae:** *i.e.* the way Caesar actually used victory and the way in which Pompey would have used it.

25. vidimus victoriam, gladium non vidimus: note the Chiasmus, which partly justifies the Asyndeton.   **proeliorum exitu terminatam:** *ended with the close of fighting; i.e.* Caesar's victory was not continued by a proscription of his enemies.

26. vagina vacuum: *unsheathed;* but the expression is unnatural and unexampled.

28. quin multos .   . excitaret: no mere compliment. Caesar was moved to tears when the head of Pompey was brought him, and at the news of Cato's suicide he is reported to have expressed regret that he had been robbed of the glory of pardoning him.

29. **ex eadem acie** = *ex eodem exercitu*, *viz.* the same as that to which the *multos* of line 28 belonged.

PAGE **113**, 1. **alterius partis**: *of the other party*, *viz.* Pompey's; dependent upon *victoriam* and placed first for emphasis.

2. **nimis iracundam futuram fuisse victoriam**: apodosis of a contrary-to-fact condition in indirect discourse.

3. **quidam . . . minabantur**: the reference is to Pompey's partisans, who followed their leader in declaring all neutrals hostile. Caesar, on the other hand, announced that he would consider as his friends all who were not in arms against him; *otiosis* means *neutrals*.

5. **ubi fuisset**: *i.e.* whether they had followed Pompey to Greece or had remained in Italy. **cogitandum esse**: ought to be considered in determining whether persons were to be ranked as friends or foes.

8. **qui excitaverunt**: with causal force, *for having caused*. The antecedent of *qui* is the collective *populo Romano*.

12. **bono**: *gift*, *viz.* his *clementia et sapientia*.

13. **cum**: correlative with *tum*.

14. **ex quo**: *quo* refers loosely to the joint idea contained in *natura et moribus*.

17. **quos . . . esse**: *i.e.* to be associated with you in the conduct of the government.

20. **summa bona**: according to the Stoics, virtue was the *summum bonum* and worthy of being sought for its own sake.

23. **haec**: *laus vera, magnitudo animi*. **donata**: *i.e.* given us for permanent possession, as contrasted with *commodata*, temporarily intrusted. **cetera**: *i.e.* all other advantages.

24. **noli defatigari**: *do not become weary*.

25. **cupiditate**: *i.e.* from desire of personal advantage, — wealth or station.

26. **lapsis**: *when they have erred*. **opinione offici**: *from a notion of duty*.

27. **specie quadam rei publicae**: *from a certain appearance of government;* *i.e.* the machinery of the state (Senate and magistrates) seemed to be on Pompey's side.

29. **contraque**: -*que* has adversative force, as often after a negative clause. **quod**: *that*.

PAGE **114**, 1. **querelam et suspicionem**: *viz.* that his assassination was being plotted by secret enemies.

2. **quae**: *the fulfilment of which*.

3. **cum**: correlative with *tum*, but hardly translatable in this context.

5. **tua cautio nostra cautio est**: truer than Cicero realized. The historian Drumann observes that had it not been for Caesar's murder, Cicero would never have been proscribed. The same was true of many other senators who heard these words of Cicero.

6. **si . . . peccandum sit**: *if we must err in either one direction or the other.* The subjunctive is due to attraction.

8. **quisnam tam demens**: *viz.* as to wish to murder Caesar. **de tuisne**: *some one of your associates?* The phrase *de tuis* depends upon some indefinite pronoun to be supplied in thought.

9. **qui magis sunt tui**: for the sake of a compliment, Cicero here plays on the meaning of *tuus.* **quibus**: its antecedent is *ei,* to be understood after *quam.*

10. **hoc numero, qui**, *etc.: i.e.* some one from the number who fought on Caesar's side in the recent struggle. The plural *qui* is justified by the collective force of *numero.*

11. **ullo**: *any one* Cicero often uses *ullo* as a substantive, oftener in fact than the regular pronoun *quoquam,* which we should naturally expect in the substantive use. **quo duce**: *under whose leadership;* the antecedent of *quo* is *hujus* in line 12.

12. **suae**: *sc. vitae.*

14. **inimici**: as verb understand *cogitent.* **qui**: *sc. inimici.* **fuerunt**: *i.e.* were enemies. **sua pertinacia**: with reference to those who, after Pharsalus and the murder of Pompey, continued the resistance to Caesar, particularly in Africa.

16. **qui fuerunt**: *i.e.* those who were hostile and have survived.

20. **omnium**: with *quis,* not *rerum.*

21. **tam nihil . . . cogitans**: *so thoughtless both concerning his own and the common weal.*

22. **tua salute contineri**: *is bound up with your safety;* Ablative of Association ; B. 222 A.

23. **suam**: *sc. salutem.* **unius tua**: *of you alone;* B. 243, 3, *a* ; A. 302, *e* ; G. 321, R. 2 ; H. 446, 3. **omnium**: *sc. vitam.*

24. **de te cogitans**, *etc.: contemplating with reference to you merely human contingencies, etc.* By *casus humanos* Cicero means such contingencies as come in the natural course of human life, — illness, decay of mental and physical powers, *etc.*

26. **extimesco**: here, — *am made afraid.*

28. **consistere**: (with *in*) *depends upon.*

29. **motus valetudinis**: *conditions of health.* **sceleris insidiarumque consensio**: *i.e.* a treacherous or secret league for the commission of crime (murder).

30. **si**: *even if.*

31. **credamus**: *are we to believe? can we believe?* Deliberative Subjunctive.

PAGE **115**, 1. **omnia sunt excitanda**: *i.e.* all our institutions must be restored.

2. **quod necesse fuit**: *as was inevitable.* The antecedent of *quod* is the general idea involved in *belli impetu perculsa atque prostrata.*

3. **constituenda judicia**, *etc.*: in further explanation of *omnia sunt excitanda.* The reforms here mentioned were actually undertaken by Caesar before his death.

4. **fides**: *i.e.* commercial confidence and credit. Business had been totally disorganized by the war.   **comprimendae libidines**: referring not merely to private immorality, but to the excessive self-indulgence and luxury of the age.   **propaganda suboles**: the free-born population had been decimated by the civil dissensions of the last few years. Caesar endeavored to repair these losses by encouraging marriage and the birth of children. This he did by offering certain immunities and honors to fathers of large families.

6. **non fuit recusandum quin**: *i.e.* it was inevitable that.

7. **quassata**: the participle.

8. **fuisset**: *should be;* representing a future perfect indicative of more direct statement.

11. **prohibuisset**: conclusion of a contrary-to-fact condition; the protasis is involved in *togatus.*

17. **doctorum hominum** = *philosophorum.*

18. **prudentiam**: *wisdom.*

19. **venit**: impersonal; the subject is *te dicere.*

20. **istud**: explained by *tibi . . . vixisse.* Suetonius tells us that Caesar's health at this time was greatly broken, and that, in consequence, he was thought to have been willing to die.

21. **tum**: explained by the *si*-clauses.   **audirem**: *i.e.* should be willing to hear, should approve (as I now do not).

23. **complexae sunt**: *i.e.* comprise, include.

24. **fundamenta quae**, *etc.*: for *fundamenta eorum operum quae*, *etc.*   These words are probably to be understood figuratively of all the plans, political, social, and architectural, which Caesar entertained. The reference is not merely to buildings.

25. **hic modum definies**: *under these circumstances (hic), will you determine the duration of your life?*

26. **non salute rei publicae, sed aequitate animi**: *i.e.* not by the needs of your country, but by your own resignation (willingness to die).

27. **istud**: *viz.* the determination of the length of one's life by one's readiness to die.

28. **quamvis sis sapiens**: *despite your philosophy; quamvis* more often introduces a clause representing an act merely as conceived. But occasionally, as here, it denotes an actual fact.

PAGE **116**, 1. **parum magna** : *i.e.* too small achievements.
2. **immo vero** : *to be sure.*   **aliis** : *i.e.* other ordinary mortals.
quamvis multis : Caesar's glory is sufficient for an unlimited
number, if divided among them.
3. **quamvis** : here with its more usual force.
5. **hic** : subject.   **exitus** : predicate.   **futurus fuit** : *was to*
be.   **ut relinqueres** : explanatory of *hic.*
7. **admirationis plus quam gloriae** : *i.e.* lest he be regarded
merely as a prodigy rather than as a glorious benefactor of the
race.
8. **gloria** : *i.e.* true glory.
9. **illustris ac pervagata** : limiting *fama; pervagata* is here an
adjective, — *widespread.*   **in** : *toward.*
11. **haec pars, hic actus** : *this rôle, this part;* figures drawn
from the stage.
12. **ut rem publicam constituas,** *etc.:* explanatory of *haec pars,*
hic actus, in hoc.
13. **ea** : *i.e. re publica.*   **summa tranquillitate** : Ablative of
Manner.
14. **te** : subject of *vixisse.*
16. **dicito** : the future imperative is used, because the reference
is to the remote, rather than to the immediate future ; B. 281, 1,
a ; A. 449, 1 ; G. 268, 2 ; H. 560, 4.   **omnino** : *anyway.*   **hoc, ipsum**
' **diu** ' : *this very conception of ' long ' ; diu* is here treated as a noun.
18. **quamquam** : corrective, — *and yet.*
19. **his angustiis** : *these narrow limits.*
21. **haec** : the subject.
22. **corpore et spiritu continetur** : *i.e.* consists of body and
vital functions (literally, *breathing*).   For the ablative, see B. 218,
4 ; *cf.* A. 431 ; *cf.* G. 396, N. 1.
25. **huic** : referring to the idea involved in *posteritas, aeterni-*
tas.   **inservias, ostentes** : B. 295, 6, 8 ; A. 565 ; G. 553, 4, R. 1 ;
H. 564, II, 1.
26. **quae miretur** : Relative Clause of Purpose, — *to admire.*
27. **quae laudet** : (*much*) *to praise;* another Relative Clause of
Purpose.   The antecedent of *quae* is *multa,* to be supplied from
the preceding sentence as the object of *exspectat.*
28. **imperia** : this and the following accusatives are the objects
of *audientes* and *legentes.*   **provincias** : referring to Caesar's
commands in the provinces of Gallia ulterior, Gallia citerior, and
Illyricum, 58–48 B.C.   During most of this time Caesar was in
Gallia ulterior, prosecuting the Gallic War.   **Rhenum** : referring to Caesar's passage of the Rhine.   Roman troops had not
crossed it before Caesar's day.   **Oceanum** : referring to Caesar's
successful naval campaign against the Veneti, and to his voyage

to Britain.   **Nilum**: an allusion to the battle of the Nile in the Alexandrine War, 47 B.C.

29. monumenta: *i.e.* such monumental works as the Basilica Julia, one of the great law-courts, and the magnificent Forum Julium, both of which were planned and begun by Caesar.

PAGE **117**, 1. **munera**: *i.e.* the spectacles exhibited to the populace at the celebration of Caesar's triumphs.   These consisted especially of gladiatorial combats and exhibitions of wild beasts, which were hunted and slain in the arena of the Circus. The spectacles exhibited by Caesar are said to have surpassed in extent and magnificence anything of the kind hitherto witnessed in Rome.   **triumphos**: in the summer of the year in which this oration was delivered, Caesar had formally celebrated his four triumphs: over the Gauls, over Ptolemy, over Pharnaces, King of Pontus, and over Juba, King of Numidia.

5. cum alii, *etc.*: *some exalting your deeds to the skies, others perhaps noting the absence of something.*   The *cum*-clauses are explanatory of *dissensio*, and have no temporal force.

8. salute patriae: *i.e.* by bringing safety to your country. **illud**: *viz. bellum civile.*   **fati**: *a thing of destiny, i.e.* inevitable.

9. videatur: *shall seem.*   The dependent result clause receives future force from the future perfect *restinxeris.*   **hoc**: *viz.* the bringing of *salus* to the country.   **servi**: the imperative of *servio.*

11. haud scio an: *probably;* B. 300, 5; G. 457, 2.

13. id: *viz.* the judgment of posterity.   **quidam**: *viz.* the Epicureans, who believed that death involved the utter annihilation of both soul and body.   Caesar himself is said to have been an adherent of this school.

16. fuerunt: *viz.* in the Civil War.

17. studiis: *allegiance.*   **sed . . . dissidebamus**: *i.e.* there existed not merely a difference of opinion (*consiliis et studiis*), but there was an actual armed conflict (*armis et castris*).

18. obscuritas quaedam: *i.e.* the merits of the controversy were not clear.

20. quid optimum esset: *i.e.* which side it was best to support.

23. odium suum: *hatred of himself.*

24. nec qui, *etc.*: *and who did not, etc.*

25. eosdem: resumptive of *omnes*, and to our sense superfluous.   **ab aliis, ab aliis**: *by some; from others.*

26. posita (**sunt**): *viz.* after Pharsalus.   **erepta sunt**: at Thapsus (46 B.C.), in the African War.

PAGE **118**, 1. **quae enim pertinacia**, *etc.*: *i.e.* one who lays down his life in a cause may be regarded by some as guilty of obstinacy (*pertinacia*), yet by others he is held to be exhibiting loyal devotion (*constantia*). But there is no excuse for him who cherishes malice and resentment after a civil war is over.

4. **restat ut**, *etc.: it remains for all to cherish a single wish, i.e.* unite in a common purpose, *viz.* the protection of Caesar. For the subjunctive, see B. 295, 6; A. 569, 2; G. 553, 4.

5. **nisi te salvo et in ista sententia manente**: *unless you continue safe and in that purpose;* Ablative Absolute; *ista sententia* refers to Caesar's magnanimity.

8. **haec**: *i.e.* this country, this government.

10. **tibi**: with *pollicemur*.

15. **majores etiam habemus**: *we entertain still greater, viz. gratias*, which with *agimus* has the force of *thanks*, with *habemus*, of *gratitude*.

18. **stantibus dicere**: *to rise and say so, i.e.* in a formal speech.

19. **quodam modo**: as being an intimate friend and associate of Marcellus.   **quod**: the relative; its antecedent is *id* in line 21.

20. **M. Marcello . . . reddito**: *upon the restoration of Marcus Marcellus, etc.;* limiting *fieri* in line 19.

21. **fieri id intellego**: explained by *laetari omnes*.

23. **quod autem**, *etc.: but since* (line 26), *as long as there was doubt concerning his safety, I vouchsafed to him by anxiety, care, and effort, that which is a mark* (line 23) *of the greatest good will* (*which good will of mine towards him was always well known to all, so much so that I yielded scarcely to C. Marcellus, his most excellent and loving brother, and barring him* (*yielded*) *to no one*), *then certainly at the present time I ought to vouchsafe it, being now relieved, etc.;* in other words, ' Since I was a devoted friend of Marcellus in his time of trouble, I certainly ought to be so now in his hour of good fortune.' The antecedent of *quod* is *id* (line 26); *id quod summae benevolentiae est* refers to the assistance Cicero had rendered Marcellus and the efforts he had made to secure his pardon.

25. **fratri**: *frater* means both ' brother ' and ' cousin '; its meaning here is uncertain.   **cederem**: *i.e.* in devotion.

Page **119**, 1. **praestare**: as object, understand *id* from p. 118, line 26.

2. **ut**: introducing *accesserit*.   **omnibus me rebus**, *etc.: though I had not only been saved by you in all regards;* by *omnibus rebus* (Ablative of Specification), Cicero means life, property, rank, *etc.*

3. **ad**: *in addition to.* The phrase limits *accesserit*.

4. **quod . . . arbitrabar**: *a thing which I no longer thought possible.* The antecedent of *quod* is the general idea involved in the clause *ut accesserit*.

5. **cumulus**: *crowning favor.*

DE SENECTUTE

Time of Composition of the de Senectute. — With the over-throw of Pompey at Pharsalus in 48 B.C. and the consequent ascendancy of Julius Caesar, Cicero had retired completely from the arena of political life. Resigning himself of necessity to the centralizing policy of Caesar, he sought consolation in his ever favorite pursuit of philosophy, and it is to these closing years of his life that his chief philosophical works belong. It is still a disputed question whether the de Senectute was written shortly before or shortly after the assassination of Caesar (March 15, 44 B.C.). Conservative opinion at present tends to recognize the earlier date as the more probable, and to refer the composition of the work either to the last months of 45 B.C. or to the very earliest part (January or February) of 44.

Atticus. — The essay is dedicated to Cicero's intimate friend Titus Pomponius Atticus. Atticus was born in 109 B.C., of an old and wealthy equestrian family. From 88 to 65 B.C. he had resided at Athens, devoting his time to literary and philosophical studies. Returning to Rome in 65, he lived on terms of intimacy with the first men of his day. His friendship with Cicero had begun early in life, when the two were students together, and is well attested by the sixteen books of letters (Epistulae ad Atticum) which have come down to us. This correspondence begins in 68 B.C. and continues for twenty-five years, ending only a few months before Cicero's death (Dec. 7, 43 B.C.). Atticus never entered public life. His death occurred eleven years after that of Cicero, in 32 B.C.

Occasion of the Dialogue; its Dramatic Date. — Scipio and Laelius meeting at the house of the elder Cato express their wonder at the cheerfulness with which he bears the burden of age. Cato's answer leads the young men to request that he will set forth to them the means whereby old age may be made easy and happy. In compliance Cato proceeds to consider in detail the various accusations brought against old age, and to show how groundless these are. The greater part of the work is taken up by Cato's remarks. The participation of Scipio and Laelius in the conversation is so slight that the composition is practically an essay, not a dialogue.

The dramatic date of the conversation is 150 B.C., the year before Cato's death.

The Interlocutors:

(a) *Cato.* " M. Porcius Cato was a Sabine farmer who rose from the plough to the highest honors of the Republic. Born in 234 B.C., a soldier at seventeen, praetor in 198 B.C., and consul in 195 B.C., a veteran in the fields of war and oratory, he was the last representative of old-fashioned, middle-class conservatism, a bitter foe to new men and new manners, a latter-day Cincinnatus. He had served from the Trasimene to Zama, in Sardinia, Spain, Macedon, with skill, courage, success. Accused forty-four times, accuser as often, the grey-eyed, red-haired man had literally fought his way up with his rough-and-ready wit, his nervous oratory, his practical ability and business habits. For thirty-five years the most influential man in Rome, he had acted in every capacity, as general, administrator, and envoy. He was a man whose virtues served his own ends, whose real but well-trumpeted austerity was a stalking-horse for his personal acrimony and ambition. Narrow, reactionary, and self-righteous, as he was honest, active, and well-meaning, a good hater and a persistent critic, at once a bully and a moralist, he took up his text daily against the backslidings and iniquities of the time, against Hellenism, luxury, immorality, and corruption, especially as personified in the Scipios and Flaminini of his day. At bottom he was a genuine man, but it was unlucky that the strongest reforming force should have taken shape in this political gladiator and typical Roman, this hard-hitting, sharp-witted, keenly commercial, upright, vulgar Philistine." (How and Leigh, History of Rome to the Death of Caesar, p. 303.)

Cato lived to an advanced old age, dying in 149 B.C., the year after the date of the conversation represented in the de Senectute. Much has been made of the tradition that in his last years he was an assiduous student of Greek. But it is not likely that his study extended to the imaginative works of Greek literature, the masterpieces of Greek poets and philosophers. His interest in Greek was probably solely a practical one, and limited to the use of Greek sources in the composition of his historical work, the Origines. Appreciation for the ideal in literature and art he never possessed; in fact he cherished the intensest conviction that the indulgence of these sentiments involved a distinct menace to the welfare of the state. Hence it is not credible that in his old age he should have renounced the convictions of a lifetime and have turned with enthusiasm to the models of the creative genius of the Greeks. Only six years before his death, besides giving other evidences of his anti-Hellenic spirit, he had been a prime mover in expediting the departure from Rome of three Greek philosophers, Diogenes, Critolaus, and Carneades, who having come to the city on a diplomatic errand were using their leisure to set forth to the Romans the tenets of their respective schools.

It is, then, an ideal Cato that meets us in the de Senectute, not the real Cato of flesh and blood who opposed so stoutly throughout his whole career the tendencies and sentiments for which he is represented by Cicero as cherishing so lofty an enthusiasm.

(b) *Scipio.* The Scipio of the de Senectute (the younger Africanus) was a son of Lucius Aemilius Paulus, the conqueror of Macedonia. The name Scipio he took from his adoptive father, P. Cornelius Scipio (son of the great Africanus), adding the surname Aemilianus in token of his actual descent. Scipio was born about 185 B.C., and was therefore about thirty-five years of age at the time of the alleged dialogue. Though he early began to devote himself to the profession of arms, he possessed also decided literary tastes, and cultivated friendly relations with the contemporary poets Lucilius and Terence. Rumor had it that he even assisted Terence in the composition of his plays. For Cato, Scipio entertained a profound admiration, despite the old hostility between the two families, and is said to have taken that sturdy exemplar of the homely virtues as his own model.

(c) *Laelius.* Gaius Laelius, surnamed Sapiens, was of about the same age as Scipio, and was attached to him by ties of the closest friendship, as his father had been attached to the elder Africanus. Hence Laelius is appropriately made the chief speaker in Cicero's essay on friendship (the Laelius or de Amicitia). Laelius held various public offices, but was chiefly distinguished for his enlightened interest in literature and philosophy.

Ennius. — Ennius, from whose Annals Cato so often quotes in the de Senectute, was born at Rudiae in Calabria in 239 B.C., and died in 169. He was serving as a soldier in the Second Punic War when he attracted the attention and won the friendship of Cato, who brought him to Rome in 204 B.C. Here for a time he gained a livelihood by teaching; later his poetic gifts secured him the powerful support of the elder Africanus and others. Ennius's chief work is his Annales, of which, unfortunately, only fragments have come down to us. This was an historical poem, and dealt with the story of Roman achievement from the earliest times down to and including the stirring events of Ennius's own day.

PAGE 120, 1. O Tite, *etc.:* these three lines, like the two below, are quoted from the Annals of the poet Ennius (see Introd. p. 332). In their original context they are addressed by an Epirote shepherd to the Roman general, Titus Quinctius Flamininus; Cicero here applies them to his friend, Titus Pomponius Atticus (see Introd. p. 330). **si quid te adjŭero :** *if I help you at all.* Flamininus in 198 B.C. had undertaken the direction of the campaign against Philip V. of Macedon.   After landing in Epirus he was much embarrassed in his operations by the mountainous character of the country, until Charŏpus, a friendly Epirote chief, sent to him the shepherd already mentioned, to act as guide.   The shepherd inquires whether he is to receive any reward in case he extricates the general from his present embarrassment ; *quid* is Accusative of ' Result Produced ' (Internal Object), — *render any help.*   B. 176, 2, *a* ; A. 390, *c* ; G. 333, 1 ; H. 409, 1.   *adjŭero* is for the regular *adjŭvero,* with shortening of the *ŭ* (before a vowel) after the disappearance of the *v.*   **levasso :** an old future-perfect, equivalent in meaning to the customary form, *levavero.*

2. **coquit :** in the figurative sense of ' vex,' ' harass.'   **versāt :** note the length of the *a.*   This was the original quantity of this termination, though it was already tending to become shortened in Ennius's day.

4. **licet enim,** *etc.: for I may address you.*   **versibus eisdem :** *in the identical lines ; eisdem* is here especially emphatic, as shown by its unusual position after its substantive.

6. **ille vir :** *i.e.* the herdsman.   **haud magna cum re :** *poor; re* is here used in the sense of *re familiari,* ' property,' ' possessions.'   **plenus fidēi :** *i.e. loyal;* in early Latin final *s* was so lightly sounded that, as in the present instance, it often failed to ' make position.'   **fidei :** *fides, res, spes* regularly formed the genitive and dative in *-ĕī.*   Here, however, the *e* is long, *fidēī.* This seems to have been the original quantity, and appears often in Early Latin.

7. **quamquam certo scio :** *and yet I know for certain, quamquam* is here corrective.

8. **noctesque diesque :** *que . . . que* are correlative.

9. **novi :** *I am acquainted with,* as contrasted with *intellego* (in the following line), *I am aware of the fact.*   **moderationem et aequitatem :** *self-control and evenness.*

10. **cognomen :** *viz. Atticus,* given in consequence of his long residence at Athens and his intimate acquaintance with Greek literature.   **humanitatem et prudentiam :** *culture and good sense.*

12. **eisdem rebus :** the allusion is to the existing political situ-

ation. According as we place the composition of the de Senectute before or after Caesar's death, the reference will be to Caesar's threatened usurpation of regal power or to Antony's policy of self-aggrandizement. **me ipsum**: the thought is inaccurately expressed. We should have expected *ego ipse* (*sc. commoveor*), ' by which I myself am disturbed.' **gravius**: *rather seriously.*

13. quarum: *for which,* an extension of the ordinary force of the Objective Genitive. **major**: *i.e.* a larger theme.

14. nunc: as opposed to the ' later occasion ' just alluded to. **visum est mihi**: *I have decided.*

15. ad te conscribere: *i.e.* to write and send to you; hence *ad* with the accusative.

17. senectutis: Cicero was now sixty-two years old, Atticus sixty-four. *Senectus* seems to have been an elastic term among the Romans, as ' old age ' is with us; *senectutis* depends on *onere.*

18. etsi: corrective, like *quamquam* above, in line 7. **te quidem**: *quidem* serves to emphasize *te,* and to suggest a possible contrast between Atticus and Cicero. Cicero is sure that Atticus at any rate will bear old age philosophically, whatever his own attitude may prove to be.

PAGE **121**, 1. **sed occurrebas**: *i.e.* Cicero feels that Atticus, despite his natural equanimity and good sense, may nevertheless appreciate the tribute he offers.

3. eo munere: *of that tribute, viz.* my essay on old age; *eo* here is not correlative with *quo,* but refers back to the thought involved in *scribere.* **quo uteretur**: a relative clause of purpose. **uterque nostrum**: *i.e.* Cicero in the writing and Atticus in the reading.

4. mihi quidem: *to me at any rate; cf. te quidem,* p. 120, line 18.

6. effecerit mollem etiam et jucundam senectutem: *has made old age actually easy and pleasant.*

7. satis digne =adequately.

8. cui qui pareat, *etc.*: *since he who obeys it* (philosophy) *can pass every period of life without annoyance.,* lit. *he who obeys which can pass.* The peculiarity of the passage lies in the fact that *cui,* while serving to introduce *possit,* is itself governed by *pareat,* which is subordinate to *possit; possit* is a Subjunctive of Characteristic with the accessory notion of cause. B. 283, 3; A. 535, *e*; *pareat* is attracted to the mood of *possit.*

9. de ceteris: *on other subjects.* Outside of the nominative and accusative Cicero regularly uses an adjective in agreement with *res,* to denote ' other things,' ' many things,' etc. So here *de ceteris rebus* would have been the regular form of expression.

10. hunc librum : emphatic and contrasted with the writings suggested by *de ceteris.*

11. tribuimus : *I have put in the mouth of.* Note the editorial ' we.'

12. Tithono : the son of Laomedon. In response to the prayers of Aurora, who loved him, the gods had made Tithonus immortal; but they did not confer upon him the boon of per- petual youth. Hence he is said to have shrivelled away and finally to have been changed into a grasshopper. **Aristo Ceus :** *Aristo of Ceos.* Aristo was an unimportant Peripatetic philoso- pher who flourished about 225 B.C. As we gather from this passage, he was the author of a dialogue on old age, in which he had made Tithonus the chief speaker. Aristo's works have not come down to us.

13. in fabula : *in a myth, i.e.* in putting my sentiments in the mouth of a mythical character like Tithonus. **M. Catoni seni :** *Marcus Cato the Elder* (234–149 B.C. See Introd. p. 331, *a*). Cicero adds *seni* to distinguish this Cato from his own contemporary, M. Cato, called *Uticensis,* a great-grandson of the elder Cato.

14. apud quem : *in whose presence,* or *at whose house.* **Laelium et Scipionem :** see Introd. p. 332, *b, c.* The participation of Laelius and Scipio in the conversation is extremely slight; the de Senec- tute is in no proper sense a dialogue.

15. facimus : *I represent.* **admirantes :** *i.e. expressing their admiration.*

17. eruditius : *with greater elegance,* or *greater polish.*

18. in suis libris : of Cato's works the only one that has come down to us is the treatise on farming, de Agri Cultura. This work shows almost a total absence of literary skill, and makes it clear why Cicero should have thought it necessary to apologize for the elaborate form in which Cato is made to set forth his views on old age. **quarum constat eum perstudiosum fuisse :** it is doubt- ful whether Cato's interest ever extended to the finer literary masterpieces of the Greeks. More likely such attention as he is reported to have given to Greek in his old age was confined to historical works in the Greek language; these probably served as important sources in the composition of his Origines; see Introd. p. 331.

20. plura : supply in sense some such word as *dicere.*

22. saepe numero : *often;* sometimes written *saepenumero.*

23. cum . . . tum : *not only . . . but also.* **ceterarum rerum :** *in other things.* Objective Genitive. See note on *quarum,* p. 120, l. 13.

24. vel maxime : *vel* is simply intensive.

25. quod senserim : the indicative is ordinarily used in causal clauses introduced by *quod* denoting the reason of the speaker, but the subjunctive may be used to indicate the reason of the speaker when the main verb refers to a past state of mind. That is the case here, — *saepe numero admirari soleo* being equivalent to 'I have often wondered.'

26. Aetna gravius: Cicero regularly confines his use of the Ablative of Comparison to negative expressions, interrogative expressions implying a negative, and a few proverbial phrases such as *melle dulcius, vita carius, Aetna gravius.*

28. rem haud sane difficilem admirari videmini: the thought is inaccurately expressed. Cicero really means: 'What you wonder at, Scipio and Laelius, does not seem to me a really difficult thing.' Cato does not mean to say that the young men seem to admire, — for their admiration was beyond question, — but simply that the thing which they admire does not seem remarkable to him.

PAGE **122,** 1. **quibus enim,** *etc.: for to those who have no resources, etc.; quibus* is Dative of Possession.

3. a se ipsi: as usual, the intensive is joined with the subject instead of agreeing with the reflexive.

5. est: *belongs.* **in primis:** *especially;* sometimes written *imprimis.*

6. adeptam: here used passively.

8. putassent: this represents a pluperfect indicative of direct discourse *(putaveramus). Putaveram* is frequently used in Latin, corresponding to the English 'I thought.' **primum:** elliptical, — *in the first place* (let us inquire).

9. falsum putare: *to think what was false; falsum* is here used as a substantive. **qui:** *how; qui* was originally an ablative or instrumental, but it early acquired the adverbial force of 'how.' Traces of its original case function may still be seen in *quicum.* **adulescentiae senectus,** *etc.:* as here used, *adulescentia* is the period from boyhood to old age, *i.e.* the period of growing powers.

12. quam si: *quam si* here has the force of *instead of.*

13. praeterita aetas . . . cum effluxisset, *etc.:* the most natural interpretation of this sentence seems to be this: 'even an unlimited period of past time would not be able, when once it was gone, to comfort the foolish age of these men I am talking about'; *posset* is the apodosis of a contrary-to-fact conditional sentence, the protasis of which is implied in *quamvis longa* ('were it never so long'). The subjunctive in *cum effluxisset* is due to attraction.

16. opinione vestra: *the notion you have.* By employing this word Cato affects modesty, implying that the compliment paid him by the young man was the result of a mere notion or fancy.

17. nostro cognomine: *viz. Sapiens;* see note on *cognomen;*

p. 120, line 10.   **in hoc sumus sapientes**: the emphasis rests upon the words *in hoc;* the apodosis corresponding to the protasis *si . . . soletis* is to be supplied in thought; we may understand some such thought as, ' I will say,' ' Let me point out.' Such ellipses are frequent in Latin.

18. **naturam, optimam ducem, sequimur**: this was a cardinal doctrine of the Stoics, — ' to live according to Nature,' *i.e.* Nature's plan.

19. **cum . . . discriptae sint**: *cum* has causal force.   In view of Nature's wise allotment of the other parts of life, it is not likely that she has neglected old age.

21. **inerti poëta**: *an unskilful poet.*

22. **necesse fuit esse aliquid extremum**: *there had to be something final.*   **tamquam**: here, *just as.*

24. **quasi vietum et caducum**, *etc.:* we have here an instance of what may be called the ' apologetic ' *quasi.*   Both *tamquam* and *quasi* are often thus used when the author employs a word or phrase in some unusual figurative sense, where an English writer might have added, ' so to speak,' ' if I may employ that term,' or something of the sort.   Thus here the writer apologizes for his bold use of *vietus,* which properly meant ' bent,' ' twisted,' ' shrivelled,' but which is here figuratively applied to the conditions of old age.   Translate; *something shrivelled, so to speak, and ready to fall with the fulness of time.*   *Aliquid* is to be supplied with *vietum* and *caducum.*

25. **molliter**: *calmly, patiently.*   **quid est enim,** *etc.:* ' for what does the battle of the giants with the gods signify but rebellion against Nature?'   Cato's last remarks had been devoted to emphasizing the importance of living in accordance with Nature's plan.   We must do this, he says; otherwise we shall be rebelling against Nature, and against this the legend of the contest of the giants should warn us.   For that legend typifies rebellion against Nature.

27. **atqui**: *and yet; i.e.* despite their agreement with what Cato has said, the young men wish to learn how old age may be made tolerable.   **gratissimum**: used substantively, — *a thing most welcome to us.*   **ut . . . pollicear**: *to speak* (lit. *promise*) for *Scipio too, i.e.* as well as for himself.

29. **volumus quidem certe**: Laelius has just said that they both hoped (*speramus*) to become old, but realizing that this is asserting too much, he at once hastens to qualify this *speramus* by saying that at least they *wished* to become old men.   **fieri**: had the infinitive depended directly upon *speramus,* it would regularly have taken the form *nos futuros esse;* but its construction is determined by *volumus.*

PAGE **123**, 4. **futurum est**: different in force from *erit; erit* would have referred the matter distinctly to the future; *futurum est* indicates rather a present prospect, — 'is likely to prove agreeable.'

5. **volumus sane**: *we really do wish.*

6. **qua nobis quoque ingrediendum sit**: *where we too must travel.*

7. **istuc . . . quale sit**: *to see the nature of the goal at which you have arrived,* lit. *to see that thing . . . of what sort it is.* (Prolepsis or Anticipation. B. 374, 5; A. 576; G. 468).

10. **pares cum paribus congregantur**: note the reflexive meaning of the passive *congregantur.* For the thought, *cf.* the English ' Birds of a feather flock together.'

12. **quae . . . deplorare solebant**: owing to the interruption caused by the parenthesis, the writer here repeats the thought already expressed in *querelis aequalium,* — *complaints which they used to make,* lit. *which things they used to complain; quae* is accusative of ' Result Produced ' (Internal Object). See note on *quid,* p. 120, line 1.   **C. Salinator**: naval commander in the war against Antiochus, 191 B.C.   **Sp. Albinus**: consul in 186 B.C.

13. **tum . . . tum**: *partly . . . partly.*

14. **sine quibus . . . putarent**: *without which (they said) they thought life was not life;* subjunctive in implied indirect discourse.

15. **spernerentur**: not as strong in meaning as our ' spurn,' ' despise,' but more nearly equivalent to our ' neglect,' ' slight.'

16. **essent soliti**: subjunctive by attraction.   **qui**, *etc.*: note the adversative force of this sentence, — *but these men did not seem to me to blame, etc.*   **id quod esset accusandum**: practically a subordinate clause in indirect discourse, *non id accusare videbantur* being equivalent to *non eos id accusare putabam;* hence the subjunctive.

18. **usu venirent**: *would happen,* lit. *would come by experience.*

20. **cognovi**: here, *I have known.*   **sine querela**: the prepositional phrase is used as an adjective modifier of *senectutem.* **qui . . . non moleste ferrent**: *who by no means regretted,* lit. *who bore it not ill.* The object of *ferrent* is *se laxatos esse.* Note the litotes in *non moleste;* except for this we should have had *nec* (correlative with *nec* following) instead of *et . . . non.*

23. **non in aetate**: *not in the time of life.*   **moderati**: *of self-control; moderati homines* are those *qui sibi moderantur.*

24. **difficiles**: *churlish;* hard to deal with or hard to please. **inhumani**: *i.e. devoid of culture (humanitas).*

25. **importunitas, inhumanitas**: these words convey in substantive form the ideas contained in *difficiles* and *inhumani*

respectively, — *boorishmess, lack of culture.* **omni aetati**: *to every period of life.*

27. **dixerit quispiam**: *some one may say;* potential subjunctive.

28. **opes**: *resources,* and so *influence.* **copias**: *wealth.* **dignitatem**: *high standing,* both political and social.

31. **sed nequaquam in isto sunt omnia**: *i.e.* the whole case is by no means comprised in that.

Page 124, 1. **Themistocles**: the famous Athenian statesman, commander of the Greeks at Salamis.

2. **Seriphio cuidam**: *a certain Seriphian.* Seriphos, one of the Cyclides, was so small and rocky that it became proverbial in antiquity for its insignificance and barrenness. **ille**: *i.e.* the Seriphian.

4. **nec hercule**: supply in sense *clarus fuissem.*

6. **quod**: referring loosely to the point of the story just narrated.

7. **levis**: *i.e.* easy to bear. **ne . . . quidem**: *ne . . . quidem,* as frequently, merely repeats the negative idea. B. 347, 2; A. 327; G. 445; H. 656, 2.

8. **nec insipienti**, *etc.*: *nor to a fool can it fail to be burdensome, even in the midst of the greatest plenty.* Note the chiastic arrangement in *nec levis ne sapienti quidem* on the one hand, and *nec insipienti non gravis* on the other.

9. **aptissima omnino . . . arma**: *altogether the most suitable weapons; senectutis* is a Possessive Genitive, *i.e.* weapons for old age to use.

10. **artes exercitationesque virtutum**: *liberal arts and the practice of the virtues; artes* is here used in the sense of *artes liberales.* Notice the use of the plural in *exercitationes;* repeated instances are thought of.

11. **quae**: referring to *virtutes.* **cum diu multumque vixeris**: *when you have had a long and eventful life; vixeris* is in the perfect subjunctive. Note the indefinite second singular. B. 356, 3. Subordinate clauses containing this indefinite second person singular stand regularly in the subjunctive. *Cf.* p. 132, line 7.

13. **deserunt**: used absolutely.

14. **id quidem**: *that, of course.*

15. **bene factorum**: *good deeds; bene facta* is often used as a substantive.

17. **Q. Maximum**: *Quintus Fabius Maximus,* surnamed Cunctator ' Delayer,' from his policy of avoiding a pitched battle with Hannibal. **Tarentum recepit**: Tarentum had been captured by Hannibal in 212 B.C., but Fabius recovered it three years later.

18. **senem aduiescens**: in Latin contrasted words are often put in juxtaposition. **erat enim**: *for there was.*

19. **condita**: *tempered,* lit. *seasoned (condio).*

20. **quamquam**: corrective, as p. 120, line 7.

21. **non admodum grandem**, *etc.: when not so very old, yet well along in life.*

22. **anno post . . . quam ego natus sum**: *a year after I was born, i.e.* in 233 B.C.; *post . . . quam* for *postquam,* as often. Cato's point had been merely to cite Fabius as an illustration of how ' liberal arts and the practice of the virtues ' make old age pleasant and easy to bear; but, with an old man's tendency to indulge in digression, he begins to recount his own experiences as a soldier under Maximus, although the recital of these incidents does not in the least serve to illuminate the question at issue. Such digressions, especially in the way of personal reminiscences on Cato's part, meet us frequently in the de Senectute, and constitute a striking feature of the art with which Cicero has depicted the character of the aged Cato.

23. **quartum consule**: *consul for the fourth time.* This was in 214 B.C.

24. **adulescentulus**: *when a young man;* Cato was twenty years old at the time. **ad Capuam**: *to the neighborhood of Capua.*

26. **quem magistratum**: in English, *an office which.*

27. **cum . . . fuit**: the indicative is used to denote *the point of time at which.*

28. **suasor**: *a supporter.* **legis Cinciae**: so called from the name of the tribune who introduced it, M. Cincius Alimentus. The chief feature of this law was that it forbade advocates to receive fees for professional service. This provision remained a principle of Roman law until the reign of the Emperor Claudius, when it was slightly modified.

PAGE **125**, 1. **plane grandis**: *quite old,* implying less, however, than *admodum senex.* The time referred to is that previous to Fabius's support of the *lex Cincia,* which was in 204 B.C., the year before his death. **juveniliter exsultantem**: *i.e.* exulting in the enthusiasm of young manhood, as opposed to Fabius, who was *plane grandis.* Hannibal was only thirty-two years old at the time (215 B.C.).

2. **patientia**: *endurance, persistence.*

3. **familiaris noster**: *my intimate friend; noster* for *meus,* as *nos for ego.* **Ennius**: as verb of the sentence, supply *ait,* or some such word.

4. **unus homo nobis**: the quotation is from the Annals. Virgil imitates this line in Aeneid, VI, 846:

Tu Maximus ille es
Unus qui nobis cunctando restituis rem.

restituit: implying that when Fabius took the field the Roman fortunes were at a low ebb. This was particularly the case on the occasion of Fabius's second command, in 215 B.C., the year after the disastrous defeat at Cannae.

5. **noenum**: *not*, an archaic form. **rumores**: *i.e.* the popular report that Fabius's avoidance of a direct engagement with Hannibal was prompted by cowardice. **ponebāt**: note the preservation of the original quantity of the final *a*; *cf.* note on *versat*, p. 120, line 2.

6. **plusque magisque**: with adjectives and verbs *plus* denotes a *higher degree of intensity*, *magis*, a *wider extent* of application; thus here, *plus claret* = ' has a greater brilliancy'; *magis claret*, = ' diffuses a wider radiance' : *-que . . . -que* are correlatives.

7. **Tarentum**. made emphatic by its position, — *in case of Tarentum, now.*

8. **Salinatori**: Cicero's memory is probably inaccurate in this reference to Salinator. It was Titus Livius Macatus who lost Tarentum.

10. **mea opera**: *through my instrumentality;* the chief emphasis rests upon *mea*.

12. **praestantior**: supply *erat.* **in toga**: *i.e.* in peace, civil life.

13. **qui consul iterum**: *for he, when consul a second time* (228 B.C.); the relative clause begins a justification of the statement just made. **quiescente**: *i.e.* taking no side in the matter.

14. **C. Flaminio**: in 232 B.C., in opposition to the expressed policy (*auctoritas*) of the senate, Flaminius had secured the passage of an agrarian law providing for the distribution of certain lands in northern Italy among the citizens of Rome. Cicero seems to be in error in making Fabius and Carvilius colleagues in 232 B.C. Their consulship was in 228 B.C., but the fact of Fabius's sturdy opposition to Flaminius's law is beyond question.

15. **agrum Picentem et Gallicum**: the Picene lands lay near the Adriatic, east of Umbria and north of the Sabine territory; the *ager Gallicus* was slightly further north. **contra senatus auctoritatem**: an *auctoritas senatus* was simply an expression of opinion by way of formal resolution; it had no binding force.

16. **dividenti**: *i.e.* trying to secure the division; the participle has a conative force.

17. **optimis auspiciis**: *under most favorable auspices;* Ablative of Attendant Circumstance. B. 221.

18. **ferrentur**: *were proposed; legem ferre* is the technical phrase for introducing a bill for enactment.

19. multa: emphatic, — *many are the excellent qualities which I came to know in that hero.*

20. nihil admirabilius: *nothing worthier of admiration;* supply *cognovi.* **quam quo modo:** *than the way in which;* cf. *quem magistratum gessi,* ' an office which I held,' p. 124, line 26.

21. mortem fili: this son, who also bore the name Q. Fabius Maximus, had been consul in 213 B.C., and died about 205, shortly before his aged father.

22. in manibus: *in circulation, i.e.* may still be read. **laudatio:** *i.e. laudatio funebris,* the funeral eulogy. **quam cum legimus:** *and when we read it.*

23. contemnimus: *regard as insignificant (in comparison);* *contemno* is usually less strong than the English ' despise.' **in luce atque in oculis civium:** *in the public view and before the eyes of his fellow-citizens; lux* in the sense of ' publicity' is a frequent figure in Latin.

24. magnus: supply *erat;* cf. *praestantior,* above, line 12. **intus domique:** *in the privacy of his home;* hendiadys.

25. quae praecepta: *what good advice!*

26. notitia: *familiarity.* **scientia:** *theoretical knowledge, knowledge of the principles.*

27. multae litterae: *i.e.* much knowledge of books or literature. **ut in homine Romano:** *for a Roman; ut* is here restrictive. In such cases the expression is elliptical. Thus here we might supply *litterae inveniuntur,* — ' so far as literary knowledge is found in a Roman.' Cicero evidently recognizes that as a class his countrymen were not conspicuous for a profound knowledge of books. Such preëminence was never a prevalent ideal with the Romans. **omnia:** with *bella.*

28. domestica: *i.e.* wars in which Romans were engaged.

29. externa: wars which other nations waged. **cujus** = *et eius.* **ita:** *ita* does not modify *cupide,* but *fruebar,* and simply serves to anticipate the *quasi*-clause.

30. illo extincto: Fabius died in 203 B.C. **fore, unde discerem, neminem:** *I should have nobody to learn from; unde,* by a common idiom, is here equivalent to *a quo;* the clause *unde discerem* is a relative clause of purpose. Special emphasis rests upon *neminem,* as is shown by its unusual position at the end of the sentence.

PAGE **126,** 1. **quorsus:** *why?* **igitur:** *now,* — a mere particle of transition, as frequently. **haec tam multa:** object of *dixi* or some similar verb to be supplied.

2. quia profecto: *because, of course.* **nefas dictu:** *an outrageous thing to say.*

3. nec = *et . . . non.*

4. Scipiones aut Maximi: *i.e.* men like Scipio or Maximus. This generic use of the plural of proper names is common.   **ut, ut, ut, ut:** notice the emphasis gained by the repetition of the particle, — anaphora.

5. **pedestres:** *on land;* for *terrestres,* as often.

6. **est etiam:** *there is also, i.e.* as well as the old age of men who, like Fabius, have been active in the field, there is also the peaceful old age of those who have passed a life of devotion to literature or philosophy.   **quiete et pure atque eleganter actae:** *quiete* is opposed to the stir and activity of a public life; *pure* refers to the refined character of the pursuits alluded to; while *eleganter* implies that they call for the exercise of taste and discrimination.

7. **placida ac lenis senectus:** *a tranquil and peaceful old age.* The thought of this sentence is somewhat condensed.   Two ideas are combined in a single expression: (1) There is the old age of a life spent in retired pursuits.   (2) Such an old age is peaceful and tranquil.   **qualem accepimus Platonis:** abbreviated for *qualem accepimus fuisse senectutem Platonis.*   Plato, pupil of Socrates and founder of the Athenian Academy, lived from 429 to 347 B.C.

8. **uno et octogesimo:** *unus* for *primus* as often in such combinations.

9. **scribens est mortuus:** best taken literally.   Another account reports him to have died at a wedding feast.   Petrarch and Leibnitz also are said to have died pen in hand.   **Isocratis:** Greek orator and rhetorician (436–338 B.C.).   He is said to have trained more famous orators than any other rhetorician of antiquity.

10. **librum:** *speech,* as often.   **Panathenaicus:** this oration delivered at the Panathenaic festival, was a defence and eulogy of Athens as the great civilizing force of Hellas.

12. **Leontinus Gorgias:** *Gorgias of Leontini* (in Sicily), 480–373 B.C.   He was a famous sophist and rhetorician.   **centum et septem complevit annos:** *i.e.* rounded out the sum of one hundred and seven years.

13. **studio atque opere:** *zeal for his profession;* hendiadys.

14. **cur tam diu vellet esse in vita:** implying that he might have terminated life by suicide, a step which was held by the Stoics and Epicureans to be justifiable under certain circumstances.

15. **nihil habeo quod accusem:** *I have no reason to blame.* The exact nature of the subjunctive after *nihil habeo quod* and *nihil est quod* is uncertain.

16. **praeclarum responsum:** in apposition with the previous sentence.

17. docto homine: *a scholar.* **sua enim vitia,** *etc.:* the emphasis rests upon *sua* and *suam,* — *for 'tis their own defects and their own faults that fools lay to the charge of old age.*

18. quod: *i.e.* he did not lay his own defects to old age.

20. sicut fortis equos, *etc.:* cited from the Annals. **fortis equos:** *a gallant steed; equos* was the spelling of Ennius, and continued regularly in vogue till about the time of Cicero's death. Cicero, accordingly, probably wrote *equos, equom* (not *equus, equum*), although editors hesitate to introduce this spelling into our text. See B. L. L.[1] § 57. **spatio supremo:** *in the final lap.* In the Greek hippodrome the chariots raced twelve times around the course.

21. vicit Olumpia: *has won an Olympic victory;* Cognate Accusative. B. 176, 4, *a*; A. 390; G. 333, 2; H. 409. **confectus quiescit:** the final *s* does not 'make position.' See note on *plenus,* p. 120, line 6.

22. victoris: here used as an adjective. **suam:** *sc. senectutem.*

23. quem meminisse: when used of persons in the sense of 'recall,' *memini* regularly takes the accusative. **probe** = *bene.*

24. hi consules: the present consuls, *i.e.* those for the year 150 B.C., when the conversation is represented to have taken place. **T. Flamininus:** not the Titus Flamininus mentioned p. 120, line 1.

25. M': the apostrophe is probably a relic of an early *M* made with five strokes which occasionally appears in archaic inscriptions (ʍ).

26. iterum: this applies to *Philippo* only. Caepio and Philippus were colleagues in 169 B.C.

27. legem Voconiam: so called from the tribune Quintus Voconius Saxa, who introduced it. The purpose of the law was to restrict the amount of money bequeathed to women, and so to check their extravagance, as well as to prevent the growing tendency toward the alienation of property from the great families.

28. bonis lateribus: *lusty lungs.*

PAGE **127**, **3. etenim:** grammatically *etenim* introduces *reperio,* — *for, when I think it over, I find four reasons why old age seems wretched.* Logically, however, it anticipates the clause *Earum . . . videamus,* which practically means 'No one of these four reasons is sound'; so that the paragraph as a whole might be loosely paraphrased thus: 'For of the four reasons which, upon consideration, I find advanced in support of the wretchedness of old age, — of these four reasons not one is sound.'

---

[1] Bennett's *Latin Language.*

This brings the thought into close connection with the assertion that Ennius actually seemed to enjoy old age, and furnishes the transition from the introductory portion of the essay to the discussion proper. **complector**: in this figurative sense the phrases *complector animo, complector mente* are regularly combined with a direct object; here we may supply in sense *rem,* 'the subject.'

4. **quod avocet, quod faciat,** *etc.:* the subjunctive indicates that the reason is not the speaker's, but exists in the mind of others, *viz.* of those who think old age wretched.

5. **alteram** = *secundam,* as often.

8. **quamque justa:** *quamque* = *et quam.*

10. **a rebus gerendis senectus abstrahit**: merely a statement of the first objection brought against old age. **quibus**: with omission of the preposition, which has just been expressed with *rebus.* With relatives and interrogatives, such omission is frequent.

11. **an eis**: *is it not merely from those?* *An* not infrequently occurs with the force of *-ne, nonne.* **juventute et viribus**: *the strength of youth,* — hendiadys.

12. **igitur**: merely inferential, — *are there, then, no pursuits, etc.?* **quae . . . administrentur**: *which are performed,* — not *may be* or *can be.* The Subjunctive is one of Characteristic. **vel infirmis corporibus**: *even though the body is feeble; vel* is intensive.

13. **tamen**: *i.e.* in spite of feeble bodies. But to us the thought seems sufficiently clear without this particle. **nihil ergo agebat,** *etc.: was it nothing, then, that Maximus did?* Notice the anaphora in *nihil, nihil, nihil.*

14. **L. Paulus, pater tuus**: Lucius Aemilius Paulus, conqueror of the Macedonian king Perseus at Pydna in 168 B.C. Scipio was the son of this Paulus, and received the name of Scipio as a result of his adoption by L. Cornelius Scipio, son of the conqueror of Hannibal. To the name of his adoptive father, Scipio added the *cognomen* Aemilianus, taken from the gentile name (Aemilius) of his actual father, Paulus.

15. **fili mei**: Cato's son, Marcus Porcius Cato, married Aemilia, Paulus's daughter. He died when praetor elect in 152 B.C., and is touchingly alluded to again near the close of this dialogue, p. 158, line 11 ff. **ceteri senes**: *i.e.* the other old men whom every one at once recalls. **Fabricii, Curii, Coruncanii** · the generic plural, as *Scipiones, Maximi,* p. 126, line 4, *i.e.* Fabricius, Curius, Coruncanius, and men of that stamp. Fabricius, famous for the simplicity and integrity of his character, was especially conspicuous in the war against Pyrrhus (281–275

B.C.). Curius was a contemporary of Fabricius, and like him served with distinction in the war against Pyrrhus. Coruncanius, though the least famous of the three men here mentioned, was accounted one of the most remarkable characters of his day (consul 280 B.C.), and achieved success in war with the Etruscans, as well as against Pyrrhus.

16. **cum . . . defendebant**: the *cum*-clause here seems to be ' explicative,' like Cicero's *cum tacent, clamant,* ' their silence is a shout'; so here, *was their defence of the state inactivity (nihil agebant)* !

17. **ad Appi Claudi**, *etc.: Appius Claudius, besides being old, was also blind;* lit. *to the old age of Appius it was added that he was blind.* Appius was censor in 312 B.C., and consul in 306 and 295. The Appia Via was constructed under his supervision.

19. **ad pacem . . . faciendum**: *faciendum* is to be taken with *pacem* as well as with *foedus.*

21. **persecutus est**: *has set forth.*

22. **quo vobis**, *etc.:* the citation is from the Annals; *vobis* is the so-called Ethical Dative. **rectae quae stare solebant**: *rectae* seems here used figuratively for *sound, sane,* and to be contrasted with *dementes* in the next line.

23. **antehac**: here dissyllabic by synizesis. **dementes**: with adverbial force, — *senselessly; mentes dementes* illustrates the figure called oxymoron (' contradiction'), *senseless senses.* **viāī**: archaic genitive, dependent upon *quo,* — lit. *whither of the way.*

24. **ceteraque**: *i.e.* the other points of Appius's speech. **gravissime**: *most impressively.* **carmen**: *the poem, passage.*

25. **et tamen**: *and apart from that, i.e.* apart from Ennius's account, Appius's own speech is also preserved. It was still extant a hundred years later in Cicero's day.

27. **cum . . . interfuissent censorque . . . fuisset**: we have here an illustration of the most extreme development of the *cum*-clause of situation or circumstance. All temporal notion has vanished, and only the circumstantial force is left. The nearest English equivalent is the awkward nominative absolute, — *ten years having intervened between the two consulships, and the censorship having preceded his first consulship.*

PAGE **128**, 1. **ex quo intellegitur**: *from which it is (readily) understood.*

2. **Pyrrhi bello**: Ablative of Time. **grandem sane**: *quite an old man;* he had been elected to the censorship in 312 B.C. As the office of censor was one of great dignity, it is unlikely that Appius was less than forty years of age at the time he filled it.

This would make him over seventy years old at the time referred to.

3. **sic**: *viz.* that he was able to determine the public policy at this advanced age.   **nihil afferunt**: *adduce no argument, i.e.* no argument that proves old age wretched.

4. **similesque sunt ut si qui . . . dicant**: the diction is clumsy and unusual.

6. **scandant, cursent, exhauriant, sedeat**: the subjunctives are due to the indirect discourse.

8. **quietus**: *without moving (from his place)*.   **non facit**: *sc. senectus.*

9. **non viribus aut velocitate**, *etc.*: these phrases are made emphatic by their position, — *'tis not by strength of body, or by speed of movement or swiftness, that great matters are accomplished; corporum* limits *viribus* as well as *velocitate* and *celeritate.*

11. **consilio, auctoritate, sententia**: *deliberation, influence, judgment.*   **quibus**, *etc.*: an illustration of the construction called ἀπὸ κοινοῦ (' in common'), by which a single word or phrase is made to limit two different words, but in a different construction with each.   Thus here *quibus* is Ablative of Separation with *orbari*, but Ablative of Specification with *augeri*, lit. *(qualities) of which old age is not only not wont to be deprived, but in respect to which it is even wont to be increased (i.e.* more liberally endowed).

13. **nisi forte**: this phrase regularly, as here, implies that the supposition is absurd.   **miles et tribunus et legatus et consul**: note the emphasis gained by the polysyndeton, *et . . . et . . . et . . . et.*   There were six *tribuni militum* in a legion; they commanded in turn, each for two months.   The *legatus* stood next to the commander-in-chief, and was under his immediate supervision; the *consul*, when he took the field, was the commanding general.

14. **vario genere**: the English idiom is *various kinds.*

15. **nunc videor**, *etc.*: join *nunc* closely with *cum*, — *now that.*

17. **male jam diu cogitanti**: *which has long been plotting mischief.*   **bellum multo ante denuntio**: Cato means that he declares war against Carthage long before the actual commencement of hostilities.   He saw the approaching conflict, and did his best to precipitate it, regularly ending his speeches in the Senate with the declaration: *censeo Karthaginem esse delendam.*

19. **quam palmam**: *this glory, i.e.* of destroying Carthage. Cicero cleverly utilizes the subsequent overthrow and destruction of Carthage by Scipio in 146 B.C. (four years after the date of this dialogue).

20. **ut . . . persequare**: explanatory of *palmam*, — *of completing what your grandfather left undone;* the reference in *avi* is to the elder Scipio, the hero of the Second Punic War.

21. **tertius et tricesimus annus**: this is inaccurate. Scipio died in 185 B.C., *thirty-five* years before the date of the dialogue.

22. **excipient**: lit. *take up, i.e.* one after another, and so *transmit, perpetuate.*

24. **cum . . . creatus esset**: *having been chosen consul a second time in my consulship.* The *cum*-clause is like *cum . . . interfuissent*, p. 127, line 27.

25. **num igitur, etc.**: *igitur* like *ergo* at p. 127, line 12.

26. **paeniteret**: referring to present time, — *would he now be regretting?* Had Scipio lived to his hundredth year, he would have been eighty-four at the time of the dialogue; hence the use of the imperfect tense.

27. **nec enim . . . uteretur**: *no! for he would not be making use.* **excursione, saltu**: *i.e.* in military operations.

28. **consilio, ratione, sententia**: see note on line 11, *consilio, auctoritate, sententia; ratio* is *reason, i.e.* the exercise of the reasoning faculties.

29. **quae nisi essent, etc.**: *unless these qualities were in old men.*

30. **summum consilium**: *the highest deliberative body.*

31. **quidem**: *in fact.*

PAGE **129**. 1. **ut sunt**: *just as they are (old men).* The reference is to the γέροντες or councillors (lit. *old men*), who formed the so-called γερουσία. Cicero's point is that, while the Romans called their councillors *senatores* (a word suggesting *senex*), the Lacedaemonians called their councillors *senes* outright.

2. **quodsi voletis**: *if you will (only),* — not so strong as *wish* in this instance.

3. **externa**: *foreign history.*

5. **cedo**: *tell me.* **qui**: *how.*

6. **in Naevi poetae Lupo**: *in 'The Wolf' of the poet Naevius.* Naevius was one of the very earliest Latin writers (270–199 B.C.). Of his numerous works, Bellum Punicum (a poem in Saturnian measure on the First Punic War), tragedies and comedies, only a few brief fragments have come down to us. It has been conjectured that the words above cited were addressed by Amulius to the ambassadors whom the Veientian king Vibe had dispatched to the Alban court. The answer to the question is given in the words: *Proveniebant oratores, etc.* **respondentur et alia et hoc in primis**: *other replies are given, but this in particular.*

8. **stulti, adulescentuli**: *fools, boys.* The point is not that these particular youths were fools, but that youths who under-

take to wrest the control of government from older men, are fools
as a class.

9. temeritas est videlicet, *etc.: rashness, it is plain to see, is
a characteristic of youth (florentis aetatis).*

11. at memoria minuitur : *but, it is alleged, memory is impaired.*
This use of *at* to introduce the view of an opponent is very common in argumentation.   **credo :** *I suppose so;* not ironical.
nisi eam exerceas : *unless you exercise it;* the second singular is
used of an indefinite subject precisely like our English ' you.'
For the subjunctive, see the note on p. 124, line 11.

12. natura tardior : *naturally rather dull.*

13. perceperat : *knew,* lit. *had acquired.*

14. qui Aristides esset, *etc.: to greet Aristides as Lysimachus.*
As object of *salutare* understand *eum,* to which *Lysimachum*
stands in the relation of predicate accusative.   There is a certain
dry humor in the illustration chosen by Cato.   The rivalry between Themistocles and Aristides had been so keen that Themistocles was hardly likely to forget his old opponent or to confuse
him with another man.   Lysimachus was Aristides's father.

15. equidem : while not etymologically connected with *ego,*
this word in Cicero is regularly equivalent to *ego quidem,* ' I for
my part,' ' I at least,' *etc.*

16. qui sunt : *who are still living.*

17. nec sepulcra legens, *etc.: nor am I afraid of losing my
memory by reading epitaphs, as they say.*   **quod ajunt :** *quod*
refers loosely for its antecedent to the idea suggested by the
context, *viz.:* Those who read epitaphs, lose their memory.
Doubtless this saying was largely true, in so far, at least, as those
who were found engaged in studying the tombstones were already
old men of waning faculties.

18. his ipsis legendis : *by reading these very tombstones.*

19. quemquam senem : *any old man.*   Note the use of *quisquam* for *ullus.*

20. omnia quae curant : *all things in which they take interest.*

21. vadimonia constituta : *the bail they have given,* lit. *the bail
fixed, viz.* by the court.

22. quid juris consulti, *etc.: senes* belongs with all these nomi-
natives, — *how is it in case of aged lawyers, aged pontiffs, aged
augurs, aged philosophers,* lit. *jurists as old men, augurs as old men,
etc.* Some verb is to be supplied in sense with these words,
fecerunt, for example.

23. quam multa meminerunt : *how many things they (are
obliged to) remember; i.e.* the very nature of their profession
obliges them to possess retentive memories.

24. manent : emphatic by position.   **ingenia :** *faculties.*

modo permaneat, *etc.: provided only interest and industry con-tinue.*

26. honoratis: this word does not here mean *honored,* but designates men distinguished by holding public offices, *honores.*

PAGE **130,** 1. **Sophocles:** the greatest of the Greek tragedians. He lived from 496–406 B.C. Seven of his tragedies have come down to us.

2. **quod propter studium cum . . . videretur:** *and when in consequence of this pursuit he seemed.*

3. **a filiis:** the common account attributes this action to a single son, Iophon; but the whole story is apocryphal.

4. **quem ad modum male rem gerentibus,** *etc.: just as fathers who mismanage their estates are wont to be removed from (control of) their property,* lit. *it is wont to be interdicted to fathers from their property; patribus* is Dative of Reference; *bonis,* Ablative of Separation. B. 188, 1, *a*; A. 364, N. 1; G. 390, 2, N. 3. **nostro more:** this Roman custom was legally recognized in the Laws of the Twelve Tables (about 450 B.C.).

5. **quasi desipientem:** *as being in his dotage.*

7. **eam fabulam:** *the play.* **quam in manibus habebat:** *which he had in hand, on which he was engaged.* For another sense of *in manibus,* see p. 125, line 22, note. **et proxime scripserat:** *and upon which he had just been writing.*

8. **Oedipum Coloneum:** *the Oedipus at Colónus. Coloneus* is an adjective. The play has come down to us, and represents the aged Oedipus arriving in his wanderings at the Attic deme of Colonus. The tradition is that the passage chosen by the poet for recitation on the occasion referred to was the magnificent choral ode in praise of Athens (verses 668–719), a part of which runs as follows:

> Of all the lands far famed for goodly steeds,
> Thou com'st, O stranger, to the noblest spot,
>   Colonos, glistening bright,
> Where, evermore, in thickets freshly green,
>   The clear-voiced nightingale
>   Still haunts, and pours her song,
>   By purpling ivy hid,
> And the thick leafage sacred to the God.
>   — PLUMPTRE's Translation.

9. **num illud carmen,** *etc.: whether that poem seemed (the work) of a dotard.*

10. **sententiis:** *votes.* **liberatus:** in the judicial sense,— *acquitted.*

11. **Homerum, Hesiodum,** *etc.*: the enumeration of distinguished names embraces three classes: poets (Homer, Hesiod, Simonides, Stesichorus), rhetoricians (Isocrates, Gorgias), philosophers (Pythagoras, Democritus, *etc.*). It should be borne in mind that Cato here mentions only those poets, rhetoricians, and philosophers who lived to an advanced age. **Homerum**: said by Herodotus to have flourished about 850 B.C. **Hesiodum**: *Hesiod*, a native of Ascra in Boeotia, flourished about 750 B.C. His greatest work, the Works and Days ("Εργα καί 'Ημέραι) suggested much to Virgil in the composition of the Georgics.

12. **Simonidem**: *Simónides*. There were two poets of this name, — Simonides of Amorgos and Simonides of Ceos. The latter was the more famous of the two; he flourished at the time of the Persian wars (490-480 B.C.), and composed the extant epigram in honor of the Spartans who fell at Thermopylae. **Stesichorum**: *Stesichorus*, a famous lyric poet of Himera in Sicily. He flourished about 600 B.C. All his works are lost barring a few fragments. It is said that a nightingale sang upon his lips at his birth. **Isocraten, Gorgian**: see notes on p. 126, lines 9, 12. *Isocrates*, though of the 3d declension, forms its accusative after the analogy of Greek nouns in *-ēs* of the 1st declension. Similarly *Xenocraten* below.

13. **Pythagoram**: *Pythágoras* of Samos, founder of the Pythagorean school. He flourished in the latter half of the sixth century B.C. Mysticism was a pronounced feature in his system; his most famous doctrine was the theory of transmigration of souls (Metempsychosis).

14. **Democritum**: *Demócritus*, of Abdera in Thrace, 460-361 B.C., one of the earliest representatives of the atomic theory. **Xenocraten**: *Xenócrates*, of Chalcédon, 396-314 B.C., a pupil of Plato, and one of his successors in the presidency of the Academy, — a post which he occupied for twenty-five years.

15. **Zenonem**: *Zeno*, of Citium in Cyprus, about 350-250 B.C. He was founder of the Stoic school, of which he was for nearly sixty years the president. **Cleanthem**: *Cleanthes*, of Assos in Asia Minor, 300-220 B.C., a Stoic and a disciple of Zeno.

16. **Diogenem Stoicum**: *Diógenes, the Stoic*, not to be confounded with Diogenes, the Cynic. He had visited Rome in 155 B.C., five years previous to the time of this dialogue, and was evidently an old man at that time, though the years of his birth and death are unknown. He had come to Rome in company with Carneades and Critolaus as an ambassador, and during his stay had begun to expound his philosophical views. Cato's opposition to Greek ideas was so deeply rooted that he took the lead in

securing Diogenes's departure from the city. The enthusiasm, therefore, with which Cicero makes Cato refer to Diogenes is not in keeping with the facts.

18. **age**: *come!*

19. **ista divina studia**: *viz.* poetry, philosophy, *etc*. **ex agro Sabino rusticos**: *farmers in the Sabine territory.*

21. **numquam fere**: *scarcely ever.*

22. **majora**: *important,* lit. *greater* (than ordinary). **non serendis**, *etc.*: *not in the way of planting, gathering, or storing the crops.* Notice the zeugma in *serendis fructibus;* accuracy would call for some such word as *seminibus.* The use of the ablative here without *in* is extremely peculiar; most scholars explain the construction as an ablative absolute. Observe that *non* here does not counteract the negative force of *numquam,* but repeats it. B. 347, 2; A. 327, 2; G. 445; H. 656, 2.

23. **in aliis**: *in other things; aliis* is here contrasted with the following *quae sciunt nihil ad se omnino pertinere,* and hence practically means: *in matters that concern them.*

24. **senex**: here with adjectival force.

25. **idem**: nominative plural, — *they also.*

26. **pertinere**: in the sense of *vitally concern.*

27. **quae . . . prosint**: *to benefit,* — relative clause of purpose. **alteri saeclo**: *the next* (lit. *the other*) *generation.* Note that *saeclum* is the original form of this word, whence *saeculum* by the development of a parasitic vowel.

28. **Statius**: Caecilius Statius, by birth an Insubrian Gaul. He was a comic poet, and lived about 220–166 B.C. Only fragments of his works remain. **in Synephebis**: *in his Synephēbi,* the title of a play. The original was by the Greek poet Menander; Caecilius translated and adapted it for Roman audiences.

29. **quamvis sit senex**: *however old he may be.* **quaerenti**: *to (the person) inquiring.*

PAGE **131**, 4. **melius**: supply some such verb as *dicit,* — *Caecilius gives us a better sentiment* (lit. *says better) with regard to the old man, etc.* The passage from *et melius* to *sed videtis,* sixteen lines below, is really a digression from the point at present under discussion. Cato is endeavoring to show that old men even superintend the work on their own farms. In developing this point he quotes two passages from Statius in support of his contention. These two citations lead to others, which, though they are concerned with the general subject of old age, are nevertheless not germane to the present topic, *viz.* the allegation that old age withdraws men from active occupation. See the note on p. 124, line 22.

5. **quam illud īdem**: *than he does in what follows*, lit. *than the same (Caecilius says) the following.*

6. **edepol, senectus**, *etc.*: these lines are quoted from Statius's Plocium (The Necklace). **nil . . . viti**: *no other evil; quicquam* is redundant.

7. **apportes**: *should bring*.   **quom**: the earlier form of *cum*, and possibly still in common use when Cicero wrote the de Senectute.   **sat**: *sat* for *satis* is common in archaic Latin.

8. **quae non volt, videt**: the subject is general, — *one sees many things that one does not wish; volt*, the early form of *vult*, may have been still the prevailing form in Cicero's day.   In the next two lines *volt* is written by most editors, on the assumption that Cicero intentionally reproduces the diction of Caecilius.

10. **illud vero**, *etc.*: *but the following utterance of the same Caecilius is still worse*, lit. *the same Caecilius (says) the following worse.*

12. **tum equidem**, *etc.*: quoted from Caecilius's Ephesio.   **concta**: *poetical for senectus*.

13. **ea aetate**: *at that time of life;* the phrase limits *sentire.* **eumpse**: *i.e. eum+pse* (B. L. L. § 196), archaic for *ipsum; cf. ipse* for **is-pse; eumpse* is the subject of *esse*, and is equivalent to *se ipsum*, ' oneself.'   **odiosum**: *a bore.*   **alteri**: *sc. aetati, i.e.* to the young, lit. *to the other period of life.*

14. **jucundum potius quam odiosum**: preserve the ellipsis in translation.

19. **nec minus intellego**: the inaccuracy of expression is identical with that noted p. 120, line 11, *te suspicor eisdem rebus quibus me ipsum commoveri.* What Cato really means is: *I see that I am no less agreeable to you than you actually are to me.* Strictly the Latin should be: *nec minus intellego me vobis esse jucundum quam mihi vos estis.*

20. **sed videtis**: Cato here returns from his somewhat lengthy digression (see above on line 4), and resumes the point under discussion, *viz.* the activity of old men.   **ut senectus**, *etc.*: *how old age, etc.;* indirect question.

21. **verum etiam**: *but even.*

22. **agens et moliens**: *doing and undertaking;* this predicate use of the present participle is rare.   **tale scilicet**, *etc.*: *some such thing, of course, as, etc.*   The occupation of the old man will depend upon his earlier pursuits.

24. **quid?** *etc.*: *what of those who, etc.?*   **ut et Solonem versibus gloriantem videmus**: *et* before *Solonem* is correlative with the *et* before *ego* below, but should not be rendered in English translation.   Solon is the famous Athenian lawgiver, 638–558 B.C. He was a poet as well as a statesman, and numerous fragments of his works have come down to us.

26. **et ego feci**: *and (just as) I have done.*

27. **senex**: *when an old man.* **sic avide**: *so eagerly.*

28. **nota essent**: *became known, familiar.*

29. **quibus me nunc exemplis uti videtis**: *which you now see me using as examples; exemplis* stands in predicate relation to *quibus*, which depends directly upon *uti.* The passage is somewhat apologetic. Cicero evidently feels that his picture of Cato attributes to the old Roman a greater familiarity with Greek thought and letters than he actually possessed; hence the attempt to account for the origin of the alleged learning. See Introd. p. 331. **quod cum . . . audirem**: *quod* refers to the idea of constantly adding to one's knowledge or accomplishments; *cum* here is causal. We should naturally expect the present (*audiam*). The imperfect is the result of attraction to the tense of *vellem.*

PAGE **132**, 1. **in fidibus**: *in case of the lyre.* **vellem**: apodosis of a conditional sentence contrary-to-fact, with omitted protasis.

2. **discebant fidibus**: *used to learn the lyre,* lit. *learn with the lyre.* B. 218, 7. **in litteris certe**: *on literature at any rate, i.e.* if not on anything else.

4. **desidero**: *feel the need of, the lack of.*

5. **locus alter**: *the second point.*

6. **non plus**: the negative as p. 124, line 7.

7. **quod est**: *what you have;* the antecedent of *quod* is *eo.* **quicquid agas**: clauses introduced by indefinite relatives (*quisquis quicumque, etc.*) ordinarily stand in the indicative; but all subordinate clauses expressed in the indefinite second singular regularly take the subjunctive.

8. **quae vox**: *what utterance?*

9. **Milonis Crotoniatae**: *Milo of Crotóna,* in southern Italy, a famous athlete of the sixth century B.C. He won repeated victories in the Olympic and Pythian games. **qui cum,** *etc.: for when he was, etc.*

12. **hi quidem**: almost *these, alas!*

13. **isti**: *sc. sunt mortui.*

14. **ex lateribus**: *in consequence of your wind; latera* is used as above, p. 126, line 28.

15. **nihil, nihil, nihil**: note the anaphora. **Sex. Aelius**: *Sextus Aelius,* consul 198 B.C., famous as a jurist and an orator.

16. **Ti. Coruncanius**: see note on p. 127, line 15. **modo**: *recently.* **P. Crassus**: the use of *modo* would suggest that the reference is to some one nearer the present time than either Coruncanius or Aelius. Publius Licinius Crassus, consul in 171 B.C., naturally suggests himself as the person Cicero has in mind. That Crassus, however, was not eminent as a jurist, and Cicero

has probably confused him with P. Licinius Crassus Dives, pontifex maximus in 212 B.C. and consul in 205, a man famed for his knowledge of pontifical law.　**jura praescribebantur**: *laws were interpreted.*

18. **est provecta**: *continued.*　**prudentia**: *wisdom.*　**orator metuo ne languescat**: as the order of the words shows, *orator* is here emphatic, — *as regards the orator, I fear he may become feeble.*

19. **senectute**: causal.　**munus ejus**: *his function.*

20. **omnino canorum illud**, *etc.: to be sure that melodious quality in the voice somehow even improves in old age.* Note the mixed metaphor in *canorum . . . splendescit; splendesco* properly applies only to what presents itself to the eye.　*Omnino* is contrasted with *sed tamen,* — 'to be sure the voice improves; yet apart from that an old man's talk is often engaging.'

23. **et videtis annos**: though grammatically co-ordinate with what precedes, this clause is logically subordinate, being equivalent to 'old though I am' or 'in spite of my years.'　**sed tamen est**, *etc.: but yet the quiet and unimpassioned conversation of an old man has a grace about it.*

24. **quietus et remissus**: *quietus* = 'without movement,' as contrasted with the lively gesticulation of the orator; *remissus* = 'without passion,' *i.e.* without the mental and moral excitement of the orator.　**facit sibi audientiam**: *gains itself a hearing.*

25. **compta et mitis**: *smooth and easy.*　**quam si . . . nequeas**: *if you should be unable to practise this; quam* refers to *oratio.*

26. **Scipioni et Laelio**: *a Scipio and a Laelius.*

27. **senectute stipata studiis juventutis**: *an old age thronged with eager youths,* lit. *with the eagerness of youth;* the abstract for the concrete.　Notice the alliteration in *senectute stipata studiis.*

28. **an ne illas quidem vires**, *etc.: or do we leave to old age not even the strength to teach young men?* *illas vires* is explained by the following *ut*-clauses.

PAGE **133**, 1. **instituat**: *instruct.*

2. **ad omne offici munus**: *for the performance of every duty,* lit. *for all performance of duty.*　**instruat**: *prepare, equip; cf. instrumentum,* 'outfit,' 'equipment,' *instructus,* 'fitted out,' 'equipped.'　**quo quidem**, *etc.: than this task what can be more glorious?*

3. **Cn. et P. Scipiones**: these were respectively the uncle and father of the elder Africanus. They both rendered important services in the earlier half of the Second Punic War, and fell in Spain in 212 B.C. Note the plural in *Scipiones;* this is usual

when the names of two persons of the same family are combined
by a copulative conjunction.

4. avi tui duo, L. Aemilius et P. Africanus: Lucius Aemilius
(Paulus), the father of Lucius Aemilius Paulus Macedonicus, the
conqueror of Perseus, was the actual grandfather of the younger
Scipio; Publius Africanus was his adoptive grandfather.

6. bonarum artium: *liberal arts.*   **non beati putandi**: *are
to be thought other than happy; cf.* p. 124, line 8, *non gravis; sunt*
is to be supplied with *putandi.*

7. quamvis consenuerint vires, *etc.: however much their
strength may have waned and failed.*

8. etsi: corrective.

10. effetum: best taken as in predicate relation to *corpus,* —
hands the body over to old age all worn out, i.e. in a state of ex-
haustion.

11. Cyrus: Cyrus the Elder, king of Persia, the hero of Xenophon's Cyropaedía. He lived from 599 to 529 B.C.   **apud
Xenophontem**: *in Xenophon, i.e.* in his writings, — a common
use of *apud.*

14. Metellum: consul in 251 B.C., in the First Punic War; he
died in 221.

15. memini puer: the expression is inexact. Cicero has evidently combined two ideas:

(1) ' As a boy, I noticed that Metellus was strong.'

(2) ' I now remember that Metellus was strong.'

English admits the same form of expression, however.   **cum
factus esset**: the *cum*-clause is purely circumstantial, — *having
been made pontifex maximus;* see note on p. 127, line 27.

17. esse: the present infinitive occurs repeatedly with *memini*
where in English we should expect the perfect.

19. nihil necesse est: *it is not at all necessary.*

20. id quidem: *i.e.* to speak of one's self.   **senile**: *characteristic of old men.*

22. videtisne: *don't you see?* when appended to the verb, *-ne*
frequently has the force of *nonne.* B. 162, 2, *c*; A. 332, *c.*

23. praedicet: here, *boasts.*

24. nec erat ei verendum: *nor did he have occasion to fear.*

25. vera praedicans: *in telling the truth.*

26. insolens aut loquax: *arrogant or garrulous.*

27. quam ad suavitatem: *for which eloquence.*

28. et tamen: *i.e.* in spite of his lack of bodily strength.   **dux
ille Graeciae**: the reference is to Agamemnon; *ille* when following a substantive regularly means, as here, *that famous, that well-
known.*

29. nusquam: *i.e. nowhere* in Homer.   **ut . . . habeat**: the clause is the object of *optat*.   **Ajacis similes**: in Cicero *similis*, when governing words designating persons, is regularly followed by the genitive.

PAGE **134**, 1. **sed ut Nestoris**: elliptical for *sed ut decem Nestoris similes habeat*.   **quod si sibi acciderit**: *if this fortune should be his; acciderit* is in the subjunctive by attraction to *sit peritura*.

4. **vellem equidem idem possem gloriari**: *would that I could make the same boast; vellem* is in the subjunctive as expressing the apodosis of a contrary-to-fact conditional sentence, the protasis of which is omitted, — *I would wish* (were it possible); *possem* is logically the object of *vellem*, being developed from an original optative subjunctive, — *would I were able; ut* is regularly absent in this idiom.   **B.** 296, 1, *a*.   **idem**: B. 176, 2, *a*; A. 390, *c*; G. 333, 1; H. 400, 1.   **ocd tamen hoc queo dicere**, *etc.*: the thought is inaccurately expressed; what Cato means is: 'Though I am not as strong as I once was, yet I can say that old age has not entirely shattered me.'   Instead of this, the clause *me . . . esse* is made principal instead of subordinate, while *afflixit* and *desiderat* are put in the indicative instead of in the infinitive. Logically the thought demanded: *hoc queo dicere, cum eis viribus non sim quibus fuerim, tamen me non afflixisse senectutem, non curiam desiderare.*   Note that *queo* unaccompanied by a negative is rare.

5. **eis viribus**: Ablative of Quality.

6. **miles bello Punico**: in 217 B.C.   **quaestor eodem bello**: in 204 B.C.

7. **consul in Hispania**: *in Spain in my consulship;* in 195 B.C.   In honor of Cato's successes in Spain, the Senate decreed a three days' thanksgiving.   Cato declared that he had captured more cities in Spain than he had spent days in the province.

8. **tribunus militaris**: this was in 191 B.C., in the war against Antiochus.   **cum depugnavi**: *cum* with the indicative to denote the point of time at which; *depugno* is 'to fight it out,' 'fight to the end.'

10. **non, non**, *etc.*: observe the emphasis produced by the repetition of the *non*.

12. **clientes**: including not only his political followers at Rome, but also those foreign nations or cities whose protector he was.   **hospites**: *guest-friends;* strangers at Rome who had relations of hospitality with Cato.   **nec enim**: *nor indeed.*

13. **laudato** = ' oft-quoted.'

14. **mature fieri senem**, *etc.*: the saying obviously means ' Begin early to exercise the discretion of age, if you would live to

a good old age.' Cato's criticism of the proverb is based upon
a misinterpretation of its real significance. He takes it as though
it were intended to mean : ' Begin early to cultivate the inactivity
of age, if you would remain an old man long.' The infinitive
with *moneo* is less common than a subjunctive clause, but is
admissible when *moneo* lacks a personal object.

15. **me senem esse mallem**: *volo, nolo, malo* more commonly
take the infinitive without subject accusative to denote another
action of the same subject; *mallem* here represents the apodosis
of a contrary-to-fact conditional sentence, the protasis of which
is omitted, — *I should prefer (were I bold enough to express a
preference)*. Cf. the use of *vellem*, above, line 4.

16. **ante quam essem**: subjunctive by attraction.   **convenire me** = *to have an interview with me*.

17. **cui fuerim occupatus**: lit. *to whom I have been engaged*,
i.e. whom I have refused to see. The subjunctive is one of
Characteristic.   **at minus habeo**: *at*, as above, p. 129, line 11,
introduces the view of an opponent, — *but, you may urge, etc.*

18. **T. Ponti centurionis**: the centurions were usually men of
great strength and stature. Nothing further is known of the
Pontius here referred to.

20. **praestantior**: *a better man*.   **moderatio modo virium
adsit**: *let there only be a control over one's strength*. The subjunctive is Jussive, with the accessory force of a Proviso.

21. **ne ille**: *such a man, I assure you;* this is the asseverative
ne. In its use it is restricted to combination with pronouns, —
personal, demonstrative, and possessive. It regularly precedes
the word which it emphasizes.   **non desiderio tenebitur**: *will
not be possessed with longing for, i.e.* will not feel the lack of. *Cf.
desidero*, above, p. 132, line 4.

22. **Olympiae per stadium**, *etc.*: according to the story Milo
had carried the animal daily as it grew.

23. **cum sustineret bovem**: *carrying an ox;* another circumstantial *cum*-clause; see note on p. 127, line 27.

24. **igitur**: merely transitional.   **has corporis**: *sc. vires.*
Pythagorae: Pythagoras was a townsman of Milo, a fact which
lends additional force to the comparison.

25. **utare**: the command is general; hence the indefinite
second singular. B. 356, 3 ; A. 439, *a* ; G. 263, 2, *a.*

26. **dum adsit, cum absit**: the subjunctive is the result of
attraction. Notice the chiastic arrangement in :

> *utare, dum adsit :: cum absit, ne requiras.*

ne requiras: this form of prohibition is unusual in prose ; *noli*
with the infinitive is the rule. The subject of *requiras* is general,

just as was the case with *utare*.   **nisi forte**: see note on p. 128, line 13.

27. pueritiam, adulescentiam: *boyhood, young manhood.* **paululum aetate progressi**: referring to those in middle life.

28. **cursus est certus aetatis**: *there is a regular course of life.*

29. suaque . . . tempestivitas: *and to each part of life its own proper character* (lit. *seasonableness) is allotted.*

30. infirmitas puerorum: *the helplessness of children.*

31. ferocitas: *impetuosity.*   **gravitas**: *steadiness.*   **jam constantis**: *already settled, i.e.* middle (life).

PAGE 135, 1. naturale quiddam: *a certain natural (product),* as shown by *percipi*, 'to be reaped.'

2. quod debeat: Subjunctive of Characteristic.

3. hospes tuus avitus: *the guest-friend of your grandfather, i.e.* of the elder Africanus, between whom and Masinissa there existed a strong friendship.   **Masinissa**: king of the Numidians. In the Second Punic War he was at the outset an ally of the Carthaginians, but later became a supporter of the Romans.

4. hodie: *i.e.* still.

5. pedibus: *on foot.*   **omnino non ascendere**: *does not mount at all.*

7. imbri: *imber* is not properly an *i*-stem, but has taken on the *i*-stem inflection in the ablative singular.   **capite operto**: Ablative of Quality.

8. siccitatem: *soundness; siccitas,* lit. ' dryness,' is opposed to that physical state in which the body is affected with unwholesome humors.

9. officia et munera: *functions and duties;* a favorite phrase with Cicero.   **potest**, *etc.:* as the position indicates, *potest* is specially emphatic, — *it is possible, therefore, for exercise and self-control to preserve, etc.*

12. ne sint, *etc.:* *granting that there is not strength in old age,* lit. *let there not be strength.* Concessive Subjunctive.

13. a senectute: *of old age.*

14. muneribus eis quae, *etc.:* military service is particularly meant.

15. non modo: here used for *non modo non.* This occurs regularly when the idea modified by *non modo (non)* is reserved for a second member introduced by *ne . . . quidem.*   **quod non possumus**: as antecedent of *quod,* understand *id,* Accusative of Result with *cogimur.* B. 176, 2, *b*; A. 390, *c*; G. 333, 1; H. 409, 1.

17. at multi: *at* is here again used to introduce the view of an imaginary opponent; but below in *at id quidem, at* introduces

Cato's own reply. **nullum offici aut omnino vitae munus exsequi**: *no obligation nor any function of life at all.* Under *offici munera* would fall obligations to the state, to one's family. or friends; under *vitae munera*, the ordinary care of one's person and attention to one's personal wants.

20. valetudinis: primarily *health*, but unless accompanied by some such word as *bona*, it ordinarily means *poor health;* so here. **P. Africani filius**: son of the elder Africanus; his feeble health prevented his entering public life.

22. quod ni ita fuisset: *unless this had been so.* **alterum lumen**: *the second light;* the elder Africanus was the first. **illud**: *he (i.e. Africani filius)*, attracted from *ille* by the neuter predicate noun, *lumen.* **exstitisset**: lit. *would have stood forth.* The metaphor is " mixed."

23. paternam: *his father's.*

25. in senibus: *in case of old men.*

26. resistendum: emphatic, as shown by the position, — *the thing to do, Laelius and Scipio, is to resist old age.*

28. pugnandum: *sc. est.* **tamquam, sic**: *just as, so.*

30. utendum: *one must use.* **tantum cibi**: *(only) so much food.*

31. ut reficiantur vires, non opprimantur: Subjunctive of Result.

Page **136**, 1. **subveniendum est**: *we must come to the relief of.*

2. menti atque animo: when used with precision *mens* refers to the intellect, *animus* to the feelings and will; together the two words embrace all the mental and moral faculties. **haec quoque**: *i.e. mens* and *animus.*

3. nisi tamquam, etc.: *tamquam* (' apologetic '; see note on p. 122, line 24) modifies the entire phrase *lumini oleum instilles,* — ' unless, so to speak, one keeps pouring oil into the lamp,' *i.e.* the oil of study and reflection into the lamp of the mind; for the subjunctive in *instilles,* see note on p. 124, line 11.

4. corpora quidem: *quidem* serves merely to emphasize *corpora,* and so to heighten the antithesis between *corpora ingravescunt* and *animi levantur.*

5. exercendo: *by exercising them.*

6. quos ait, etc.: *(those) whom Caecilius characterizes as the foolish old men of the comic stage; ait* here takes the construction (unusual for this verb) of two accusatives, direct object and predicate accusative. For Caecilius, see note on p. 130, line 28. **comico stultos senes**: the quotation is from Caecilius's Epiclērus (' The Heiress'). **hos significat, etc.**: *by these he means, etc.*: lit. *he means these (as being) credulous, etc.;* here again we have two accusatives, direct object and predicate accusative, a construction not elsewhere found with *significo*.

7. **credulos**: the credulous father is a stock figure of Latin comedy. **dissolutos**: *shattered, broken down*. **quae vitia**: *faults which; cf. quem magistratum*, p. 124, line 26.

8. **inertis, ignavae**: *iners* implies merely a lack of activity, *ignavus* refers rather to the disinclination to be active.

9. **petulantia, libido**: *wantonness, lust*.

11. **sed non proborum**: *but (merely) of those who are not upright; non proborum* is less abrupt than *improborum* would have been. **senilis** = *senum*, — the adjective for the genitive of the substantive, as often in Latin.

12. **deliratio**: *dotage*.

14. **tantam, tantas**: *i.e.* so great, as is well known, hence nearly equivalent to *magnam, permagnam*. **Appius**: Appius Claudius Caecus; see p 127, line 17.

15. **intentum**: *stretched*.

16. **languescens**: the participle has the force of an adverb, — *feebly*.

17. **auctoritatem**: referring possibly to the *patria potestas*, which gave the father absolute control over his children. **imperium**: stronger than *auctoritas;* technically *imperium* designated the absolute power with which the higher Roman magistrates (*consul* and *praetor*) were formally invested by the *Comitia Curiata*. The word is here figuratively applied to a private individual.

18. **verebantur**: *reverenced*.

19. **patrius**: *inherited from the fathers, i.e.* ' the good old.' **mos**: in English we should employ the plural.

20. **ita enim**: *for on this condition; ita* is explained by the following *si*-clauses. **honesta**: *honorable, held in honor*.

21. **emancipata est**: *is in bondage*, lit. *is sold; emancipare* primarily meant ' to transfer,' and was used not only of property and slaves, but also of freemen. Later it came to be used of the formal act of sale by which slaves were liberated, and so acquired the meaning *set free*, — the exact opposite of the meaning in our passage.

23. **senile aliquid**: *a touch of the old man*.

25. **quod qui sequitur**: *he who makes this his object*.

26. **septimus liber Originum**: Cato's Origines was an historical work. The second and third books treated of the origin and settlement of the Italian towns, whence the title of the work. **est in manibus**: *i.e. is under way; cf. habebat in manibus*, p. 130, line 7.

28. **nunc cum maxime**: *now especially, just now*. This ex-

pression, which is fairly frequent, results from an ellipsis; thus here the full thought would have been expressed by *nunc conficio cum maxime conficio*, ' I am now preparing, at a time when I am especially preparing,' *i.e.* ' I am preparing now especially.' Sometimes *cum maxime* alone stands in the same sense.

29. conficio: *i.e.* prepare for publication. One hundred and fifty of Cato's speeches were known to Cicero, as he himself elsewhere tells us. **jus augurium, pontificium, civile**: *jus augurium* was the code of the augurs; the *jus pontificium* emanated from the *pontifices*, who had the oversight and direction of the religious observances of the state; *jus civile* seems here to be contrasted with *jus augurium* and *jus pontificium*, *i.e.* the secular jurisprudence is opposed to the religious.

30. multum utor: *make much use.* On this adverbial use of *multum*, originally an Accusative of Result, see B. 176, 3; A. 390, *d*, N. 2.

31. exercendae memoriae gratia: to be taken only with *commemoro*, not with *Pythagoreorum more*.

PAGE **137**, **2. haec**: unusual form for *hae*, but found occasionally elsewhere in Cicero. **exercitationes ingeni**: intellectual pursuits are contrasted with athletic training. **haec curricula mentis**: as contrasted with the wrestling- or boxing-ground.

3. desudans: *de-* is intensive, as in *depugnavi*, p. 134, line 8.

4. adsum amicis: *I assist my friends; adesse* is used especially in the sense of rendering legal assistance.

5. ultroque: *of my own motion.* The Roman senators in debate were i ot held closely to the question before the house. Cato, therefore, simply means that when he addressed the senate he exercised his parliamentary privilege, and brought up such matters as he saw fit.

6. easque tueor: *I maintain them, defend them, i.e.* in debate.

7. quas exsequi nequirem: see note on p. 132, line 25, *quam si exsequi nequeas.* **lectulus**: a sort of reading-couch or sofa.

8. ea ipsa cogitantem: *planning those very things.* **quae jam agere non possem**: *even though I could not carry them into execution: quae possem* is a relative clause denoting a condition contrary to fact.

9. ut possim: emphatic by position, — *that I can do so, is the result of my past life.*

10. viventi: agreeing with *ei* understood, which is Dative of Agent with *intellegitur*, — *for by a man living constantly in these pursuits and toils, it is not noticed*, etc.

11. ita sensim, *etc.*: *so gradually does life wane;* this is the 'retrospective' *ita; i.e.* the particle looks back to the preceding sentence, of which it furnishes a justification; observe the alliteration in *sensim sine sensu senescit.*

15. quod . . . dicunt, *etc.: the fact that they say it is devoid of pleasures;* explanatory of *tertia vituperatio.* **voluptatibus:** *i.e.* bodily pleasures.

16. aetatis: here, *old age.*

17. accipite enim . . . veterem orationem: *for listen to the words uttered long ago.*

18. Archytae: *Archytas,* of Tarentum, a famous Pythagorean philosopher who flourished about 400 B.C. He was eminent also as a mathematician, statesman, and general.

20. adulescens: *as a young man;* in apposition with the subject of *essem.* **Tarenti cum Q. Maximo:** see p. 124, line 25.

22. a natura: nature is here personified; hence the employment of the preposition. **cujus voluptatis avidae:** *through eagerness for which,* lit. *eager for which pleasure;* but the repetition of the antecedent in the relative clause cannot be reproduced in English.

23. temere: *blindly; temere* was originally the locative of a lost nominative *temus,* meaning 'darkness'; hence 'in the dark,' 'blindly,' later 'rashly,' 'heedlessly.' **ad potiendum:** *for attaining it; i.e.* pleasure.

26. malum facinus: *evil deed; facinus* here has its original force of 'act,' 'deed,' which is regular in early Latin. Cicero usually employs it in the sense of 'crime.'

PAGE **138,** 1. **impelleret:** *sc. homines.*

2. **nisi:** *than, except.*

3. **cumque:** *and while, though.* **homini:** *i.e.* mankind. **sive Natura sive quis deus:** *be it nature or some god;* Cato does not attempt to determine which it was.

4. **muneri ac dono:** *boon and gift.* The two words are here closely synonymous. When used with precision, *donum* is the general term, *munus* is more specific, being restricted to gracious gifts, or gifts bestowed for a special purpose.

6. **libidine dominante:** the ablative absolute here denotes both time and circumstance, — 'while lust is master' or 'under the rule of lust.' **temperantiae:** Dative of Possession, — *self-control has no place.* **neque omnino,** *etc.: nor can virtue gain a footing at all in the realm of pleasure.*

8. **fingere animo:** *to imagine, conceive of; animo* is ablative.

9. **tanta, quanta,** *etc.: just as much pleasure as could possibly be enjoyed;* observe the emphasis secured by the position of *maxima* at the end of its clause.

11. tam diu dum: *so long as;* an unusual form of expression for *quam diu*.   **ita gauderet**: *took enjoyment in this way, i.e.* in unrestrained self-indulgence.   **agitare**: *pursue.*

12. ratione: to be joined with *consequi.*

14. siquidem: here in the secondary meaning of *since;* it is used differently above, p. 137, line 16.   **major atque longinquior**: *more intense and longer continued.*

16. C. Pontio: his full name was Gaius Pontius Herennius. His son, Gaius Pontius Telesinus, defeated the Romans at the battle of the Caudine Forks.   **Caudino proelio**: this disastrous defeat of the Roman arms occurred in the Second Samnite War, 321 B.C.   The Roman army was forced to go ' under the yoke.'

18. locutum Archytam: supply *esse;* the infinitive depends upon *accepisse*.   **Nearchus**: a philosopher of the Pythagorean school.   **hospes noster**: *noster* for *meus*, as frequently.

19. qui . . . permanserat: *who had remained loyal to the Roman people.*   Many of the Tarentines, through jealousy of Rome, had sympathized with the Carthaginians, and the city had been handed over to Hannibal in 212 B.C.

20. cum . . . interfuisset: *Plato the Athenian having been present at that conversation;* here again *cum* is entirely devoid of temporal force, and the clause is purely circumstantial ; see note on p. 127, line 27.   The *cum*-clause is to be taken, of course, only with *locutum* (*esse*).

22. L. Camillo, Ap. Claudio consulibus: this was in the year 349 B.C.   Plato's last visit to Italy is said to hav occurred in 361 B.C.   Cicero, therefore, is probably in error here.

23. quorsus hoc: supply *dixi* or some such word.   **ut intellegeretis**: the imperfect is used because the *ut*-clause is felt as depending upon *dixi* or some other verb of saying to be supplied, — *I said this in order that you might understand.*   Hence also the other subordinate subjunctives in this passage are in the imperfect.   In English we should use the present.

24. magnam . . . gratiam: *great gratitude ought to be entertained toward old age.*

25. quae efficeret, *etc.*: the relative clause has causal force, — lit. *since it brings it about that that is not pleasant, which ought not* (*to be*).

26. libēret: from *libet.*

27. ut ita dicam: *so to speak;* the phrase is introduced as an apology for the unusual metaphor *mentis oculos.*

PAGE **139**, 1. **invitus feci ut eicerem**: a periphrasis for *invitus ejeci*.   Special emphasis rests upon *invitus,* — *it was unwillingly that I removed.*   **T. Flaminini** already mentioned, p. 120, line 1.

2. **L. Flamininum**: he had served under his brother in the Macedonian War. **e senatu eicerem**: this was in 184 B.C. The censors possessed the right of degrading any citizen whose conduct in their opinion merited punishment.

3. **post quam consul fuisset**: the subjunctive here is due entirely to attraction, the clause being felt as an integral part of the thought begun in *ut eicerem*. Flamininus had been consul in 192 B.C. Hence the interval was really eight years, not seven, as stated by Cicero. **notandam**: *notare* was the technical term for designating the official action of the censors in rebuking the conduct of a citizen, just as *nota* was used of the ' mark ' or ' brand ' put upon him.

4. **libidinem**: *profligacy*. **cum esset consul in Gallia** *when he was in Gaul in his consulship*. *Gallia* in Cato's time applied only to cis-Alpine Gaul, *i.e.* northern Italy.

5. **a scorto**: a young lad of whom Flamininus was very fond. Livy tells us that the man executed was a noble Bojan who had fled to Flamininus for protection. **securi feriret**: *behead*, lit. *strike with the axe*. Livy says Flamininus stabbed the Bojan with his own hand.

7. **Tito censore**: in 189 B.C. The censors were chosen every five years, but held office for eighteen months only.

8. **elapsus est**: *i.e.* escaped punishment. **mihi et Flacco**: Cato and Flaccus were censors in 184 B.C. In 195 they had been colleagues in the consulship.

10. **quae conjungeret**: Clause of Characteristic with accessory notion of cause, *since it joined*. **imperi dedecus**: *disgrace to the imperium*, with which the consul had been formally invested. See note on p. 136, line 17.

13. **porro**: *in turn*, lit. *further on*. More commonly *porro* looks forward to the future. **mirari**. *i.e* express his wonder.

14. **Fabricium**: see note on p. 127, line 15. **apud Pyrrhum**: *i.e.* at Pyrrhus's headquarters. In 281 B.C. Pyrrhus had crossed over from Epirus to Italy to assist the Tarentines in war against the Romans.

15. **Cinea**: *Cineas*, a valued adviser of Pyrrhus. He had been a pupil of Demosthenes, and was distinguished as an orator. **quendam**: the reference is to Epicurus, founder of the philosophical school that bears his name. Epicurus was born at Samos 342 B.C., and taught at Athens from 306 till his death in 270 B.C. He did not, however, as here intimated, make sensual pleasure the chief end of life. It was happiness in the sense of the highest bodily, mental, and spiritual tranquillity that he declared to be the *summum bonum*. Yet his doctrines easily came to be misunderstood and perverted, so that ulti-

mately Epicureanism became synonymous with physical self-indulgence.

16. se sapientem profiteretur : *set up for a philosopher.*

17. ad voluptatem : *i.e.* to pleasure as a standard or ideal.

18. Curium, Coruncanium : see p. 127, line 15. **optare :** *i.e.* to express the wish.

19. ut id Samnitibus . . . persuaderetur : *that the Samnites and Pyrrhus himself might be convinced of this;* id is the Accusative of Result retained in the passive.

21. vixerat : *i.e.* had been intimate. **P. Decio :** his full name was Publius Decius Mus.

22. eum : *i.e.* Curius.

23. devoverat : this was in 295 B.C. at the Battle of Sentinum, in which the Romans defeated the combined forces of the Gauls and Samnites. Decius's father, also, P. Decius Mus, had previously offered his life in the same way at the Battle of Veseris, 340 B.C. The act of *devotio* was a formal one, and was accompanied by a regular ceremonial. The citizen who thus ' devoted himself ' mounted a charger, and rode to death in the midst of the enemy. The sacrifice was believed to propitiate the gods of the lower world, and thus to ensure victory.

24. cum . . . tum : *not only . . . but also.* **ex ejus, quem dico, Deci facto :** *from the act of him whom I mention, viz. Decius.*

25. natura pulchrum atque praeclarum : *naturally noble and glorious.*

26. quod sua sponte peteretur, *etc.*: *to be sought for its own sake, and for all the best men to pursue, scorning and despising pleasure;* the subjunctives are not merely subordinate clauses in indirect discourse, but are relative clauses of purpose as well, and would be in the subjunctive even in direct statement.

28. quorsus : elliptical, as p. 126, line 1.

29. vituperatio nulla : *i.e.* constitutes no ground of blame.

PAGE **140**, **1. caret . . . caret :** in the first *caret* the idea of deprivation is prominent, in the second the idea of avoiding. **frequentibus poculis :** *round after round of cups.*

3. si aliquid dandum est : *if some concession must be made.*

4. divine : hardly stronger than the English *finely* or *admirably.*

5. escam malorum : *the bait of bad men, i.e.* the lure which traps them.

6. quod videlicet : *evidently because.*

8. C. Duellium : he had defeated the Carthaginian fleet off Mylae, a town on the north coast of Sicily, in 260 B.C.

9. M. F. = *Marci filium.*

10. senem: Duellius was probably seventy-five years old when Cato was a lad of ten.   **delectabatur:** Cato began by citing Duellius as an illustration of his assertion that old men can enjoy moderate banquets, but having once mentioned Duellius he goes on after the rambling fashion of an old man to relate other circumstances which have no connection whatever with the point at issue.   *Cf.* the similar digressions, p. 124, line 22 ; p. 131, line 4 ; p. 145, line 21.

11. nullo exemplo: *without precedent,* lit. *in accordance with no example.*

12. privatus: *as a private citizen.*

13. alios: supply *commemorem,* or some such word.   **iam:** *straightway.*

14. primum: *in the first place; primum* leads us to expect *deinde* later on, instead of which the second point is introduced by *ego vero,* below, line 27.   **sodales:** this corresponds approximately to our ' club-friends ' ; a *sodalis* was a member of a *sodalitas,* a club organized sometimes for social purposes only, at other times, as here, for the maintenance of a special ritual. In either case banqueting seems to have been a recognized feature of the organization.

15. Magnae Matris: *i.e.* in honor of the Great Mother of the gods, Cybĕle.   Her Greek designation of μεγάλη μήτηρ suggested the name of the Megalesian Games (*Ludi Megalenses*).   **me quaestore:** 204 B.C.

16. sacris Idaeis acceptis: the ablative absolute here denotes time, — *at the time the Idaean worship was introduced.*   The worship of Cybele is called Idaean because one of her chief sanctuaries was situated on Mount Ida in the Troad.   The cult of Cybele was introduced in accordance with the directions of an oracle, which had bidden the Romans to bring to the city a meteoric stone worshipped as the image of Cybele at Pessĭnus in Galatia.

17. omnino modice: *moderately withal.*   **aetatis:** here, *of youth.*

18. qua progrediente: *and as life advances; qua,* though referring to *aetatis,* does not refer to it in the sense of *youth,* — the meaning which *aetatis* has in connection with *fervor,* — but in the general sense of *life.*   **omnia fiunt mitiora:** *i.e.* all pleasures grow less keen, lose their edge.

20. coetu amicorum et sermonibus: the logical contrast is not so much between *voluptatibus* and *coetu et sermonibus,* as between *corporis* and *coetu et sermonibus.*   Cato means to say that he gauged his enjoyments not so much by pleasures of the body as by those derived from meeting his friends and talking with them.

21. **bene enim**, *etc.: for our fathers did well in calling the reclining of friends at table a ' convivium,' because it involved a living together.*

24. **tum compotationem, tum concenationem**: *now a drinking together, now an eating together.*

25. **quod in eo genere minimum est**: *what is of least consequence in that sort (of thing),* i.e. the mere satisfaction of the appetite as opposed to the delights of social intercourse.

28. **tempestivis conviviis**: *protracted banquets;* a *convivium tempestivum* was one that began early, before the usual time (2 or 3 P.M.), and so lasted long.

PAGE **141**, 1. **qui pauci admodum**: *very few of whom;* for *quorum pauci admodum.* **cum vestra aetate**: *i.e.* with those of your time of life.

3. **quae auxit**: the relative clause here has causal force, — *since it has increased.* **auxit, sustulit**: note the adversative asyndeton, — *has increased, . . . but has removed.* B. 346, *b.*

5. **ne videar**: explaining the purpose of the assertion. **omnino**: *i.e.* war to the knife, lit. *altogether.*

6. **cujus est . . . naturalis modus**: *a certain measure of which, perhaps, is justified by nature.*

7. **ne in istis quidem ipsis voluptatibus**: *even in those very pleasures; ne . . . quidem* after a negative, as p. 124, line 7. **sensu**: *feeling.*

8. **magisteria**: lit. *presidencies, i.e.* the custom of having a presiding officer (*magister bibendi*) at a banquet to direct the drinking and the talk. The *magister bibendi* was usually chosen by a throw of the dice.

9. **qui a summo adhibetur in poculo**: *which is held over the wine, beginning at the head of the table,* lit. *from the top.*

11. **minuta atque rorantia**: *rorantia* defies translation. Literally *roro* means ' to bedew,' ' moisten '; here it suggests the few drops (as of dew) which the cups contained. **refrigeratio aestate**: *a cool apartment in summer;* the temporal ablative *aestate* serves (quite irregularly) as an attributive modifier of *refrigeratio,* corresponding to *hibernus* with *sol* and *ignis.*

12. **sol aut ignis hibernus**: *sun or fire in winter.* **quae quidem**: *a programme which, in fact.*

13. **in Sabinis**: *on my Sabine farm. Sabinis* is masculine. By a peculiar idiom the Romans used the name of a people dwelling in a district to designate an estate situated there; hence *mei Sabini, mei Tusci,* lit. *my Sabines, my Tuscans,* in the sense of ' my Sabine estate,' ' my Tuscan estate.' **convivium vicinorum compleo**: *fill up the feast with my neighbors.* Verbs of filling are

more commonly construed with the ablative, but occasionally take the genitive.

14. ad multam noctem quam maxime possumus: *as far into the night as possible.*

16. quasi titillatio: *titillatio* properly means ' tickling '; here it is transferred to denote keenness of sensation; hence the ' apologetic ' *quasi;* see note on p. 122, line 24.

17. desideratio: *longing;* the word does not occur elsewhere in this sense. **nihil autem est molestum**, *etc.:* the thought is inaccurately expressed. Cicero really means: ' the lack of a thing that you do not want, is not annoying.'

18. bene Sophocles: *sc. dixit.*

20. utereturne rebus veneriis: *enjoyed the delights of love.* **di meliora**: elliptical for *di meliora duint* (= *dent*), — *Heaven forbid!*

21. istinc: *i.e. ab istis rebus veneriis.*

23. satiatis et expletis: the two words are closely synonymous; see note on p. 135, line 9.

24. quamquam: corrective; see p. 120, line 7.

25. hoc non desiderare: *this absence of longing; hoc* limits the substantive idea represented by the infinitive.

26. bona aetas: *i.e.* youth.

27. libentius: *with greater zest.* **primum**: *in the first place* (*I will say*).

29. potitur: apparently used to avoid the repetition of *fruitur*, which has already occurred twice in the sentence. **Turpione Ambivio**: *Ambivius Turpio,* an actor and theatrical manager of the time of Terence, in whose plays he often appeared. When the *praenomen* is omitted, the two other names are occasionally transposed as here.

30. in prima cavea: *in the front part of the theatre;* the name *cavea,* lit. *hollow space,* was applied to the sloping rows of seats in a theatre. **spectat**: used absolutely, — *looks on.* **delectatur tamen**, *etc.: yet he also is pleased who looks on from the back part (of the theatre)*; supply *cavea* with *ultima,* and *spectat* with *qui.*

Page 142, 1. **propter**: adverbial, — *(from) near at hand.*

2. tantum quantum sat est: modifying *delectatur;* the expression is periphrastic for the simple *satis,* ' sufficiently '; *sat,* for *satis,* is archaic.

4. at illa quanti sunt animum . . . secum esse, *etc.: but what a precious thing it is for the mind to be with itself, etc. Illa* is explained by the following appositional infinitives *esse* and *vivere.* The singular, *illud,* might have been used instead of *illa:*

quanti is Genitive of Value.   **tamquam emeritis stippendiis libidinis** : *having finished the service of lust, so to speak; stippendia emereri* lit. means *to serve out one's campaigns, i.e.* to serve the number prescribed by law.   The boldness of the figure calls forth the ' apologetic ' particle *tamquam.*   Roman writers are particularly fond of military figures.

6. **secumque, ut dicitur, vivere** : *ut dicitur* indicates that the expression was a current or proverbial one.

7. **aliquod tamquam pabulum,** *etc.: some food for study, so to speak; pabulum* is properly *fodder* for animals; hence the ' apologetic ' *tamquam.*

9. **otiosa** : *i.e.* free from public service or responsibility. **exerceri** : *engaged.*

10. **paene** : limiting *caeli et terrae.*   **C. Gallum** : Gaius Sulpicius Gallus, a man eminent as an astronomer.   He served under L. Aemilius in the campaign against Perseus, and by his prediction of an eclipse saved the army from panic.   In 166 B.C. he filled the office of consul.

11. **patris tui** : *i.e.* Aemilius Paulus.

12. **describere** : *i.e.* to draw some chart, astronomical or geographical.   **oppressit** : *surprised.*

13. **quam delectabat eum** : *how it delighted him !*   The subject of *delectabat* is *praedicere.*

14. **multo ante** : *i.e.* long before the actual eclipse.

15. **levioribus** : *less severe.*   **acutis** : *i.e.* demanding *keenness, acumen.*

16. **bello Punico Naevius** : the allusion is to Naevius's celebrated epic poem in Saturnian verse on the First Punic War, in which Naevius had taken an active part.   Only a few fragments of this work have come down to us.   **quam Truculento Plautus, quam Pseudolo** : T. Maccius Plautus, the greatest Roman writer of comedy, lived from about 250 to 184 B.C.   Among the twenty plays of Plautus that have been preserved, the Truculentus takes low rank ; the Pseudolus, on the other hand, is one of the best.

17. **vidi etiam senem Livium** : *I saw Livius too when he was an old man.*   The reference is to Livius Andronīcus (about 283–204 B.C.), not to be confounded with the historian Livy (Titus Livius Patavīnus), who lived more than two centuries later. Livius Andronīcus, though not the first Latin writer, was the real pioneer of Roman literature.   He had come to Rome as a slave after the capture of Tarentum (272 B.C.), and in 240 B.C., six years before the birth of Cato, had brought out the first play at Rome.   One of his most celebrated works was the translation of the Odyssey into Saturnians.

18. **cum fabulam docuisset** : *having brought out a play:* **an-**

other circumstantial *cum*-clause; see p. 127, line 27; *fabulam docere*, lit. ' teach a play,' *i.e.* teach the actors their parts, is the regular phrase for ' bringing out a play.'

20. quid: *why?*

21. P. Licini Crassi: see note on p. 132, line 16.

22. hujus P. Scipionis: *the Publius Scipio now living;* the reference is to P. Cornelius Scipio Nasica Corculum. **his paucis diebus**: *a few days ago,* lit. in the *course of these few days*.

24. senes: *when old men.*

25. M. Cethegum: mentioned p. 124, line 27, as a colleague of Tuditanus in the consulship (204 B.C.). **Suadae medullam**: *the quintessence* (lit. *marrow*) *of Persuasion, i.e.* of eloquence.

29. comparandae: *sc. sunt, deserve to be compared.*

PAGE **143**, 1. **prudentibus et bene institutis**: *in case of wise and well-trained men;* Dative of Reference.

2. honestum: *i.e.* does its author credit: *honestus* when applied to things often means ' conferring honor.' **illud Solonis quod ait**: *that observation of Solon, which he makes.*

3. versiculo quodam: see note on p. 131, line 25. The verse was a dactylic pentameter; hence the diminutive *versiculus*, as denoting a verse shorter than the hexameter.

7. nec: correlative with *et* after *senectute*.

8. ad sapientis vitam: *i.e. to the (ideal) life of a philosopher.* **proxime accedere**: *to make the nearest approach.*

9. habent rationem, *etc.*: the whole passage abounds in mercantile figures: *habent rationem*, ' keep account '; *numquam recusat imperium*, ' never refuses their draft '; *nec umquam sine usura reddit*, ' never passes a dividend.' **cum Terra**: *with Mother Earth; terra* is here personified, being conceived as the banker with whom account is kept.

11. alias: here = *sometimes*, correlative with the following *plerumque*.

13. vis ac natura: *power and nature.*

14. quae cum, *etc.*: explanatory of the foregoing sentence, — *for when she, etc.* **gremio**: *on her bosom:* the ablative is strictly instrumental, though doubtless possessing, even to the Roman mind, a slight locative force. **mollito ac subacto**: *broken up and made mellow, i.e.* by ploughing; Hysteron Proteron, B. 374, 7.

15. primum occaecatum, *etc.*: *first she holds it in hiding, from which (circumstance) the (process) which accomplishes that is called ' occatio ' (harrowing).* Cicero means that the Romans applied the name *occatio* to harrowing because that operation hid (*occaecavit*) the seed under the surface of the soil ; but this etymology, like so many others suggested by ancient writers, is purely fanciful.

16. **quae hoc efficit, nominata est**: both the relative *quae* and the subject of *nominata est* have been attracted into the gender of the predicate noun *occatio*. Logically we should have expected *quod* and *nominatum est*, but attraction is practically the rule in cases like this. **deinde tepefactum vapore,** *etc.: then when she has warmed it* (*the seed*) *with the heat of her embrace, she makes it expand;* note the hendiadys in *vapore et compressu*.

17. **elicit**: *brings forth.*

18. **herbescentem viriditatem**: *the green-growing plant,* lit. *the bladed greenness.* **stirpium**: we should have expected *stirpis*.

19. **erecta**: with reflexive force, — *raising itself*.

20. **vaginis**: *i.e.* each new joint is protected by a sheath or bract. **jam quasi pubescens**: *with the down of youth, so to speak, already upon it; pubesco* strictly applies to boys whose cheeks are just beginning to show the down of youth. Cicero here applies the word to a growing plant, but with an apology (*quasi*) for the boldness of the figure. **e quibus**: *i.e.* from the *vaginae*.

21. **fundit**: *brings forth;* suggesting abundance. **spici ordine structam**: *arranged in regular ears,* lit. *in the orderliness of the ear.* Note that Cicero here uses *spicum, i;* the usual word is *spica, ae.*

23. **quid**: *why?* **ortus, satus**: *ortus* seems to refer to the springing up of vines, *satus* to their planting. Observe the use of the plural to denote repeated instances.

24. **ut noscatis**: not the purpose of *satiari*, but of Cato's statement — 'this I say that you may know.'

26. **vim ipsam**: *i.e. the natural capacity.* **omnium**: neuter; =*omnium rerum;* see note on p. 121, line 9. **quae generantur e terra**: a circumlocution for *plants*, for which Latin has no single word.

27. **tantulo**: *i.e. so tiny* as we know them. **acini vinaceo**: *the stone of a grape.*

29. **procreet**: Subjunctive of Characteristic, with accessory notion of cause, — *since it brings forth.* **malleoli, plantae, sarmenta, viviradices, propagines**: *mallets, sprouts, cuttings, divisions, layers.* A " layer " (*propago*) is a shoot whose tip, either naturally or artificially, has become embedded in the earth and has taken root. Our black raspberry propagates itself naturally in this way. A " division " (*viviradix*) is the name technically applied to a vertical section of a plant, retaining a part of the stem and root of the parent. " Cuttings " (*sarmenta*) are clipped from terminal twigs; *cf. sarpo,* ' prune,' ' clip the ends.' " Sprouts " (*plantae*) are the slender shoots that spring up about the base of a shrub or tree, or at times appear sporadically on the trunk itself. " Mallets " (*malleoli*) differ from

" cuttings " in that they are cut in the particular shape indicated by their name.

PAGE **144**, 1. **nonne efficiunt ut delectent**: merely a periphrasis for *nonne delectant? Cf.* p. 139, line 1, *invitus feci ut eicerem.*

    2. **quemvis**: *i.e.* even the least appreciative observer.   **cum admiratione delectent**: *i.e.* fill with admiration and delight.

    3. **natura caduca est**: *is naturally trailing.*   **fertur**: *sinks.*

    4. **eadem**: to be taken with *vitis, — the vine again.*

    5. **serpentem multiplici lapsu et erratico**: *winding in manifold and straggling course.*

    6. **ferro**: *i.e.* the pruning-knife.

    7. **ars agricolarum**: *the skilful husbandman,* the abstract for the concrete.

    8. **nimia**: *too far.*

    9. **in eis**: *i.e. in those shoots.*   **quae relicta sunt**: *viz.* after pruning, hence those shoots which have not been clipped in the pruning process.   **tamquam ad articulos**: *at the joints, so to speak; articulus* properly applies to the joint in an animal organism ; hence the necessity of some apologetic particle here.

    10. **ea quae gemma dicitur**: by attraction for *id quod gemma dicitur* (see note on p. 143, line 16) ; *gemma* meant originally ' outgrowth,' ' bud ' (*gemma* for *gen-ma, root *gen-,* seen in *gen-us, genitus*) ; the meaning ' gem,' ' jewel,' was a secondary development. Cicero apparently imagined the reverse to be true.

    11. **suco**: *moisture.*

    13. **nec . . . et**: correlative, as p. 143, line 7.

    14. **ardores**: the plural as in *ortus, satus,* p. 143, line 23.

    15. **cum . . . tum**: *either . . . or.*   **fructu laetius, aspectu pulchrius**: *pleasanter to enjoy, fairer to behold.* Notice that *laetus* is here transferred in meaning from *glad* to *gladdening; fructu* and *aspectu* are nouns, not supines.

    17. **adminiculorum ordines**: *rows of stakes,* to support the vines.

    18. **capitum jugatio**: joining the tops of the stakes by crosspieces, a method still practised in Italian vineyards.   **religatio et propagatio**: *tying up and training; religatio* occurs only here ; *propagatio* refers to guiding the course of the new growth and giving the fresh shoots the proper direction.

    20. **aliorum immissio**: *the allowing others to grow, viz.* those spoken of above as *quae relicta sunt; immissio* occurs only here in this sense, but *immitto* in the sense of ' let grow ' is well attested.

    21. **repastinationesque**: *i.e.* digging up, or cultivating the earth with the *pastinum,* a two-pronged fork.

23. **dixi**: *i.e.* about those things. **eo libro, quem de rebus rusticis scripsi**: the reference is to Cato's de Agri Cultura, a work on farming, which has come down to us. The discussion of manuring is in chapter 28 of that treatise.

24. **de qua doctus Hesiodus**: *about which Hesiod, with all his learning, said never a word, though he wrote on farming.* On Hesiod, see note on p. 130, line 11. Hesiod's treatment of farming is found in his Works and Days. Note the fine scorn of Cato at this serious defect in the work of his Greek predecessor.

25. **at Homerus**: Homer, in Cato's opinion, has done somewhat better.

26. **multis ante saeculis fuit**: *lived many generations earlier; fuit =vixit.* **Laërtam lenientem desiderium**: *Laërtes endeavoring to assuage the longing;* conative use of the present participle. The allusion seems to be to the picture of Laërtes given in Odyssey, XXIV, 226, but in that passage there is no mention of manuring. Laërtes is simply represented as digging about the roots of the plants.

27. **quod capiebat e filio**: *which he felt for his son, viz.* the absent Ulysses, lit. *uhich he took from (in consequence of) his son.* **colentem et eum stercorantem**: these show the means, — *assuaging his longing by tilling the ground and manuring it.* When two verbs govern the same object, it is unusual to express the pronoun with the second as here.

28. **facit**: *represents.* **segetibus**: standing crops of grain; this and the following ablatives denote cause.

29. **res rusticae**: *farm life.* **laetae**: *pleasant,* as above, line 15.

30. **hortis**: *vegetable gardens.*

31. **florum omnium**: *flowers of all kinds.*

PAGE 145, 1. **consitiones, insitiones**: *planting* (of trees), *grafting.*

3. **possum persequi**: *I might enumerate.* The Latin commonly employs the indicative of *possum* in cases like this, where the English idiom would lead us to expect the subjunctive.

4. **ea ipsa**: *sc. oblectamenta, — these very attractions.*

5. **longiora**: *i.e.* have been dwelt upon at too great length. **ignoscetis autem**: *but pardon me;* as frequently, the future indicative has imperative force.

6. **provectus sum**: *I have been carried on.* **loquacior**: *rather talkative.*

7. **ne videar**: see note on *ne indixisse videar,* p. 141, line 4. **ergo in hac vita**: the emphasis rests upon the phrase *in hac vita,* — *this, now, is the kind of life in which Manius Curius spent the close of his days.*

8. **Curius**: see note on p. 127, line 15.   **de Samnitibus**: *over the Samnites.*

10. **cujus quidem**, *etc.*: the mention of Curius's name irresistibly leads Cato to relate a famous incident illustrative of Curius's character.   That Cato himself feels this to be a digression, is clearly shown by the words below (line 17): *sed venio ad agricolas, ne a me ipso recedam.*

14. **Samnites . . . repudiati sunt**: this incident occurred after the subjugation of the Samnites.   Curius had become their *patronus* at Rome, and the gold had been brought as a gift, not as a bribe; nevertheless he refused it.   **non enim**: *non* belongs closely with *aurum habere, — he said it was not the possession of gold that seemed excellent to him, but commanding those who had it.*

16. **poteratne**: *-ne* regularly derives its force from the context; here it is equivalent to *num.*

17. **non jucundam**: *other than pleasant. Cf.* p. 124, line 8, *non gravis.*

18. **ne a me ipso recedam**: *lest I wander from my subject.*   **in agris**: emphatic, — *the country in those days was the home of senators; tum* does not refer to the time of Curius, but simply in a general way to the early days.   Cincinnatus lived a century and a half before Curius.

19. **id est senes**: *i.e. senator* by its very derivation implies *senex.*   **si quidem aranti**, *etc.*: *aranti* is the emphatic word, — *if indeed L. Quinctius Cincinnatus was ploughing, when the news was brought, etc.*   **L. Quinctio Cincinnato**: Cincinnatus was twice dictator, 458 and 439 B.C.

20. **esse factum**: we should have expected *dictum esse, dictatorem dicere* being the technical phrase for ' to appoint a dictator.'

21. **cujus dictatoris jussu**: *by whose command when dictator;* another digression; see note on p. 124, line 22.

22. **Sp. Maelium**: *viz.* in 439 B.C.   In a time of great scarcity Maelius had sold grain at a merely nominal price, and thus incurred the charge of aiming at regal power.   When summoned before Cincinnatus, he refused to appear.   Thereupon Ahala attacked and killed him; but for this high-handed act, he was himself arraigned, and escaped punishment only by withdrawing into voluntary exile.   **occupatum interemit**: *forestalled and put to death; occupatum* means that Ahala prevented Maelius from executing his alleged design.

23. **a villa**, *etc.*: *'twas from their country estates that Curius and the rest were summoned.*

24. **ceteri senes**: *i.e.* the others whom everybody recalls. **ex quo**: *in consequence of which.*   **viatores**: lit. *travellers;* the

very name of the officials who gave the notification is held by
Cato to show that the men notified lived at a distance from the
city.

25. **horum qui**: not, *of those who* (which would be *eorum qui*),
but, *of these men* (*I have mentioned*), *inasmuch as they, etc.*

26. **agri cultione**: for the usual *agri cultura*. **mea quidem
sententia**: *in my opinion, at least,* whatever others may think.

27. **haud scio an nulla**, *etc.*: *I am inclined to think that none,
etc.* This is the regular force of *haud scio an* in Cicero. B. 300, 5.

28. **officio**: *as regards the occupation*, lit. *function, duty*.

29. **salutaris**: *wholesome*.

31. **ad cultum deorum**: *i.e.* the farm supplies the first fruits
and the victims offered to the gods.

PAGE **146**, 1. **ut in gratiam jam cum voluptate redeamus**: *so
that we are already getting on good terms again with pleasure;*
alluding to Cato's earnest invective against pleasure in chapter
xii.

3. **olearia**: *sc. cella*. Butter was practically unknown to the
Romans; olive oil took its place, as it does still in Italy. **penaria** (*sc.* **cella**): *pantry, larder*.

4. **locuples**: *i.e.* richly supplied. **porco, haedo, agno,
gallina**: *pork, kid's flesh, lamb, poultry;* all these words are
here used with collective force.

5. **jam**: *moreover;* here used as a particle of transition.

6. **succidiam alteram**: *the second meat supply*, lit. *the second
flitch; succidia* properly designates a ' side ' or ' flitch ' of bacon.
Cato means that the products of the garden are so many and so
valuable that they constitute a safe reliance, should flesh be lacking. **conditiora**, *etc.*: *fowling and hunting give these things*
(*i.e.* the attractions already enumerated) *a greater zest by occupying one's leisure.* Special emphasis rests upon *conditiora*, but it
is very difficult to bring this out in translation.

10. **brevi praecidam**: *I will cut off (all further remarks) with
(this) brief statement.* As object of *praecidam* understand *sermo-
nem* or some similar word; *brevi* is explained by what follows.
agro bene culto, *etc.*: the emphasis rests on *agro, — as compared
with a well-tilled farm nothing can be, etc.*

12. **invitat atque allectat**: synonyms, as p. 135, line 9.

13. **illa aetas**: *i.e. men of that time of life.*

14. **calescere vel apricatione melius vel igni**: *bask more com-
fortably in the sun or by the fire.*

15. **aquis**: this probably refers to baths. **refrigerari**: *cool
themselves;* reflexive. **sibi habeant**: *let them keep to themselves;*
as subject of *habeant* understand *juvenes*.

16. clavam: the *clava* was a kind of foil used by soldiers in practice.

17. pilam: various games of ball were played by the Romans, but none in which the bat was used.

18. ex lusionibus multis: *out of many sports.* **talos et tesseras**: *tali*, lit. ' knuckle bones,' were dice with four flat sides and two round ones; *the tesserae* had six sides like our dice.

19. id ipsum ut lubebit: *even that (they may do or not) as they please; i.e.* they may either grant the dice or withhold them; *id ipsum* is the object of some verb to be supplied, — *faciant*, for example.

23. copiose: *eloquently*, lit. *abundantly, fully.*

24. qui est, qui inscribitur: we should naturally expect a connective with *qui inscribitur*, — ' and which is entitled '; its absence is usually explained as due to the parenthetical nature of the clause *qui est de tuenda re.* **de tuenda re familiari**: *on the care of property.* **Oeconomicus**: this work, as its name suggests, treats of the management of an estate.

25. ut intellegatis: see note on p. 143, line 24, *ut noscatis* **regale**: *princely, i.e.* worthy of a prince.

26. in eo libro: *viz.* in chapter iv, sections 20–25. **loquitur cum Critobulo**: *in conversation with Critobulus says;* Critobulus was a disciple of Socrates.

27. Cyrum minorem, Persarum regem: Cyrus, the Younger, who fell at Cunaxa (401 B.C.) in the attempt to wrest the throne from his brother Artaxerxes. See Xenophon, Anabasis, I, 7–9. Cyrus was never king, but simply the son of King Darius, and satrap of the provinces of Lydia, Phrygia, and Cappadocia; hence *regem* in this passage means no more than ' prince,' ' ruler.'

28. Lysander Lacedaemonius: the distinguished Spartan leader; he commanded at Aegospotami, 405 B.C.

29. vir summae virtutis: *a man of the greatest ability; virtutis* here cannot refer to high moral worth; Lysander's character was not above reproach. **ad eum Sardis**: *to him at Sardis.* *Sardis* (= Σάρδεις) is accusative plural. B. 182, 2, *b*; A. 428, *j*; G. 337, 6. Sardis was the capital of Cyrus's satrapy.

PAGE **147, 1. a sociis**: *i.e.* the Lacedaemonians and the other Peloponnesian states that were leagued against Athens in the Peloponnesian War. Cyrus assisted Lysander and the Spartans with large sums of money in this struggle. His object was to secure Spartan assistance in carrying out his designs upon the throne of Persia. **et (ceteris)**: *et* is correlative with *et* following *fuisse.*

2. humanum: *kindly.*

3. **consaeptum agrum**: *park;* this phrase is used to render the Greek παράδεισος; hence the absence of *et* before *consitum*. **consitum**: *planted* with trees, in rows or groups.

4. **proceritates**: the plural, because there were many trees (*arbores*), each of which was *procera*.

5. **in quincuncem**: *quincunx* was the name of the five-spot on dice ⁙. Hence *in quincuncem* is used to designate an arrangement of trees by which the lines run diagonally as in the following diagram.

. . . .

. . . .

. . . .

. . . .

. . . .

6. **subactam**: *i.e.* carefully cultivated.   **puram**: *i.e.* free from weeds, stones, *etc.*

7. **afflarentur**: *were wafted.*   **eum dixisse**: dependent on *loquitur* above.

9. **dimensa atque discripta**: *laid out and arranged;* note the passive use of the deponent *dimensa; cf. adeptam,* p. 122, line 6.

10. **ego ista sum dimensus**: *ego* is emphatic; *I am the one who laid out these things that you see.*   **mei sunt ordines**, *etc.*: *mine are the rows, mine the arrangement.*

13. **purpuram**: *i.e.* his purple robe.   **nitorem corporis**: *the elegance of his person.*

14. **multo auro multisque gemmis**: Ablative of Quality. **rite**, *etc.*: *with reason do they call you happy.*

15. **ferunt**: the subject is general, — *people.*   **quoniam virtuti tuae fortuna conjuncta est**: as shown by the word order, the emphasis rests upon *virtuti,* — *with reason do people call you happy, since it is to inherent worth* (virtus) *that your prosperity is joined.* Cyrus's *virtus* is recognized by Lysander in his personal attention to the improvement of his estate; *fortuna* refers to his advantages as a prince, — *purpura, nitor, gemmae, aurum.*

16. **hac igitur fortuna**: *this now is the happy lot; igitur,* as so frequently, simply resumes the substance of the foregoing discussion, — here of chapters xv and xvi on the delights of farm life.

17. **aetas**: *old age.*   **impedit**: the object (*nos*) is omitted, being readily supplied in thought from the following *quominus* clause.   **et (ceterarum rerum) et (agri colendi)**. the English idiom here is *either . . . or.*

18. usque ad ultimum: *up to the very last.*

19. M. Valerium Corvinum: in the Gallic War of 349 B.C.
M. Valerius Corvīnus defeated a gigantic Gaul in single combat.
During the struggle a raven (*corvus*) is said to have perched
upon Corvinus's helmet, and to have lent him assistance by
flying in the face of his antagonist; whence the surname
Corvinus.

20. perduxisse: *sc. studia agri colendi, — continued the pursuits of farming.* **cum esset . . . coleret:** *still remaining on
the farm and cultivating it after his life was already spent; aetas*
here covers the period of an ordinary lifetime, corresponding to
our " three score years and ten." For the *cum*-clauses, see note
on p. 127, line 27 ; for *acta aetate* we should have expected *exacta
aetate.*

22. primum et sextum consulatum: Corvinus's first consulship was in 349 B.C., his sixth in 299. Cicero's reckoning, therefore, betrays an error.

23. majores: supply in sense *nostri.*

24. ad senectutis initium: *up to the beginning of old age, i.e.*
from birth. Old age (*senectus*) properly began at sixty, but Cicero
is here thinking rather of the *aetas seniorum*, the time when men
became exempt from military service; this was at forty-six.
esse voluerunt: *allowed,* lit. *wished to be.* **cursus honorum:**
the technical expression denoting official career, including all
offices from the quaestorship to the consulship.

25. huius extrema aetas: *the latter part of his life.* **hoc:**
explained by the clause *quod habebat.*

26. auctoritatis: *influence.*

27. apex: *the crowning glory; apex* primarily designated the
pointed piece of wood inserted in the top of the cap worn by the
flamens.

28. fuit: *sc. auctoritas.* **L. Caecilio Metello:** see note on
p. 133, line 14. **A. Atilio Calatino:** Calatīnus was twice consul
(258 and 254 B.C.) and once dictator (249 B.C.) in the First Punic
War.

29. illud: *the following.* **elogium:** *epitaph.* The word is
derived from the Greek ἐλεγεῖον, ' epitaph,' ' sepulchral inscription.' English *eulogy* is not related.

30. hunc unum: *this man above all others.* **gentes:** used in
the technical sense of the different Roman *gentes* (' clans ').

31. populi: with *virum.*

PAGE **148, 1. carmen:** *i.e.* the entire epitaph, of which Cato
cites only two lines. **incisum:** explanatory of *notum est;* the
epitaph is familiar because engraved upon his tomb. **in se-**

pulcro: Calatinus was buried on the Appian Way, near the tombs of the Scipios.

2. **gravis, cujus esset,** *etc.*: *a man of weight, since all were unanimous in his praise; fama omnium* is literally the ' report of all,' *i.e.* the reputation which all men gave him. The clause *cujus esset* is one of Characteristic, with the accessory notion of cause ; the clause, however, does not give the reason for Calatinus's influence, but simply a reason why we may infer that he was influential.

3. **quem virum nuper,** *etc.*: *what a man we saw recently in Publius Crassus!* lit. *what a man we saw Publius Crassus! video* here takes two accusatives, direct object and predicate accusative, like verbs of *calling, regarding, etc.* On Crassus, see note on p. 132, line 16.

4. **Lepidum**: pontifex maximus, 180 B.C. He twice led the Roman armies against the Ligurians, and was long *princeps senatus* (' leader of the house ').

5. **Paulo**: see note on p. 133, line 4.

6. **Maximo**: see p. 124, line 17.   **quorum non in sententia solum**: *not merely in whose opinion; sententia* probably alludes to the formal expression of opinion when a vote was taken in the Senate. Each senator, as called upon, rose and explained his vote.

8. **honorata**: *i.e.* the old age of a man who had held offices (*honores*).

9. **pluris**: *of more account.*

11. **in omni oratione**: *in everything I say.*

13. **constituta sit**: *i.e. has been firmly established.*   **ex quo efficitur**: *and so it comes about.*   **id quod . . . dixi**: *a thing which I once remarked.*

14. **assensu omnium**: *i.e.* on the part of all.   **miseram esse,** *etc.*: logically this clause is the subject of *efficitur*, and would normally have been expressed by *ut misera sit senectus quae se defendat,* — *and so it comes about (as I once remarked) that that old age is wretched which has to defend itself by apologies.* But the proximity of *dixi* has evidently caused the writer to forget the structure of the sentence as begun with *efficitur*, and to make the clause which should have depended upon *efficitur* depend upon *dixi* instead. This has also involved the change of *defendat* to *defenderet*, according to the " sequence of tenses."

15. **non cani nec rugae,** *etc.*: *non* is emphatic, — *not gray hair nor wrinkles can suddenly lay hold on influence;* with *cani* understand *capilli;* this omission is elsewhere confined to poetry.

17. **fructus capit auctoritatis extremos**: *reaps influence as its final product; auctoritatis* is Appositional Genitive, — *the product, influence* (B. 202; A. 343, *d*; G. 361, 1; H. 440,

4) ; *extremos* is made emphatic by its position at the end of the sentence.

18. haec : explained by the following infinitives. **honorabilia** : *i.e.* tokens of honor; *honorabilis* occurs only here in good Latinity.

19. salutari : the reference is probably to the morning visit or *salutatio*, which the friends of a prominent man were wont to pay. **appeti** : *to be sought out.*

20. decedi, assurgi : these two infinitives, being intransitive, are used impersonally, — *to have people make way for one, rise in one's presence,* lit. *(for) it to be withdrawn, to be risen.* **deduci, reduci, consuli** : a return to the personal construction ; *deduco* is the technical term for a formal escort of a man from his house to the Forum, *reduco* of the escort back to his house ; *consuli* means merely to have one's opinion asked on any matter of importance.

21. ut quaeque optime morata est : *according as each is most highly civilized,* lit. *best mannered.*

24. honestissimum : *most honorable.*

25. nusquam enim, *etc.: for nowhere is so much regard paid to age;* we should have expected this to be expressed as Lysander's thought, and accordingly to be in the infinitive dependent upon *dicere* above, but Cato gives it as his own justification of Lysander's statement.

26. quin etiam : *why actually.* **memoriae proditum est** : *the story goes,* lit. *it has been handed down to memory.*

27. ludis : Ablative of Time. The reference is probably to the festival of the great Dionysia, which occurred annually in March, and was celebrated with dramatic performances.

28. magno consessu : Ablative Absolute with adversative force, — *although the throng was great,* implying that among so many some one might have been expected to offer the old man a seat.

PAGE **149**, 1. **qui consederant** : an explanatory clause of the writer, and hence in the indicative. **certo in loco** : special seats in the orchestra were reserved for ambassadors and other distinguished guests.

2. omnes illi : *they all.*

3. sessum : *to a seat,* lit. *to sit down;* supine of *sedeo,* used to express purpose after the idea of motion involved in *recepisse.*

4. dixisse : dependent upon *proditum est* above.

5. facere nolle : not so much *were unwilling to do it,* as *lacked the disposition to do it.*

6. vestro collegio : *sc. augurum.*

8. sententiae principatum tenet: *enjoys precedence in giving his opinion; i.e.* in voting the augurs gave their opinions in the order of age. **honore antecedentibus**: including all official positions, political or sacerdotal.

9. cum imperio: see note on p. 136, line 17.

12. quibus qui, *etc.*: *those who have made a fine use of these, viz.* of the *praemiis auctoritatis.*

13. fabulam aetatis: *the drama of life,* a common figure in all languages. **peregisse**: *to have acted through to the end.* **tamquam inexercitati histriones**: *like untrained players.*

14. corruisse: *to have broken down.*

15. at sunt: *at* as p. 129, line 11 and frequently. **morosi**: *capricious;* by derivation *morosus* means *full of special habits* (*mores*), hence *crotchety, capricious.*

16. morum: *of the character.*

18. non illius quidem: *not, to be sure, a just one;* when an object has two attributes connected and contrasted by *quidem . . . sed,* the demonstrative pronoun (or personal pronoun) is usually present with the former attribute.

19. sed quae videatur: *but such as seems capable of being approved;* this is a Clause of Characteristic, and constitutes the second of the two attributes limiting *excusationis.* **contemni, despici, illudi**: these words form a climax, — *ignored, despised, made sport of.*

21. omnis offensio: *every slight; offensio* is here used passively *i.e. a being offended.*

22. dulciora: *i.e.* less annoying. **bonis**: modifying both *moribus* and *artibus.*

24. qui in Adelphis sunt: who appear in the *Adelphi,* an extant comedy of Terence (about 190–159 B.C.).

25. sic se res habet: *so it is (actually)*; *sic* is best taken as referring back to the mellowing effects of good character and good breeding.

26. severitatem: *strictness* merely, a common meaning of the word.

28. avaritia vero: *but what sense avarice can have in an old man, I do not understand; avaritia* is emphatic by position, but it is difficult to bring this out in English translation, except by vocal stress.

30. quo viae minus, *etc.*: *i.e.* to seek more funds in proportion as the remainder of the journey diminishes; *quo* and *eo* are Ablatives of Degree of Difference.

PAGE **150**, 2. **sollicitam habere**: *to keep in a state of unrest.*

4. esse longe: we should have expected *abesse* here instead of *esse.*

5. **contemnendam**: *i.e.* to be regarded with indifference.

7. **etiam (optanda)**: *even.*   **aliquo**: the adverb.

8. **sit futurus**: *is destined to be.*   **tertium nihil**: *no third alternative.*

9. **non miser**: *non* is to be combined closely with *miser.*

10. **beatus etiam**: *happy even; etiam* receives additional emphasis by being placed after the word which it limits.   **quamquam**: corrective.

11. **quamvis sit adulescens**: *however young he be.*   **cui sit exploratum**: the expression is inexact. Cicero does not mean: *Who is so foolish as to have discovered?* but *Who is so foolish as to think he has discovered?*

12. **quin etiam**: as p. 148, line 26.

13. **aetas illa**: *i.e.* persons of that time of life.   **casus mortis**: *i.e.* the active life of young men makes them more liable to accidents

15. **tristius curantur**: *they are treated by the application of severer remedies;* the frailer health of the aged calls for less heroic treatment.

16. **ni**: in classical prose *ni* is found almost exclusively in legal formulas and colloquial phrases.   **melius et prudentius viveretur**: *life would be better and wiser,* lit. *it would be lived,* etc.

17. **mens, ratio, consilium**: *ratio* ('reason') and *consilium* ('deliberation') are special functions of *mens* ('intellect').

18. **qui si nulli fuissent**: *and if there had never been any (sc. senes).*

19. **ad mortem impendentem**: *to death as (something) imminent.*

20. **quod est istud**, *etc.*: *how is that a charge against old age?* *i.e.* how does it constitute a valid charge?   *quod* as interrogative adjective means 'what kind of?' Hence here *quod crimen,* 'what kind of charge,' in the sense *how does it constitute a charge? istud* refers to the general idea of death impending, and is the subject of *est.*   **id**: *i.e.* the fact that death is imminent.   **ei**: *viz. senectuti.*

21. **cum adulescentia**: *cf. commune tecum,* p. 120, line 16. **sensi**, *etc.*: *sensi* is emphatic, — *we have had experience, I in the case of my most excellent son, you in the case of your brothers; sensi* is singular because agreeing with the nearer subject, *ego.* **in optimo filio**: Cato's son died in 152 B.C. while praetor-elect.

22. **exspectatis . . . fratribus**: a peculiar expression for: *brothers who were expected to arrive at the highest honors.* Cato refers to the two sons of Lucius Aemilius Paulus, one of whom, aged 12, died five days before his father's triumph, the other, aged 14. three days after the triumph.

24. quod idem: *etc.: which the old cannot likewise hope,* lit. *which same thing, etc.*

25. insipienter sperat: *i.e.* he is foolish to cherish such a hope; *insipienter* is emphatic.

26. incerta pro certis habere: *to regard as certain what is uncertain.*

27. at senex, *etc.: but, it is alleged, the old man has not even anything to hope for;* the clause *quod speret* is one of purpose.

PAGE **151**, 1. **at est**: *at* here introduces Cato's own reply to the argument of his imaginary opponent.

2. ille, hic: *ille* refers to the youth, *hic* to the old man, as the one really nearer in thought, though not last mentioned in the preceding context.

5. Tartessiorum: the Tartessians dwelt in southern Spain.

6. Gadibus: the modern Cadiz.

7. centum viginti: there are other indications in Latin literature that one hundred and twenty years was regarded by the Romans as the ultimate limit to which the life of man might extend.

8. sed mihi, *etc.:* there is a slight anacoluthon here; we should have expected this clause to be introduced by *tamen,* since *da* and *exspectemus* have the force of ' though you grant,' ' though we look forward to.' **ne diuturnum quidem**: *not even of any considerable duration,* — to say nothing of its being "long."

9. in quo est: we might have expected the Subjunctive of Characteristic here; but the indicative is regularly used in any characterizing clause that has the force of a condition ; thus here *in quo est, etc. = if there is something final in it.*

10. quod praeteriit, effluxit: *what has passed has vanished.* **tantum remanet**: *there remains only so much.*

11. consecutus sis: the indefinite 2d singular; hence the subjunctive.

12. horae et dies et menses et anni: note the rhetorical force of the polysyndeton. B. 341, 4, *b.* The asyndetic form of expression is, however, much more usual.

13. quid sequatur: *i.e. what the future will be;* the clause is the logical subject of *sciri potest.*

16. neque enim: *for neither; neque* is correlative with *neque* in line 17. **histrioni . . . peragenda fabula est**: *i.e.* the actor, in order to please his audience, does not need to act through the piece, — does not need to appear in every act.

17. modo probetur: *provided only he meet approval.* **in quocumque fuerit**: the subjunctive is purely the result of attraction. **neque sapienti usque ad Plaudite veniendum est**

nor does a wise man need to come to the very ' Plaudite ' (of life).
Plaudite was the regular appeal made by one of the troupe at the
close of the play; hence, in a transferred sense, it means ' the
end,' ' conclusion.'

20. **processerit**: as subject supply in sense *quis*, ' one.'

21. **verni temporis suavitate** = *the pleasant spring-time.*

22. **tamquam**: *tamquam* qualifies the entire phrase *adulescentiam significat, — typifies youth, as it were.*

23. **ostenditque fructus futuros**: *i.e.* gives promise of the
fruits that are to come.

24. **tempora**: *seasons.*   **demetendis et percipiendis**: *reaping
and gathering;* another illustration of Cicero's fondness for group-
ing synonyms in pairs.

26. **ante partorum bonorum**: *of blessings previously acquired.*

28. **sunt habenda**: *are to be reckoned.*

29. **quod idem**: *which likewise.*

PAGE **152**, 1. **adversante et repugnante natura**: the Ablative
Absolute here has adversative force, — *though nature resists and
rebels.*

3. **ut cum**: *as when.*

4. **flammae vis**: *a vigorous flame.*

5. **nulla adhibita vi**: *without the application of any force.*
consumptus ignis exstinguitur: *a fire is extinguished as a result
of burning out; consumptus* takes the chief stress in this sentence,
and is used in a middle sense, — *having burnt itself out.*

6. **quasi**: here equivalent to *sicut;* this use is archaic.

7. **si matura**: we should have expected *sin* instead of *si* to
introduce this second protasis. B. 306, 3; G. 592.

8. **sic . . . vis aufert**: the emphasis rests upon *vis, — so
'tis force that takes life from the young; adulescentibus* is dative.
B. 188, 2, *d*; A. 381; H. 427.

9. **quae quidem**, *etc.:* grammatically *quae* can refer only to
maturitas, but such is not Cicero's meaning; the logical antecedent is the substance of the whole preceding sentence; hence
this thought is so pleasant to me.

10. **quo propius accedam**: Subjunctive by Attraction; we
should have expected this clause to be followed by one containing
a comparative with *eo*, corresponding to *quo propius.*

14. **recte vivitur**: *i.e.* one is justified in remaining alive.
quoad possis: *as long as one can;* the indefinite 2d singular leads
to the use of the subjunctive.   **munus offici exsequi et tueri** ·
to discharge and attend to the performance of one's duty.

17. **hoc illud est**, *etc.: this is the significance of the famous reply
of Solon.*   **Pisistrato**: tyrant of Athens in the sixth century B.C.

Plutarch, in his life of Solon, chapter 31, says this reply was made to inquiring friends; yet he elsewhere confirms the account here given.

18. illi: *i.e.* Pisistratus. **qua tandem**: *tandem* emphasizes the interrogative, — *what pray!*

19. audaciter: archaic for *audacter*. **obsisteret**: Solon's opposition was directed against Pisistratus's usurpation in 560 B.C.

20. ' senectute ': sc. *fretus;* Solon was seventy-five years old at this time. **integra mente certisque sensibus**: *with the mind sound and the faculties unimpaired.*

22. coagmentavit: *put together.* **dissolvit**: *takes apart.*

25. iam: *now,* continuing the argument; so below, p. 153, line 8. **omnis conglutinatio recens**: lit. *every construction when fresh, i.e.* everything newly made. **inveterata**: *if of long standing.*

26. illud breve vitae reliquum: *reliquum* is here a substantive, — an infrequent use of the word.

27. nec sine causa deserendum sit: *i.e.* suicide must not be resorted to except in a special exigency.

28. vetatque: *-que* is here 'epexegetic,' *i.e.* explanatory of what has just preceded, — *and so, and accordingly.*

29. praesidio et statione: *post and station.*

PAGE **153.** 1. **elogium**: here in the sense of 'couplet.' **se negat velle**: *says he does not wish.*

2. suam mortem: *suam* is emphatic; these lines of Solon were directed against Mimnermus, a contemporary elegiac poet, who had given expression to a contrary sentiment.

3. vult, credo, se esse carum: the construction of infinitive with subject accusative after *volo, nolo, malo,* is less usual, if the subjects of the main and dependent verbs are the same; but it is permissible in case of *esse* and passive infinitives. B. 331, iv, *a.* **haud scio an melius Ennius**: *I am inclined to think Ennius utters a better sentiment;* with *melius* understand some such verb as *dicat.* On *haud scio an,* cf. note on p. 145, line 27, *haud scio an nulla beatior possit.*

5. nemo me dacrumis decoret, *etc.:* *dacruma* is an archaic form of *lacruma.* Notice the alliteration in *dacrumis decoret,* and in *funera fletu faxit; fletu* is Ablative of Attendant Circumstance. B. 221. *faxit* is an archaic form of *fecerit* (perfect subjunctive); as subject supply in sense *quisquam* from *nemo.* The second line is given in full by Cicero, Tusculan Disputations, I, 34:

> Faxit. Cur? Volito vivos per ora virum.
> '*Why? I still live and flit about in the mouths of men.*'

9. **isque**: *-que* is here adversative.   **ad exiguum tempus**: *i.e.* only for a short time.

10. **aut nullus est**: *nullus* here has the force of an emphatic *non; est* is almost equivalent to *adest;* hence *is not present.*

11. **hoc meditatum ab adulescentia debet esse**: *this (lesson) ought to be rehearsed by us from youth up; meditor* is to go over a thing again and again by way of preparation, as a lesson or a speech; *hoc* is explained by the following *ut mortem neglegamus, i.e.* the lesson is: ' disregard of death.'   Notice the passive use of the participle of *meditor,* like *adeptam,* p. 122, line 6; *dimensa,* p. 147, line 9.   The tense of *meditatum esse* is also peculiar; we should have expected the present, but with *debeo* and *oportet* the perfect infinitive occasionally appears used for the present. B. 270, 2, *a*; A. 486, *e.*

12. **sine qua meditatione**. *a practice without which.*

13. **moriendum enim certe est**: *moriendum* takes the emphasis, — *for die we surely must.*   **et incertum an**: *and possibly,* lit. *and it (is) uncertain (whether at some other time) or.*

14. **mortem . . . impendentem**: as the position shows, this phrase takes the chief emphasis of the sentence, — *with death imminent at all hours, how can one who fears it be of a tranquil heart? qui* is the interrogative adverb; as subject of *poterit* an indefinite *quis* must be supplied in thought; *consistere* literally means ' to stand firm,' and so, ' to be tranquil.'

16. **non ita longa**: *i.e.* no very long.

17. **cum recorder**: *when I recall;* the clause, however, is strongly causal; hence the subjunctive.   **L. Brutum**: this and the following accusatives *Decios, Atilium,* are to be taken as the subjects of some verb to be supplied from *profectas (esse)* in line 27.   **in liberanda patria**: the Tarquins, after their expulsion, endeavored to regain the throne; Brutus, while resisting their attempts, was killed in single combat with Arruns Tarquinius.

18. **duos Decios**: see note on p. 139, line 21.

19. **M. Atilium**: Marcus Atilius Regulus, the famous general of the First Punic War.   The story of his return to Carthage to keep his plighted faith is probably apocryphal.

21. **duos Scipiones**: see p. 133, line 3.

22. **Poenis**: dative of reference, — lit. *to obstruct the way to the Carthaginians.*   **vel**: intensive.

23. **avum tuum**: this is addressed to Scipio.   His grandfather by blood, L. Aemilius Paulus (father of Macedonicus, conqueror of Perseus), had commanded at the disaster of Cannae, 216 B.C. **collegae**: C. Terentius Varro.

24. **M. Marcellum**: M. Claudius Marcellus, an eminent

general of the Second Punic War. He was lured into ambush and slain by the troops of Hannibal in 208 B.C.

25. **interitum**: *i.e.* his dead body. **crudelissimus hostis**: Hannibal's conduct never justified this epithet. He was characterized rather by generosity and even chivalry.

27. **in Originibus**: see note on p. 136, line 26.

PAGE **154**, 2. **indocti**: referring particularly to lack of training in philosophy. **rustici**: *i.e.* not merely devoid of the higher culture, but lacking all training whatsoever. The Roman army was recruited chiefly from the country districts.

3. **omnino**: *all in all.*

5. **studia certa**: *definite interests, pursuits.*

7. **constans jam aetas**: like *jam constantis aetatis*, p. 134, line 31; in the present passage note that *jam*, at variance with the usual practice, follows the word it modifies.

8. **ne ea quidem**: *i.e.* old age does not pine even for the occupations of middle life, much less, then, for those of youth and boyhood.

12. **maturum**: best taken as a predicate modifier of *tempus*, lit. *brings the time of death ripe, i.e.* makes the time ripe for death.

13. **cur non audeam**: *why I should not venture;* the indirect question here represents a Deliberative Subjunctive of direct discourse.

14. **quod**: relative, referring to *quid ipse sentiam.* **eo melius quo ab ea propius absum**: *the better, the nearer I am to it;* nearness *from* a thing is a favorite mental attitude with Latin writers.

15. **cernere**: *discern;* used of clear vision.

16. **tuumque, Laeli**: Laelius's father also bore the name C. Laelius; he was an intimate friend of the elder Africanus.

20. **munere quodam necessitatis**: *i.e.* a function imposed by necessity.

21. **est animus caelestis**, *etc.*: *the soul is from heaven; animus* is further modified by the participle *depressus*, ' lowered.'

22. **quasi demersus**: *quasi* apologizes for the figure; *demergo* ordinarily applies to what is sunk in water.

25. **qui terras tuerentur**: *to care for, protect, the earth,* lit. *lands.* **caelestium** =*caelestium rerum; of celestial things.*

27. **ratio, disputatio**: *reflection, discussion.*

28. **nobilitas**: *reputation.*

29. **Pythagoram**: see note on p. 130, line 13.

PAGE **155**, 1. **incolas paene nostros**: the seat of the Pythagorean school was Crotona in southern Italy. **qui essent nominati**: this clause seems to be introduced merely as an explanation of the speaker, and as such would naturally have stood in the indicative. The subjunctive indicates that it is here felt to be a part of the indirect discourse.

3. **ex universa mente divina:** *i.e.* from the world-soul. **delibatos:** *i.e.* souls which are emanations of the world-soul; *delibo* literally means *to take a taste* or *a sip* of something; then figuratively *to draw, pluck, gather.*

4. **haberemus:** in English we should use the present; but in Latin even subordinate clauses expressing general truths conform to the sequence of tenses. **quae . . . disseruisset:** implied indirect discourse, — *the views which Socrates was said to have set forth.* B. 323; A. 341.

5. **immortalitate animorum:** note the plural in *animorum.*

6. **esset judicatus:** Subjunctive by Attraction; the clause is an integral part of the clause on which it depends. B. 324, 1; A. 592, 2; G. 508, 4, H. 649, I.

7. **quid multa:** *sc. dicam.* **sic persuasi mihi, sic sentio:** *sic* is explained by what follows. The arguments for the soul's immortality are four in number:

    (1) Its capacity (*cum tanta celeritas, etc.*).
    (2) Its original activity (*cumque agitetur, etc.*).
    (3) Its indivisibility (*cum simplex animi esset natura, etc.*).
    (4) Its preëxistence (*scire pleraque ante quam, etc.*).

8. **celeritas:** *i.e.* the rapidity of thought.

9. **memoria praeteritorum futurorumque prudentia:** note the chiastic arrangement. Observe that *prudentia* here has its primitive meaning of ' foresight.'

10. **tot artes:** such as *rhetoric, music, geometry, astronomy, etc.;* each of these was an *ars,* — *ars rhetorica, ars musica, etc.* **tantae scientiae:** *so vast branches of knowledge;* the plural of *scientia* is extremely rare, but its occurrence is justified by the neighboring plurals, *tot artes, tot inventa.*

12. **semper agitetur:** *is always active; agitetur* has here a reflexive or middle sense, — lit. *moves itself; cf. erecta,* p. 143, line 19.

13. **quia se ipse moveat:** this is said in justification of the previous statement *nec principium motus habeat,* and does not refer at all to *agitetur.* **ne finem quidem,** *etc.: no end of motion either.*

14. **numquam sit relicturus:** almost equivalent to ' can never leave.'

15. **cum simplex animi esset:** the previous dependent clauses beginning with line 8), *cum sit, quae contineat, cumque agitetur, quia moveat, quia sit relicturus,* have all depended upon *persuasi*

taken as a principal tense, but with line 15 *persuasi* comes to be felt as historical; hence the secondary sequence in *esset, haberet, posset,* followed, however, by a return to primary sequence in *nati sint, discant, etc.* In English we should render the imperfects of this passage by presents.   **simplex:** *i.e.* as opposed to composite.

17. **quod si non posset:** *and if it* (the soul) *cannot, i.e.* cannot be divided; with *posset* supply *dividi* from the preceding *dividi posse.*   **non posse interire:** *sc. animum.*

18. **magnoque esse argumento:** *and (I am convinced, — persuasi mihi) that it is (for) a great argument, viz.* in favor of the immortality of the soul; the subject of *esse* is *homines scire, etc.; i.e.* knowledge anterior to birth is a great argument.

19. **quod jam pueri discant:** this gives the reason, not for men's foreknowledge, but for our feeling assured of such foreknowledge.   The force of the clause may best be seen in the following free paraphrase of the whole passage, beginning with *magnoque argumento:* ' and I am convinced that a strong argument in favor of immortality is furnished by the fact that men know many things before they are born, — and that they do is clear, because children, when they are learning difficult subjects, lay hold of innumerable things so rapidly that they seem not to be learning them then for the first time, but to be remembering and recalling them.'

22. **haec Platonis fere:** *these are substantially (the arguments) of Plato;* they are taken chiefly from Plato's Phaedo and Phaedrus.

23. **autem:** *again;* used to introduce other arguments in support of the soul's immortality.

24. **Cyrus major:** Cyrus the Elder; see note on p. 133, line 11. **haec dicit:** the passage is in the Cyropaedia, VIII, 7, 17.   Though attributed to Cyrus, these views are really Xenophon's, and were gathered by him from the teachings of Socrates, like those of Plato above enumerated.

26. **nullum:** *non-existent; cf. nullus,* p. 153, line 10.

28. **eundem esse:** *that it still exists.*

29. **creditote:** for the use of the future tense here, *cj. attribuito,* p. 121, line 18.   **nullum:** here equivalent to *non.*   **nec clarorum virorum post mortem honores permanerent:** *i.e.* the souls of great men after death consciously endeavor to keep alive their fame among posterity; only so, it is urged, can we account for the perpetuation of their glory.

PAGE **156,** 2. **quo teneremus:** we should have expected *ut teneremus, ut* being the regular particle to introduce a substantive clause after *efficio; quo,* however, occurs occasionally for *ut* when the substantive clause contains a comparative, as here.

3. **mihi quidem numquam persuaderi potuit**: *I at least could never be convinced,* lit. *it could never be convinced to me.*

4. **dum essent, cum excessissent, cum evasisset, cum coepisset**: in Latin all these clauses, following the principle for the 'sequence of tenses,' stand in the imperfect and pluperfect, since *vivere,* taking its time from *potuit,* is historical; in English we should use the present and perfect, *viz. while they are, when they have departed, when it has gone out, when it has begun.* Similarly we should render *vivere, emori,* etc., by the present, — *live, die,* etc. Note the adversative asyndeton in *vivere, emori,* — *live while they are in the body, but die when they have departed.*

5. **insipientem**: *without consciousness.*

8. **tum esse sapientem**: *is then really conscious; esse* depends upon *mihi persuasum est* to be supplied in thought from *mihi numquam persuaderi potuit.*

9. **ceterarum rerum**: dependent upon *quaeque; ceterarum* means 'the rest' as opposed to *animus;* for this proleptic use of *ceteri, cf. ceteris,* p. 121, line 9.

13. **atqui**: *now.*

19. **hanc omnem pulchritudinem**: *i.e.* all this beautiful universe.

21. **servabitis**: the future indicative, as often, has here the force of an imperative.

22. **nostra**: *i.e.* views of our own countrymen as opposed to those of a foreigner like Cyrus.

26. **multos**: here as elsewhere for *multos alios.*

27. **tanta esse conatos**: *would have attempted so great enterprises;* we should have expected *conaturos fuisse,* since the infinitive represents the apodosis of a condition contrary-to-fact in indirect discourse. B. 321, 2, *a*; A. 589, *b*, 2; G. 597, R. 4; H. 647. **quae ... pertinerent**: the clause expresses purpose, — *to have to do with the memory of posterity, i.e.* deeds which they intended should have to do with posterity.

28. **nisi cernerent**: *had they not discerned;* in conditions contrary-to-fact, the imperfect subjunctive is used in preference to the pluperfect, to denote a *continued* action belonging to past time. B. 304, 2; A. 517, *a*; G. 597, R. 1; H. 579, 1. The same thought occurs also in Cicero's oration for Archias, § 28 f.

PAGE **157**, 1. **an censes**: *you don't think, do you?* **ut aliquid glorier**: *to boast a bit; cf. idem gloriari,* p. 134, line 4.

3. **si essem terminaturus**: Cato really means *si credidissem me terminaturum esse.*

5. **otiosam**: see note on *otiosa*, p. 142, line 9.

6. **nescio quo modo**: *somehow.*

7. **ita**: correlative with the following *quasi.*

8. **cum excessisset**: the subjunctive is purely the result of attraction.

9. **victurus esset**: *i.e.* truly live. *Cf.* p. 154, line 17.   **quod ni ita se haberet**: *unless it were so; quod* is further explained by the appositional clause *ut . . . essent;* on *ni* see note on p. 150, line 16.

10. **ut animi immortales essent**: *that souls are immortal;* for the imperfect, see note on *ut intellegeretis,* p. 138, line 23.   **haud niteretur** and **haud retraxerit** (line 20, below): in his orations, Cicero confines the use of *haud* to adjectives, adverbs, and the verb *scio;* in the philosophical writings it occurs with other verbs, as here.   **optimi cujusque animus**: *the souls of all the best men,* lit. *the soul of each best man.*

11. **maxime niteretur**: *i.e.* strive in proportion to their strength of character, hence the best men the most earnestly.   **immortalitatem et gloriam**: Hendiadys.

12. **quid, quod**: *what of the fact that?*

13. **iniquissimo**: *sc. animo; with the greatest reluctance.*

14. **qui plus cernat et longius**: *which sees deeper and farther;* for the force of *plus, cf.* note on p. 125, line 6.

15. **ille autem**: *i.e. ille animus.*

16. **non videre**: *to fail to see.*   **efferor**: *I am carried away.*

18. **aveo**: used of intense and eager longing; *cf. avidus.* **cognovi**: *I have known.*

20. **quo quidem**, *etc.*: *and when I set out for them; quo* here =*ad quos,* just as *unde* often =*a quibus, a quo.*

21. **retraxerit, recoxerit**: Potential Subjunctive, but differing only slightly in force from a future indicative.   **tamquam Peliam recoxerit**: *boil me back to life again like Pelias.* Cicero seems to have confounded Pelias with Aeson; it was the latter whom Medea restored to life by boiling.

22. **ex hac aetate**: *at* (lit. *from) my present time of life.* **repuerascam**: only here apparently in this sense; the clause *ut repuerascam* is the object of *largiatur.*

23. **quasi decurso spatio ad carceres a calce revocari**: *quasi* modifies the entire expression, — *after finishing the course, to be recalled from the goal to the starting-point, so to speak.* The comparison is borrowed from the race-course; *carceres* were the stalls at the end of the course, from which the chariots started; the *calx* (lit. *lime*) was a chalk-line marking the limit of the race.

25. **quid laboris**: *sc. habet.*

PAGE **158**, 1. **sed habeat sane**: *but grant that it really has (advantages)*; *habeat* is a Jussive Subjunctive with concessive force. B. 278; A. 440; G. 264; H. 559, 3.

3. **et ei docti**: *and those, too, philosophers.*

6. **commorandi, non habitandi**: *for tarrying at, not for dwelling in;* a peculiar use of the genitive of the gerund to denote purpose.

11. **ad Catonem meum**: *i.e.* his son, mentioned p. 127, line 15.

12. **nemo vir**: a stronger *nemo;* sometimes we find *nemo homo.*

14. **quod contra**, *etc.*: *whereas on the contrary mine ought to have been burned by him; quod* is governed by *contra*, lit. *opposite to which;* on the anastrophe of the preposition see B. 144, 3; A. 435; H. 676, 1. **meum**: *i.e. meum corpus cremari.* **animus**: *i.e.* the soul of his son.

16. **quo** = *ad quae*, as above, p. 157, line 20. **mihi ipsi esse veniendum**: *that I myself must come.*

18. **non quo aequo animo ferrem**: *not that I bore it with resignation.* B. 286, 1, *b*; A. 540, N. 3; G. 541, N. 2; H. 588, 2.

19. **digressum et discessum**: *parting and separation;* synonyms; *cf. officia et munera*, p. 135, line 9.

21. **his rebus**: emphatic by position, — *these are the things whereby old age is easy to me.* **id**: emphatic, — *for 'twas that you said you wondered at; id* anticipates *levis est senectus.*

23. **in hoc**: explained by the following *qui*-clause, — *in this, viz. that I believe the souls of men to be immortal.*

24. **mihi**: Dative of Separation.

26. **mortuus**: *when dead.* **ut censent**: modifying *nihil sentiam.* **quidam minuti philosophi**: *certain petty philosophers;* the reference is to the Epicureans, who denied the immortality of the soul. **nihil sentiam**: *i.e. have no consciousness.*

27. **philosophi mortui irrideant**: they will be unable to scoff if death brings annihilation, for they too will be annihilated.

31. **peractio tamquam fabulae**: *the last act of a play, so to speak; peractio* is found only here.

PAGE **159**, 3. **haec habui quae dicerem**: *this was what I had to say on old age; haec* is emphatic; *quae dicerem* is a clause of purpose.

4. **re experti**: *by actual experience*, lit. *experiencing it in fact; re* is opposed to *quae audivistis.*

LETTERS

PAGE **160**, 1. **L. Julio Caesare . . . consulibus designatis**
apparently Cicero means ' on the day of the election of the consuls.' The consular elections came in July, the magistrates
taking office on the first of the following January.

2. **auctum (esse)**: *was blessed.* **Terentia salva**: Ablative
Absolute.

3. **rationibus**: *circumstances.*

4. **Catilinam defendere**: Catiline was on trial for extortion
in Africa, where he had been pro-praetor in 67 B.C.

5. **cogitamus**: the editorial "we"; a very common use in
the Letters. **judices**: *the jurymen.*

6. **summa accusatoris voluntate**: apparently the accuser
(P. Clodius) had consented to the selection of a jury favorable
to Catiline. According to Roman custom any private citizen
could bring accusation against a magistrate after his term of
office had expired.

7. **in ratione petitionis**: *i.e.* in the conduct of the canvass
for the consulship.

9. **summa opinio**: *a very decided notion.*

11. **honori nostro**: *viz.* the consulship, which Cicero was seeking.

15. **me paenitet**: *sc. vivere.* Cicero on his way into exile
regrets that he had not taken his own life rather than submit to
the disgrace of banishment. For the circumstances of his banishment, see Introd. p. xiii.

16. **Vibonem**: a small town in the territory of the Bruttii near
the southern extremity of Italy.

PAGE **161**, 3. **itineris**: Cicero had left Vibo, where we found
him in the previous letter, and had come north to Nares Lucanae,
a small town in northern Lucania.

4. **pro meo jure**: *undisturbed.* **Siccae**: a friend of Cicero.

5. **nondum rogatione correcta**: *since the bill has not yet been
amended;* the allusion is to a second bill brought into the Roman
assembly by Clodius. The first bill had interdicted from fire
and water any who had been guilty of causing the death of

Roman citizens without trial.   This new bill referred expressly to Cicero himself and decreed his banishment five hundred miles from Italy.   Later the bill was amended so as to reduce the distance to four hundred miles.   **intellegebam:** like *habebam,* dependent upon *quod.*

6. **ex eo loco:** *from this place, viz.* Nares Lucanae.   **me Brundisium referre:** Brundisium in southeastern Italy was the regular port of embarkation for Greece.

7. **illas partes:** *those regions, viz.* in the vicinity of Vibo.

8. **Autronium:** Autronius had been connected with the Catilinarian Conspiracy.   Hence he was naturally hostile to Cicero.

12. **data Naribus Lucanis:** with *data* understand *epistula* as subject; *Naribus* is Ablative of Place from Which; *i.e.* the letter is thought of as given (to the carrier) *from* a certain place. The expression is so common in Roman correspondence that it furnished the source of the English " date."   *Cf.* also expressions like " given under my hand and seal."

14. **velim tribuas:** *I wish you would ascribe; velim* is Potential Subjunctive, — literally, *I should wish; tribuas* is a Substantive Clause developed from the Optative; B. 296 and 1, *a*; A. 565; G. 544; H. 565.

15. **quod discessimus:** the fact that I withdrew.   The clause is object of *tribuas.*   **quo te arcessebamus:** in Letter ii, p. 160, line 16.

16. **rogatio:** *i.e.* a copy of the law introduced by Clodius.

17. **quod correctum esse audieramus:** *the amendment of which I had heard;* lit. *that which I had heard was amended; quod* is the relative; its antecedent is *id* to be supplied as subject of *erat.* **ejus modi:** of such a nature.

18. **ultra quingenta milia:** *i.e.* only beyond the 500-mile limit. **illuc:** loosely used to refer to Malta, whither Cicero had previously planned to go.

20. **rogationis:** here in the sense of the *passage* of the law.   **ne Sicca periret:** *i.e.* in consequence of sheltering Cicero when banished.   **et . . . et:** used correlatively.

21. **Melitae esse:** *i.e.* to take up his abode there.   For the locative of the names of small islands, see B. 232, 1; A. 427; G. 411; H. 491, II, 3.

22. **recipiemur:** *viz.* in Epirus, whither Cicero now proposed going.   **invitamur:** here in the sense of *am entertained, i.e.* as he proceeds on his journey.   **quod superest:** *i.e.* for the future.

PAGE **162,** 2. **haec:** dependent on some such word as *disputabimus* (' will discuss '), to be supplied in thought.

3. **id est mihi gratissimum**: *id*, of course, refers not to Terentia's gratitude, but to Atticus's kindnesses, the cause of her gratitude.

6. **me assequi non potes**: Cicero was now at Thurii (Thurium) in southern Italy, and would soon arrive at Brundisium to embark for Greece.

10. **mihi**: for the dative, see B. 188, 2, *d*; A. 381; G. 345.

12. **quam possum**: *than I might.*

13. **cum . . . tum**: *while . . . yet.*

14. **vestras**: *sc. epistulas.*

15. **quod**: here a conjunction, *but*, as in *quod si.*

20. **mea vita**: addressing Terentia.

PAGE **163**, 2. **fortunarum**: *property.*

3. **legis improbissimae**: the law of Clodius imposed heavy penalties on any one who should give aid and comfort to Cicero.

6. **habebimus**: supply *gratiam* from *gratiam referre.* Cicero will always entertain gratitude, even though he may not be able to make a return for Laenius's kindness.

7. **profecti sumus, petebamus**: *I set out, I am seeking;* the so-called epistolary use of tenses, in which a person writes from the point of view of the recipient of the letter instead of his own.

11. **sic**: explained by what follows.

12. **confirmes, adjuves**: Jussive Subjunctives.

14. **fac venias**: *see that you come;* B. 295, 5, 8; A. 565; G. 271, 1; H. 565, 4.

15. **quid Tulliola mea fiet**: *what will become of my darling Tullia?* the diminutive implies affection. For the ablative, see B. 218, 6; A. 403, 2, *c*; G. 401, 7.

16. **vos videte**: *vos* includes Tullia's husband Piso, as well as Terentia; *video* is here used in the sense of *see to, provide for.*

17. **illius misellae . . . serviendum est**: *that poor girl's married happiness and reputation must be promoted; servio,* taking the dative, can be used only impersonally in the passive, — lit. *it must be served to the marriage, etc.* Tullia was the wife of C. Calpurnius Piso. Cicero had not yet paid her promised dowry to Piso, and naturally felt solicitous that this fact might interfere with the happiness and repute of his daughter.

18. **Cicero meus**: the young Marcus.

19. **iste sit . . . complexu meo**: the meaning is not altogether clear. Evidently Cicero is expressing a wish to have his young son always with him; but he was absent now, and we should therefore expect *utinam semper esset*, instead of *sit.*

21. **aliquid teneas**: Cicero is referring to his property.

22. **nostrum**: *i.e.* devoted to my (Cicero's) interests.

23. **de familia liberanda**: *as to the manumission of the slaves.*
Evidently Terentia had heard some report to the effect that
Cicero has freed all his slaves. **nihil est quod te moveat**:
there is nothing to cause you concern.

24. **tuis**: *sc. servis.*

26. **magno opere**: instead of the usual *magnopere*. The
phrase limits *in officio*, to be understood from the preceding
phrase.

27. **res**: *property.* **abisset**: *i.e.* should be confiscated. **si
obtinere potuissent**: the government might hold that the slaves
went with the rest of the property, so that they also would be
included in the confiscated possessions and would be sold at
auction. But they were to be freedmen, if they could carry their
point.

28. **servirent**: understand *ut;* the clause is like *ut essent* in
line 27. Secondary sequence is employed throughout this
passage, since the words *ea causa est* suggest a past agreement
('the arrangement was made'); *abisset, potuissent, pertinerent*
are subordinate clauses in implied indirect discourse.

29. **oppido**: the adverb, *very.*

30. **quod**: *as to the fact that.*

31. **salutis**: *i.e.* restitution to citizenship. **id**: referring
loosely to the substance of Terentia's suggestion. **sit**: object
of *velim;* Substantive Clause Developed from the Optative.

PAGE **164**, 3. **tempestatem praetermittere noluerunt**: *i.e.* the
sailors were unwilling to let the fair weather pass without putting
to sea. Ancient ships required a fair wind. They could not
'beat' against the wind like modern vessels.

6. **non vitium, sed virtus**: referring to Cicero's conduct
toward the Catilinarian conspirators.

7. **quod non animam amisimus**: he means his failure to
commit suicide.

9. **ferenda**: here a simple adjective, — *bearable.*

11. **Clodium, Sallustius, Pescennius**: presumably freedmen
of Cicero. Such persons often continued their attachment to
the former owners, even after manumission.

15. **mecum fore**: *i.e.* that he would accompany Cicero to
Greece.

20. **recte**: *i.e.* safely.

21. **ut tibi gratularer**: Atticus is to be congratulated since
his efforts had contributed to the outcome.

23. **te in consiliis**, *etc.*: the thought is not logically expressed.
Cicero says he realized that Atticus had originally been no wiser

or braver than he himself had been, and seems to give this as a reason for the congratulations he is now tendering. What he really means is that *although* Atticus at the time of Cicero's banishment was not especially wise or brave and did not make any special effort to prevent his exile, *yet* he had contributed greatly to his restoration. The expression *in consiliis dandis* refers to the time when Cicero was threatened with banishment.

25. **nimium**: here in the sense of *especially*, instead of *too*, the usual force.

26. **eundemque te**: *yet you also.*

27. **erroris, furoris**: *viz.* in withdrawing from Rome at the time when Clodius introduced his first bill, and thus admitting the applicability of the bill to himself.

PAGE **165**, 5. **unum**: with *conspectum* and *complexum*, — *only the sight, etc.*

11. **in nostro statu**: *i.e.* in my circumstances. **quod**: its antecedent embraces all the ideas contained in the following *splendorem, auctoritatem, gratiam.*

15. **quae quem ad modum**: translate parenthetically: *(and how it was destroyed . . . you are not ignorant).*

16. **valde laboramus**: he means he is in serious financial distress. **tuarum facultatum**: Atticus was a man of great wealth, and often relieved Cicero's embarrassments in money matters. For the genitive with *indigeo*, see B. 212, 1; A. 356, N.; G. 405, R. 2; H. 458, 2.

18. **reliquias nostras**: *i.e.* the remains of my property.

20. **omnia**: *i.e.* all the details of Cicero's return. **a tuis**: *sc. amicis.*

21. **brevi**: *briefly.*

24. **lex**: the law for Cicero's restoration. **Brundisium veni Nonis Sextilibus**: *i.e.* the voyage across the Adriatic was made in a day. The distance from Dyrrachium to Brundisium is less than 100 miles.

26. **natalis Brundisinae coloniae**: *i.e.* the anniversary of the founding of the colony.

27. **et tuae vicinae Salutis**: *i.e. of the temple of Safety near your house.* Cicero refers to the temple of Safety near Atticus's house on the Quirinal Hill at Rome.

30. **Quinti**: Cicero's brother.

31. **incredibili concursu Italiae**: *i.e.* with an incredible influx of voters from all parts of Italy. All free citizens had the right to vote in the Roman assemblies. **Comitiis Centuriatis**: to be felt as an ablative of time or place, and not as denoting agency, which would call for the preposition *a.*

PAGE **166**, 2. **ornatus**: *honored, complimented.*

3. **convenerint**: for the perfect subjunctive used as second-ary tense, see B. 268, 6; A. 485, *c*; G. 513.   **urbem**: *Rome.* **nemo homo**: for the customary *nullus homo* or *nemo.*

4. **nomenclatori**: a slave trained to know the names of those who might have business with his master.

6. **esse**: in apposition with *id ipsum.*

7. **Portam Capenam**: a gate in the Old Servian Wall at the point where the Appian Way entered the city from the south. **templorum**: among the temples near the gate was one in honor of Honos and Virtus.

8. **ab infima plebe**: *i.e.* there was enthusiasm on the part of the great mass of humble citizens.

11. **in ipso Capitolio**: *i.e.* the crowd not merely filled the Roman Forum but also the adjacent slopes of the Capitol behind the Forum. See plan, p. xxxv.

13. **eo biduo**: usually interpreted as meaning 'two days afterwards,' but the usage is not well attested. We should expect *biduo post* to express this idea.

14. **in theatrum**: where the Ludi Magni were being celebrated (Sept. 4–10).   **ad senatum**: *i.e.* to the senate house or Curia.

15. **concurrissent, clamarent**: the omission of the connective (*et*) gives vividness to the picture.   **mea opera**: Clodius simply meant that the scarcity of food had been caused by the throngs that had gathered at Rome to greet Cicero's return.

16. **senatus haberetur**: *i.e.* meetings of the Senate were being held.

17. **ejus**: *viz. annonae.*

18. **bonorum**: as opposed to the common people (*plebs*), the *boni* are the aristocrats.

19. **ut id decernerem**: *i.e.* to support that proposition.

20. **accurate**: *in careful detail.*

21. **quod . . . negarent** = *because, as they alleged, they could not, etc.*   The proposal to place Pompey in charge of the grain supply was a popular proposal. The ex-consuls, as politically associated with the aristocratic party, felt that they could not safely voice their opposition to the popular demands.

22. **praeter Messallam et Afranium**: Messalla had been consul in 61 B.C., Afranius in 60.

23. **in meam sententiam**: *in line with my proposal.*   **ut cum Pompeio ageretur**: *that negotiations should be had with Pompey; ageretur* is used impersonally; the clause *ut ageretur* is in apposition with *sententiam.*

26. **more hoc insulso et novo**: just what the practice was, we do not know.

27. **habui contionem:** *I delivered an address.*

28. **dederunt:** *sc. contionem;* 'afforded me the privilege of speaking.' The right to address a meeting was confined to the magistrates or those specially permitted by the magistrates to speak.

29. **senatus frequens:** *sc. fuit.*

PAGE **167,** 1. **alterum se:** *a second self.*

2. **qua daretur:** relative Clause of Purpose.

3. **Messius:** a tribune. Messius's proposal did not pass.

5. **sit, obtineant:** subjunctive in implied indirect discourse.

6. **illa nostra lex consularis:** *i.e.* the law proposed by the consuls and embodying the suggestion of Cicero.

8. **familiares:** *sc. dicunt.* **hanc:** *sc. eum velle.* **Favonio:** not one of the ex-consuls. He had been quaestor and as such was ex-officio a member of the Senate. **fremunt:** *i.e.* raise an outcry of hostility to the proposal of Messius.

9. **quod responderunt:** the pontifices were strongly aristocratic in temper and sentiment. At the instance of Clodius, Cicero's house had been demolished at the time of his banishment. Cicero was now hoping to induce the pontifices to declare the demolition illegal. Hence he wished to avoid antagonizing them.

10. **sustulerint religionem:** *remove the religious character* (of the spot). The site of Cicero's residence had been used by Clodius for the erection of a temple to Liberty. Cicero is hoping that the pontifices may declare the dedication void and thus annul the religious character of the place.

12. **sin aliter,** *etc.: but if otherwise* (*i.e.* if they do not annul the religious character of the spot), *they will tear down* (Clodius's structure), *contract for* (a new one) *in their own name, and assess the whole sum* (*i.e.* sufficient to reimburse Cicero for loss of house and ground, as well as to provide for the erection of a new shrine to Liberty).

15. **ut in secundis,** *etc.: dubious for prosperity, but good for adversity;* a quotation from some unknown poet.

17. **sunt quaedam domestica:** it is uncertain to what Cicero here refers; possibly to differences with his wife Terentia, whom he subsequently divorced.

22. **praesentibus:** *sc. nobis.*

24. **Letter VIII:** the opening paragraph of this letter is omitted. **ad transversum,** *etc.: that line written crossways at the end of your letter.* By *transversum* is meant a line written at right angles with the rest of the page or tablet.

25. **sorore**: Atticus's sister Pomponia, married to Cicero's brother Quintus.

PAGE **168**, **2. fueramus locuti**: for the usual *locuti eramus*.

5. **ex ratione sumptus offensio**: apparently Quintus had had some difference with Pomponia concerning expenditures.

6. **ille sic dies**: *sc. fuit; sic* is here equivalent to *talis*.

7. **dies**: the day was a holiday and hence Quintus naturally felt called upon to spend it with his slaves and tenants on his own estate.

10. **invita**: *i.e.* to the lunch table.   **accivero**: the future perfect is here, as often, a pure future.

13. **ego sum hospita**: Pomponia apparently resented the fact that the arrangements had not been left entirely to her; hence she regards herself as treated like an outsider.

14. **Statius**: some slave.

15. **videret**: *see to, provide for.*

16. **haec**: *haec* is emphatic; *this is what I endure daily.*

20. **misit**: *i.e.* some of the food.   **quid multa**: *sc. dicam.*

22. **majori stomacho**: *a source of greater disgust;* Dative of Purpose.

23. **Aquinum**: *sc. redii.*

26. **vel**: intensifying *ipsi.*   **ipsi**: *i.e.* Pomponia.

30. **reliquum est ut exhaurias**: *it remains for you to execute;* B. 295, 6; A. 568; G. 553, 4; H. 568.   **proficiscare**: the subjunctive is due to attraction.

31. **Pomptinum extrudas**: *stir up Pomptinus* (lit. *shove out*). Pomptinus had been praetor in Cicero's consulship, and Cicero was now taking him as a lieutenant to the province of Cilicia, of which Cicero had been appointed governor.

PAGE **169**, **1. sic habeas**: *be assured;* lit. *have it thus; sic* is explained by the following infinitive.

4. **cui . . . velim**: *to whom I wish you would intimate in the course of conversation that I have written a word to you* (*concerning him*).

5. **Saturnalibus**: *i.e.* on the opening day of this festival, which lasted three days (Dec. 17–19).

9. **num potui**, *etc.*: *i.e.* could I make unfamiliar lands familiar to you?

10. **sic habeto**: as above, line 1, *sic habeas.*   **nec hoc exercitu**, *etc.*: *that with an army like this or in such a place as this such achievements were* (*next to*) *impossible; hoc exercitu* is an Ablative of Attendant Circumstance.

11. **sic enim mihi concedis**: *i.e.* Atticus had indicated in a

letter his willingness to allow Cicero to give the full details of his exploits.

12. ut venerim : indirect question.

17. honorificis verbis : *by conciliatory language.* **omnis injurias revellimus superiores :** *took out the sting of all former wrongs.* Cicero alludes to the wrongs which the provincials had suffered at the hands of previous Roman governors.

18. quod idem fecimus : *an experience which I repeated, etc.*

20. nihil ea juris dictione, *etc.: nothing (could have been) more impartial, etc., than my administration of justice.*

23. apud Iconium : in the best Latinity *apud* is regularly used only in connection with the names of persons. **graves nuntii :** *alarming news.* A Parthian invasion was feared.

PAGE 170, **5. in aquarum divertio :** *at the watershed.*

9. appellati sumus : Cicero refers to himself alone and does not include Pomptinus.

10. ea ipsa : *i.e.* a camp on the same site.

11. apud Issum Alexander : the Battle of Issus resulted in the defeat of Darius by Alexander the Great in the year 333 B.C.

14. Cassio animus accessit : *Cassius took courage.* This Cassius later became involved in Caesar's assassination. **qui Antiochea tenebatur :** *who was confined to Antioch.* The ablative is instrumental, as in Caesar's *castris se tenuit.*

20. Bibulus : he had been consul in 59 B.C. with Caesar and was now governor of Syria. **appellatione hac inani :** referring to the title ' Imperator.' The ablative is one of Specification.

21. laureolam in mustaceo quaerere : as wedding cakes contained shreds of bay leaves, such a search was easy; hence the expression became proverbial for doing what was simple and easy, like hunting for raisins in a mince pie. *Laureolam* also suggests the figurative meaning of ' fame,' ' glory.'

23. nobilem sui generis : this is obscure. Ordinarily it is interpreted to mean : *a nobleman of his own kind, i.e.* one of Nature's noblemen, not an actual member of the Roman nobility.

27. nos ad Pindenissum : *sc. fuimus.*

30. aggere, vineis, turre, *etc.:* military appliances familiar to the reader of Caesar's Commentaries.

PAGE 171, **4. venibant :** from *veneo.*

5. Saturnalibus tertiis : *i.e.* on the third day of the festival, *viz.* Dec. 19th. **scribebam, erat, dabam, recipiebam :** epistolary imperfects, — ' as I write, there is property to the amount of 12,000,000 sesterces, *etc.*' For the indicative in *scribebam,* see B. 288, 1, *a*; A. 545; G. 580; H. 601.

6. HS ⌈cxx⌉ : *i.e.* 12,000,000 sesterces; HS is the abbreviation for *sestertium* (gen. plu. of *sestertius*) ; the lines around cxx indicate that the sum is to be multiplied by 100,000.   The sum amounts to about $600,000.

7. male pacati : *i.e.* not yet actually reduced to subjection.

9. iv Idus : the customary *ante diem* is here omitted.

11. de triumpho hortari : Cicero aspired to receive a triumph in recognition of his exploits in Asia; *hortari, suscipere, monere* are historical infinitives.   **suscipere partis suas** = *assumed the support* (*of my interests*).

12. ante quam rem confecissem : alluding especially to Cicero's hope of securing a triumph.

13. tribunum alienarem : a single tribune could veto any legislative proposition.

14. officio sermonis = " in cordiality of language " (Shuckburgh).

16. haberemus : in the sense of *habituri essemus*, — ' were destined to have.'   **nihil ad spem** : *nihil*, like *bellum*, is the object of *haberemus*.

17. illum : " he " is Caesar.   The rivalry between Pompey and Caesar for supremacy had now become acute.

18. judicasse : understand *se* as subject.   As contrasted with *intellegeret, judicasse* means he had become sure (of the estrangement).

20. ille : here referring to Hirtius.

21. Balbus, *etc.*: *i.e.* Balbus, who was also an intimate friend of Cicero, had arranged to come with Hirtius to Scipio (the father-in-law of Pompey) to discuss the whole matter in controversy (*de tota re*).

22. multa de nocte : *late at night.*   **eum** : Hirtius.

23. τεκμηριῶδες : a Greek word, meaning *proof.*

24. quid multa : *sc. dicam.*

25. illum : Caesar.   **inimici alterum consulatum** : Caesar had been consul in 59 B.C.   Since that time he had been engaged in the conquest of Gaul.   Even his enemies conceded his claims to a second election to the consulship.

27. ruere : *to run amuck, i.e.* to begin acts of ruthless aggression.

PAGE **172, 1. ne ego** : *ne* here is not the negative, but the asseverative particle, with the force of *verily, I assure you.*

2. est : impersonal, — *as matters stand now.*

3. cottidie : with comparatives we usually have *in dies* or *in dies singulos* to express the idea of *daily.*

4. equites, senatores : these naturally belonged to the aristocrats (*boni*).

5. **hoc iter**: Pompey was visiting the remoter districts of Italy for the purpose of levying troops.

7. **haec**: *sc. disputabimus.*

9. **de re publica**: *sc. scribam.*

10. **scit eadem**: *i.e.* their sources of information are the same.

11. **hic**: Caesar.

12. **signa conferri**: *i.e.* for a pitched battle to be fought.

13. **per annos decem**: the First Triumvirate dated from 60 B.C. and marked the beginning of Caesar's ascendancy.

15. **nisi de sententia tua**: *except in accordance with your views.*

16. **nostrum negotium**: referring to Cicero's ambition of securing a triumph. The assiduity with which he pursues this quest at a time of great public crisis hardly increases our admiration for his character.

18. **obviam. . . est proditum**: people came out to meet me; **est proditum** (from *prodeo*) is used impersonally.

23. **omnino**: it is difficult to render *omnino* by a single word. Shuckburgh translates: *the long and short of it is that Caesar, etc.*

PAGE **173**, 2. **exercitum et provinciam**: the Senate had demanded that Caesar give up the provinces of Farther and Hither Gaul and disband his troops.

4. **Antonius et Q. Cassius**: Antonius and Cassius were tribunes, and in their official capacity had vetoed the decree of the Senate which directed the magistrates to protect the interests of the republic (*consules videant ne quid res publica detrimenti capiat*). **nulla vi expulsi**: while overt violence had not been used, these men had nevertheless been threatened. It was this expulsion of the tribunes that was urged by Caesar in justification of his march upon the capital, — to defend the outraged constitution.

5. **Curione**: one of Caesar's strongest supporters.

10. **ex hac parte**: *i.e.* the side of Caesar's opponents, to whom Cicero also belonged, although he had maintained relations of friendship with both Caesar (*amicus noster*) and Curio (*Curio meus*).

17. **se relaturum**: *would bring up the matter; referre* ('refer') is the regular word for bringing business before the Senate on the part of the presiding magistrate.

18. **pluris**: *of greater weight.*

25. **animae meae**: *my darlings.*

26. **quid faciatis, sitis**: Deliberative Subjunctive in Indirect Questions.

PAGE **174**, 1. **non solum meum consilium**, *etc.: i.e.* not only a thing for *me* to consider, but also for *you*.

3. **Dolabellam**: son-in-law of Cicero. He had married Tullia upon the death of her first husband, C. Calpurnius Piso.

4. **quae vis, quae rapinae**: *quae* is the indefinite pronoun. In the singular, *qua* is commoner than *quae*.

5 **illud**: explained by the following *quod*-clause.

7. **nostrorum . . . praediorum**: *consists of towns and estates controlled by me*.

9. **nostris**: *sc. praediis.*

10. **utrum**: the adjective, — *which of the two*.

14. **dicetis**: here, as often, in the sense of command, direct.

23. **in utramque partem**: *i.e.* on both sides of the question.

25. **merita, familiaritas, causa**: all subjects of *adducit*. **erga salutem meam**: *viz.* at the time of Cicero's banishment. Pompey's aid had been instrumental in securing the orator's recall.

27. **me adducit**, *etc.*: the language is inexact. Literally the words mean: *induce me that my counsels seem to deserve to be joined, etc.; i.e.* make me think I ought to join, *etc.*

PAGE **175**, 2. **illum comitatum**: *viz.* of Pompey and his adherents.

4. **unius**: Caesar.

5. **ut esset**: dependent on *est provisum*.

8. **quanta fides ei sit habenda**: *how much faith is to be reposed in him.*

10. **in qua**: introducing *futurus sit.* **cum summis**, *etc.: after having enjoyed the highest offices and commands, having achieved the greatest exploits, and been honored, etc.*

11. **sacerdotio**: Cicero had been chosen augur in 53 B.C.

12. **non futurus sit**, *etc.: he is not to be the man he was.* **periculum sit**, *etc.: he must run the risk of incurring some disgrace, if P. regains control of the government.* Cicero means that in case of Pompey's success he himself would be likely to stand in disrepute for having favored Caesar. It is disappointing to find him viewing the situation in such a cold-blooded and calculating manner, instead of from the point of view of a large and disinterested patriotism. It is often said that he was fighting for his life and so compelled to these considerations; but the essence of the highest patriotism lies in self-effacement. The very great intellectual and moral gifts with which Cicero was endowed entitle us to expect more of him.

15. **nihil sapienter, nihil fortiter**: Pompey had withdrawn from central Italy, thus abandoning important strategic points to Caesar.

18. istum, ille: the former refers to Caesar, the latter to Pompey. **in rem publicam aluit:** by his association with Caesar in the First Triumvirate Pompey had deliberately nurtured Caesar as an enemy of the state.

19. legibus, *etc.: was his sponsor in passing laws by violence and against the auspices; legibus ferendis* is Dative of Purpose. In case of unfavorable auspices legislative assemblies were regularly adjourned. Pompey is charged with countenancing a violation of this practice.

20. Galliae ulterioris adjunctor: *i.e.* Pompey was responsible for adding Farther Gaul to Caesar's other provinces (Hither Gaul and Illyricum). **ille gener:** Pompey had married Caesar's daughter Julia. **in adoptando Clodio:** Clodius was adopted from a patrician into a plebeian tribe in order that he might be chosen a tribune of the plebs and so introduce a bill for Cicero's banishment. As augur, Pompey might have prevented this adoption.

21. restituendi, retinendi: Cicero complains that while Pompey had assisted in his recall he had not prevented his exile.

22. provinciae propagator: Caesar had originally been appointed provincial governor for five years. In 55 B.C., when Pompey was consul, this term had been extended for a further period of five years.

23. tertio consulatu: Pompey was sole consul in 52 B.C.

24. esse defensor rei publicae coepit: *i.e.* began to dissociate himself from Caesar. **ut ferrent,** *etc.: should bring in a law (providing) that consideration should be had for him in his absence, viz.* that he be allowed to stand as candidate for the consulship in his absence, at variance with the regular practice.

27. finienti provincias, *etc.: i.e.* proposing to limit the (tenure of his) provinces with the 1st of March (of 50 B.C.).

30. quae condicio: *what terms (of peace).*

31. malae condiciones: Cicero refers to the terms proposed by Caesar himself on Jan. 25th. He agreed to disband his army and appear in person as a candidate for the consulship, provided Pompey should depart for Spain, and Italy should disarm.

PAGE **176, 1. hoc:** *i.e.* than this present status of affairs. **at:** introducing the plea of some imaginary objector, — ' but, it is urged.'

2. quid parati: *what preparations,* lit. *what of prepared?* **ad eam spem:** *toward the realization of that hope.*

4. pecunia omnis: Pompey had quit Rome in such haste that he left in the treasury all the funds put at his disposal by the Senate.

8. nos in Italiam salvos venisse: after much indecision Cicero had finally openly joined the side of Pompey, and had crossed the Adriatic to join Pompey in Greece. In August the Battle of Pharsalia brought the defeat of Pompey, soon after which Cicero returned to Italy.

9. gaudeas: B. 296 and 1, *a*; A. 565; G. 544; H. 565.

10. injuriis: Cicero may be referring to the threats made against him by the son of Pompey, when Cicero refused longer to support the prosecution of the war after Pompey's death.

11. explicare: *carry out*; lit. *unfold.*

12. in viam te des: *undertake a journey.*

13. quod . . . nihil est: this idiomatic expression means: *there is no reason why.* Its origin is obscure.

PAGE **177**, 3. **cognosces**: *i.e.* receive fuller knowledge.

4. temeritatis meae: referring to his return to Italy after the Battle of Pharsalia.

6. quo minus id disputes et scribas: *from maintaining and writing that, viz.* that you deem me to have acted prudently.

7. non nihil = *considerably.*

8. nostra causa volunt: *i.e.* ' are favorably disposed to me.'

9. illum: Caesar.

14. sui deprecatorem: *as apologist for himself.* The two brothers had become estranged. Quintus blamed Marcus for having drawn him to the unsuccessful side.

15. apud Caesarem: Caesar at this time was at Alexandria in Egypt.

19. qui ex ipso audissent: the subjunctive is due to the implied indirect discourse, — ' those who professed to have heard it from his own lips.'

21. nosti genus: *you know his style.*

22. expertus es: Atticus was brother-in-law of Quintus.

23. facio: *sc. dolorem.*

24. illud: the point mentioned above in line 9.

25. ad quos videbitur, *etc.*: *I wish you would attend to (send-ing) letters in my name to those you think best;* i.e. Atticus was to compose and send letters in Cicero's name.

PAGE **178**, 8. **nullo**: *no one; nullo* takes the place of the obsolete *nemine.*

12. pluris facere: *to prize more highly;* B. 203, 3; A. 417 and *c*; G. 380, 1; H. 448, 1.

15. plurimis benigne fecisti: *i.e.* have done favors to very many.

17. non sine causa laborare: *do not take this trouble without good grounds.*

19. feceris: future perfect with force of future.

PAGE **179**, 1. **apud Appuleium**, *etc.: see that I am excused daily with Appuleius, since you do not approve (that I be excused) permanently.* Cicero's daughter Tullia had just died in child-birth, and Cicero was so crushed by the blow that he felt incapacitated for all duties. Attendance at the meetings of the college of augurs, of which Cicero was a member, was strictly required except in case of illness. The question at issue between Cicero and Atticus was whether his excuse should be made daily, or whether a standing excuse was permissible. Appuleius was one of the augurs.

7. **pares**: *i.e.* to mastering his grief.

8. **eas litteras**: *i.e.* the letter he is now sending. **cum erit,** *etc.: i.e. when you have a messenger, send me a letter.*

12. **Piliam, Atticam**: Pilia was Atticus's wife, Attica his daughter.

13. **Bruti**: Marcus Brutus, who was at this time in Cisalpine Gaul. **litteras**: *sc. misisti.*

14. **tertio decimo die**: *i.e.* on the thirteenth day after it was sent.

15. **ad eam exemplum**, *etc.: i.e.* a copy of my answer to it.

17. **de fano**: Cicero was planning to erect a shrine in Tullia's memory. **si nihil hortorum invenis**: Cicero's preference had been for a garden as the site of the shrine. **qui quidem inveniendi sunt**: Cicero insists that the gardens *must* be found.

19. **rationem de Tusculano**: an alternative plan seems to have been to erect the shrine on Cicero's Tusculan estate.

22. **ea res**: *i.e.* the plan connected with the Tusculan estate.

23. **celebritatem**: *i.e.* a frequented spot; but the Latin *celebritas* is abstract, denoting the quality.

PAGE **180**, 1. **maxima est in Scapulae celebritas**: *i.e.* this feature is found especially on the estate of Scapula; *Scapulae* depends upon *praedio* understood.

2. **propinquitas**: *sc. est.* **ne totum diem in villam**: the expression is elliptical and uncertain. It seems to mean: 'lest one have to spend a whole day to reach one's villa,' as would be necessary, if Cicero erected the shrine on his Tusculan estate.

3. **Othonem**: probably the heir of Scapula, who had recently died.

4. **si nihil erit**: *i.e.* if nothing comes of it.

5. **eo progrediar**, *etc.:* Cicero warns Atticus that he is determined to make himself disagreeable, unless he secures what he wants.

6. **Drusus enim**, *etc.: i.e.* he could purchase the expensive grounds of Drusus, a procedure which Atticus had discouraged.

12. quid mea intersit: for the construction see note on p. 51, line 23.

14. non dubito quin . . . litterarum: *I have no doubt that you were extremely busy, since you sent me no letter*. With *qui* we must understand *miseris*, giving a Clause of Characteristic with accessory notion of cause.

15. homo nequam qui, *etc.*: *a good-for-nothing fellow, not to await your convenience*. Cicero refers to the letter-carrier who had brought Cicero's letter to Atticus. Cicero had intended that the man should wait for a reply.

18. nihil levor: *I find no relief; levor* represents the reflexive use of the passive.

19. aberro: *i.e.* find distraction for the time being.

20. Asinius Pollio: a gifted statesman and man of letters, who later became the patron and friend of Virgil.   **nostro cognato**: the young Quintus Cicero, who was with Caesar, bringing slanderous charges against his uncle.

21. Balbus, Dolabella, hic: understand *scripsit* with all these; *hic*, of course, refers to Pollio.

25. quoniam necesse est nihil: *i.e.* since nothing is pressing, write only if you have leisure.

PAGE **181**, 1. **numquid putas me**: *i.e. numquid novi me audire putas*, ' do you think I hear any news?' Cicero is writing in April soon after the assassination of Caesar.

2. tument: *are in a ferment*. **nam cum Matius**: understand in sense, *ita loquitur*, or some such words. Matius evidently took a gloomy view of the political situation. The implication is that ordinarily Matius was an optimist.

3. equidem doleo, *etc.*: *I regret that constitutional government was not regained along with freedom, a thing which never has happened in any state; quod* is the relative and refers to the idea in *non . . . recuperatam*. Cicero regrets that although freedom was secured by the assassination of Caesar, yet normal government was not restored, but a fresh civil war (between Antony and the Senate) had broken out.

5. quae loquantur, *etc.*: dependent upon some such word as *audire* to be supplied in thought.

6. Gallica bella: *i.e.* an uprising in Gaul.

7. Sextus quo evadat: *what course Sextus (Pompeius) will pursue*. Sextus was the son of Pompey the Great, and later proved an important factor in the civil strife.   **omnia licet concurrant**: *i.e.* though all (difficulties) should threaten at once; *licet* is here the conjunction; B. 309, 4; A. 527, *b*; H. 586, 2.

8. Idus Martiae: *i.e.* satisfaction at the death of Caesar.

quod . . . potuit: lit. *that which could be accomplished; i.e.* so far as anything could be accomplished.

10. reliquae res: *i.e.* our remaining problems. **opes et copias**: " *money and men* " (Purser).

13. nostro more: *sc. scribe.* By *nostro more* Cicero means his own practice of writing a daily letter to Atticus, whether he had anything especial to say or not.

14. committam: in the sense of *patiar*.

Letter XXIV: although not by Cicero, this letter is preserved in his correspondence, and is here given for its intrinsic interest and historical importance, breathing, as it does, the spirit of freedom and defiance characteristic of its authors, the two leaders in the conspiracy against the life of Caesar.

15. si vales, bene: this mode of address is distant and formal, as befits this communication. **litteras, edicti**: Antony had apparently issued a proclamation against Brutus and Cassius, and had followed this up with an insulting personal letter. The precise nature of the controversy, however, is not clear.

18. miraturum: omission of the subject *te* is irregular. **ea dignitate**: *i.e.* such as ours; hence virtually, ' our rank,' Ablative of Quality.

19. edicto: as praetors, Brutus and Cassius had the right to issue edicts. **a consule**: *viz.* of Antony.

20. ausos esse: *sc. nos.*

21. hoc: *i.e.* the privilege of making a request of Antony.

22. delectibus habitis, *etc.*: apparently rumors had reached Brutus and Cassius that Antony had charged them with recruiting troops, levying contributions, and making other preparations for war. Antony denies having made any such imputations, but in view of subsequent events, there can be no doubt that he had grounds for entertaining suspicions of hostile purposes on the part of the assassins.

PAGE **182**, **1. te fecisse**: *that you acted.*

2. neque . . . et: correlatives. **agnoscimus**: *admit.* **eorum**: referring to the charges of recruiting troops, *etc.*

4. quin obiceres: dependent on the notion of ' refraining ' involved in *iram continere;* hence: ' control your anger and refrain from reproaching us, *etc.*' **de morte**: the regular form of expression would have been *mortem obiceres*.

5. illud: explained by the following appositional infinitive *licere*.

7. de suo jure decedere: the reference seems to be to some contemplated absence from the city, possibly on the theory that by waiving their formal rights as praetors they would promote domestic harmony. **quin consul arma minetur**: *without the consul's threatening war;* a peculiar type of *quin*-clause.

8. quorum fiducia: *quorum* refers to *arma; fiducia* is Ablative of Cause with *terreas.* The general sense is: 'there is no reason why, relying on arms, you should try to intimidate us'; *i.e.* 'there is no *use* in the attempt'; *terreas* has conative force.

11. quorum opera liber est: the meaning is that by the assassination of Caesar, Brutus and Cassius had won freedom for Antony as well as for all other Romans.

14. pulchre=*bene.* **quoquam**: the adverb, lit. *to any place, i.e.* to any action. **fortassis**: a rare form for the usual *fortasse.*

15. ea re: *for this purpose;* explained by the clause *ut videatur.* **judicium nostrum**: *i.e.* our deliberate decision not to undertake hostilities. **metus videatur**: *i.e.* may seem prompted by fear.

17. vocomuo: *ot* io to bo undorotood boforo thio word.

21. quam non diu regnarit='how short a time he was despot'; *non diu* forms a single idea.

23. sint: B. 296 and 1, *a*; A. 565; G. 544; H. 565. **salva atque honesta re publica,** *etc.: i.e.* they hope Antony's designs may not injure the state at all, and Antony himself as little as possible.

26. pro summa benevolentia: *i.e.* in accordance with my complete devotion to you. **magnae curae**: dative, explained by the following *ut*-clause.

Page 183, 1. **cum esses ornatus**: Lepidus had remained neutral during the struggle between Antony and the Senate. He was now in Farther Gaul, and had recently been honored with a thanksgiving and a triumph. Cicero is evidently anxious concerning his loyalty to the Senatorial cause. Lepidus soon after threw in his lot with Antony.

3. eam . . . sejungis: lit. *if you distinguish it (peace) from bondage, i.e.* if you do not wish to promote a peace that means bondage. **consules**: the verb.

4. perditum hominem: referring to Antony.

5. impotentissimi: here in the sense of *ruthless.*

6. hoc animo: *sc. esse.*

9. senatui, populo, *etc.:* for the dative, see B. 188, 2, *c*; A. 375, *b*, N.

VOCABULARY

VOCABULARY

Regular verbs of the first conjugation are indicated by the numeral 1 following the present indicative. — Roots are in small capitals.

A. = Aulus, a Roman first name or *praenomen.*

ā, ab, abs, prep. with abl., *from, away from; at, on;* with passive verbs, *by;* of time, *from, since, after.* Before words beginning with a consonant, either **a** or **ab** may be used; before words beginning with a vowel or *h,* **ab** only is admissible.

abdicō, 1, [ab+dīco, *proclaim*], *disown, refuse;* with **se** and abl., *resign, abdicate.*

abditus, a, um, [abdo], *concealed, remote, hidden.*

abdō, dere, didī, ditus, [ab+do, *put*], *put away; hide, conceal.* **se abdere,** *bury oneself.*

abeō, īre, iī, itūrus, [ab+1. eo], *go away, depart; be lost.*

aberrō, 1, [ab+erro], *wander away; divert the mind.*

abhorreō, ēre, uī, [ab+horreo, *shudder at*], *shrink from; be at variance with, be strange to; be disengaged.*

abiciō, ere, jēcī, jectus, [ab+jacio], *throw away, throw down; prostrate, overwhelm; cast aside, lay aside.*

abjectus, a, um, [abicio], *thrown aside; worthless; disheartened.*

absconditus, a, um, [abscondo, *hide*], *hidden, secret.*

absēns, entis, [absum], *absent.*

absolūtiō, ōnis, [absolvo], f., *acquittal.*

absolvō, ere, solvī, solūtus, [ab+solvo], *set free, acquit.*

abstergeō, ēre, rsī, rsus, [abs+tergeo, *wipe off*], *wipe away; banish, remove.*

abstrahō, ere, trāxī, trāctus, [abs+traho], *drag away; withdraw.*

abstrūdō, ere, sī, sus, [abs+trudo, *shove*], *thrust aside, remove; bury.*

absum, abesse, āfuī, āfutūrus, [ab+sum], *be away, be distant, be absent, be removed.*

absurdē [absurdus], adv., *absurdly, unreasonably.*

absurdus, a, um, *absurd, unreasonable.*

abundantia, ae, [abundo], f., *abundance.*

abundē, [abundus], adv., *abundantly.*

abundō, 1, [ab+undo, *surge*], *overflow, abound in.*

abūtor, ī, ūsus, [ab+utor], *use up; take advantage of, outrage.*

ac, see **atque.**

accēdō, ere, cessī, cessūrus, [ad+cedo], *come to, move toward, draw near, approach; be added.*

accelerō, 1, [ad+celero, *hasten*], *make haste.*

accidō, ere, cidī, [ad+cado], *fall to; happen, befall.*

acciō, īre, īvī, ītus, [ad+cieō, *call upon for help*], *summon.*

accipiō, ere, cēpī, ceptus, [ad+capio], *take, receive; undertake; incur, suffer; hear, learn.*

Accius, ī, m., a Roman tragic poet.

accommodātus, a, um, [accommodo], *adapted, suited, fitting.*

accommodō, 1, [ad+commodo], *adapt, adjust, suit.*

accubitiō, ōnis, [accubo], f., *a lying at table, reclining.*

accubō, 1, [ad+cubo, *lie*], *lie, recline.*

accūrātē, [accuratus, *careful*], adv., *carefully, with care, with pains.*

accūsātor, ōris, [accuso], m., *accuser, prosecutor.*

accūsō, 1, [ad+causa], *accuse, charge, arraign, find fault with.*

ācer, ācris, ācre, *sharp; eager, keen, severe, stringent, active, energetic; bitter, furious, wild, headstrong.*

acerbē, [acerbus], adv., *bitterly; heartlessly.*

acerbitās, ātis, [acerbus], f., *bitterness; pain, harshness, severity.*

acerbus, a, um, [acer], *bitter; relentless, severe.*

acervus, ī, [AC, *sharp;* hence, *pointed pile*], m., *heap, pile.*

Achāia, ae, f., *Achaia*, a Grecian province; the Peloponnesus.

Achillēs, is, m., *Achilles*, the famous Greek hero.

aciēs, ēī, [AC, *sharp*], f., *sharp-ness; edge; battle line, battle array, array; army; battle; eye-sight, vision.*

Acīlius, ī, m., *Acilius*, a Roman gentile name.

acinus, -um, ī [AC, *sharp*], m. or n., *berry, grape.*

acquīrō, ere, quīsīvī, quīsītus, [ad+quaero], *acquire in addition; add to.*

ācriter, [acer], adv., *sharply, keenly, vigilantly.*

acroāma, atis, [Gr. ἀκρόαμα], n., *originally, something heard with pleasure;* then, *entertainment; performer.*

āctus, ūs, [ago], m., *a doing; act, part of a drama, rôle.*

acūtus, a, um, [AC, *sharp*], *acute, keen.*

ad, prep. with acc., *to, toward; near, in the vicinity of, at, by, among, at the house of; till, to, up to; for, for the purpose of; in regard to, according to.*

adaequō, 1, [ad+aequo, *make equal*], *make equal.*

addiscō, ere, [ad+disco], *learn in addition, learn something new.*

addō, ere, didī, ditus, [ad+do, *put*], *put to, add.*

addūcō, ere, dūxī, ductus, [ad+duco], *lead to, bring to, draw; induce, persuade, influence.*

Adelphoe, [-ī], ōrum, m., " The Brothers," a play of Terence.

1. adeō, īre, iī, itus, [ad+1. eo], *go to, come to, approach; visit; enter upon.*

2. adeō, adv., *up to, even to, even; actually, in fact.*

adeps, ipis, m. and f.; pl., *corpulence, fat.*

adhibeō, ēre, uī, itus, [ad+habeo], *hold toward; apply;*

lend, furnish, supply; use, employ.

adhortor, 1, [ad+hortor], *urge, exhort.*

adhūc, adv., *up to this time, thus far, as yet, hitherto.*

adimō, ere, ēmī, ēmptus, [ad+ emo, *take*], *take away.*

adipīscor, ī, adeptus, [ad+apiscor, *attain*], *attain, secure.*

aditus, ūs, [1. adeo], m., *a going to; access, approach; entrance, avenue.*

adjūmentum, ī, [adjuvo], n., *help, assistance, aid.*

adjūnctor, ōris, [adjungo], m., *one who adds or joins.*

adjungō, ere, jūnxī, jūnctus, [ad+jungo], *join to, add, annex, unite; attach; confer upon.*

adjūtor, ōris, [adjuvo], m., *helper, assistant.*

adjuvō, āre, jūvī, jūtus, [ad+ juvo], *help, aid, assist, support.*

adminiculum, ī, [ad+manus], n., *support, prop.*

administer, trī, [ad+minister, *servant*], m., *assistant; tool.*

administra, ae, [administer], f., *a female assistant, handmaid.*

administrō, 1, [ad+ministro, *wait upon*], *care for, attend to, manage, handle, direct, conduct, carry on; execute.*

admīrābilis, e, [admiror], *admirable, worthy of admiration.*

admīrātiō, ōnis, [admiror], f., *admiration, wonder.*

admīror, 1, [ad+miror], *admire, wonder at.*

admisceō, ēre, miscuī, mixtus, [ad+misceo], *mix with.*

admittō, ere, mīsī, missus, [ad+ mitto], *admit.*

admixtiō, ōnīs, [admisceo], f., *admixture.*

admodum, [ad+modum, *to the limit*], adv., *very, extremely.*

admoneō, ēre, uī, itus, [ad+ moneo], *remind, admonish.*

(admonitus, ūs), [admoneo], m., used only in the abl. sing., **admonitū,** *on the advice, at the suggestion.*

admurmurātiō, ōnis, [admurmuro, *murmur*], f., *a murmuring, murmur.*

adolēscō, ere, olēvī, ultus, [ad +OL, *grow*], *grow, come to maturity.*

adoptō, 1, [ad+opto], *adopt.*

adōrnō, 1, [ad+orno], *equip, fit out, supply with materials.*

adsum, adesse, adfuī, adfutūrus, [ad+sum], *be near, be present, be at hand, impend; stand by, aid, assist.*

adulēscēns, entis, [originally the present participle of **adolesco**], c., *youth, young man, young hero.*

adulēscentia, ae, [adulescens], f., *youth (period of youth).*

adulēscentulus, ī, [adulescens], m. dim., *very young man, stripling.*

adulter, terī, m., *adulterer.*

adulterium, ī, n., *adultery.*

adultus, a, um, [adolesco], *grown up, mature.*

adveniō, īre, vēnī, ventum, [ad+venio], *come, arrive.*

adventīcius, a, um, [advenio], *foreign.*

adventō, 1, [advenio], *come, approach.*

adventus, ūs, [advenio], m., *a coming, approach, arrival.*

adversārius, a, um, [adversor],

turned toward or against; opposite; opposed, hostile; as
noun, **adversarius**, ī, m.,
opponent, enemy.
adversor, 1, [ad+versor], oppose,
resist.
1. **adversus**, a, um, [adverto,
turn toward], turned toward;
turned against; hostile, unfavorable. **res adversae**, misfortune, adversity.
2. **adversus**, prep. with the
acc., against.
advesperāscit, ere, rāvit, [ad+
vesper], impers., evening
approaches, it grows dark.
aedēs, is, [AIDH, burn], f.,
originally hearth; then temple;
pl., house, dwelling.
aedificium, ī, [aedifico], n.,
building, edifice, structure.
aedificō, 1, [aedes+FAC, make],
build, erect, construct.
Aegaeus, a, um, Aegean.
aeger, gra, grum, sick, ill.
aegrē, [aeger], adv., with difficulty, unwillingly, reluc-
tantly.
aegrimōnia, ae, [aeger], f., distress.
aegrōtō, 1, [aeger], be ill.
Aegypta, ae, m., Aegypta, a
freedman.
Aelius, ī, m., Aelius, a Roman
gentile name.
Aemilius, ī, m., a Roman gentile
name.
aemulus, a, um, [cf. **imitor**],
rivalling; as noun, m., rival.
aequābilis, e, [aequus], uni-
form, equitable, just.
aequālis, e, [aequus], equal; of
the same age, contemporary.
aequē, [aequus], adv., equally, in
like manner.

aequitās, ātis, [aequus], f., evenness; fairness, justice; tranquillity, resignation (of spirit).
aequus, a, um, even, level; fair,
just, right; favorable; resigned. **aequo animo**, with
resignation.
aerārium, ī, [aerarius], n., treasury.
aerārius, a, um, [aes], of copper;
pertaining to the treasury.
aes, **aeris**, n., copper, bronze,
money; **aes alienum**, another's
money, debt; pl., **aera**, bronze
tablets.
aestās, ātis, [AIDH, burn], f.,
summer.
aestimō, 1, estimate, value.
aestus, ūs, [AIDH, burn], m.,
heat.
aetās, ātis, [=aevitas, from
aevum, age], f., age, time of
life, generation; time; life;
old age.
aeternitās, ātis, [aeternus], f.,
eternity.
aeternus, a, um, [=aeviternus,
from aevum, age], lasting,
everlasting, permanent, endur-
ing, immortal, endless.
Aetna, ae, f., Mt. Etna, in Sicily.
Aetōlia, ae, f., Aetolia, a district in Greece.
Aetōlus, a, um, Aetolian, of
Aetolia.
afferō, afferre, attulī, allātus,
[ad+fero], bear to, bring to,
bring forward, bring; add;
cause, occasion, produce; apply, use.
afficiō, ere, fēcī, fectus, [ad
+facio], do to; affect, visit
with, fill, honor with; impair,
weaken.
affingō, ere, fīnxī, fictus, [ad+

fingo], *fashion in addition;
invent.*

affīnis, e, [ad+finis], *bordering
on; related to; privy to.*

affīrmō, 1, [ad+firmo], *affirm,
assert.*

afflīctō, 1, [affligo], *afflict, distress.*

afflīgō, ere, īxī, īctus, [ad+fligo,
strike], *smite, shatter; afflict.*

afflō, 1, [ad+flo, *blow*], *breathe
out; waft.*

affluēns, entis, [affluo, *flow
toward*], *flowing with; abound-
ing in, rich in.*

affor, 1, [ad+for, *speak*], *address.*

Āfrānius, ī, m., *Afranius,* a
Roman gentile name.

Āfrica, ae, f., *Africa.*

Āfricānus, a, um, [Africa], *of
Africa, African;* as noun, the
surname of the Scipios.

ager, agrī, m., *field, land, tract,
territory, district;* pl., *the
country.*

agger, eris, [ad+gero], m.,
embankment, siege-terrace.

aggregō, 1, [ad+grego, *assemble;*
grex], *gather, collect.*

agitātiō, ōnis, [agito], f., *spend-
ing* (of time).

agitō, 1, [ago], *set in violent motion; rouse, excite; ponder.*

agnōscō, ere, nōvī, nitus, [ad+
(g)nosco], *recognize, acknowledge; admit.*

agnus, ī, m., *lamb.*

agō, ere, ēgī, āctus, *drive, move
forward; do, act, manage;
plead, speak, discuss; spend,
pass;* passive, *be at stake, be
at issue.* **gratias agere**, *render thanks, thank.* **age**, *come!*

agrārius, a, um, [ager], *pertain-
ing to land; as noun, m. pl.,
agrāriī, ōrum, *the agrarian
party, supporters of agrarian
laws.*

agrestis, e, [ager], *pertaining to
the country, rustic, rude, boor-
ish, wild.*

agricola, ae, [ager+colo], m.,
peasant, farmer.

Ahāla, ae, m., a Roman family
name.

Ajāx, ācis, m., *Ajax,* a Greek
hero.

ajō, *say, assert.*

alacer, cris, cre, *brisk, active,
alert; cheerful.*

Albīnus, ī, m., *Albinus,* a
Roman family name.

ālea, ae, f., *a die; dicing, gaming, gambling.*

āleātor, ōris, [alea], m., *dice-
player, gambler.*

Alexander, drī, m., *Alexander.*

aliās, [alius], adv., *at another
time, at other times.*

aliēnātiō, ōnis, [alieno], f., *estrangement.*

aliēnigena, ae, [alienus+gigno,
beget], m., *one foreign-born,
foreign.*

aliēnō, 1, [alius], *alienate, es-
trange, antagonize.*

aliēnus, a, um, [alius], *of another, another's.* **aes alienum,**
debt. As noun, **alienus**, ī, m.,
stranger, foreigner.

aliquandō, [alius+quando], adv.,
*some time; at length, finally,
at last.*

aliquantus, a, um, [alius+
quantus], *some, considerable.*
aliquanto, abl. of degree of
difference, *somewhat.*

aliquī, qua, quod, [alius+qui],
indef. adj. pron., *some, any.*

aliquis, qua, quid, [alius+quis], indef. pron., *some one, any one, anybody;* pl., *some, any.* Neut., **aliquid**, *something, anything.*

aliquō, [aliquis], adv., *to some place, somewhere.*

aliquot, indecl., *several, some, a few.*

aliter, [alius], adv., *otherwise.*

alius, a, ud, *another, some other, other, different, else.* **alius . . . alius**, *one . . . another, the one . . . the other.* **alii . . . alii**, *some . . . others.*

allectō, 1, [allicio], *entice, allure.*

alliciō, ere, lexī, lectus, [ad+lacio, *entice*], *allure, attract.*

Allobrox, ogis, m., *one of the Allobroges,* a tribe of farther Gaul.

alō, ere, aluī, altus or alitus, *nurse, nourish, nurture; support, sustain, maintain; promote, encourage, increase.*

Alpēs, ium, f. pl., *the Alps.*

altāria, ium, [altus], n. pl., *altar.*

alter, tera, terum, *one of two, the other, another; second.* **alter . . . alter**, *the one . . . the other.* **alteri . . . alteri**, *the one party . . . the other.*

alternus, a, um, [alter], *alternate.*

alteruter, utra, utrum, gen. alterutrīus, [alter+uter], *one or the other.*

altus, a, um, [alo], *high, lofty; deep.*

alveolus, ī, [alveus, *a hollow*], m., *tray; a gaming-board; gaming.*

amāns, antis, [amo], *loving, fond.* **amans rei publicae**, *patriotic.*

amanter, [amans], adv., *lovingly, affectionately.*

Amānus, ī, m., *Amanus,* a mountain between Syria and Cilicia.

ambitiō, ōnis, [ambire, *go around*], f., *a going around; canvassing; intrigue; ambition.*

Ambivius, ī, m., *Ambivius,* an actor.

ambō, ae, ō, *both.*

āmēns, entis, [a+mens], *senseless, frenzied, foolish.*

āmentia, ae, [amens], f., *folly, madness.*

amiciō, īre, ictus, [ambi-, *around*, +jacio], *throw around, wrap about, clothe.*

amīcitia, ae, [amicus], f., *friendship.*

1. **amīcus**, a, um, [amo], *friendly.*
2. **amīcus**, ī, [amo], m., *friend.*

Amīsus, ī, f., *Amisus,* a city of Pontus on the Euxine Sea.

āmittō, ere, īsī, issus, [a+mitto], *let go; lose; forfeit.*

amō, 1, *love.*

amoenitās, ātis, [amoenus, *pleasant*], f., *pleasantness, attractiveness, loveliness.*

amor, ōris, [amo], m., *love, liking, affection.*

amplector, ī, exus, [ambi-, *around*, +plecto, *twine*], *to twine about, embrace; include.*

amplificō, 1, [amplus+facio], *extend, enlarge, increase.*

amplitūdō, inis, [amplus], f., *greatness, distinction, eminence, honor.*

amplus, a, um, *large, great, grand; eminent, distinguished, illustrious, noble, honorable:*

generous; comp. as noun, **amplius,** *more;* adverbially, *further.*

amputātiō, onis, [ampŭtŭ], f., *cutting; pruning.*

amputō, 1, [ambi-, *around*+ putŏ], *cut; prune.*

an, interrog. particle: often introducing second member of a double question, *or.* **ne** ... **an** or **utrum** ... **an,** (*whether*) ... *or.*

anceps, cipitis, [ambi-, *around,* +caput], *having two heads; double; uncertain.*

Andrŏ, ōnis, m., *Andro,* a man's name.

angō, ere, *compress, choke; distress, trouble, vex.*

angulus, ī, m., *angle, corner.*

angustiae, ārum, [angustus, *narrow*], f., *narrowness, limitations.*

anhēlō, 1, [anhelus, *panting*], *pant; breathe forth.*

anima, ae, f., *breath, breath of life; life, existence;* **anima mea,** *my dear.*

animadversiō, ōnis, [animadverto], f., *a giving attention; chastisement, punishment.*

animadvertō, ere, tī, sus, [animum+adverto, *turn to*], *turn the mind to, give attention to; notice, observe; inflict punishment.*

animōsus, a, um, [animus], *bold, spirited.*

animus, ī, m., *soul, spirit; mind, purpose, intention; disposition, feelings; heart; courage; spirit, temper; imagination; conviction;* pl., *arrogance, greed, loyalty.*

anne =an.

Annius, ī, m., a Roman gentile name.

annōna, ae, [annus], f., *the year's produce; grain, grain-supply; price of grain.*

annuō, ere, uī, *nod, nod assent.*

annus, ī, m., *year.*

ante, adv. and prep. : 1) As adv., *before, previously, ago.* 2) As prep. with acc., *before, in front of.*

anteā, adv., *previously, before, formerly.*

antecēdō, ere, cessī, cessūrus, [ante+cēdo], *go ahead, precede; be superior.*

antecellō, ere, [ante+cello, *project*], *excel, surpass.*

antefero, ferre, tulī, lātus, [ante +fero], *bear before; set before, regard as more important, prefer.*

antehāc, adv., *hitherto.*

antelūcānus, a, um, [ante+lux], *before light; prolonged till daybreak.*

antepōnō, ere, posuī, positus, [ante+pono], *put before; prefer, value above.*

antequam, *before.* Sometimes written separately, **ante** ... **quam.**

Antiochēa, ae, f., *Antioch,* in Syria.

Antiochus, ī, m., *Antiochus.*

antīquitās, ātis, [antiquus], f., *antiquity; ancient history, history.*

antīquus, a, um, *old, ancient, of olden times, former;* pl. as noun, *the ancients.*

Antōnius, ī, m., (*Marc*) *Antony.*

anxius, a, um, [ango], *anxious, troubled.*

Apamēa, ae, f., *Apamea,* a city in Syria.

aperiō, īre, eruī, ertus, *open.*

apertē, [apertus], adv., *openly; plainly, unreservedly.*

apertus, a, um, [aperio], *open.*

apex, icis, m., *top, summit; crown, glory.*

apis, is, f., *bee.*

Apollō, inis, m., *Apollo,* the god.

1. **apparātus,** ūs, [apparo], m., *equipment; preparations.*

2. **apparātus,** a, um, [apparo], *prepared; elegant, sumptuous.*

appāreō, ēre, uī, [ad+pareo], *appear.*

apparō, 1, [ad+paro], *prepare, make ready for.*

appellātiō, ōnis, [appello], f., *appellation, title.*

appellō, 1, [ad+pello], *address, name, accost, call; appeal to.*

Appennīnus, ī, m., *the Apennines.*

appetēns, entis, [appeto], *eager for, desirous of.*

appetō, ere, īvī, ītus, [ad+peto], *seek, seek for.*

1. **Appius,** ī, m., *Appius,* a Roman praenomen or first name.

2. **Appius,** a, um, *Appian, of Appius.*

apportō, 1, [ad+porto, *bear*], *bring.*

approbō, 1, [ad+probo], *approve, applaud.*

appropinquātiō, ōnis, [appropinquo], f., *approach, drawing near.*

appropinquō, 1, [ad+propinquo, *draw near*], *approach, draw near.*

Appulejus, ī, m., *Appuleius,* a man's name.

aprīcātiō, ōnis, [apricus, *sunny*] f., *basking in the sun.*

Aprīlis, e, *of April.*

aptus, a, um, [AP, *fasten*], *fitted, fitting, suitable, adapted.*

apud, prep. with acc., *at, with, near, by; among, in the presence of, at the house of, at the headquarters of; in the works of.*

Āpūlia, ae, f., *Apulia,* a district of southern Italy.

aqua, ae, f., *water.*

aquila, ae, f., *eagle; standard, ensign.*

Aquīnum, ī, n., *Aquinum,* a Latin town.

āra, ae, f., *altar.*

arbitror, 1, [arbiter, *judge*], *think, judge, believe, consider.*

arbor, oris, f., *tree.*

arbustum, ī, [arbor], n., *grove of trees; vineyard.*

Arcānum, ī, n., *Arcanum,* villa of Q. Cicero, near Arcae.

arceō, ēre, cuī, *confine; keep off.*

arcessō, ere, īvī, ītus, *cause to come, summon, send for, call in, invite.*

Archiās, ae, m., *Archias,* a Greek poet of Antioch.

Archȳtās, ae, m., *Archytas,* a Greek philosopher.

arcus, ūs, m., *bow.*

ārdeō, ēre, sī, sūrus, *be on fire, blaze, burn.*

ārdor, ōris, m., *blazing, burning, heat, glow; eagerness.*

ārea, ae, f., *open space; ground site.*

argenteus, a, um, [argentum], *of silver, silver.*

argentum, ī, n., *silver; silver plate.*

argūmentum, ī, [arguo, *prove*], n., *proof, ground, evidence.*

Ariobarzānēs, is, m., *Ariobarzanes.*

arista, ae, f., *beard* or *awn* on head of grain.

Aristīdēs, is, m., *Aristides*, the Athenian.

Aristō, ōnis, m., *Aristo*, a Greek philosopher.

arma, ōrum, n., *tools, implements; arms, weapons.*

armātus, a, um, [armo], *equipped; armed, in arms.*

Armenius, a, um, *Armenian.* As noun, m. pl., *Armenians.*

armō, 1, [arma], *equip; arm.*

arō, 1, *plough.*

Arpīnās, ātis, *Arpinatian, at Arpinum.* As noun, n., *estate at Arpinum.*

arripiō, ere, uī, eptus, [ad+rapio], *seize, lay hold of, snatch, catch at.*

ars, artis, f., *shall, art; practice; pursuits, studies, branches; qualities; liberal arts.*

Artavasdēs, is, m., *Artavasdes*, an Armenian king.

Artemō, ōnis, m., *Artemo*, a man's name.

articulus, ī, m., *joint*, on the stem of a plant.

artifex, icis, [ars+FAC, *make*], m., *a master of an art, artist.*

arx, arcis, [cf. **arceō**], f., *citadel, fortress, stronghold.*

ascendō, ere, scendī, scēnsum, [ad+scando], *mount, climb; rise.*

ascīscō, ere, scīvī, scītus, [ad+scisco, *decree*], *admit to, receive.*

ascrībō, ere, īpsī, īptus, [ad+scribo], *enroll.*

Asia, ae, f., *Asia*, the Roman province, comprehending Phrygia, Caria, Mysia, Lydia.

Asiāticus, a, um, *of Asia, Asiatic.*

Asinius, ī, m., *Asinius*, a Roman gentile name.

aspectus, ūs, [aspicio], m., *sight, view, aspect, appearance.*

asper, a, um, *rough, rude.*

asperē, [asper], adv., *roughly, rudely.*

aspernor, 1, [a+sperno], *reject, spurn.*

aspiciō, ere, exī, ectus, [ad+specio, *look*], *look at, look upon, behold.*

assēnsus, ūs, [assentio], m., *assent, approbation.*

assentiō, īre, sēnsī, sēnsum, or, **assentior**, īrī, sēnsus, [ad+sentio], *assent to, agree with.*

assequor, ī, secūtus, [ad+sequor], *follow up; accomplish; attain, secure; overtake.*

asservō, 1, [ad+servo], *guard, watch; care for.*

assīdō, ere, sēdī, sessūrus, [ad+sido, *sit*], *take a seat.*

assiduē, [assiduus], adv., *continually, constantly.*

assiduitās, ātis, [assiduus], f., *persistence.*

assiduus, a, um, [assideo, *sit by*], *careful, diligent.*

assuēfaciō, ere, fēcī, factus, [assuetus, *accustomed*+facio], *accustom.*

assurgō, ere, surrēxī, rēctum, [ad+surgo], *rise up before.*

astō, āre, astitī, [ad+sto], *stand near.*

at, conj., *but; yet, at least.*

Athēnae, ārum, f., *Athens.*

Athēniēnsis, e, *of Athens, Athenian;* pl. as noun, *Athenians.*

āthlēta, ae, m., *athlete.*

Atīlius, ī, m., *Atilius,* a Roman gentile name.

atque (before consonants **ac**), conj., [ad+que], *and, and also;* with comparatives and words of likeness or difference, *as, than.*

atquī, conj., *and yet.*

atrōcitās, ātis, [atrox], f., *savageness, cruelty, fierceness.*

atrōx, ōcis, [ater, *black*], *savage, cruel, fierce.*

attendō, ere, tendī, tentus, [ad +tendo], *direct toward; attend, give attention to, notice, observe; follow, listen to.*

attenuō, 1, [ad+tenuo, *make thin*], *make thin; lessen; make less formidable.*

Atticus, ī, m., *Atticus,* friend of Cicero.

attingō, ere, tigī, tāctus, [ad+ tango], *touch; attain; approach; touch upon, treat.*

attribuō, ere, uī, ūtus, [ad+ tribuo], *assign, allot.*

auctiōnārius, a, um, [auctio, *auction*], *of an auction, of the auctioneer.*

auctor, ōris, [augeo], m., *originator, author; counsellor; promoter; leader; voucher.*

auctōritās, ātis, [auctor], f., *authority, power, influence, weight; dignity, prestige, reputation.*

aucupium, ī, [avis+capio], n., *fowling.*

audācia, ae, [audax], f., *boldness, daring; audacity, effrontery, presumption, insolence.*

audāciter, [audax], adv., *boldly.*

audāx, ācis, [audeo], *bold, daring; audacious, reckless.*

audeō, ēre, ausus, semi-dep., *venture, dare.*

audientia, ae, [audio], f., *a hearing.*

audiō, īre, īvī or iī, ītus, *hear, hear of; listen to.*

auferō, auferre, abstulī, ablātus, [ava, obsolete prep.,+fero], *take away, carry off; remove.*

augeō, ēre, auxī, auctus, *to increase, enlarge, advance, enrich; magnify, glorify, honor, bless, favor.*

augēscō, ere, [augeo], *grow, increase.*

augur, uris, [avis+gero], m., *augur,* one who foretells the future from the flight of birds.

augurium, ī, [augur], n., *augury,* prediction from flight of birds.

Aulus, ī, m., *Aulus,* a Roman praenomen or first name.

Aurēlius, a, um, *of Aurelius, Aurelian.*

auris, is, f., *ear;* pl., *critical taste, taste.*

aurum, ī, n., *gold.*

auspicium, ī, [auspex, *diviner*], n., *divination by the flight of birds, augury;* pl., *auspices.*

aut, conj., *or.* **aut . . . aut**, *either . . . or.*

autem, conj., *on the other hand, but; however, now;* (rarely) *moreover.*

Autrōnius, ī, m., *Autronius,* a conspirator.

autumnus, ī, m., *autumn, harvest time.*

auxilium, ī, [augeo], n., *aid,*

help, assistance; pl., auxilia-
ries, reinforcements.

avāritia, ae, [avarus], f., greed,
avarice, covetousness.

avārus, a, um, [aveo], greedy,
avaricious.

āvellō, ere, vellī, vulsus, [a+
vello, pluck], pluck, tear off.

aveō, ēre, be eager, desire.

āversus, a, um, [averto, turn
away], turned away; averse,
hostile.

avidē, [avidus], adv., eagerly,
greedily.

aviditās, ātis, [avidus], f., longing, eager desire.

avidus, a, um, [aveo], eager for,
desirous of.

avis, is, f., bird.

avītus, a, um, [avus], of a grandfather, ancestral.

āvocō, 1, [a+voco], call away.

avus, ī, m., grandfather.

bāca, ae, f., berry, fruit.

bacchor, 1, [Bacchus], dep., celebrate the rites of Bacchus;
exult, revel.

Balbus, ī, m., Balbus, a Roman
cognomen.

barbaria, ae, [barbarus], f.,
barbarousness; barbarian
country or people.

barbarus, a, um, barbarous, savage; pl. as noun, barbarians.

barbātus, a, um, [barba, beard],
having a beard, bearded.

beātē, [beatus], adv., happily.

beātus, a, um, [beo, make
happy], happy, prosperous,
fortunate; opulent, rich.

bellē, [bellus, fine], adv., well,
finely.

bellicōsus, a, um, [bellicus], warlike.

bellicus, a, um, [bellum], of war,
military.

bellō, 1, [bellum], wage war.

bellum, ī, n., war.

bene, [bonus], adv., well, successfully.

beneficium, ī, [bene+facio], n.,
kindness, favor, service.

benevolentia, ae, [benevolus,
well-wishing], f., kindness,
good will; loyalty, devotion.

benignē, [benignus, kind], adv.,
kindly. **benigne facere,** do a
kindness.

benignitās, ātis, [benignus,
kind], f., kindness, favor.

bēstia, ae, f., a beast, animal.

bibō, ere, bibī, drink.

Bibulus, ī, m., Bibulus, a
Roman ex-consul.

bīduum, ī, [bis+dies], n., two
days.

bīnī, ae, a, [bis], distrib. adj.,
two by two, two each.

bipartītō, [bipartitus, bisected],
adv., in two parts.

bis, adv., twice.

Bīthȳnia, ae, f., Bithynia, a
province of Asia Minor
bordering on the Euxine Sea.

blanditiae, ārum, [blandior,
flatter], f., flattery; charm,
soothing influence.

bonitās, ātis, f., [bonus], good-
ness, kindness.

bonus, a, um, good, excellent,
advantageous, useful; patriotic,
loyal; pl. as noun, m., good
men, good citizens; n., goods,
property, possessions. **bonum,** ī, n., good, blessing.

bōs, bovis, m., ox.

Bosporānus, a, um, of the Bosporus; pl. m., as noun, dwellers
on the Bosporus.

brevis, e, *short, brief, little.*
brevī, *briefly; in a short
time, soon.*
breviter, [brevis], adv., *briefly.*
Brundisīnus, a, um, *Brun-
disian.* **Brundisīnī**, ōrum,
m., *the Brundisians.*
Brundisium, ī, n., *Brundisium,*
a city in Calabria: the modern
Brindisi.
Brūtus, ī, m., *Brutus,* a Roman
family name.

C. = **Gāius.**
cadō, ere, cecidī, cāsūrus, *fall,
fall dead, be slain.*
cadūcus, a, um, [cado], *falling,
trailing; perishable, fleet-
ing.*
Caecilius, ī, m., *Caecilius,* Roman gentile name.
caecus, a, um, *blind.*
caedēs, is, [caedo, *cut*], f., *killing, slaughter, murder.*
caelestis, e, [caelum], *of heaven,
heavenly.* **caelestia**, pl. **n.**,
heavenly bodies.
Caelius, ī, m., a Roman gentile
name.
caelum, ī, n., *heaven, sky.*
Caepārius, ī, m., a Roman
gentile name.
Caepiō, ōnis, m., *Caepio,* a
Roman cognomen.
Caesar, aris, m., *Caesar,* a
Roman family name.
Cājēta, ae, f., *Cajeta,* a coast
town of Latium: the modern
Gaëta.
calamitās, ātis, f., *loss, calamity,
misfortune; ruin, disaster; defeat.*
Cālātīnus, ī, m., *Calatinus,* a
Roman family name.
calēscō, ere, *grow warm, bask.*

callidus, a, um, *shrewd, clever,
crafty.*
calor, ōris, m.. *warmth, heat.*
calx, calcis, f., *chalk, lime,
chalk-line* in Circus.
Camillus, ī, m, *Camillus,*
Roman family name.
campus, ī, m., *open field, plain,*
often for **Campus Martius**,
the *Campus Martius* in Rome.
Cannēnsis, e, *of Cannae.*
canō, ere, cecinī, *sing; prophesy,
predict.*
canōrus, a, um, [cano], *melodious, mellow.*
cantō, 1, [cano], *sing; play.*
cantus, ūs, [cano], m., *music,
singing, song.*
cānus, a, um, *white.*
Capēna, ae, f., (**Porta Capena**),
a Roman city gate.
capillus, ī, [cf. **caput**], m., *hair.*
capiō, ere, cēpī, captus, *take,
capture, seize; receive; contain, hold, satisfy; take in,
conceive, apprehend; adopt;
incur, suffer, reap.* **mente
captus**, (*stricken in mind*),
mad, insane.
capitālis, e, [caput], *deadly, dangerous.* **res capitalis**, *capital
offence.*
Capitōlium, ī, [caput], n., *the
Capitoline Hill; the Capitol,*
or temple of Jupiter situated
on the Capitoline.
Cappadocia, ae, f., *Cappadocia,*
a district of Asia Minor.
Capua, ae, f., *Capua,* a town
in Campania.
caput, itis, n., *head; life; civil
status; top.*
Carbō, ōnis, m., *Carbo,* a Roman
family name.
carcer, eris, m., *a prison, jail;*

pl., *barriers, racing-stalls* in Circus.

careō, ēre, uī, itūrus, *be without, go without, do without, lack, dispense with, be deprived of.*

cāritās, ātis, [carus], f., *dearness, expensiveness, high price.*

carmen, inis, n., *song; poem.*

Carthāginiēnsis, e, [Carthago], *Carthaginian.* As noun, m. pl., *Carthaginians.*

Carthāgō, inis, f., *Carthage.*

cārus, a, um, *dear, precious, valued.*

Carvilius, ī, m., *Carvilius,* a Roman gentile name.

cāseus, ī, m., *cheese.*

Cassius, ī, m., *Cassius,* a Roman gentile name.

castē, [castus, *pure*], adv., *purely; righteously.*

castra, ōrum, n., *camp.*

castrēnsis, e, [castra], *of the camp.*

cāsus, ūs, [cado], m., *chance, accident; issue, event, occurrence.*

Catilīna, ae, m., *Catiline,* a Roman family name.

Catō, ōnis, m., *Cato,* a Roman family name.

Catulus, ī, m., *Catulus,* a Roman family name.

Caudīnus, a, um, *of Caudium, Caudine.*

causa, ae, f., *a cause, occasion, ground, reason; excuse, pretext; case, situation, condition; lawsuit; side, party.*

causā, with gen., *on account of, as a mark of, for the sake of.*

cautiō, ōnis, [caveo], f., *caution, precaution.*

cavea, ae, [cavus, *hollow*], f., *(open) theatre.*

caveō, ēre, cāvī, cautūrus, *be on* *one's guard, take care, take heed; guard against.* **cavendus**, a, um, *to be avoided.*

cedo, *tell!*

cēdō, ere, cessī, cessūrus, *withdraw; yield, give way.*

celeber, bris, bre, *thronged, much frequented; famous.*

celebritās, ātis, [celeber], f., *glory, distinction; frequented character, publicity.*

celebrō, 1, [celeber], *throng, frequent, visit in numbers, attend; celebrate, praise, glorify, magnify.*

celeritās, ātis, [color, *swift*], f., *swiftness, speed, rapidity, promptness.*

celeriter, [celer, *swift*], adv., *quickly, speedily.*

cella, ae, f., *chamber, closet, store-room.*

cēna, ae, f., *dinner.*

cēnseō, ēre, cēnsuī, cēnsus, *assess, enroll* (in census); *think, believe, consider; urge, advise, recommend; resolve, vote, decree.*

cēnsor, ōris, [cf. **censeo**], m., *censor,* a Roman magistrate.

cēnsus, ūs, [censeo], m., *census, enrollment, assessment;* pl. *census-lists.*

centēsimus, a, um, [centum] *hundredth.*

Centō, ōnis, m., *Cento,* Roman family name.

centum, indecl., *one hundred.*

centuria, ae, [centum], f., *century* (company of one hundred), a political division among Roman voters.

centuriātus, ūs, [centurio], m., *the office of centurion.*

Centuriātus, a, um, [centuria], in

Comitia Centuriata, *Comitia Centuriata,* an assembly at Rome which voted by centuries.

centuriō, ōnis, [centuria], m., *commander of a century* (in the army), *centurion.*

cēreus, a, um, [cera, *wax*], *waxen, of wax.*

cernō, ere, crēvī, crētus, *distinguish, discern; see, perceive; separate.*

certāmen, inis, [2. certo], n., *contest, struggle, strife.*

certē, [certus], adv., *certainly, surely; at least, at any rate.*

1. certō, [certus], adv., *for certain, for a certainty, with certainty.*

2. certō, 1, [certus], *struggle, fight, contend, vie with.*

certus, a, um, [cerno], *fixed, definite, certain, sure; specific, special, particular; trusty, reliable.* **certiorem facere,** *inform.*

cervīx, īcis, [cf. **curvus,** *curving*], f., *neck.* In Cicero only in pl., **cervices,** um.

cessō, 1, [cēdo], *be idle, flag.*

cēterus, a, um, *the other, remainder, rest.* Almost always in pl. As noun, m. pl., *the others, the rest.*

Cethēgus, ī, m., *Cethegus,* a Roman family name.

Cēus, a, um, *of Ceos,* one of the Cyclades.

Chīlō, ōnis, m., a Roman family name.

Chius, a, um, *Chian, of Chios,* an island in the Aegean Sea. As noun, m. pl., *the Chians, inhabitants of Chios.*

cibus, ī, m., *food.*

Cicerō, ōnis, m., *Cicero,* a Roman family name.

Cilicia, ae, f., *Cilicia,* a Roman province on the southern coast of Asia Minor.

Ciliciēnsis, e, *Cilician.*

Cimber, brī, m., *Cimber,* a Roman family name.

Cimbrī, ōrum, m., *the Cimbrians,* a Germanic tribe. They invaded Italy in 101 B.C.

Cimbricus, a, um, *of the Cimbrians, Cimbrian.*

Cincius, ī, m., *Cincius,* a Roman gentile name. **Cincius,** a, um, *of Cincius.*

Cīneās, ae, m., *Cineas,* a Thessalian.

cingō, ere, īnxī, īnctus, *surround; beset.*

cinis, eris, m., *ashes.*

Cinna, ae, m., a Roman family name.

circum, [acc. of **circus,** *ring*], prep. with the acc., *around, about, at, near, in the neighborhood of.*

circumclūdō, ere, sī, sus, [circum+claudo], *shut in, hem in; block.*

circumdō, are, dedī, datus, [circum+do, *put*], *place around.*

circumscrībō, ere, īpsī, īptus, [circum+scribo]. *circumscribe, limit.*

circumscrīptor, ōris, [circumscribo], m., *swindler.*

circumsedeō, ēre, sēdī, sessus, [circum+sedeo], *sit around, surround.*

circumspiciō, ere, exī, ectus, [circum+specio, *look*], *look around; look out for, beware of.*

circumstō, āre, stetī, [circum+

sto], *stand around, stand about; surround, beset.*

cito, [citus, *quick*], adv., *quickly, soon.*

cīvīlis, e, [civis], *of citizens, civil.*

cīvis, is, c., *citizen, fellow-citizen.*

cīvitās, ātis, [civis], f., *state, citizenship.*

clam, [cf. celo, *conceal*], adv., *secretly.*

clāmō, 1, *shout, cry out, cry aloud.*

clāmor, ōris, [clamo], m., *shout, cry.*

clandestīnus, a, um, [clam], *secret.*

clāreō, ēre, uī, [clarus], *be bright; be famous.*

clārus, a, um, *clear, bright; plain, manifest; renowned, distinguished, glorious, illustrious, famous.*

classis, is, f., *class, division; fleet.*

claudō, ere, sī, sus, *shut, close; secure.*

clāva, ae, f., *club, stick, foil in fencing.*

clāvicula, ae, [clavis, *key*], f., *tendril.*

clāvus, ī, [claudo], m., *tiller, helm.*

Cleanthēs, is, m., *Cleanthes, a Greek philosopher.*

clēmēns, entis, *lenient, indulgent, merciful.*

clēmenter, [clemens], adv., *quietly, mildly.*

clēmentia, ae, [clemens], f., *mercy, clemency.*

cliēns, entis, [cluo, *hearken*], m., *dependent, client.*

clientēla, ae, [cliens], f., *clientship, vassalage; pl., body of clients, clients.*

Clōdius, ī, m., *Clodius*, a Roman gentile name.

Cn. = Gnaeus, a Romar first name.

Cnidus, ī, f., *Cnidus*, a city on the coast of Caria.

coacēscō, ere, [com-+AC, *sharp*], *grow sour.*

coagmentō, 1, [cf. cogo], *fasten or join together.*

coctus, a, um, [coquo], *cooked; ripe, mellow.*

coepī, isse, coeptus, *begin, commence.*

coërceō, ēre, cuī, citus, [com-+arceo], *confine, restrain, repress.*

coetus, ūs, [coëo, *come together*], m., *assembly, meeting, gathering.*

cōgitātē, [cogitatus, *meditated*], adv., *with thoughtful preparation.*

cōgitātiō, ōnis, [cogito], f., *thought, reflection, meditation; design.*

cōgitō, 1, [com-+agito], *think, think of, meditate, plan, plot; consider, consult, provide for; contemplate, purpose, intend; imagine.*

cognātiō, ōnis, [cognatus], f., *relationship, kinship.*

cognātus, ī, m., *kinsman, relative.*

cognitiō, ōnis, [cognosco], f., *a becoming acquainted with, acquaintance.*

cognitor, ōris, [cognosco], m., *in law, advocate, sponsor.*

cognōmen, inis, [com-+(g)nomen], n., *surname; title.*

cognōscō, ere, gnōvī, gnitus, [com-+(g)nosco], *become acquainted with, learn, know.*

16 COGO — COMMEO

recognize; note, notice, observe.

cognovi, *I know.*

cōgō, ere, coēgī, coāctus, [com-+ago], *drive together, collect, compel, force.*

cohaereō, ēre, haesī, haesūrus, [com-+haereo], *cling together; be connected with.*

cohibeō, ēre, uī, itus, [com-+habeo], *restrain, control, check; confine, hold.*

cohors, rtis, f., *cohort, tenth part of a legion, about 360 soldiers.*

cohors praetoria, *praetorian cohort, body-guard.*

collēctiō, ōnis, [collectus, *collection*], f., *collection.*

collēga, ae, [cf. lego], m., *associate, colleague.*

collēgium, ī, [collega], n., *official board, college, association.*

colligō, ere, lēgī, lēctus, [com-+lego], *gather, collect, assemble, bring together.*

collocō, 1, [com-+loco], *place, put, station, pitch, set, set up, erect; establish, settle; invest.*

colloquium, ī, [com-+loquor], n., *conference, conversation, converse.*

colluviō, ōnis, [com-+lavo, *wash*], f., *washings, dregs, offscourings, rabble.*

colō, ere, coluī, cultus, *till, cultivate; honor, cherish, seek out; respect, revere, worship.*

Colōnēus, a, um, *belonging to Colonus,* a district of Attica.

colōnia, ae, [colonus], f., *a colony.*

colōnus, ī, [colo], m., *tiller of the soil; colonist.*

Colophōn, ōnis, m., *Colophon,* a city of Lydia.

Colophōnius, a, um, *of Colophon.* As noun, m. pl., *inhabitants of Colophon.*

color, ōris, m., *color; complexion.*

comes, itis, [com-+eo], c., *attendant, companion, follower, associate, comrade.*

cōmicus, a, um, *belonging to comedy, comic.*

cōmis, e, *kind, courteous.*

cōmissātiō, ōnis, [comissor, *revel*], f., *revel, carousal.*

cōmitās, ātis, [comis], f., *courtesy, kindness.*

comitātus, ūs, [comitor], m., *retinue, escort, train.*

comitia, ōrum, [com-+eo], n., *assembly, comitia; election.*

Comitium, ī, [com-+eo], n., *Comitium,* a place of meeting for the assemblies; it adjoined the Forum.

comitor, 1, [comes], *accompany, attend, escort.*

commeātus, ūs, [commeo], m., *a going to and fro, intercourse; supplies.*

commemorābilis, e, [commemoro], *worth mentioning, remarkable, noteworthy.*

commemorātiō, ōnis, [commemoro], f., *mention, remembrance.*

commemorō, 1, [com-+memoro, *mention*], *call to mind, mention, relate, recount; allude to, speak of.*

commendātiō, ōnis, [commendo], f., *a commending, recommendation.*

commendō, 1, [com-+mando], *commend, commit, intrust.*

commeō, 1, [com-+meo, *go*], *go and come, go to and fro.*

commercium, ī, [com-+merx], n., *intercourse, connection.*

comminus, [com-+manus], adv., *at close quarters, in hand-to-hand conflict.*

commisceō, ēre, miscuī, mixtus, [com-+misceo], *mix with, mingle with.*

commissum, ī, [committo], n., *deed, misdeed, crime.*

committō, ere, mīsī, missus, [com-+mitto], *bring together; intrust, commit; cause, allow, permit.* **pugnam committere,** *join, begin, engage in battle.*

commodē [commodus, adapted], adv., *easily, conveniently.*

commodō, 1, [commodus, adapted], *accommodate; lend, loan, furnish.*

commodum, ī, [commodus, adapted], n., *convenience, advantage; interest.*

commoror, 1, [com-+moror], *stay, linger, remain.*

commoveō, ēre, mōvī, mōtus, [com-+moveo], *set in violent motion; move, stir, disturb, alarm, agitate, excite, rouse; influence, affect.*

commūnicō, 1, [communis], *share, share with.*

commūnis, e, *common, in common, general, universal, public.*

commūniter, [communis], adv., *in common, in general.*

commūtō, 1, [com-+muto], *change completely, alter completely.*

compāgēs, is, [com-+PAG, fasten], f., *frame, structure.*

comparātiō, ōnis, [1. comparo], f., *preparing, preparation.*

1. comparō, 1, [com-+paro], *prepare, make ready, get ready;* secure, establish; pass., *be composed; be made up.*

2. comparō, 1, [compar, like], *compare, liken.*

compellō, ere, pulī, pulsus, [com-+pello], *drive together; drive, force.*

compēnsō, 1, [com-+penso, weigh], *compensate.*

comperiō, īre, perī, pertus, [com-+pario], *learn, discover, find out, ascertain.*

competitor, ōris, [com-+peto], m., *a rival candidate, competitor.*

complector, ī, plexus, [com-+plecto, interweave], *embrace, clasp; include, comprise.*

compleō, ēre, ēvī, ētus, [com-+pleo, fill], *fill up, fill.*

complexus, ūs, [complector], m., *embrace.*

complūrēs, a or ia, gen. ium, [com-+plures] *several, a good many, many.*

compōtātiō, ōnis, [com-+poto, drink], f., *a drinking together.*

comprehendō, ere, dī, sus, [com-+prehendo, lay hold of], *arrest, seize; detect; grasp, lay hold of, master.*

compressus, ūs [comprimo], m., *pressure, embrace.*

comprimō, ere, pressī, pressus, [com-+premo], *press together; repress, check, restrain, crush.*

comprobō 1, [com-+probo], *approve, sanction, endorse; prove, attest.*

cōmptus, a, um, [como, adorn], *decorated, elegant.*

cōnātus, ūs, [conor], m., *attempt, endeavor, effort, undertaking.*

concēdō, ere, cessī, cessus, [com-+cedo], *withdraw, go away, depart; concede, yield, grant, permit.*

concelebrō, 1, [com-+celebro], *attend; throng; visit in numbers.*

concēnātiō, ōnis, [com-+cena] f., *dining or supping together.*

concertō, 1, [com-+2.certo], *contend earnestly, contend.*

concidō, ere, cidī, [com-+cado], *fall completely; fall, collapse; perish.*

conciliō, 1, [concilium], *unite, make friendly; win over, win, secure.*

concilium, ī, n., *council, assembly.*

concipiō, ere, cēpī, ceptus, [com-+capio], *take hold of; receive, incur, contract; conceive, imagine.*

concitō, 1, [concieo, *rouse*], *rouse, excite, stir up, agitate; urge on.*

concordia, ae, [concors, *united*], f., *union, harmony, concord.* As proper name, *Concord,* the goddess.

concupīscō, ere, cupīvī, ītus, [com-+cupio], *desire eagerly, covet, desire.*

concurrō, ere, currī, cursum, [com-+curro, *run*], *run together, assemble swiftly; of things, fall together, happen at the same time, combine.*

concursō, 1, [com-+curso], *run about, go about.*

concursus, ūs, [concurro], m., *a running together, rallying; concourse, gathering, throng.*

condemnō, 1, [com-+damno], *condemn, convict.*

condiciō, ōnis, [com-+dīco, *declare*], f., *agreement, terms,* *contract, bargain, understanding; condition; situation, lot; character.*

condiō, īre, īvī, ītus, [cf **condō**], *season, flavor.*

condō, ere, didī, ditus, [com-+do, *put*], *put together, found, place, put; store away, treasure up, treasure.*

cōnfectiō, ōnis, [conficio], f., *a making, composition.*

cōnferō, ferre, contulī, collātus, [com-+fero], *bring together; convey; direct; devote, bestow, fix, confer, contribute; bring upon, visit; defer, put off, postpone; compare, contrast.* **se conferre,** *betake oneself.* **signa conferre,** *join battle.*

cōnfertus, um, [confercio, *stuff*], *filled; gorged.*

cōnfessiō, ōnis, [confiteor], f., *confession, admission, acknowledgment.*

cōnfestim, adv., *immediately, straightway, forthwith.*

cōnficiō, ere, fēcī, fectus, [com-+facio], *do thoroughly; accomplish, do, finish, consummate, achieve, bring about, bring to pass; bring to an end, complete, bring together, raise, muster, provide, secure; use up, wear out, exhaust, destroy; subdue.*

cōnfīdō, ere, fīsus, [com-+fido, *trust*], semi-dep., *trust.*

cōnfīrmō, 1. [com-+firmo], *make strong, strengthen, increase; cement, establish; show, prove; declare, assert, affirm; encourage.*

cōnfiteor, ērī, fessus, [com-+f teor], *confess, admit, acknowledge, own.*

cōnflagrō, 1, [com-+flagro], in-
trans., *burn, burn up, be con-
sumed.*

cōnflīgō, ere, flīxī, flīctus, [com-
+fligo, *strike*], *strike together;
contend, fight.*

cōnflō, 1, [com-+flo, *blow*], *blow
up; stir up, kindle; melt together, fuse, compose.*

cōnfōrmātiō, ōnis, [conformo],
f., *moulding, moulding influence.*

cōnfōrmō, 1, [com-+formo,
form], *form, mould, train.*

cōnfringō, ere, frēgī, frāctus,
[com-+frango], *shatter, destroy.*

congerō, ere, gessī, gestus, [com-
+gero], *bring together, accumulate.*

conglūtinātiō, ōnis, [conglutino],
f., *joining together; piece of
construction.*

conglūtinō, 1, [com-+glutino,
fasten], *put together.*

congregō, 1, [com-+grex], *gather,
collect.*

congruō, ere, uī, *agree, har-
monize.*

coniciō, ere, jēcī, jectus, [com-
+jacio], *hurl violently; hurl,
aim; drive, force.*

cōnīveō, ēre, nīvī or nīxī, *shut
the eyes, wink at; over-
look.*

conjectūra, ae, [conicio], f.,
*putting together, reasoning,
inference; conclusion.*

conjūnctiō, ōnis, [conjungo], f.,
union, alliance.

conjungō, ere, jūnxī, jūnctus,
[com-+jungo], *join together,
join, unite.*

conjūnctus, a, um, [conjungo],
closely connected.

conjūnx, jugis, [cf. conjungo],
c., *spouse, husband, wife.*

conjūrātiō, ōnis, [conjuro], f., *a
taking oath together; league;
conspiracy, plot.*

conjūrātus, a, um, [conjuro],
leagued together. As noun,
m. pl., *conspirators.*

conjūrō, 1, [com-+juro, *swear*],
*take oath together; plot, con-
spire.*

cōnor, 1, *try, attempt, undertake;
endeavor, strive.*

conquiēscō, ere, quiēvī, quiētus,
[com-+quiesco], *become quiet;
find peace, find rest; come to
a standstill.*

cōnsaepiō, īre, ptus, [com-+
saepio], *enclose with a hedge
or fence.*

cōnscelerātus, a, um, [con-
scelero, *dishonor*], *wicked, depraved.*

cōnscientia, ae, [conscio, *be conscious of*], f., *consciousness,
knowledge; consciousness of
guilt; conscience.*

cōnscrībō, ere, scrīpsī, scrīptus,
[com-+scribo], *write together,
enroll; draw up.* patres conscripti, *conscript fathers, senators.*

cōnsecrō, 1, [com-+sacro, *consecrate*], *dedicate, consecrate,
devote.* consecratus, partic.
as adj., *holy, hallowed, sacred.*

cōnsenēscō, ere, [com-+senesco],
grow old, begin to decay.

cōnsēnsiō, ōnis, [consentio], f.,
*an agreeing together, agree-
ment, accord.*

cōnsēnsus, ūs, [consentio], m.,
*agreement, understanding,
unanimity, harmony, accord.*

cōnsentiō, īre, sēnsī, sēnsūrus.

[com-+sentio], *agree; combine, unite.* **consentiens,** *in agreement.*

cōnsequor, ī, secūtus, [com-+sequor], *follow with, attend; follow, overtake; reach, attain, achieve, secure, accomplish; ensue.*

cōnserō, ere, sēvī, situs, [com-+sero,], *plant.*

cōnservō, 1, [com-+servo], *keep safe, preserve, save; retain; maintain; spare; protect.*

cōnsessus, ūs, [consido], m., *a sitting together; assembly, throng.*

cōnsīderō, 1, *look at closely; consider, reflect.*

cōnsīdō, ere, sēdī, sessum [com-+sido, *take a seat*], *take a seat.*

cōnsilium, ī, [consulo], n., *deliberation; deliberative assembly, council; counsel, advice; decision, plan, design, purpose; discretion, prudence, wisdom.*

cōnsistō, ere, stitī, stitum, [com-+sisto, *stand*], *stand still, stop, pause; secure a footing; feel secure;* with **in,** *depend upon.*

cōnsitiō, ōnis, [consero], f., *planting.*

cōnsōlātiō, ōnis, [consolor], f., *consolation.*

cōnsōlor, 1, [com-+solor, *comfort*], *cheer, comfort, console.*

cōnspectus, ūs, [conspicio], m., *sight, view, presence.*

cōnspiciō, ere, spexī, spectus, [com-+specio, *look*], *see, gaze upon, behold.*

cōnspīrātiō, ōnis, [conspiro, *breathe together*], f., *harmony, agreement.*

cōnstāns, antis, [consto], *steadfast; settled.*

cōnstanter, [constans], adv., *steadfastly; consistently.*

cōnstantia, ae, [constans], f., *steadfastness, firmness, courage; loyalty, devotion; character.*

cōnstituō, ere, uī, ūtus, [com-+statuo], *settle, place, put, fix, establish, set, set up; found; constitute; enact; create; appoint; mark out, decide, arrange, fix upon, determine.*

cōnstō, āre, stitī, stātūrus, [com-+sto], *hold together; consist of, depend upon.* **constat,** *it is established, it is clear, it is evident.*

cōnstringō, ere, strīnxī, strictus, [com-+stringo, *draw tight*], *bind, restrict, hold fast, curb.*

cōnstruō, ere, strūxī, strūctus, [com-+struo], *construct, build.*

cōnsuēscō, ere, ēvī, ētus, [com-+suesco, *become accustomed*], *grow accustomed.* **consuevi,** *am wont.*

cōnsuētūdō, inis, [consuetus, *used*], f., *custom, habit, usage, precedent; companionship, intercourse, friendship.*

cōnsul, ulis, m., *consul,* one of the two chief Roman magistrates.

cōnsulāris, e, [consul], *of a consul, consular.* As noun, m., **consularis,** *ex-consul, consular.*

cōnsulātus, ūs, [consul], m., *the office of consul, consulship.*

cōnsulō, ere, luī, ltus, *take counsel, deliberate, consider; consult; look out for.* **take thought for.**

cōnsultō, [abl. of consultum], adv., *designedly, purposely.*

cōnsultum, ī, [consulo], n., *resolution, decree.*

cōnsultus, a, um, [consulo], *versed in.* juris consultus, *lawyer, jurisconsult.*

cōnsūmō, ere, sūmpsī, sūmptus, [com-+sumo], *use up, burn out, consume, destroy; spend.*

cōnsurgō, ere, rēxī, rēctum, [com-+surgo], *rise in a body.*

contāminō, 1, *stain, defile, contaminate; dishonor.*

contegō, ere, tēxī, tēctus, [com-+tego], *to cover, conceal.*

contemnō, ere, tempsī, temptus, [com-+temno, *slight*], *think lightly of, disregard, neglect, ignore; despise.* contemptus, a, um, *contemptible.*

contemplor, 1, *contemplate.*

contendō, ere, dī, tus, [com-+tendo], *stretch, strain; hasten; struggle, strive, contend, fight; maintain; compare.*

contentiō, ōnis, [contendo], f., *a stretching, straining; strife, struggle, contention, contest, rivalry; comparison.*

contentus, a, um, [contineo], *content, contented, satisfied.*

conticēscō, ere, ticuī, [com-+taceo], *become silent, be silent.*

continēns, entis, [contineo], *self-contained, self-controlled, temperate, wise, upright.*

continentia, ae, [continens], f., *self-control, self-restraint; continence, chastity.*

contineō, ēre, tinuī, tentus, [com-+teneo], *hold together, bind together; hold in check, confine, restrain, check, stop, keep off; control; contain,*

hold; bound; pass., *consist of.*

contingō, ere, tigī, tāctus, [com-+tango], *touch; happen, fall to the lot of.*

continuus, a, um, [contineo], *continuous, successive.*

cōntiō, ōnis, [for coventio, com-+venio, *a coming together*], f., *a (public) meeting, assembly; (public) address, speech.*

cōntiōnātor, ōris, [contionor, *make a speech*], m., *a demagogue, tonguester.*

contrā, [com-] : 1) Adv., *on the other hand; differently; in opposition, on the contrary.* contra atque, *otherwise than; contrary to what.* 2) Prep. with acc., *opposite, facing; contrary to, against; in spite of; in reply to.*

contrahō, ere, trāxī, trāctus, [com-+traho], *contract, incur.*

contrārius, a, um, [contra], *opposite; contrary, conflicting.*

contrōversia, ae, [controversus, *disputed*], f., *dispute, controversy, quarrel; question.*

contumēlia, ae, f., *affront, indignity, insult.*

contumēliōsus, a, um, [contumelia], *insulting.*

conveniō, īre, vēnī, ventum, [com-+venio], *come together, assemble, meet* (tr. and intr.), *gather.* Impers., convenit, *it is fitting, it is proper.*

conventus, ūs, [convenio], m., *a meeting, assembly.*

convertō, ere, tī, sus, [com-+verto, *turn*], *turn around, turn; change.*

convīcium, ī, n., *wrangling, altercation.*

convincō, ere, vīcī, victus, [com-

+vinco], *overcome, overwhelm; convict, refute.*

convīvium, ī, [com-+vivo], n., *feast, entertainment, banquet.*

convocō, 1, [com-+voco], *call together, convene, assemble.*

cōpia, ae, [com-+ops], f., *plenty, abundance, fulness; resources, help, assistance; power, ability; fluency;* pl., copiae, *riches, means; troops, forces.*

cōpiōsē, [copiosus], adv., *generously; eloquently.*

cōpiōsus, a, um, [copia], *furnished abundantly, supplied, rich.*

coquō, ere, coxī, coctus, *cook; vex, torment.*

cōram, adv., *openly, face to face.*

Corduba, ae, f., *Corduba,* a city of Spain, the modern Cordova.

Corinthus, ī, f., *Corinth,* a city of Greece.

Cornēlius, ī, m., a Roman gentile name.

corpus, oris, n., *body, person.*

corrigō, ere, rēxī, rēctus, [com-+rego], *correct, reform; amend.*

corrōborō, 1, [com-+roboro, *strengthen*], *strengthen, establish, make strong.*

corrumpō, ere, rūpī, ruptus, [com-+rumpo], *corrupt, ruin, destroy, debauch; tamper with, falsify.* corruptus, *depraved, corrupt.*

corruō, ere, uī, [com-+ruo], *fall together; collapse, fail.*

corruptēla, ae, [corruptus], f., *enticement, temptation;* pl., *corrupting arts.*

corruptor, ōris, [corrumpo], m., *corrupter, seducer.*

Coruncānius, ī, m., *Coruncanius,* a Roman gentile name.

Corvīnus, ī, m., *Corvinus,* a Roman family name.

Cotta, ae, m., a Roman family name.

cottīdiānus, a, um, [cottidie], *daily.*

cottīdiē, [quot+dies], adv., *daily, every day.*

crās, adv., *to-morrow.*

Crassus, ī, m., *Crassus,* a Roman family name.

crēber, bra, brum, *thick, close; numerous, frequent, repeated.*

crēbrō, [creber], adv., *frequently, often.*

crēdibilis, e, [credo], *to be believed, credible.*

crēdō, ere, didī, ditus, *believe, suppose; trust, intrust.*

crēdulus, a, um, [credo], *trustful, credulous.*

cremō, 1, *burn.*

creō, 1, *create, appoint, elect.*

crēscō, ere, crēvī, crētus, *increase, grow; improve.*

Crētēnsis, e, *Cretan;* pl. as noun, *Cretans.*

crīmen, inis, [cerno], n., *accusation, charge.*

crīminor, 1, [crimen], *accuse, charge.*

Critobūlus, ī, m., *Critobulus,* an Athenian.

Crotōniātēs, ae, m., *inhabitant of Crotona,* in southern Italy.

cruciātus, ūs, [crucio, *torture*], m., *torture, torment, punishment; pain.*

crūdēlis, e, [crudus], *cruel; severe, fierce; merciless, pitiless.*

crūdēlitās, ātis, [crudelis], f., *cruelty, harshness, severity.*

crūdēliter, [crudelis], adv., *cruelly, harshly, fiercely.*

crūditās, ātis, [crudus], f., *indigestion.*

crūdus, a, um, *raw, bloody, unripe.*

cruentus, a, um, [cruor, *gore*], *bloody, stained with blood.*

cubīle, is, [cubo, *lie down*], n., *couch, bed.*

culmus, ī, m., *stalk, stem.*

culpa, ae, f., *a fault, error; failure; guilt, blame.*

cultio, ōnis, [colo], f., *cultivation, tilling.*

cultūra, ae, [cf. colo], f., *tilling, cultivation.* **agri cultura,** *farming.*

1. **cum,** prep. with the abl., *with, together with, in the company of.*

2. **cum,** conj., *temporal, when, while, as, whenever;* causal, *since;* adversative, *though, although.* **cum . . . tum,** *while . . . at the same time; not only . . . but also.* **cum primum,** *as soon as.*

cumulō, 1, [cumulus], *heap up, increase; crown.*

cumulus, ī, m., *a heap, pile; addition.*

cūnae, ārum, f., *cradle.*

cunctor, 1, *delay.*

cūnctus, a, um, [for conjunctus], *all, whole, entire.*

cupidē, [cupidus], adv., *eagerly.*

cupiditās, ātis, [cupidus], f., *a longing, desire, eagerness; avarice, greed; passion, partisan passion; ambition.*

cupidus, a, um, [cupio], *desirous, eager, fond; greedy, covetous, avaricious.*

cupiō, ere, īvī, ītus, *long for, be eager for; wish, desire.*

cūr, adv., *why? wherefore?*

cūra, ae, f., *care; anxiety, solicitude, trouble; pains, effort.*

Cūria, ae, f., *Curia,* the *Curia Hostilia* or senate-house, in the Comitium.

Cūriō, ōnis, m., a Roman family name.

Cūrius, ī, m., *Curius,* Roman gentile name.

cūrō, 1, [cura], *care, care for, see to it; treat* (of sickness).

curriculum, ī, [curro, *run*], n., *race-course; course, career; training ground.*

currus, ūs, [curro, *run*], m., *a chariot, car.*

cursō, 1, [curro, *run*], *run back and forth.*

cursus, ūs, [curro, *run*], m., *a running, course; march; career; speed; voyage.*

curūlis, e, [currus], *of a chariot, curule.* **sella curulis,** *the curule chair.*

cūstōdia, ae, [custos], f., *guarding; guard, watch, sentinel; custody, confinement; protection.*

cūstōdiō, īre, īvī, ītus, [custos], *guard, watch.*

cūstōs, ōdis, c., *a guard, guardian, protector.*

Cybistra, ōrum, n., *Cybistra,* a town of Cappadocia.

Cȳrus, ī, m., *Cyrus,* the Persian.

Cȳzicēnus, a, um, adj., *of Cyzicus.*

Cȳzicus, ī, f., *Cyzicus,* a city of northwestern Asia Minor on the Propontis.

D. =Decimus.

d., abbreviation for **diem.**

dacruma, ae, f., *tear;* early form of *lacruma.*

damnātiō, ōnis, [damno], f., *condemnation, conviction.*

damnō, 1, [damnum, *damage*], *condemn, convict.*

Dārīus, ī, m., *Darius,* King of the Persians.

dē, prep. with abl., *from, down from, away from; out of, of; for, on account of; about, concerning.*

dēbeō, ēre, uī, itus, [de+habeo], *withhold* and so *owe;* with inf., *ought, deserve.*

dēbilis, e, [de+habilis, *easily handled*], *weak, feeble.*

dēbilitō, 1, [debilis], *weaken, enfeeble, cripple; overwhelm, overcome.*

dēbitus, a, um, [debeo], *due, just, deserved.*

dēcēdō, ere, cessī, cessūrus, [de+cēdo], *withdraw, depart, go away; make way for.*

decem, indecl., *ten.*

December, brıs, bre, *of December.*

dēcernō, ere, crēvī, crētus, [de +cerno], *decide, determine; resolve, vote, support, decree.*

dēcerpō, ere, psī, ptus, [de+ carpo, *pick*], *pluck off; take away, detract.*

decet, ēre, decuit, *it is becoming, it is fitting.*

dēcidō, ere, cidī, [de+cado], *fall.*

decimus, a, um, [decem], *tenth.*

Decimus, ī, m., *Decimus,* a Roman praenomen.

Decius, ī, m., *Decius,* a Roman gentile name.

dēclārō 1, [de+claro, *illumi-*

nate], *declare, show, prove; announce.*

dēclīnātiō, ōnis, [declino, *bend aside*], f., *a turning aside.*

dēcoctor, ōris, [decoquo, *boil down*], m., *a spendthrift, bankrupt.*

decorō, 1, [decus, *decoration*], *adorn; honor, glorify, extol.*

decōrus, a, um, [decet], *becoming.*

dēcrētum, ī, [decerno], n., *a decree, decision, resolution.*

decuma, ae, [decima: sc. **pars**], f., *a tenth part, tithe.*

dēcurrō, ere, cucurrī, cursus, [de+curro, *run*], *run through, complete.*

dēdecus, oris, [de+decus, *glory*], n., *disgrace, shame, dishonor, infamy; vice.*

dēdicō, 1, [de+dĭco, *proclaim*], *dedicate, consecrate.*

dēditiō, ōnis, [dedo], f., *a giving up, surrender.*

dēdō, ere, didī, ditus, [de+do], *give up, surrender; devote, dedicate; lend.* **deditus**, *devoted, dedicated, given up.*

dēdūcō, ere, dūxī, ductus, [de+ duco], *to lead away, lead out; conduct, escort; turn aside, lead away from; bring, reduce.*

dēfatīgātiō, ōnis, [defatigo], f., *weariness, fatigue.*

dēfatīgō, 1, [de+fatigo, *weary*], *wear out, exhaust, make weary.*

dēfectiō, ōnis, [deficio], f., *failing; eclipse.*

dēfendō, ere, dī, sus, [de+obsolete fendo, *strike*], *ward off; defend, guard, protect; maintain.*

dēfēnsor, ōris, [defendo], m., *defender, supporter.*

dēferō, ferre, tulī, lātus, [de+

fero], *bring away, carry off, carry; report, announce, lay before; confer upon, bestow.*

dēfessus, a, um, [defetiscor, *become tired*], *worn out, weary.*

dēficiō, ere, fēcī, fectus, [de+facio], *revolt; fail, be wanting.*

dēfīgō, ere, fīxī, fīxus, [de+figo], *fasten, fix, plunge, plant.*

dēfīniō, īre, īvī, ītus, [dc+finio], *bound, limit.*

dēflagrō, 1, [de+flagro], *burn down, destroy, ruin; be destroyed.*

dēgō, ore, [de+ago], *pass, spend.*

deiciō, ere, jēcī, jcctus, [de+jacio], *throw down, overthrow; thrust aside; avert.*

dein, deinde, [de+inde], adv., *thereupon, then.*

dēlābor, ī, lāpsus, [de+lābor], *glide down, descend.*

dēlectātiō, ōnis, [delecto], f., *delight, pleasure.*

dēlectō, 1, [delicio, *allure*], *delight, please, entertain, charm.*

dēlēctus, ūs, [deligo], m., *choosing; levy.*

dēleō, ēre, ēvī, ētus, *erase, blot out; destroy, ruin.*

dēlīberātiō, ōnis, [delibero], f., *deliberation, consultation.*

dēlīberō, 1, *deliberate, consider.*

dēlībō, 1, [de+libo, *pour*], *take a small portion of; draw from.*

dēlicātus, a, um, *voluptuous, wanton.*

dēlīctum, ī, [delinquo, *be wanting*], n., *a fault; sin, crime, wrong.*

dēligō, ere, lēgī, lēctus, [de+lego], *choose, select, pick out.*

dēlīrātiō, ōnis, [delirus, *silly*] f., *imbecility, dotage.*

Dēlos, ī, f., *Delos*, one of the Cyclades.

dēlūbrum, ī, [de+luo], n., *place of purification; shrine, sanctuary, temple.*

dēmēns, entis, [de+mens], *out of one's mind; mad, crazy; maddened.*

dēmenter, [demens], adv., *senselessly, foolishly.*

dēmentia, ae, [demens], f., *folly, madness.*

dēmergō, ere, mersī, mersus, [de+mergo, *dip*], *sink, drown, bury.*

dēmetō, ere, messuī, messus, [de+meto, *reap*], *reap.*

dēmigrō, 1, [de+migro, *depart*], *migrate; travel off.*

dēminuō, ere, uī, ūtus, [de+minuo], *lessen; take away.*

dēminūtiō, ōnis, [deminuo], f., *a diminution, decrease, loss, sacrifice.*

Dēmocritus, ī, m., *Democritus,* a Greek philosopher.

dēmōlior, īrī, ītus, [de+molior], *tear down, demolish.*

dēmōnstrō, 1, [de+monstro, *show*], *point out, show, indicate.*

dēmum, adv., *at length.*

dēnique, adv., *at last, finally, in fine, in short.*

dēnotō, 1, [de+noto], *mark, designate.*

dēnsus, a, um, *dense, thick.*

Dentō, ōnis, m., *Dento*, a Roman family name.

dēnūntiō, 1, [de+nuntio], *announce, declare.*

dēpellō, ere, pulī, pulsus, [de+pello], *throw down, overturn; drive away, drive out; ward off, remove. avert.*

dēpendō, ere, dī, [de+pendo], *pay.*

dēplōrō, 1, [de+ploro, *wail*], *deplore, lament.*

dēpōnō, ere, posuī, positus, [de+pono], *lay aside, dismiss, abandon.*

dēportō, 1, [de+porto, *carry*], *carry off, take away; bring home.*

dēposcō, ere, poposcī, [de+posco, *ask*], *demand, claim.*

dēprāvō, 1, [de+pravus, *crooked*], *distort, pervert, corrupt.*

dēprecātor, ōris, [deprecor], m., *intercessor, advocate, mediator.*

dēprecor, 1, [de+precor], *deprecate, avert by prayer; plead for, intercede for.*

dēprehendō, ere, dī, sus, [de+prehendo, *grasp*], *grasp, seize, apprehend; detect; understand, comprehend.*

dēprimō, ere, pressī, pressus, [de+premo], *depress, press down, sink, bring down.*

dēprōmō, ere, prōmpsī, prōmptus, [de+promo, *take out*], *draw out, draw.*

dēpugnō, 1, [de+pugno], *fight to the end.*

dēputō, 1, [de+puto], *think, deem.*

dērelinquō, ere, līquī, līctus, [de+relinquo], *forsake, desert, abandon.*

dēscendō, ere, endī, ēnsum, [de+scando], *descend, dismount.*

dēscrībō, ere, īpsī, īptus, [de+scribo], *draw, describe; write out, compose.*

dēserō, ere, ruī, rtus, [de+sero *entwine*], *desert, forsake, abandon.*

dēsertus, a, um, [desero], *deserted, abandoned, solitary.*

dēsīderātiō, ōnis, f., *a missing, longing for.*

dēsīderium, ī, [desidero], n., *longing, desire, yearning.*

dēsīderō, 1, *desire, long for, yearn for; feel the absence of, note the absence of.*

dēsignō, 1, [de+signo, *mark*], *mark, mark out; choose, elect.* **consul designatus**, *consul elect.*

dēsinō, ere, siī, situs, [de+sino], *cease, stop.*

dēsipiēns, entis, [de+sapiens], *foolish, silly.*

dēsistō, ere, stitī, stitūrus, [de+sisto, *stand*], *desist, cease.*

dēspērātiō, ōnis, [despero], f., *hopelessness, despair.*

dēspērātus, a, um, [despero], *despaired of, desperate, abandoned.*

dēspērō 1, [de+spero], *despair of.*

dēspiciō, ere, exī, ectus, [de+specio, *look*], *look down upon, disparage.*

dēstringō, ere, īnxī, ictus, [de+stringo, *draw tight*], *to strip off; unsheathe, draw.*

dēstruō, ere, strūxī, strūctus, [de+struo], *destroy, take apart.*

dēsūdō, 1, [de+sudo, *sweat*], *sweat, toil.*

dēsum, esse, fuī, futūrus, [de+sum], *be wanting, be lacking, fail; be remiss.*

dēterreō, ēre, uī, itus, [de+terreo], *discourage, hinder.*

dētestābilis, e, [detestor], *detestable, abominable.*

dētestor, 1, [de+testor], *protest against; ward off by protest.*

dētrahō, ere, trāxī, trāctus, [de+traho], *take away, subtract, withdraw; take.*

dētrīmentum, ī, [detero, *rub off*], n., *that which is worn away; loss, detriment, harm, defeat, disaster.*

deus, ī, m., *god.*

dēversōrium, ī, [deverto, *turn aside*], n., *halting place, inn.*

dēvinciō, īre, nxī, nctus, [de+vincio], *bind, attach.*

dēvincō, ere, vīcī, victus, [de+vinco], *conquer completely, overcome.*

dēvocō, 1, [de+voco], *call away, allure.*

dēvoveō, ēre, vōvī, vōtus, [de+voveo, *vow*], *devote, offer, consecrate.*

dextera, or dextra, ae, [*i.e.* manus], f., *right hand.*

dīcō, ere, dīxī, dictus, *say, speak, tell, mention, declare, state; call.*

dictātor, ōris, [dicto, *dictate*], m., *dictator,* an extraordinary Roman magistrate.

dictātūra, ae, [dictator], f., *dictatorship.*

dictiō, ōnis, [dico], f., *saying;* of justice, *dispensation.*

dictitō, 1, [dicto, *dictate*], *say often, keep saying, insist.*

diēs, ēī, m. and f., *day, time.* in dies or in dies singulos, *daily, from day to day.*

differō, ferre, distulī, dīlātus, [dis-+fero], *differ; postpone.*

difficilis, e, [dis-+facilis], *difficult, hard; churlish.*

difficultās, ātis, [difficilis], f., *difficulty, trouble.*

difficulter, [difficilis], adv., *with difficulty.*

diffīdō, ere, fīsus, [dis-+fido, *trust*], *distrust, despair of.*

diffluō, ere, flūxī, [dis-+fluo], *flow in different directions; fall apart, crumble to pieces.*

diffundō, ere, fūdī, fūsus, [dis-+fundo, *pour*], *pour out; expand.*

dignē, [dignus], adv., *worthily, fittingly.*

dignitās, ātis, [dignus], f., *worth, merit; dignity, standing, honor, rank, prestige, authority.*

dignus, a, um, *worthy, deserving, suitable.*

dīgressus, ūs, [digredior, *separate*], m., *separation, parting.*

dījūdicō, 1, [dis-+judico], *distinguish; decide, adjust.*

dīlābor, ī, lāpsus, [dis-+lābor], *fall asunder, fall apart.*

dīlātiō, ōnis, [differo], f., *a putting off, postponement.*

dīligēns, entis, [diligo], *industrious, watchful, careful, diligent, particular, scrupulous.*

dīligenter, [diligens], adv., *industriously, scrupulously, diligently, carefully.*

dīligentia, ae, [diligens], f., *industry, attention, pains, care, diligence, fidelity.*

dīligō, ere, lēxī, lēctus, [dis-+lego], *choose, single out; love, esteem.*

dīlūcēscō, ere, lūxī, [dis-+lucesco, *grow light*], *grow light.*

dīmētior, īrī, mēnsus, [dis-+metior], *measure, lay out.*

dīmicātiō, ōnis, [dimico], f., *contention, contest, struggle.*

dīmicō, 1, [dis-+mico, *dart*], *to fight, contend, struggle.*

dīmittō, ere, mīsī, missus, [dis-+mitto], *let go, dismiss, abandon; disband;* pass., *break up.*

Diogenēs, is, m., *Diogenes,* a Greek philosopher.

dīreptiō, ōnis, [diripio], f., *a plundering, pillaging.*

dīreptor, ōris, [diripio], m., *robber, plunderer.*

dīrigō, ere, rēxī, rēctus, [dis-+rego], *arrange* (in lines).

dīripiō, ere, uī, eptus, [dis-+rapio], *tear asunder, tear in pieces; lay waste, ravage.*

dīritās, -ātis, f., *severity.*

discēdō, ere, cessī, cessūrus, [dis-+cēdo], *go apart, scatter; withdraw, go away, depart.*

discernō, ere, crēvī, crētus, [dis-+cerno], *separate; settle.*

discessus, ūs, [discedo], m., *going away, departure, withdrawal.*

discidium, ī, [discindo, *tear apart*], n., *separation.*

disciplīna, ae, [discipulus, *pupil*], f., *training, discipline, skill; pursuit, study.*

discō, ere, didicī, [cf. **doceo**], *learn.*

discordia, ae, [dis-+cor, *heart*], f., *discord, dissension.*

discrībō, ere, īpsī, īptus, [dis-+scribo], *mark out, distribute, assign, allot, apportion; lay out, arrange.*

discrīmen, inis, [discerno], n., *decisive moment* or *event; crisis, danger, peril, hazard.*

discrīptiō, ōnis, [discribo], f., *arrangement.*

discumbō, ere, cubuī, cubitūrus, [dis-+CUB, *lie*], *recline at table.*

disertus, a, um, *eloquent.*

disjūnctus, a, um, [disjungo,

separate], *separated; distant, remote.*

dispār, ăris, [dis-+par], *unequal, unlike.*

dispergō, ere, sī, sus, [dis-+spargo], *scatter, spread.* **dispersus,** *scattered, widespread.*

dispertiō, īre, īvī, ītus, [dis-+partio, *divide*], *allot, distribute.*

disputātiō, ōnis, [disputo], f., *discussion.*

disputō, 1, [dis-+puto], *discuss, debate; maintain.*

dissēminō, 1, [dis-+semino, *sow*], *spread abroad, disseminate.*

dissēnsiō, ōnis, [dissentio], f., *difference of opinion, discord, strife, dissension.*

dissentiō, īre, sēnsī, sēnsum, [dis-+sentio], *dissent, disagree.*

disserō, ere, uī, ertus, [dis-+sero, *entwine*], *discuss, discourse, set forth.*

dissideō, ēre, ēdī, [dis-+sedeo], *sit apart; be at variance, be at strife.*

dissimilis, e, [dis-+similis], *unlike, different.*

dissimilitūdō, inis, [dissimilis], f., *unlikeness, difference.*

dissimulō, 1, [dis-+simulo], *make unlike, conceal, hide, disguise; dissemble.*

dissipō, 1, *spread abroad, scatter.*

dissolvō, ere, solvī, solūtus, [dis-+solvo], *break up, loosen, take apart, bring to an end; relax.* **dissolutus,** *lax, remiss, broken down.*

distrahō, ere, āxī, āctus, [dis-+traho], *tear apart; tear away, take away, snatch.* **distractus,** *divergent.*

distribuō, ere, uī, ūtus, [dis-+

tribuo], *divide, allot, apportion, assign.*

distringō, ere, strīnxī, strictus, [dis-+stringo, *draw tight*], *distract.*

diū, adv., *long, for a long time.*

diurnus, a, um, [dies], *by day, in the daytime.*

diūturnitās, ātis, [diuturnus], f., *length of time, duration.*

diūturnus, a, um, [diu], *long, long continued, protracted.*

dīvellō, ere, vellī, vulsus, [dis-+vello, *rend*], *tear apart; separate, sever.*

dīversus, a, um, [divertō, *turn away*], *turned different ways; different, various, varying, diverse.*

dīvertium, ī, [diverto, *turn away*], n., *a turning away.* aquarum divertium, *watershed.*

dīvidō, ere, vīsī, vīsus, *divide, separate; apportion.*

dīvinē, [divinus], adv., *divinely, admirably.*

dīvīnitās, ātis, [divinus], f., *divinity, divine origin.*

dīvīnitus, [divinus], adv., *by divine favor, by divine providence, divinely, providentially.*

dīvīnō, 1, *divine, forebode, foretell.*

dīvīnus, a, um, [divus, *divine*], *of the gods; divine, godlike.*

dīvitiae, ārum, [dives, *rich*], f., *riches, wealth.*

dō, ăre, dedī, datus, *give, give up, grant, allow; offer, furnish, afford, bestow; assign; put.* litteras dare, *send or write a letter.*

doceō, ēre, uī, ctus, *teach; show, demonstrate, prove.*

doctrīna, ae, [doceo], f., *instruction, teaching, learning; theory, culture.*

doctus, a, um, [doceo], *taught trained; learned.*

Dolābella, ae, m., *Dolabella* son-in-law of Cicero.

doleō, ēre, uī, itūrus, *be pained, grieve.*

dolor, ōris, [doleo], m., *pain; grief, distress; resentment.*

domesticus, a, um, [domus], *of the home; private, domestic; civil, internal.*

domicilium, ī, [domus], n., *abode, dwelling, home.*

domina, ae, [cf. dominus], f., *mistress.*

dominātiō, ōnis, [dominor], f., *mastery, supremacy, power.*

dominātus, ūs, [dominor], m., *mastery, supremacy.*

dominor, 1, [dominus], *be master.*

dominus, ī, [domo], m., *master.*

domō, āre, uī, itus, *tame; subdue.*

domus, ūs, f., *house, household, home.* domi, *at home.*

dōnō, 1, [donum], *present, give.*

dōnum, ī, [do], n., *present, a gift.*

dormiō, īre, īvī, ītum, *sleep.*

Drūsus, ī, m., *Drusus,* a Roman family name.

dubitātiō, ōnis, [dubito], f., *doubt, hesitation, uncertainty, misgiving.*

dubitō, 1, [dubius], *hesitate, doubt.*

dubius, a, um, [cf. duo], *doubtful, uncertain.* sine dubio, *without doubt, beyond question.*

dūcō, ere, ūxī, uctus, *lead, draw; guide, conduct, take; drag away; lead on, draw on, in-*

fluence; derive; consider, hold, regard.

ductus, ūs, [duco], m., *leading; direction, guidance.*

dūdum, [diu+dum], adv., *long, for a long time.*

Duilius, ī, m., *Duilius,* a Roman gentile name.

duim, (duīs, duit), archaic form used as equivalent of present subjunctive of **do**, but from a different root.

dulcēdō, inis, [dulcis], f., *sweetness, charm.*

dulcēscō, ere, [dulcis], *grow sweet.*

dulcis, e, *sweet, mild.*

dum, conj., *while; until; as long as; provided, provided only.* **dum modo**, *provided, provided only.*

dumtaxat, adv., *merely, only.*

duo, ae, o, *two.*

duodecim, [duo+decem], *twelve.*

dūritās, ātis, [durus], f., *hardness, harshness, brutality.*

dūrus, a, um, *hard, harsh; unsympathetic.*

dux, ducis, [cf. **duco**], c., *a leader, guide; commander, general.*

Dyrrachium, ī, n., *Dyrrachium,* a town in Illyricum.

ē, see **ex**.

ēbriōsus, a, um, [ebrius, *drunk*], *addicted to drink.* As noun, *sot, drunkard.*

ecquī or **ecquis**, **ecquae** or **ecqua**, **ecquid** or **ecquod**, *any one? anything? any? whether any (thing).*

ecquid, [ecquis], adv., *anything at all? at all?*

edepol, interj., *by Pollux, in truth, verily.*

ēdictum, ī, [edico, *proclaim*], n., *a proclamation, ordinance, edict.*

ēdō, ere, didī, ditus, [e+do], *give forth, set forth, make known.*

ēdoceō, ēre, cuī, ctus, [e+doceo], *show.*

ēdūcō, ere, dūxī, ductus, [e+duco], *lead forth, lead out, take away, take along; conduct, lead; draw.*

efferō, ferre, extulī, ēlātus, [ex+fero], *bring forth, bring out; carry forth, carry out; exalt, raise up, elevate; praise, extol;* pass., *be carried away.*

effētus, a, um, *worn out.*

efficiō, ere, fēcī, fectus, [ex+facio], *accomplish, effect; bring about, bring to pass.*

effigiēs, (ēī), [ex+fingo], f., *copy, image, likeness.*

effluō, ere, ūxī, [ex+fluo], *flow away; elapse.*

effrēnātē, [effrenatus], adv., *unbridled; without restraint.*

effrēnātus, a, um, [ex+frenatus, *bridled*], *unbridled.*

effugiō, ere, fūgī, [ex+fugio], *flee away, escape, escape from.*

egēns, ntis, [egeo], *poor, needy.*

egeō, ēre, uī, *lack, need.*

egestās, ātis, [egens], f., *need, want, destitution, poverty.*

ego, meī, *I.*

egomet, emphatic for **ego**.

ēgredior, ī, gressus, [e+gradior, *step*], *go forth.*

ēgregius, a, um, [e+grex], *select, excellent, admirable, superior.*

ēiciō, ere, jēcī, jectus, [e+jaciō], *cast out, drive out, eject, get rid of.* **se eicere**, *hasten forth.* **ejectus**, as adj., *outcast.*

ēlābor, ī, ēlāpsus, [e+lābor], *slip away, slip; escape.*

ēlabōrō, 1, [e+laboro], *toil, make effort, take pains; perfect, elaborate.*

ēleganter, [elegans, *elegant*], adv., *with taste, with refinement.*

elephantus, ī, m., *elephant.*

Eleutherocilicēs, um, m., *Eleutherocilicians, i.e. Free Cilicians.*

ēliciō, ere, uī, lectus, [e+lacio, *lure*], *draw forth, lure forth.*

ēlogium, ī, n., *epigram, inscription.*

ēlūdō, ere, sī, sus, [e+ludo, *play*], *make sport of, baffle, mock.*

ēmancipō, 1, [e+mancipo, *deliver up*], *transfer, sell into bondage.*

ēmereō, ēre, uī, itus, [e+mereo, *deserve*], *earn, serve through, finish.*

ēmergō, ere, sī, sum, [e+mergo, *dip*], *rise, emerge; come forth.*

ēminus, [e+manus], adv., *at a distance.*

ēmittō, ere, mīsī, missus, [e+mitto], *let go, let slip, let escape.*

emō, ere, ēmī, ēmptus, *buy.*

ēmorior, ī, mortuus, [e+morior], *die.*

ēn, interj., *lo, behold!*

ēnārrō, 1, [e+narro], *recount, enumerate.*

ēnervō, 1, [e+nervus], *enervate, weaken.*

enim, postpositive conj., *for,* with **neque, at,** etc., *often, indeed, in fact.*

Ennius, ī, m., *Ennius, the Roman poet.*

ēnumerō, 1, [e+numero, *number*], *enumerate.*

1. eō, īre, īvī, itum, *ao, march, pass.*

2. eō, [is], adv., *to that place, thither, there; to that point.*

eōdem, [idem], adv., *to the same place.*

Ephesus, ī, f., *Ephesus, a city in Ionia.*

epigramma, atis, [Gr. ἐπίγραμμα *inscription*], n., *an inscription; an epigram.*

epistula, ae, [Gr. ἐπιστολή, *letter*], f., *epistle, letter.*

epulae, ārum, f, *banquet.*

epulāris, e, [epulum, *banquet*], *belonging to a banquet.*

epulor, 1, [epulum, *banquet*], *banquet, feast.*

eques, itis, [equus], m., *horseman, knight.*

equidem, [quidem], adv., *in Cicero usually referring to the first person, I indeed, I at least, I at any rate, I for my part,* etc.

equitātus, ūs, [equito, *ride*], m., *cavalry.*

equus, ī, m., *horse.*

ergā, prep. with acc., *toward towards.*

ergō, adv., *therefore, then, consequently, accordingly.*

ērigō, ere, rēxī, rēctus, [e+rego], *raise up, lift up; encourage, cheer.* **erectus,** a, um, *eager, ready.*

ēripiō, ere, ipuī, eptus, [e+rapio], *snatch away, take away, wrest from; remove; rescue from, save from.*

errāticus, a, um, [erro], *wandering, straggling.*

errō, 1, *wander; be mistaken, err.*

error, ōris, [cf. **erro**], m., *wandering; error.*

ērūctō, āre [e+ructo, *belch*], *to belch forth.*

ērudiō, īre, īvī, ītus, [e+rudis], *instruct, educate.* **eruditus,** *educated, accomplished, cultivated.*

ērudītē, [eruditus], adv., *in polished manner.*

ērumpō, ere, rūpī, ruptus, [e+rumpo], *burst forth, break out.*

ēsca, ae, [ĕdo, *eat*], f., *bait.*

ēscendō, ere, endī, ēnsus, [e+scando], *climb, mount, ascend.*

et, adv. and conj.: 1) As adv., *also, too.* 2) As conj., *and.* **et . . . et,** *both . . . and.*

etenim, conj., *for, for truly, and indeed.*

etiam, [et+jam], adv., *also, even, actually, further, again, too.* **etiam atque etiam,** *again and again.* **non . . . solum, sed . . . etiam,** *not only . . . but also.*

etiamsī, conj., *even if.*

Etrūria, ae, f., *Etruria,* a district of central Italy.

etsī, conj., *even if, though, although.*

ēvādō, ere, sī, sūrus, [e+vado, *go*], *escape; turn out.*

ēveniō, īre, vēnī, ventum, [e+venio], *happen, come to pass.*

ēventus, ūs [evenio], m., *outcome, issue.*

ēversiō, ōnis, [everto], f., *overthrow.*

ēvertō, ere, tī, sus, [e+verto, *turn*], *overturn, overthrow, destroy.*

ēvocātor, ōris, [evoco, *call out*], m., *a summoner, instigator.*

ēvomō, ere, uī, itus, [e+vomo, *vomit*], *vomit forth; eject.*

ex, ē, (*e* is not used before vowels), prep. with abl., *from, out of; of; since, after; because of, on account of; according to; in, on.*

exaggerō, 1, [ex+aggero, *pile up*], *heap up, gather, accumulate.*

exāmen, inis, [exigo], n., *swarm.*

exanimō, 1, [exanimus, *lifeless*], *deprive of breath; distract.*

exaudiō, īre, īvī, ītus, [ex+audio], *to hear clearly, hear.*

excēdō, ere, cessī, cessūrus, [ex+cedo], *go out, depart, pass.*

excellēns, entis, [excello], *superior, surpassing, admirable.*

excellō, ere, [ex+cello, *project*], *tower above, exceed, surpass, excel.*

excelsus, a, um, [excello], *elevated, lofty.*

excidō, ere, cidī, [ex+cado], *fall, drop.*

excīdō, ere, cīdī, cīsus, [ex+caedo, *cut*], *cut down, destroy completely.*

excipiō, ere, cēpī, ceptus, [ex+capio], *take out, except; intercept, pick up; receive, harbor; perpetuate.*

excitō, 1, [ex+cito. *set in motion*], *stir up, excite, rouse, fire, kindle; raise, raise up.*

exclūdō, ere, sī, sus, [ex+claudo], *shut out, exclude.*

excolō, ere, coluī, cultus, [ex+colo], *cultivate, improve, refine.*

excruciō, 1, [ex+crucio, *torture*], *torture, distress.*

excubiae, ārum, [excubo, *lie out*

on guard], f., watch; protection.

excursiō, ōnis, [excurro, run out], f., sally; raid, inroad.

excūsātiō, ōnis, [excuso], f., excuse.

excūsō, 1, [ex+causa], excuse.

exemplum, ī, [eximo, take out, select], n., example, instance, precedent, model, copy.

exeō, īre, iī, itūrus, [ex+1. eo], go out, go away, go forth, depart.

exerceō, ēre, uī, itus, [ex+arceo], train; exercise, occupy, busy, engage; harass, distress; conduct, preside over, manage.

exercitātiō, ōnis, [exercito, train], f., practice, training, skill.

exercitātus, a, um, [exercito, train], practised, experienced, trained.

exercitus, ūs, [exerceo], m., army.

exhauriō, īre, hausī, haustus, [ex+haurio], draw off, draw out, drain, bail out, get rid of; accomplish; fulfil.

exigō, ere, ēgī, āctus, [ex+ago], drive out; finish, complete; exact, collect.

exiguus, a, um, slight, small, scanty, brief.

eximiē, [eximius], adv., exceedingly, extremely.

eximius, a, um, [eximo, select], chosen, choice, excellent, superior, distinguished, extraordinary.

exīstimātor, ōris, [existimo], m., judge, critic.

exīstimō, 1, [ex+aestimo], consider, think, judge, suppose.

exitiōsus, a, um, [exitium], deadly, pernicious.

exitium, ī, [exeo], n., ruin, destruction.

exitus, ūs, [exeo], m., issue, outcome; end.

exoptō, 1, [ex+opto], long for. exoptatus, desired; gratifying.

exōrnō, 1, [ex+orno], furnish; embellish, adorn.

exōrō, 1, [ex+oro], succeed in one's entreaty, prevail upon.

exōrsus, ūs, [exordior, begin], m., beginning, commencement.

expediō, īre, īvī, ītus, [ex+pes], extricate, clear away; help. Impersonal, expedit, it helps, is advantageous, is expedient.

expellō, ere, pulī, pulsus, [ex+pello], drive out, drive away, expel, eject.

experior, īrī, pertus, have experience of, try, test.

expers, tis, [ex+pars], having no part in, without a share.

expetō, ere, īvī, ītus, [ex+peto], seek out, seek after, seek, beg, request.

expīlō, 1, [ex+pilo, rob], pillage, plunder, rob.

expleō, ēre, ēvī, ētus, [ex+pleo, fill], fill up, fill, satisfy.

explicō, āre, āvī or uī, ātus or itus, [ex+plico, fold], disentangle, set free, liberate, explain, set forth; carry out.

explōrō, 1, [ex+ploro, bring complaint], to search out, explore, examine, investigate. explorātus, settled, certain.

expōnō, ere, posuī, positus, [ex+pono], set forth, explain.

exportō, 1, [ex+porto, carry], carry out, export.

exprimō, ere, pressī, pressus, [ex+premo], press out, squeeze out; model; portray, *delineate.* **expressus,** *clear cut, carefully delineated.*

exprŏmō, ere, prōmpsī, prōmptus, [ex+promo, *produce*], *exhibit.*

expugnātiō, ōnis, [expugno, *capture*], f., *capture, storming.*

exquirō, ere, sīvī, sītus, [ex+quaero], *search out, investigate.*

exsequor, ī, secūtus, [ex+sequor], *follow out, follow up, execute, perform; attain.*

exsilium, ī, [exsul], n., *banishment, exile.*

exsistō, ere, stitī, [ex+sisto, *stand*], *stand forth, come forth; be manifest, appear; exist, be.*

exsolvō, ere, solvī, solūtus, [ex+solvo], *set loose, set free, deliver.*

exspectātiō, ōnis, [exspecto], f., *expectation, anticipation.*

exspectō, 1, [ex+specto], *look for, await, expect, anticipate; look forward to; hope for.*

exstinguō, ere, īnxī, īnctus, [ex+stinguo, *put out*], *put out, quench, extinguish; blot out, destroy; end.*

exstō, āre, [ex+sto], *stand out, stand forth; exist, be; be extant.*

exstruō, ere, ūxī, ūctus [ex+struo], *build up, pile up, load.*

exsul, ulis, [ex+salio, *jump*], c., *exile.*

exsultō, 1, [exsilio, *jump forth*], *dance for joy, exult.*

extenuō, 1, [ex+tenuo, *make thin*], *lessen, diminish, weaken; belittle.*

exter, or **exterus,** a, um, [ex], *outer, foreign.* Superlative, **extrēmus,** *furthest, remotest, last, extreme, at the end.*

exterminō, 1, [ex+terminus], *drive away, banish.*

externus, a, um, [exter], *foreign.*

extimēscō, ere, muī, [ex+timeo], *be in great fear of, dread.*

extollō, ere, [ex+tollo], *lift up, raise up.*

extorqueō, ēre, sī, tus, [ex+torqueo, *twist*], *wrench away, wrest from.*

extrā, prep. with acc., *outside, outside of.*

extrēmus, a, um, see **exter.**

extrūdō, ere, trūsī, trūsus, [ex+trudo, *push*], *thrust out; bring pressure to bear on.*

exuō, ere, uī, ūtus, *take off, put off, lay aside.*

exūrō, ere, ussī, ūstus, [ex+uro, *burn*], *burn up, consume.*

exuviae, ārum, [exuo], f., *spoils, trophies.*

Fabius, ī, m., *Fabius,* a Roman gentile name.

Fabricius, ī, m., *Fabricius,* a Roman gentile name.

fābula, ae, [fari, *speak*], *story, fable, myth; play.*

facile, [facilis], adv., *easily, willingly.*

facilis, e, [facio], *easy.*

facilitās, ātis, [facilis], f., *ease, facility; affability, courtesy.*

facinorōsus, a, um, [facinus], *criminal, wicked.* As noun, pl., *criminals.*

facinus, oris, [facio], n., *a deed; wickedness, crime.*

faciō, ere, fēcī, factus, *make, do, act; build, erect, construct; bring about, accomplish, execute, perform; elect, appoint; represent.* Pass., **fīo,** fierī, factus sum, *be made, become, occur, happen.*

factum, ī, [facio], n., *a deed, act.*

facultās, ātis, [facilis], f., *ability, capacity, facility, readiness, skill, power; opportunity;* pl., *property.*

Faesulae, ārum, f., *Faesulae,* a city of Etruria; the modern *Fiesole.*

Faesulānus, a, um, *of Faesulae, Faesulan.*

falcārius, ī, [falx, *sickle*], m., *scythe-maker.*

Falcidius, ī, m., *Falcidius,* a Roman gentile name.

fallō, ere, fefellī, *deceive, disappoint; escape the notice of.*

falsō, [falsus], adv., *erroneously, falsely.*

falsus, a, um, [fallo], *false, groundless, pretended; unmerited.*

fāma, ae, [fari, *to speak*], f., *report, rumor; reputation, good name, renown, fame.*

famēs, is, (abl. famē), f., *hunger.*

familia, ae, [famulus, *slave*], f., *body* or *company of slaves; household, house, family.*

familiāris, e, [familia], *belonging to the family, private, friendly, intimate.* As noun, m., *intimate friend, familiar friend.* **res familiaris,** *private property, property.*

familiāritās, ātis, [familiaris], f., *intimacy, familiarity.*

familiāriter, [familiaris], adv., *intimately, on intimate terms.*

fānum, ī, [fas], n., *a shrine, sanctuary.*

fās, [fari, *to speak*], n., *divine right;* with **est,** *it is right, lawful, destined, fitting.*

fascis, is, m., *bundle of rods;* pl., *fasces.*

fātālis, e, [fatum], *fated, destined; fatal, destructive.*

fateor, ērī, fassus, *confess, acknowledge.*

fātum, ī, [[fari, *speak, foretell*]], n., *fate, destiny.*

faucēs, ium, f. pl., *throat, jaws; pass, defile.*

faveō, ēre, fāvī, fautūrus, *be favorable, favor, approve of.*

Favōnius, ī, m., *Favonius,* a Roman gentile name.

fax, facis, f., *firebrand; meteor.*

febris, is, f., *fever.*

fēcundus, a, um, *fertile.*

fēlicitās, ātis, [felix, *happy*], f., *happiness; good luck, good fortune, success.*

fēmina, ae, f., *female, woman.*

fēnus, oris, n., *interest, profit.*

ferē, adv., *about, almost, nearly; roughly speaking; as a rule, usually, generally.*

feriō, īre, *strike, execute.*

ferō, ferre, tulī, lātus, *bear, carry, bring; endure, tolerate, suffer, admit; propose, offer, bring forward; gain, receive; report, say; celebrate; conduct, manage.*

ferōcitās, ātis, [ferox, *wild*], f., *fierceness, cruelty; impetuosity.*

ferrāmentum, ī, [ferrum], n., *tool* or *implement of iron; sword, weapon.*

ferreus, a, um, [ferrum], *made of iron, iron; hard, unfeeling.*

ferrum, ī, n., *iron; weapon, sword.*

fertilis, e, [fero], *fertile, productive.*

ferus, a, um, *wild, savage.*

fervor, ōris, [ferveo, *boil*], m., *heat; fervor.*

fēstus, a, um, *festive, festal.*

fibra, ae, f., *filament, fibre.*

fīctus, a, um, [fingo], *false, imaginary, fictitious.*

fīcus, ī, f., *fig.*

fidēlis, e, [1. fides], *faithful, trusty, true, sincere.*

1. **fidēs,** eī, f., *faith, trust, confidence, belief, credit; honor, honesty, promise; loyalty, devotion; pledge, protection.*

2. **fidēs,** ium, f. pl., *strings; lyre.*

Fidius, ī, [1. fides], m., *the god of faith,* a name of Jupiter in the expression, **mēdius fidius** (*i.e.* me dius Fidius juvet*), *so help me the god Fidius, so help me Heaven!*

fidūcia, ae, [fido, *trust*], f., *faith, trust, confidence.*

fīgō, ere, fīxī, fīxus, *fix, fasten, plant.* **fixus,** *fixed, unavoidable.*

Figulus, ī, m., *Figulus,* a Roman surname.

fīlia, ae, f., *a daughter.*

fīliola, ae, f., *dear* or *young daughter.*

filiolus, ī, m., *dear* or *young son.*

fīlius, i, m., *a son.*

fingō, ere, fīnxī, fīctus, *form, fashion; imagine, conceive.*

fīnio, īre, īvī, ītus, [finis], *end, limit.*

fīnis, is, m., *end, limit; bound, boundary;* pl., *borders, territory.* **quem ad finem,** *to what lengths, how long?*

fīnitimus, a, um, [finis], *neighboring, bordering upon, next to.* As noun, pl., *neighbors.*

fīō, fierī, factus; see **facio.**

fīrmāmentum, ī, [firmo], n., *support, bulwark, strength.*

fīrmō, 1, [firmus], *strengthen, fortify, secure.*

firmus, a, um, *strong, solid, secure; reliable.*

Flaccus, ī, m., *Flaccus,* a Roman family name.

flāgitiōsē, [flagitiosus], adv., *shamefully, disgracefully.*

flāgitiōsus, a, um, [flagitium], *shameful, disgraceful, dissolute.*

flāgitium, ī, n., *shame, disgrace, disgraceful act.*

flāgitō, 1, *demand, call for.*

flagrō, 1, *burn, glow, be on fire.*

Flāminīnus, ī, m., *Flamininus,* a Roman family name.

Flāminius, ī, m., *Flaminius,* a Roman gentile name.

flamma, ae, [flagro], f., *flame, blaze, fire.*

flectō, ere, flexī, flexus, *bend, turn, soften, appease, overcome.*

flētus, ūs, [fleo, *weep*], m., *weeping.*

flōrēns, entis, [floreo], *blooming; flourishing, prosperous.*

flōreō, ēre, uī, *bloom; flourish, be prosperous.*

flōrēscō, ere, [floreo], *bloom; flourish.*

flōs, ōris, m., *bloom, flower.*

flūmen, inis, [fluo], n., *river, stream; flow.*

fluō, ere, ūxī, *flow.*

flūxus, a, um, [fluo], *wavering, uncertain.*

focus, ī, m., *fireplace, hearth.*

foederātus, a, um, [foedus, *league*], *confederated, allied.*

1. **foedus**, a, um, *foul; horrible, dreadful, disgraceful.*

2. **foedus**, eris, [cf. **fidus**, *faithful*], n., *league, alliance, treaty.*

fōns, fontis, m., *a spring, fountain; source.*

forās, [acc. pl. of obsolete **fora**, *door*], adv., *to the doors, out of doors, out, forth.*

forēnsis, e, [forum], *of the forum; public, legal, forensic.*

forīs, [abl. pl. of obsolete **fora**, *door*], adv., *out of doors, abroad, without.*

Formiae, ārum, f., *Formiae*, a Latin town.

formīdō, inis, f., *dread, fear, terror.*

formīdolōsus, a, um, [formido], *terrible, dreadful.*

fortasse, **fortassis**, adv., *perhaps, perchance.*

forte, [abl. of **fors**, *chance*], adv., *by chance, by accident.*

fortis, e, *strong, sturdy, brave, fearless, courageous, gallant; energetic.*

fortiter, [fortis], adv., *strongly, sturdily, bravely, courageously.*

fortitūdō, inis, [fortis], f., *bravery, firmness, fortitude.*

fortūna, ae, [fors, *chance*], f., *fortune, chance, luck; good fortune; lot, fate, condition;* pl., *fortunes, property, possessions; misfortune;* personified, *Fortune,* the goddess.

fortūnātus, a, um, [fortuno, *make happy*], *fortunate, happy.*

orum, ī, n., *public place, marketplace, forum;* especially the Roman Forum. **Forum Aurelium**, *Forum Aurelium,* a hamlet in Etruria.

forus, ī, m., *gangway, passageway.*

fossa, ae, [fodio, *dig*], f., *trench, ditch.*

fossiō, ōnis, [fodio, *dig*], f., *digging; ditching.*

fragilis, e, [frango], *easily broken, frail, fragile.*

fragilitās, ātis, [fragilis], f., *frailty.*

frangō, ere, frēgī, frāctus, *break, crush; put an end to, destroy, check; wear out.*

frāter, tris, m., *a brother.*

fraudātiō, ōnis, [fraudo, *cheat*], f., *deception, deceit.*

fremō, ere, uī, itum, *murmur, howl; object, complain.*

frequēns, entis, *in numbers, in large numbers, full, crowded, thronged; repeated, successive;* with force of adv., *often, frequently.*

frequentia, ae, [frequens], f., *numbers, throng, crowd, concourse.*

frequentō, 1, [frequens], *throng; assemble in throngs; frequent, resort to.*

frētus, a, um, *relying, trusting, depending.*

frīgus, oris, n., *cold.*

frōns, frontis, f., *forehead, brow.*

frūctus, ūs, [cf. **fruor**], m., *enjoyment, satisfaction; fruit, reward, return, advantage, profit; crops, products; income.*

frūmentārius, a, um, [frumentum], *of wheat, of grain.* **res frumentaria**, *grain, grain supply.*

frūmentum, ī, n., *wheat.*

fruor, ī, frūctus, *enjoy, delight in.*

frūstrā, adv., *in vain.*

frūx, frūgis, f., *fruit, grain.*

Fūfius, ī, m., *Fufius,* a Roman gentile name.

fuga, ae, f., *flight.*

fugiō, ere, fūgī, fugitūrus, *flee, avoid, shun, flee from, escape.*

fugitīvus, a, um, [fugio], *fleeing, fugitive.* As noun, m., *runaway slave.*

fulciō, īre, fulsī, fultus, *prop, support.*

fulgeō, ēre, fulsī, *flash, gleam, be resplendent.*

fulmen, inis, [fulgeo], n., *lightning, thunderbolt.*

Fulvius, ī, m., *Fulvius,* a Roman gentile name.

fūnāle, is, [funis, *rope*], n., *taper, torch.*

fundāmentum, ī, n., *foundation.*

1. fundō, 1, *found, establish.*

2. fundō, ere, fūdī, fūsus, *pour; produce, bring forth; scatter, rout;* pass., *spread.*

fundus, ī, m., *estate.*

fūnestus, a, um, [funus], *deadly, destructive, fatal.*

fungor, ī, fūnctus, *fulfil, discharge.*

fūnus, eris, n., *funeral.*

furiōsus, a, um, [furia, *fury*], *raving, raging, mad, furious, wild.*

Fūrius, ī, m., *Furius,* a Roman gentile name.

furō, ere, uī, *rave, rage, be mad, be furious.*

furor, ōris, [furo], m., *rage, fury, madness, passion, frenzy.*

fūrtim, [furtum], adv., *furtively, stealthily.*

fūrtum, ī, n., *theft, robbery.*

Gabīnius, ī, m., *Gabinius,* a Roman gentile name.

Gādēs, ium, f., *Gades,* a town in Spain, the modern Cadiz.

Gāius, ī, m., *Gaius,* a Roman praenomen.

Gallia, ae, f., *Gaul.*

Gallicānus, a, um, *Gallic.*

Gallicus, a, um, *of the Gauls, Gallic.*

gallīna, ae, f., *hen.*

Gallus, a, um, *of Gaul.* As noun, m., *a Gaul.*

gāneō, ōnis, [ganea, *eating house*], m., *a glutton, spendthrift.*

gaudeō, ēre, gāvīsus, semidep., *rejoice, be glad.*

gaudium, ī, [gaudeo], n., *joy, gladness, delight.*

Gāvius, ī, m., *Gavius,* a Roman gentile name.

gaza, ae, f., *treasure.*

gelidus, a, um, [gelu, *cold*], *cold.*

gemma, ae, [GEN, *bring forth*], f., *bud; gem, jewel.*

gener, erī, m., *son-in-law.*

generō, 1, *beget, produce, bring forth.*

geniculātus, a, um, [genu, *knee*], *jointed.*

gēns, gentis, [GEN, *beget*], f., *clan, race, tribe, nation, people.*

genus, eris, [GEN, *beget*], n., *birth, descent, race, stock, family; kind, method, manner; character, nature.*

gerō, ere, gessī, gestus, *do, carry on, conduct, manage, administer; accomplish, perform, wage;* of offices, *fill, hold.* **res gestae,** *exploits, achievements.*

gestiō, īre, īvī, *be eager, desire.*

Gigantēs, um, m., *the Giants.*

Glabriō, ōnis, m., *Glabrio,* a Roman family name.

gladiátor, ōris, [gladius], m., *gladiator; cutthroat, ruffian.*

gladiātōrius, a, um, [gladiator], *of gladiators, gladiatorial.*

gladius, ī, m., *sword.*

Glaucia, ae, m., *Glaucia,* a Roman family name.

gloria, ae, f., *glory, fame, honor, renown; ambition.*

glōrior, 1, *boast.*

glōriōsē, [gloriosus], adv., *gloriously.*

glōriōsus, a, um, [gloria], *boastful; glorious.*

gnāvus, a, um, *active, industrious, diligent.*

Gorgiās, ae, m., *Gorgias,* a Greek rhetorician.

Gracchus, ī, m., *Gracchus,* a Roman family name.

gradus, ūs, m., *step; grade, degree.*

Graecia, ae, f., *Greece.*

Graecus, a, um, *of Greece, Grecian.* As noun, m. pl., *the Greeks.* **Graeca,** n. pl., *Greek.*

grandis, e, *heavy; aged.*

grānum, ī, n., *grain, seed.*

grātia, ae, [gratus], f., *favor, good-will; popularity, regard; gratitude; influence.* **gratiae,** arum, pl., *thanks.* **gratiā,** *for the sake of, on account of.*

Grattius, ī, m., *Grattius,* a Roman gentile name.

grātuïtō, [gratuitus, *without pay*], adv., *without pay, for naught, gratis, gratuitously.*

grātulātiō, ōnis, [gratulor], f., *a manifestation of joy, wishing joy, congratulation, rejoicing, joy; festival of joy, public thanksgiving.*

grātulor, 1, [gratus], *congratulate, congratulate upon.*

grātus, a, um, *pleasing, welcome. grateful, acceptable, dear.*

gravis, e, *heavy; weighty, influential, important; august, dignified, sober, worthy; significant; serious, severe, dangerous.*

gravitās, ātis, [gravis], f., *weight; dignity; influence.*

graviter, [gravis], adv.,*weightily; seriously, severely; impressively; grievously.*

gravō, 1, [gravis], *burden, weigh down;* pass., *be reluctant, object.*

gremium, ī, n., *bosom, lap.*

grex, gregis, m., *herd, horde.*

gubernātiō, ōnis, [guberno], f., *a steering; guidance, control.*

gubernātor, ōris, [guberno], m., *steersman.*

gubernō, 1, *steer, pilot.*

gustātus, ūs, [gusto], m., *taste.*

gustō, 1, *taste; enjoy, appreciate.*

habeō, ēre, uī, itus, *have, possess; make, involve; treat, hold; regard, consider, reckon; keep, entertain, feel; deliver.* **senatum habere,** *convene the Senate.*

habitō, 1, [habeo], *dwell, reside, stay.*

habitus, ūs, [habeo], m., *condition, nature.*

haedus, ī, m., *kid.*

haereō, ēre, haesī, haesūrus, *stick, cling, cling to.*

haesitō, 1, [haereo], *hesitate, be at a loss.*

hāmus, ī, m., *hook.*

Hannibal, alis, m., *Hannibal,* a Carthaginian.

haruspex, icis, m., *soothsayer.*

hasta, ae, f., *spear.*

haud, adv., *not, not at all, by no means.*

hauriō, īre, hausī, haustus, *drain, draw; derive.*

hebēscō, ere, [hebeo, *be dull*], *grow dull, grow blunt.*

Hēraclēa, ae, f., *Heraclea,* a Greek city of Lucania.

Hēraclēēnsis, e, *of Heraclea, Heraclean;* m. pl., as noun, *Heracleans.*

herbēscō, ere, [herba, *grass*], *grow green, grow up.*

Hērculēs, is, m., *Hercules,* the god. hērculē, mehērculē (for me Hercules juvet), *so help me Hercules! as I live, verily.*

hērēditās, ātis, [heres, *heir*], f., *inheritance.*

herī, adv., *yesterday.*

hērōs, ōis, [Gr. ἥρως], m., *hero.*

Hēsiodus, ī, m., *Hesiod,* a Greek poet.

hesternus, a, um, *of yesterday, yesterday's.* hesterno die, *yesterday.*

hībernō, 1, [hibernus], *pass the winter, spend the winter, winter.*

hībernus, a, um, [hiems], *of winter, in winter, winter.* hiberna (castra), n. pl., *winter quarters.*

1. hīc, haec, hōc, *this; he, she, it; the following.*

2. hīc, [hic, *this*], adv., *here, in this place; at this juncture, under these circumstances.*

hiems, emis, f., *winter.*

hilarus, a, um, *jolly, merry.*

Hilarus, ī, m., a Roman name.

hinc. adv., *hence, from this place.* hinc . . . illinc, *on this side . . . on that.*

Hirtius, ī, m., *Hirtius,* a Roman gentile name.

Hispānia, ae, f., *Spain.*

Hispāniēnsis, e, *Spanish.*

Hispānus, a, um, *Spanish,* m. pl., as noun, *the Spanish, Spaniards.*

histriō, ōnis, m., *actor, player.*

hodiē, adv., *to-day.*

hodiernus, a, um, [hodie], *of to day, to-day's.*

Homērus, ī, m., *Homer.*

homō, inis, c., *a human being, man; fellow.*

honestās, ātis, [honos], f., *honor, integrity.*

honestē, [honestus], adv., *honorably, becomingly, creditably, virtuously.*

honestō, 1, [honestus], *honor, do honor to, grace.*

honestus, a, um, [honos], *honored, honorable, worthy.*

honor or honōs, ōris, m., *honor, respect; post of honor, office.* honoris causa, *with due respect.*

honōrābilis, e, [honoro], *honorable.*

honōrificus, a, um, [honor+facio], *honorable, complimentary.*

honōrō, 1, [honor], *honor with office; honor.*

hōra, ae, f., *hour.*

horribilis, e, [horreo, *shudder*], *awful, terrible, dreadful.*

hortātus, ūs, [hortor], m., *encouragement, admonition, advice.*

Hortēnsius, ī, m., *Hortensius,* a Roman gentile name.

hortor, 1, *urge, encourage, exhort*

hortus, ī, m., *garden.*

hospes, itis, m., *host, guest friend.*

hospita, ae, f., *stranger, guest.*

hospitium, ī, [hospes], n., *guest friendship, friendship; entertainment; inn, lodging-place.*

hostīlis, e, [hostis], *hostile.*

hostis, is, c., *enemy.*

hūc, [hic, *here*], adv., *hither, here, to this place; to this, to these.*

hūmānitās, ātis, [humanus], f., *humane feeling, fellow feeling, humanity, consideration, kindness, sympathy; refinement, cultivation, culture.*

hūmāniter, [humanus], adv., *like a man, resolutely; gently, kindly, courteously.*

hūmānus, a, um, [homo], *of men, of mortals, human; humane, kindly, considerate; refined, cultured.*

humī, [locative of humus], adv., *on the ground.*

humilis, e, [humus], *low; slight, ordinary.*

humus, ī, f., *ground, soil.*

ibi, [is], adv., *there, in that place; then, thereupon.*

Īconium, ī, n., *Iconium,* a city of Asia Minor.

Īdaeus, a, um, *Idean, of Mt. Ida.*

idcircō, [id+abl. of circus, ring], adv., *on that account, therefore.*

īdem, eadem, idem, dem. pron., *the same.*

ideō, adv., *therefore, on that account.*

idōneus, a, um, *suitable, fit, suited, favorable.*

Īdūs, Iduum, f. pl., *the Ides;* the 15th of March, May, July,

and October, the 13th of the other months.

igitur, conj., *therefore, accordingly; then, now.*

ignārus, a, um, [in+gnarus, *knowing*], *not knowing, ignorant, inexperienced.*

ignāvia, ae, [ignavus], f., *laziness; cowardice.*

ignāvus, a, um, [in+gnavus], *slothful, spiritless, idle.*

īgnis, is, m., *fire.*

ignōminia, ac, [in+(g)nomen], f., *disgrace, dishonor.*

ignōrātiō, ōnis, [ignoro], f., *ignorance.*

ignōrō, 1, [cf. ignosco], *not know, not understand, be ignorant.*

ignōscō, ere, nōvī, nōtus, [in+(g)nosco], *pardon, forgive.*

ignōtus, a, um, [in+(g)notus], *unknown, strange;* m. pl. as noun, *strangers.*

Īlias, adis, f., *the Iliad.*

illacrimō, 1, [in+lacrima], *shed tears.*

ille, illa, illud, dem. pron., *that; he, she, it.*

illecebra, ae, [illicio, *entice*], f., *an enticement, allurement, charm.*

illinc, [ille], adv., *thence, from that place; on that side.*

illūc, [ille], adv., *to that place; thither.*

illūdō, ere, sī, sus, [in+ludo, *play*], *deceive, mock.*

illūstris, e, [in+lux], *shining, bright; famous, glorious, distinguished, noteworthy; excellent.*

illūstrō, 1, [cf. lux], *illuminate, bring to light, clear up, reveal; make famous, celebrate.*

Īllyricus, a, um, *of Illyricum,
Illyrian.*

imāgō, inis, [cf. **imitor**], f., *likeness, image, portrait, bust.*

imbēcillus, a, um, *weak, frail.*

imber, bris, m., *rain.*

imberbis, e, [in+barba, *beard*],
beardless.

imitātor, ōris, [imitor], m., *an
imitator, emulator.*

imitor, 1, [cf. **imago**], *imitate.*

immānis, e, [in+mānus, *good*],
*monstrous, enormous, huge;
wild, inhuman, frightful.*

immānitās, ātis, [immanis], f.
enormity; ferocity.

immātūrus, a, um, [in+ma-
turus], *unripe, premature.*

immineō, ēre, [in+mineo, *overhang*], *impend; menace,
threaten.*

imminuō, ere, uī, ūtus, [in+
minuo], *lessen, diminish, impair.*

immissiō, ōnis, [immitto], f.,
letting alone, letting grow.

immittō, ere, īsī, issus, [in+
mitto], *let in, admit; let loose
against.*

immō, adv., *on the contrary,
nay.* **immo vero,** *nay rather;
nay even.*

immoderātus, a, um, [in+mo-
deror, *restrain*], *excessive, im-
moderate.*

immortālis, e, [in+mortalis],
undying, immortal.

immortālitās, ātis, [immortalis],
f., *immortality.*

impedīmentum, ī, [impedio],
n., *hindrance, obstacle.*

impediō, īre, īvī, ītus, [in+pes],
*entangle, embarrass; hinder,
prevent.*

impellō, ere, pulī, pulsus, [in+

pello], *impel, drive, incite, urge
on, rouse.*

impendeō, ēre, [in+pendeo],
*overhang; threaten, menace.
impend, be imminent, be at
hand.*

imperātor, ōris, [impero], m., c
commander-in-chief, general.

imperātōrius, a, um,[imperator],
of a general; commanding.

imperītus, a, um, [in+peritus],
inexperienced, ignorant.

imperium, ī, [impero], n., *a command, order; military power,
absolute power; government,
rule, control, dominion, em-
pire.*

imperō, 1, *command, order; demand, require, levy; rule,
govern.*

impertiō, īre, īvī, ītus, [in+
partio, *share*], *bestow, confer.*

impetrō, 1, [in+patro, *effect*],
*obtain one's request; obtain,
secure.*

impetus, ūs, [in+peto], m.,
*attack, onset, assault; move-
ment; vehemence, fury.*

impius, a, um, [in+pius, *devoted*], *disloyal, treasonable;
impious, wicked.*

implicō, āre, āvī or uī, ātus or
itus, [in+plico, *fold*], *entangle;* pass., *be bound up with.*

implōrō, 1, [in+ploro, *wail*], *implore, entreat, beseech.*

importūnitās, ātis, [importunus],
f., *rudeness, brutality.*

importūnus, a, um, *unfit; cruel,
relentless, brutal, savage.*

impotēns, entis, [in+potens],
violent, unbridled.

improbitās, ātis, [improbus], f.,
*wickedness, depravity, dis-
honesty; impudence.*

improbō, 1, [in+probo], *disapprove, condemn, reject.*

improbus, a, um, [in+probus], *bad, wicked, abandoned, vile, base, impious, bold, impudent*

impūbēs, eris, [in+pubes, *manhood*], *under age, youthful.*

impudēns, entis, [in+pudens, *modest*], *shameless, impudent.*

impudenter, [impudens], adv. *shamelessly, impudently.*

impudentia, ae, [impudens], f.. *shamelessness, impudence.*

impudīcus, a, um, [in+pudicus, *modest*], *shameless, lewd, impudent.*

impulsus, ūs, [impello], m., *a pushing against; impulse, instigation.*

impūnītus, a, um, [in+punitus *punished*], *unpunished.*

impūrus, a, um, [in+purus]. *unclean, impure, infamous, vile.*

in, prep.: 1) With acc., *into, to. on, upon; against, towards, till, to, up to; with reference to concerning; for; over; according to; among.* **in dies,** *daily.* 2) With abl., *in, on, at, upon, among; in case of, with reference to; in the course of, within.*

inānis, e, *empty; idle, baseless, groundless, vain.*

inaudītus, a, um, [in+auditus, *heard*], *unheard-of, incredible.*

inaurātus, a, um, [inauro, *gild*], *gilded.*

incendium, ī, [incendo], n., *a burning, fire, conflagration.*

incendō, ere, dī, sus, *to set fire to, burn; kindle, rouse, incite.*

incēnsiō, ōnis, [incendo], f. *burning.*

inceptum, ī, [incipio], n., *undertaking, attempt.*

incertus, a, um, [in+certus], *uncertain.*

incidō, ere, cidī, [in+cado], *fall into; become involved in.*

incīdō, ere, cīdī, cīsus, [in+caedo, *cut*], *to cut into, cut engrave, chisel, curve.*

incipiō, ere, cēpī, ceptus, [in+capio], *begin.*

incitāmentum, ī, [incito], n., *incentive, stimulus.*

incitō, 1, [in+cieo, *set in motion*], *rouse, urge, incite.*

inclīnō, 1, [in | obsolete clino, *bend*], *bend, incline.*

inclūdō, ere, sī, sus, [in+claudo], *lock up, shut up, enclose, confine.*

incohō, 1, *begin, commence.*

incola, ae, [in+colo], m., *inhabitant.*

incolumis, e, [in+CEL, *strike*], *unhurt, unharmed, uninjured, safe.*

incommodum, ī, [incommodus], n., *inconvenience, unpleasantness, misfortune, disaster.*

incommodus, a, um, [in+commodus, *convenient*], *inconvenient, annoying.*

incōnstantia, ae, [in+constantia], f., *inconsistency.*

incorruptē, [incorruptus, *uncorrupted*], adv., *uncorruptly, justly.*

incrēdibilis, e, [in+credo], *not to be believed, incredible, extraordinary, unparalleled.*

incrēdibiliter, [incredibilis], adv., *incredibly.*

incrēmentum, ī, [in+cresco], n., *growth, increase.*

increpō, āre, uī, itus, [in+crepo].

rattle], *rattle, make a noise.*

incumbō, ere, cubuī, cubitum, [in+CUB, *lie*], *bend to; devote oneself to.*

incurrō, ere, cucurrī, cursum, [in+curro, *run*], *run upon, meet.*

inde, adv., *thence, from there; from that point.*

indemnātus, a, um, [in+damnatus, *condemned*], *uncondemned, untried, without trial.*

index, dicis, [indico], c., *one who points out, witness.*

indicium, ī, [indico], n., *information, evidence, testimony.*

indicō, 1, [in+dĭco, *proclaim*], *point out, indicate; prove, show; reveal; accuse, inform against.*

indīcō, ere, dīxī, dictus, [in+dīco], *declare.*

indigeō, ēre, [cf. **egeō**], *need.*

indignē, [indignus], adv., *shamefully.*

indignor, 1, [indignus], *think unworthy; be indignant.*

indignus, a, um, [in+dignus], *unworthy.*

indoctus, a, um, [in+doctus], *ignorant, untrained.*

indolēs, is, [indo, *in*+OL, *grow*], f., *natural character, ability, disposition.*

indūcō, ere, dūxī, ductus, [in+duco], *lead in, bring in; induce, persuade.* **animum inducere**, *induce oneself, resolve, determine.*

industria, ae, [industrius], f., *industry, diligence.*

industrius, a, um, *diligent, industrious.*

ineō, īre, iī, itus,[in+1. eo], *begin;*

enter upon, undertake, form, initiate.

iners, ertis, [in+ars], *clumsy, bungling; lazy, idle, inactive.*

inertia, ae, [iners], f., *neglect, negligence, inactivity, remissness.*

inexercitātus, a, um, [in+exercitatus], *untrained.*

īnfāmis, e, [in+fama], *disreputable, lewd, notorious.*

īnferō, īnferre, intulī, illātus, [in+fero], *bring against, wage against.*

īnferus, a, um, [cf. **infra**, *below*], *below.* **inferi**, m. pl., *as noun, the dead;* *the lower world.* Superl. **infimus**, *humblest; lowest, basest.*

īnfēstus, a, um, [in+ obsolete fendo, *strike*], *hostile, dangerous, deadly.*

īnfimus, a, um, see **inferus**.

īnfīnītus, a, um, [in+finitus, *limited*], *limitless, unlimited, boundless.*

īnfirmitas, ātis, [infirmus], f., *weakness, helplessness.*

īnfīrmō, 1, [infirmus], *weaken, invalidate, disprove.*

infirmus, a, um, [in+firmus], *feeble, weak.*

īnfitiātor, ōris, [infitior], m., *one who denies a debt, debtor.*

īnfitior, 1, [infitiae, *denial*], *deny, disown.*

īnflammō, 1, [in+flammo, *burn*], *set on fire; inflame, kindle, excite, rouse.*

īnflō, 1, [in+flo, *blow*], *blow into; inspire.*

īnfōrmō, 1, [in+formo, *shape*], *mould; train, instruct.*

ingenium, ī, [in+GEN, *beget*], n., *inborn qualities; ability,* *talent, genius; mind, intellect.*

ingēns, tis, *vast, great.*

ingenuus, a, um, [in+GEN, *beget*], *free-born.*

ingrātus, a, um, [in+gratus], *ungrateful, unthankful, thankless.*

ingravēscō, ere, [in+gravesco, *become heavy*], *grow heavy, grow weary; grow worse, grow more serious.*

ingredior, ī, essus, [in+gradior, *step*], *step upon, tread upon; travel, go; enter, enter upon, undertake.*

inhiō, 1, [in+hio, *open the mouth*], *open the mouth at.*

inhūmānitās, ātis, [inhumanus], f., *boorishness, lack of culture.*

inhūmānus, a, um, [in+humanus], *inhuman, cruel, brutal.*

inīciō, ere, jēcī, jectus, [in+jacio], *throw into; inspire in; bring upon, cause, occasion.*

inimīcitia, ae, [inimicus], f., *enmity, hostility.*

inimīcus, a, um, [in+amicus], *unfriendly, hostile;* as noun, *enemy.*

inīquitās, ātis, [iniquus], f., *unfairness, injustice.*

inīquus, a, um, [in+aequus], *unjust, unfair, unfavorable; reluctant.*

initiō, 1, [initium], *initiate, dedicate, consecrate.*

initium, ī, [ineo], n., *beginning, commencement.*

injūria, ae, [injurius, from in+jus], f., *an injustice, injury, wrong; outrage.* **injuriā** (ablative), *unjustly, wrongfully.*

injūriōsē, [injuriosus, *unjust*], adv., *wrongfully, unjustly.*

(injussus, ūs), m., used only in the abl., *without the command.*

injūstus, a, um, [in+justus], *unjust.*

innocēns, entis, [in+nocens], *blameless, guiltless, innocent.*

innocentia, ae, [innocens], f., *blamelessness, innocence; uprightness, integrity.*

innumerābilis, e, [in+numerabilis, *that can be numbered*], *countless, beyond number, innumerable.*

innumerābiliter, [innumerabilis], adv., *innumerably.*

inopia, ae, [inops, *needy*], f., *want, need, scarcity.*

inquam, defective, *say.*

inscrībō, ere, īpsī, īptus, [in+scribo], *inscribe, write upon, write; entitle.*

īnsepultus, a, um, [in+sepelio], *unburied.*

īnsequor, ī, secūtus, [in+sequor], *follow, follow after.*

īnserviō, īre, īvī, ītum, [in+servio], *be devoted, devote oneself.*

īnsideō, ēre, sēdī, [in+sedeo], *be seated, be fixed.*

īnsidiae, ārum, [insideo], f. pl., *ambush, ambuscade; plots, schemes; treachery.*

īnsidiātor, ōris, [insidiae], m., *plotter, assassin.*

īnsidior, 1, [insidiae], *lie in wait for, plot against.*

īnsidiōsus, a, um, [insidiae], *treacherous, insidious.*

īnsīdō, ere, sēdī, sessus, [in+sido, *sit*], *settle on; become fixed.*

īnsigne, is, [insignis], n., *sign, mark, decoration, badge, token.*

īnsignis, e, [in+signum], *marked,*

notable, signal, eminent, distinguished, noted.

īnsimulō, 1, [in+simulo], *allege, charge.*

īnsipiēns, entis, [in+sapiens], *unwise, foolish; unconscious.*

īnsipienter, [insipiens], adv., *foolishly.*

īnsitiō, ōnis, [insero, *ingraft*], f., *grafting.*

īnsolēns, entis, [in+soleo], *unusual; haughty, insolent.*

īnsolenter, [insolens], adv., *unusually; insolently; immoderately.*

īnsolentia, ae, [insolens], f., *unusual conduct; insolence, arrogance.*

īnsolitus, a, um, [cf. **soleo**], *unusual, unwonted.*

īnsomnium, ī, [in+somnus], n., *sleeplessness.*

īnspectō, 1, [inspicio, *look at*], *look on, gaze;* in classical writers, used only in the present participle.

īnspērāns, antis, [in+spero], *not hoping, not expecting.*

īnspērātus, a, um, [in+speratus, *expected*], *unexpected, unlooked for.*

īnstīllō, 1, [in+stillo, *drop*], *drop into.*

īnstituō, ere, uī, ūtus, [in+statuo], *set up, establish; resolve, determine, determine upon; train, instruct.*

īnstitūtum, ī, [instituo], n., *institution.*

īnstō, āre, stitī, stātūrus, [in+sto], *press on; be at hand, approach, threaten, impend.*

īnstrūmentum, ī, [instruo], n., *equipment, stock in trade, instrument, tool, means.*

īnstruō, ere, ūxī, ūctus, [in+struo], *build; draw up, array; fit out, get ready, equip; mould, train, instruct.*

īnsula, ae, f., *island.*

īnsulsus, a, um, [in+salsus, *salt, seasoned*], *insipid, silly.*

īnsum, inesse, īnfuī, īnfutūrus, [in+sum], *be in; be inherent in.*

integer, tegra, tegrum, [in+TAG, *touch*], *untouched, untampered with; unbroken; unimpaired; unscathed, unharmed; fresh, new; upright, irreproachable.*

integrē, [integer], adv., *honestly, irreproachably.*

integritās, ātis, [integer], f., *uprightness, integrity.*

intellegō, ere, ēxī, ēctus, [inter+lego], *know, see, perceive, appreciate, understand, observe, comprehend.*

intemperāns, antis, [in+tempero], *intemperate.*

intendō, ere, dī, tus, [in+tendo], *strain, aim; purpose, intend.*

intentus, a, um, [intendo], *stretched, intent, alert.*

inter, prep. with acc., *between; among; during.*

intercēdō, ere, cessī, cessūrus, [inter+cedo], *come between, intervene.*

intercessiō, ōnis, [intercedo], f., *intervention, veto.*

interclūdō, ere, ūsī, ūsus, [inter+claudo], *shut off; interrupt.*

interdīcō, ere, dīxī, dictus, [inter+dico], *forbid, prohibit.*

interdum, adv., [inter+dum], *sometimes, at times, occasionally.*

intereā, [inter], adv., *in the meantime, meanwhile.*

intereō, īre, iī, itūrus, [inter+ 1. eo], *perish, die, be destroyed.*

interficiō, ere, fēcī, fectus, [inter +facio], *kill, slay, put to death, murder, execute.*

interim, [inter], adv., *meanwhile, in the meantime.*

interimō, ere, ēmī, ēmptus, [inter+emo, *take*], *kill, put to death.*

interior, ius, [inter], *interior, inland.*

interitus, ūs, [intereo], m., *ruin, destruction, death.*

intermittō, ere, mīsī, missus, [inter+mitto], *interrupt.*

interneciō, ōnis, [inter+neco], f., *execution, slaughter.*

interpellō, 1, [inter+pello], *interrupt.*

interpōnō, ere, posuī, positus, [inter+pono], *put between.* se **interponere,** *engage in, participate in.*

interrogō, 1, [inter+rogo], *ask, question.*

intersum, esse, fuī, futūrus, [inter+sum], *be between; intervene; be different, differ; be present, be witness to; participate, take part.* **interest,** impers., *it interests, is one's interest, concerns.*

intervāllum, ī, [inter+vallum], n., *space between two palisades; interval, distance.*

interventus, ūs, [intervenio, *come between*], m., *a coming between, intervention.*

intestīnus, a, um, [intus], *internal, intestine.*

intimus, a, um, [superl. of **interior**], *inmost, intimate.*

intrā, [cf. **inter**], prep. with acc., *within.*

intrōdūcō, ere, dūxī, ductus, [intro+duco], *to lead in, bring in.*

intueor, ērī, itus, [in+tueor], *look upon, gaze at; contemplate.*

intus, adv., *within.*

inultus, a, um, [in+ulciscor], *unpunished.*

inūrō, ere, ussī, ūstus, [in+·uro, *burn*], *burn in; brand upon.*

inūsitātus, a, um, [in+usitatus, *usual*], *unusual, unwonted.*

inūtilis, e, [in+ūtilis], *useless.*

inveniō, īre, vēnī, ventus, [in+venio], *come upon, find, discover, detect; find out, learn; invent; derive.*

inventum, ī, [invenio], n., *invention, discovery.*

invēstīgō, 1, [in+vestigo, *track*], *track out, trace out, discover.*

inveterāscō, ere, rāvī, [cf. **vetus**], *grow old, become rooted.*

inveterātus, a, um, [invete‚ rasco], *old, grown old.*

invictus, a, um, [in+victus, *conquered*], *unconquered, invincible.*

invideō, ēre, *envy, look askance at.*

invidia, ae, [invidus], f., *envy, disfavor, hatred, odium, unpopularity.*

invidiōsus, a, um, [invidia], *involving unpopularity; a cause of disfavor.*

invidus, a, um, *envious, jealous.*

inviolātē, [inviolatus, *unharmed*], adv., *inviolately.*

invīsus, a, um, [invideo], *hateful, hated.*

invītō, 1, *invite, summon.*

ınvītus, a, um, *unwilling, reluctant.*

ipse, a, um, dem. pron., *self; himself, herself, itself;* pl., *themselves.*

īra, ae, f., *anger, wrath; revenge.*

īrācundia, ae, [iracundus], f., *anger, passion.*

īrācundus, a, um, [ira], *passionate; revengeful.*

īrāscor, ī, [ira], *be angry.*

īrātus, a, um, [irascor], *angry.*

irrēpō, ere, rēpsī, [in+repo, creep], *creep in, slip in.*

irrētiō, īre, īvī, ītus, [in+rete, net], *ensnare.*

irrīdeō, ēre, īsī, īsus, [in+rideo], *laugh at, mock.*

irrigātiō, ōnis, [irrigo, water], f., *irrigation.*

irruptiō, ōnis, [irrumpo, break in], f., *inroad, incursion.*

is, ea, id, dem. pron., *that, this; he, she, it;* pl., *they.*

Īsocratēs, is, m., *Isocrates,* a Greek rhetorician.

Issus, ī, f., *Issus,* a city of Cilicia.

iste, a, ud, dem. pron., *that, that of yours.*

1. istīc, aec, ūc (ōc), dem. pron., *that.*

2. istīc, [iste], adv., *there.*

istinc, [iste], adv., *from there, from that.*

istūc, [iste], adv., *to that place, to that point.*

ita, [cf. is], adv., *so, thus; in such a way; to such an extent.*

Italia, ae, f., *Italy.*

Italicus, a, um, *of Italy, Italian.*

itaque, [ita+que], conj., *and so, accordingly, therefore.*

item, adv., *likewise, in like manner, also.*

iter, itineris, [ire], n., *journey, march; way, road, route.*

iterum, adv., *again, a second time.*

jaceō, ēre, cuī, *lie, lie prostrate, be powerless;* present participle, jacens, *fallen, prostrate.*

jaciō, ere, jēcī, jactus, *throw, hurl, cast; utter; lay, place, establish.*

jactō, 1, [jacio], *toss about; vaunt, display.*

jactūra, ae, [jacio], f., *throwing away; sacrifice, expense.*

jactus, ūs, [jacio], m., *hurling; striking.*

jam, adv., *now, already; at once, straightway, immediately; at length; actually, even;* with negatives, (*no*) *more,* (*no*) *longer.*

Jānuārius, a, um, [cf. janua, door], *of January.*

jocor, 1, *joke, jest.*

jubeō, ēre, jussī, jussus, *order, command, bid.*

jūcunditās, ātis, [jucundus], f., *pleasantness, delight.*

jūcundus, a, um, [juvo], *pleasant, delightful, agreeable, welcome.*

jūdex, icis, [jus+dico], c., *judge, juror.* judices, *jurymen.*

jūdiciālis, e, [judicium], *of courts, judicial.*

jūdicium, ī, [judex], n., *judgment, opinion, decision, verdict, sentence; trial; court.*

jūdicō, 1, [judex], *decide, judge, determine; be of the opinion, believe; declare.*

jugātiŏ, ōnis, [jungo], f., *joining.*

jugulum, ī, [dim. of jugum, *yoke*], n., *little yoke; collar bone, the throat, neck.*

Jugurtha, ae, m., *Jugurtha,* king of Numidia.

Jūlius, ī, m., *Julius,* a Roman gentile name.

jungō, ere, jūnxī, jūnctus, *join together, unite.*

Juppiter, Jovis, m., *Jupiter, Jove.*

jūrgium, ī, [jus], n., *quarrel, wrangle.*

jūs, jūris, n., *right, law, justice, privilege.*

jūs jūrandum, juris jurandī, n., *oath.*

(jussus, ūs), [jubeo], m., only in the abl. sing., *at the order, at the command.*

jūstē, [justus], adv , *rightly, justly.*

jūstitia, ae, [justus], f., *justice.*

jūstus, a, um, [jus], *just, deserved, justified; righteous, regular.*

juvenīliter, [juvenis, *a youth*] adv., *like a young man.*

juventūs, ūtis, [juvenis, *a youth*], f., *youth, the young.*

juvō, āre, jūvī, jūtus, *help, aid*

Kal. = Kalendae.

Kalendae, ārum, f., *Calends, first day of the month.*

Karthāginiēnsis, e, *of Carthage, Carthaginian;* m. pl., as noun, *the Carthaginians.*

Karthāgō, inis, f., *Carthage,* the African city.

L. = Lūcius.

labefaciō, ere, fēcī, factus, [labo, *totter* + facio], *cause to totter, shake.*

labefactō, 1, [labefacio], *cause to totter, shake; weaken, impair.*

lābēs, is, f., *spot, stain; stigma disgrace.*

lābor, ī, lāpsus, *glide, slide; fall err, fail.*

labor, ōris, m., *work, toil, exertion, labor; suffering, hardship.*

labōriōsus, a, um, [labor], *toilsome, laborious.*

labōrō, 1, [labor], *strive, labor, endeavor; suffer, be distressed.*

lac, lactis, n., *milk.*

Lacedaemonius, a, um, *Spartan.*

lacertus, ī, m., *upper arm; muscle.*

lacessō, ere, īvī, ītus, [lacio, *entice, lure out*], *challenge; provoke, assail, attack, irritate, exasperate, rouse, excite. harass.*

lacrima, ae, f., *tear.*

lactō, 1, [lac], *be a suckling, suck;* used almost exclusively in the present participle.

Laeca, ae, m., *Laeca,* a Roman family name.

laedō, ere, sī, sus, *wound, injure harm, damage.*

Laelius, ī, m., *Laelius,* a Roman gentile name.

Laenius, ī, m., *Laenius,* a Roman gentile name.

Lāertēs, is, m., *Laertes,* father of Ulysses.

laetitia, ae, [laetus], f., *joy, gladness, delight.*

laetor, 1, [laetus], *rejoice, be glad.*

laetus, a, um, *glad, joyful; bounteous.*

lāmentātiō, ōnis, [lamentor], f., *weeping, wailing, cries.*

lāmentor, 1, [lamentum], *bemoan, bewail, lament.*

lāmentum, ī, n., *lament, weeping.*

languēscō, ere, [languor, *feebleness*], *grow weak, grow feeble.*

languidus, a, um, *weak, stupid, dull; besotted.*

Lānuvium, ī, n., *Lanuvium*, a Latin town.

Lāodicēa, ae, f., *Laodicea*, a city of Asia Minor.

Lāodicēnsis, e, *of Laodicea.*

lāpsus, ūs, [lābor], m., *falling, spreading.*

largior, īrī, ītus, [largus, *profuse*], *give bountifully, confer bestow, grant.*

largītiō, ōnis, [largior], f., *generosity, free-handedness; corruption, bribery.*

largītor, ōris, [largior], m., *liberal giver; spendthrift, prodigal.*

lātē, [lātus], adv., *broadly, widely, extensively, far.*

latebra, ae, [lateo], f., *lurking place, hiding place, retreat; recess;* usually in pl., with singular force.

lateō, ēre, uī, *be hid, escape notice.*

Latīniēnsis, is, m., *Latiniensis*, a Roman family name.

Latīnus, a, um, *of Latium, Latin.*

Latium, ī, n., *Latium*, the district in which Rome was situated.

lātor, ōris, [fero], m., *bearer; mover, proposer.*

latrō, ōnis, m., *freebooter, bandit, highway robber, brigand.*

latrōcinium, ī, [latrocinor], n., *brigandage, freebooting, robbery; band of robbers.*

latrōcinor, 1, [latro], *be a brigand, freebooter, highway robber.*

lātus, a, um, *broad, wide, extensive.*

latus, eris, n., *side; body, person; brawn, strength, energy.*

laudātiō, ōnis, [laudo], f., *panegyric, praise, funeral oration*

laudō, 1, [laus], *praise, extol, commend, approve.*

laureola, ae, [laurus, *laurel*], f., *laurel wreath; laurel twig; laurel.*

laus, laudis, f., *praise, glory, fame, distinction, renown, credit, honor.*

laxō, 1, *loosen, release.*

lectulus, ī, [lectus], m., *a small couch, bed.*

lēctus, a, um, [lego], *chosen; choice, distinguished, excellent*

lectus, ī, m., *couch, bed.*

lēgātiō, ōnis, [lēgo], f., *embassy.*

lēgātus, ī, [lēgo], m., *envoy, ambassador; lieutenant, deputy.*

legiō, ōnis, [lego], f., *legion.*

lēgitimus, a, um, [lex], *relating to law, of law.*

lēgō, 1, *send* or *appoint as envoy* or *lieutenant; commission.*

legō, ere, lēgī, lēctus, *collect, gather; read, read of.*

lēniō, īre, īvī, ītus, [lenis], *soften, soothe, assuage; mitigate, alleviate.*

lēnis, e, *soft, smooth; mild, kind, gentle, moderate, temperate.*

lēnitās, ātis, [lenis], f., *softness, mildness, lenity, indulgence; gentle measures.*

lēnō, ōnis, m., *pander, procurer; agent, tool.*

Lentulus, ī, m., *Lentulus,* a Roman family name.

lentus, a, um, [lenis], *pliant; sluggish, slow.*

Leontīnus, a, um, *of Leontini,* a town in Sicily.

Lepidus, ī, m., *Lepidus,* a Roman family name.

lepidus, a, um, *charming, pretty; effeminate.*

Lepta, ae, m., *Lepta,* a Roman family name.

levis, e, *light, easy; trivial, trifling, worthless.*

levitās, ātis, [levis], f., *lightness; shallowness, unsteadiness, worthlessness.*

leviter, [levis], adv., *lightly; slightly.*

levō, 1, [levis], *lift up; lighten, relieve, lessen, modify.*

lēx, lēgis, f., *bill; law; principle.*

libellus, ī, [liber], m., *little book, book; petition.*

libēns, entis, [libet], *willing, glad.*

libenter, [libens], adv., *gladly, willingly, with pleasure.*

līber, era, erum, *free, unrestrained; unchecked.*

liber, brī, m., *book.*

līberālis, e, [līber], *befitting a freeman; honorable; liberal, generous.*

līberālitās, ātis, [liberalis], f., *generosity.*

līberē, [līber], adv., *freely.*

līberī, ōrum, [līber], m., *the free members of a household; children.*

līberō, 1, [līber], *free, set free, liberate; relieve, save, deliver; acquit.*

lībertās, ātis, [līber], f., *freedom, liberty.*

lībertīnus, a, um, [libertus], *of the status of a freedman.* As noun, *freedman.*

lībertus, ī, [līber], m., *freedman.*

libet, ēre, libuit or libitum est, impers., *it pleases, it is agreeable.*

libīdinōsus, a, um, [libido], *licentious.*

libīdō, inis, [libet], f., *pleasure, desire; lust, wantonness, sensuality, licentiousness; caprice.*

licentia, ae, [licet], f., *license, liberty.*

licet, ēre, cuit and citum est, impers., *it is allowed, it is permitted, it is lawful.*

Licinius, ī, m., *Licinius,* a Roman gentile name.

lingua, ae, f., *tongue.*

līnum, ī, n., *flax; thread, string.*

liquefaciō, ere, factus, [liqueo, be liquid, +facio], *make liquid, melt.*

littera, ae, f., *a letter* of the alphabet. Pl., **litterae,** arum, *writing; letter, despatch; documents, records; literature*

litterātus, a, um, [littera], *learned, cultivated, liberally educated.*

litterula, ae, [litterae], f., *letter, note.*

litūra, ae, [lino, smear over], f., *blotting out, erasure, correction.*

Līvius, ī, m., *Livius (Andronicus),* a Roman poet.

locō, 1, [locus], *place, put; contract for.*

Locrēnsis, e, adj., *of Locri* (a city in southern Italy),

Locrian; m. pl. as noun, *Locrians.*

locuplēs, ētis, *rich, wealthy; well-stocked.*

locuplētō, 1, [locuples], *enrich.*

locus, ī, m.; pl., loca, ōrum, n., *place, region, locality; post, position; rank, origin; condition; occasion, opportunity; matter, point.*

longē, [longus], adv., *far.*

longinquitās, ātis, [longinquus], f., *distance, remoteness.*

longinquus, a, um, [longus], *remote, distant; long.*

longiusculus, a, um, [longior, ius, *longer*], *rather long, a little longer, longish.*

longus, a, um, *long, far; tedious.*

loquāx, ācis, [loquor], *garrulous.*

loquor, ī, cūtus, *speak, say.*

lubet, see *libet.*

Lūcīlius, ī, m., *Lucilius,* a Roman gentile name.

Lūcius, ī, m., *Lucius,* a Roman praenomen.

lūctuōsus, a, um, [luctus], *sad, sorrowful, dismal.*

lūctus, ūs, [lugeo], m., *sorrow, grief, distress, mourning*

Lūcullus, ī, m., *Lucullus,* a Roman family name.

lūdus, ī, m., *game, play; school, training-school.*

lūgeō, ēre, lūxī, *lament, mourn.*

lūmen, inis, [cf. lux], n., *light; lamp.*

lūna, ae, [lux], f., *moon.*

luō, ēre, luī, *wash; atone for, expiate.*

lupīnus, a, um, [lupus, *wolf*], *of a wolf, of the wolf.*

Lupus, ī, m., " *The Wolf,*" a play of Naevius.

lūsiō, ōnis, [ludo, *play*], f., *game, sport.*

lūstrō, 1, [cf. lux], *illuminate; survey, review; traverse.*

lūx, lūcis, f., *light; daylight, daybreak; hope, safety, relief.*

luxūria, ae, [luxus, *excess*], f., *luxury, self-indulgence.*

Lysander, drī, m., *Lysander,* a Spartan.

Lȳsimachus, ī, m., *Lysimachus,* an Athenian.

M. = Mārcus.

M'. = Mānius.

Macedonia, ae, f., *Macedonia,* a district north of Greece.

māchinātor, ōris, [machinor], m., *engineer, manager.*

māchinor, 1, [machina, *machine*], *contrive, scheme, plot.*

mactō, 1, [mactus, *honored*], *increase; honor; visit, punish, afflict.*

macula, ae, f., *spot, stain; disgrace.*

Maelius, ī, m., *Maelius,* a Roman gentile name.

maeror, ōris, m., *sadness, grief, distress.*

magis, adv., *more, rather.*

magister, trī, m., *master; teacher.*

magisterium, ī, [magister], n., *practice of presiding.*

magistrātus, ūs, [magister], m., *magistracy, office; magistrate, official.*

magnificē, [magnificus, *glorious*], adv., *gloriously, grandly.*

magnitūdō, inis, [magnus], f., *greatness, magnitude, extent, importance.*

magnopere or magno opere.

[abl. of magnum opus], adv., *greatly, earnestly, especially.*

Magnus, ī, m., *Magnus;* especially the surname of Pompey.

magnus, a, um, *great, large, extensive; mighty, powerful; eminent, high; important, serious.*

majōrēs, um, [magnus], m. pl., *ancestors, forefathers.*

Majus, a, um, *of May.*

male, [malus], adv., *badly, wickedly, ill; hardly, scarcely.*

maledictum, ī, n., *abuse.*

maleficium, ī, [maleficus, *wicked*], n., *crime, wickedness, wrongdoing.*

malleolus, ī, [malleus, *hammer*], m., *fire-dart; mallet-shoot.*

mālō, mālle, māluī, [magis + volo], *prefer, wish rather.*

malum, ī, [malus], n., *an evil, mischief, misfortune, calamity.*

malum, as interj., *the deuce! the dickens!*

malus, a, um, *bad, evil, inferior, poor.* As noun, **malum,** n., *evil, mischief, wickedness; misfortune, trouble.*

mālus, ī, m., *mast.*

mancipium, ī, [manus + capio], n., *slave.*

mandātum, ī, [mando], n., *order, command, commission, message, instruction.*

mandō, 1, [manus + do], *consign, commit, confer; order, instruct, command.*

māne, adv., *in the morning.*

maneō, ēre, mānsī, mānsūrus, *remain, stay, continue.*

manicātus, a, um, [manicae, *long sleeves*], *with long sleeves.*

manifēstō, [manifestus], adv., *manifestly, clearly, openly.*

manifēstus, a, um, *open, obvious, palpable, manifest.*

Mānīlius, ī, m., *Manilius,* a Roman gentile name.

Mānius, ī, m., *Manius,* a Roman praenomen.

Mānliānus, a, um, *of Manlius.*

Mānlius, ī, m., *Manlius,* a Roman gentile name

mānō, 1, *trickle, flow; be diffused, spread.*

mānsuētē, [mansuetus, *tame*], adv., *gently, indulgently.*

mānsuētūdō, inis, [mansuetus, *tame*], f., *mildness, gentleness, forbearance, clemency.*

manubiae, ārum, [manus], f., *booty, money from the sale of booty.*

manus, ūs, f., *hand; force, band; handwriting.*

Mārcellus, ī, m., *Marcellus,* a Roman family name.

Mārcius, ī, m., *Marcius,* a Roman gentile name.

Mārcus, ī, m., *Marcus,* a Roman praenomen.

mare, is, n., *the sea.* **terra marique,** *by land and sea.*

maritimus, a, um, [mare], *belonging to the sea, on the sea, of the sea; maritime, sea.*

marītus, a, um, [mas, *male*], *wedded.* **maritus,** as noun, *married man, husband.*

Marius, ī, m., *Marius,* a Roman gentile name.

marmor, oris, n., *marble.*

Mārs, Mārtis, m., *Mars,* the god of war; figuratively, *war, battle.*

Mārtius, a, um, [Mars], *of March.*

Masinissa, ae, m., *Masinissa,* Numidian king.

Massilia, ae, f., *Massilia,* a Greek city in Gaul; the modern *Marseilles.*

Massiliēnsis, e, *of Marseilles.* As noun, m. pl., *inhabitants of Marseilles.*

māter, tris, f., *mother.* **mater familias,** *matron.*

Mātius, ī, m., *Matius,* a Roman gentile name.

mātrimōnium, ī, [mater], n., *marriage.*

mātūrē, [maturus], adv., *betimes, early.*

mātūritās, ātis, [maturus], f., *ripeness, maturity.*

mātūrō, 1, [maturus], *bring to maturity; consummate; hasten, make haste.*

mātūrus, a, um, *early; ripe.*

mātūtīnus, a, um, *in the early morning.*

maximē, [maximus], adv., *most, especially, particularly, very.*

maximus, a, um, superl. of **magnus.**

Maximus, ī, m., *Maximus,* a Roman family name.

Mēdēa, ae, f., *Medea,* the famous enchantress, daughter of Aeëtes, king of Colchis.

medeor, ērī, *heal, cure, remedy.*

medicīna, ae, [medicus, *healing*], f., *medicine; help, assistance.*

mediocris, e, [medius], *medium, moderate, ordinary, mediocre.*

mediocriter, [mediocris], adv., *moderately, tolerably, slightly, somewhat.*

meditātiō, ōnis, [meditor], f., *meditation, practice.*

meditor, 1, *meditate, consider, reflect upon, think of; practice.*

mēdius fidius, see **Fidius.**

medius, a, um, *middle, middle of, midst of.*

medulla, ae, f., *marrow; essence, quintessence.*

mehērculē, [for **me Hercules juvet**], *so help me Hercules! heavens! indeed, verily.*

mel, mellis, n., *honey.*

melior, comp. of **bonus.**

Melita, ae, f., *Melita,* modern *Malta.*

melius, comp. of **bene.**

membrum, ī, n., *a limb, member.*

meminī, isse, defective, *remember.*

Memmius, ī, m., *Memmius,* a Roman gentile name.

memor, oris, [cf. **meminī**], *remembering, mindful.*

memoria, ae, [memor], f., *memory, recollection, remembrance, tradition.*

mendīcitās, ātis, [mendicus, *needy*], f., *poverty, beggary.*

mēns, mentis, f., *mind, intellect; temper, spirit, feeling; thought; attention; purpose, intention.*

mēnsa, ae, f., *table.*

mēnsis, is, m., *month.*

mentiō, ōnis, f., *mention.*

mercātor, ōris, [mercor, *trade*], m., *trader, merchant.*

mercēs, ēdis, [cf. **merx**], f., *pay, reward.*

mereor, ērī, itus, *deserve, merit.*

meritō, [mereor], adv., *deservedly.*

meritum, ī, [mereor], n., *a merit, favor, service; desert.*

merx, cis, f., *wares, goods, merchandise.*

Messalla, ae, m., *Messalla,* a Roman family name.

Messius, ī, m., *Messius,* a Roman family name.

Metellus, ī, m., *Metellus,* a Roman family name.

mētior, īrī, mēnsus, *measure.*

metuō, ere, uī, [metus], *fear, be afraid, dread.*

metus, ūs, m., *fear, dread.*

meus, a, um, [me], *my, mine.*

mīles, itis, m., *a soldier.*

mīlitāris, e, [miles], *of a soldier, of war, warlike, military.* res militaris, *warfare, war.*

mīlitia, ae, [miles], f., *military service, war, service.* militiae, loc., *in the field, in war.*

mīlle, indecl. adj., *a thousand;* n. pl., **mīlia,** um.

Milō, ōnis, m., *Milo,* a Greek athlete.

mināciter, [minax], adv., *threateningly.*

minae, ārum, f., *threats.*

mināx, ācis, [minor, *threaten*], *threatening, menacing.*

minimē, [minimus], adv., superl. of **parum,** *least, by no means, very little.*

minimus, a, um, superl. of **parvus,** *smallest, least.*

minitor, 1, [1. minor], *threaten, menace.*

1. minor, 1, [minae], *threaten, menace.*

2. minor, us, comp. of **parvus,** *smaller, less; younger.*

Minturnae, ārum, f., *Minturnae,* a Latin town.

Minucius, ī, m., *Minucius,* a Roman gentile name.

minuō, ere, uī, ūtus, *lessen, diminish.*

minus, adv., comp. of **parum,** *less, not.* si minus, *if not.*

minūtus, a, um, [minuo], *small, tiny; petty.*

mīrābiliter, [mirabilis, *wonderful*], adv., *wonderfully, cordially.*

mīrificus, a, um, [mirus+facio], *marvellous, remarkable.*

mīror, 1, [mirus], *wonder, wonder at, marvel at; admire.*

mirandus, *wonderful, marvellous.*

mīrus, a, um, *wonderful, remarkable, strange, marvellous.*

misceō, ēre, miscuī, mixtus, *mix, agitate, stir up.*

misellus, a, um, [miser], *wretched, unhappy.*

Mīsēnum, ī, n., *Misenum,* a town and headland in Campania near the Gulf of Naples.

miser, era, erum, *wretched, unfortunate, poor, pitiable.*

miserābilis, e, [miseror, *pity*], *wretched, pitiable.*

miserandus, a, um, [miseror, *pity*], *to be pitied, pitiable.*

miseria, ae, [miser], f., *wretchedness, trouble, misfortune.*

misericordia, ae, [misericors], f., *mercy, clemency, compassion, pity.*

misericors, cordis, [misereo, *pity,*+cor, *heart*], *merciful, compassionate.*

Mithridātēs, is, m., *Mithridates,* king of Pontus.

Mithridāticus, a, um, *of Mithridates, Mithridatic.*

mītis, e, *mild, gentle, considerate.*

mittō, ere, mīsī, missus, *let go, send.*

mixtus, a, um, [misceo], *mixed, motley, heterogeneous.*

moderātē, [moderatus], adv.,

*with restraint, with modera-
tion.*

moderātiō, ōnis, [moderor, re-
strain], f., *restraint, moderation.*

moderātus, a, um, [moderor,
restrain], *restrained, temperate,
wise, discreet, sober.*

modestus, a, um, [modus], *well-
balanced, temperate, moderate,
discreet; honorable.*

modicē, [modicus], adv., *with
moderation, temperately.*

modicus, a, um, [modus],
moderate, within limits.

modo, [modus], adv., *only,
merely, but; just now, just,
lately, a little while ago.* **non
modo . . . sed** (or **verum**)
etiam, *not only . . . but also.*

modus, ī, m., *measure, amount;
limit, moderation; kind, sort,
nature, character; manner,
way, fashion.* **ejus modi**, *of
that sort (kind).* **cujus modi**,
of what sort (kind)? **quem
ad modum**, *in what way?
how?*

moenia, ium, n., *walls, fortifications.*

mōlēs, is, f., *mass, weight.
burden.*

molestē, [molestus], adv., *with
trouble.* **moleste ferre**, *take
ill, be annoyed, be vexed at.*

molestia, ae, [molestus], f.,
*annoyance, trouble, worry,
vexation.*

molestus, a, um, [moles], *trouble-
some, annoying, vexatious.*

mōlior, īrī, ītus, [moles], *strive;
plan, plot; attempt.*

molliō, īre, īvī, ītus, [mollis],
soften; wear out, subdue.

mollis, e, *soft, weak.*

molliter, [mollis], adv., *gently,
easily.*

moneō, ēre, uī, itus, *remind;
advise, warn, urge.*

mōns, ontis, m., *mountain,
mount.*

mōnstrum, ī, [cf. **moneo**], n.,
*omen, portent, wonder; mon-
ster, abomination.*

monumentum, ī, [cf. **moneo**],
n., *reminder, memorial, monu-
ment; record.*

mora, ae, f., *delay, hesitation.*

mōrātus, a, um, [mos],
civilized.

morbus, ī, [cf. **morior**], m., *sickness, disease.*

morior, morī, mortuus, *die,
expire.*

moror, 1, *linger, delay.*

mōrōsitās, ātis, [morosus], f.,
*capriciousness, surliness, ill-
temper.*

mōrōsus, a, um, [mos], *capricious, surly, ill-tempered.*

mors, tis, f., *death.*

morsus, ūs, [mordeo, *bite*], m.,
biting, pecking.

mortālis, e, [mors], *mortal.*
mortālis, as noun, *a mortal.*

mortuus, a, um, [morior], *dead.*

mōs, mōris, m., *custom, practice,
habit, usage;* pl. *character,
ways.*

mōtus, ūs, [moveo], m., *movement, motion; commotion, excitement, tumult; operation,
process; change, vicissitude;
impulse.* **terrae motus**, *earth-
quake.*

moveō, ēre, mōvī, mōtus, *move;
drive away; affect, impress,
touch; impel, inspire.*

mūcrō, ōnis, m., *a sharp point;
dagger, sword.*

mulier, eris, f., *woman.*

muliercula, ae, [mulier], f., *little woman; mistress, favorite.*

multiplex, icis, [multus+PLIC, *fold*], *manifold; redoubled.*

multitūdō, inis, [multus], f., *great number, multitude, throng; quantity.*

multō, 1, [multa, *fine*], *punish.*

multum, [multus], adv., *much.*

multus, a, um, *much;* pl., *many.* multo, *by much, by far, much, far.* multum posse, multum valere, *have great power, great influence.*

Mulvius, a, um, *Mulvian.* Pōns Mulvius, *the Mulvian Bridge.*

mūniceps, ipis, [munia, *duties,* +CAP, *take*], c., *inhabitant of a municipal town.*

mūnicipium, ī, [municeps], n., *municipal town, free town.*

mūniō, īre, īvī, ītus, [moenia], *fortify, strengthen; guard, protect.*

mūnītus, a, um, [munio], *fortified, strongly fortified, secure.*

mūnus, eris, n., *duty, function, service; gift, present, favor; show, exhibition, spectacle.*

Mūrēna, ae, m., *Murena,* a Roman family name.

mūrus, ī, m., *wall.*

Mūsa, ae, f., *Muse.*

mustāceus, ī, [mustum, *must*], m., *must-cake, cake.*

mūtō, 1, *change, alter.*

mūtus, a, um, *dumb, speechless, mute.*

Mytilēnaeus, a, um, *of Mytilene,* a city on the island of Lesbos.

Naevius, ī, m., *Naevius,* an early Roman poet.

nam, namque, conj., *for.*

nancīscor, ī, nactus or nanctus, *find, secure, obtain, gain.*

Nārēs Lūcānae, a place in Lucania.

nārrō, 1, *relate, tell.*

nāscor, ī, nātus, *be born.* nascens, present participle as adj., *growing, budding, nascent.* natus, *born.*

nātālis, e, [nascor], *pertaining to birth.* dies natalis, *birthday.*

natātiō, ōnis, [no, *swim*], f., *swimming.*

nātiō, ōnis, [nascor], f., *tribe, nation, people, race.*

nātūra, ae, [nascor], f., *birth; nature, natural character, character.*

nātūralis, e, [natura], *of nature, natural.*

(nātus, ūs), [nascor], m., used only in abl. sing., natu, *by birth.*

naufragus, a, um, [navis+ frango], *shipwrecked;* pl. as noun, *shipwrecked* or *ruined men.*

nauta, ae, [Greek ναύτης, *sailor*], m., *sailor.*

nauticus, a, um, [navis], *of ships; nautical, naval.*

nāvālis, e, [navis], *of ships, naval.*

nāviculārius, ī, [navicula, *small vessel*], m., *ship-master, ship-owner.*

nāvigātiō, ōnis, [navigo], f., *a sailing.*

nāvigō, 1, [navis+AG, *drive*], *sail, set sail, go to sea.*

nāvis, is, f., *a ship, vessel.*

1. nē, adv., *not.* ne . . . quidem, *not even.*

2. nē, negative adv. and conj.,

not; that . . . not, in order
that . . . not, lest; after
words of fearing, lest, that.
ne quis, lest any one, that no
one.

3. ně, affirmative particle, with
personal, possessive, and
demonstrative pronouns, verily, truly, I assure you, indeed.

-ne, enclitic interrog. particle,
whether.

Neápolitánus, a, um, of Naples,
Neapolitan; pl. as noun, m.,
the Neapolitans, inhabitants
of Naples.

Nearchus, ī, m., Nearchus, a
Tarentine.

nec, see neque.

necessário, [necessarius], adv.,
necessarily, of necessity.

necessárius, a, um, [necesse],
necessary, inevitable, unavoidable; related. As noun, kinsman, relative.

necesse, [NEC, connect], indecl.,
necessary, inevitable.

necessitás, átis, [necesse], f.,
necessity, requirement.

necessitúdō, inis, [necesse], f.,
relationship, connection.

necne, conj., or not.

necō, 1, [cf. nex], put to death,
kill, slay.

nefandus, a, um, impious,
heinous, execrable, abominable.

nefáriē, [nefarius], adv., im-
piously, abominably.

nefárius, a, um, [nefas], impious, execrable, abominable,
nefarious.

nefás, indecl., [ně, not, +fas],
impiety, wickedness.

neglegenter, [neglegens, care-
less], adv., carelessly, negli-
gently.

neglegō, ere, ēxī, ēctus, [nec =
non +lego], neglect, omit, overlook, disregard.

negō, 1, say no, refuse, say . . .
not, deny.

negōtior, 1, [negotium], do business, be engaged in business.

negōtium, ī, [nec =non +otium],
n., a business, action, task;
duty; trouble.

nēmō, —, dat. nēminī, [nē, not, +
hemo =homo], m., no one,
nobody.

nepōs, ōtis, m., a grandson; a
spendthrift.

nēquam, indecl., worthless.

nēquáquam, [ne, not, +quis-
quam], adv., by no means.

neque, or nec, [ne, not, +que],
conj., nor, and . . . not.
neque (nec) . . . neque
(nec), neither . . . nor.

nequeō, īre, īvī or iī, itum, [ne,
not, +queo, can], be unable,
cannot.

nē . . . quidem, see 1. nē.

nēquior, ius, comp. of nequam.

nēquitia, ae, [nequam], f., worthlessness, dissoluteness.

nervus, ī, m., a sinew; pl.,
nervi, figuratively, strength.

nesciō, īre, īvī, [ne, not +scio],
not know, be ignorant. nescio
quis, some . . . or other, some.

Nestor, oris, m., Nestor, a Greek
hero.

neutiquam, adv., by no means.

nēve, or neu, [ne, not, +-ve], conj.,
and not; and that not, nor.

nex, necis, f., killing, murder,
death.

nī, unless.

nihil, [ne, not, +hilum, trifle],

n., indecl., *nothing;* adverbially, *not at all, not.*
nihildum, *nothing yet.*
nihilum, ī, [ne, *not,*+hilum, *trifle*], n., *nothing.*
Nīlus, ī, m., *the Nile.*
nimīrum, [ne,*not,*+mirum],adv., *without doubt, beyond question.*
nimis, adv., *too much, too.*
nimium, [nimius], adv., *too much, too.*
nimius, a, um, [nimis], *excessive, too great, over-.* As noun, *too much.*
nisi, [ne=non+si], conj., *if not, unless, except.*
niteō, ēre, uī, *shine, glisten.*
nitidus, a, um, [cf. **niteo**], *shining, glistening, sleek.*
nītor, ī, nīsus or nīxus, *attempt, strive, exert oneself; rest on, be supported.*
nitor, ōris, [niteo], m., *brightness; elegance.*
nix, nivis, f., *snow.*
Nōbilior, ōris, m., *Nobilior,* a Roman family name.
nōbilis, e, [nosco], *well-known, famous, distinguished, illustrious, eminent, noble.*
nōbilitās, ātis, [nobilis], f., *celebrity, distinction, fame; nobility, rank.*
nōbilitō, 1, [nobilis], *make famous.*
nocēns, entis, [noceo], *guilty.* As noun, *guilty person, culprit.*
noceō, ēre, cuī, citūrus, *injure, harm.*
noctū, [nox], adv., *by night.*
nocturnus, a, um, [nox], *at night, nocturnal.*
nōlō, nōlle, nōluī, [ne=non+volo], *be unwilling, not wish.*

nōmen, inis, n., *name, title; fame; pretext; score, account.*
nōmenclātor, ōris, [cf. **nomen**], m., *nomenclator,* a slave who gave his master the names of persons.
nōminātim, [nomino], adv., *by name, expressly.*
nōminō, 1, [nomen], *call by name, name, mention; designate, call; celebrate, make famous.*
nōn, adv., *not, no.*
Nōnae, ārum, f., *Nones,* the seventh of March, May, July, and October; the fifth of the other months.
nōnāgintā, indecl., *ninety.*
nōndum, adv., *not yet.*
nōnne, interrog. adv., *(is) not? (does) not?*
nōnnūllus, a, um, [non+nullus], *some, several.*
nōnnumquam, [non + numquam], adv., *sometimes, often.*
nōs, nostrum, see **ego.**
nōscō, ere, nōvī, nōtus, *become acquainted with;* in perfect system, *know.*
noster, stra, strum, [nos], *our, our own, ours, of us.*
nota, ae, [cf. **nosco**], f., *mark, sign; brand, stigma.*
nōtitia, ae, [nosco], f., *knowledge.*
notō, 1, [nota], *mark, note, brand.*
nōtus, a, um, [nosco], *known; well-known, famous.*
novem, indecl., *nine.*
November, bris, bre, [novem], *of November.*
novus, a, um, *new, recent; strange, novel, unprecedented, unheard of.* **res novae,** *revolution.*

nox, noctis, f., *night.*

nudiūs tertius, [nunc dies tertius est], *day before yesterday.*

nūdus, a, um, adj., *naked, nude; bare.*

nūgātor, ōris, [nugae, *trifles*], m., *trifler.*

nūllus, a, um, [ne, *not,*+ullus], *none, no.* As noun, *no one.*

num, interrog. particle expecting the answer No; in indirect questions, *whether.*

Numantia, ae, f., *Numantia,* a city of Spain.

nūmen, inis, [nuo, *nod*], n., *a nod; (divine) will, (divine) power.*

numerus, ī, m., *number; account, importance; category, class; enumeration; quantity.*

Numidicus, ī, m., *Numidicus,* a surname of Q. Metellus, commemorating his African victories.

numquam, [ne, *not,*+umquam], adv., *never.*

numquis, numquid, *any one, anything.*

nunc, adv., *now, at present.*

nūntiō, 1, [nuntius], *announce.*

nūntius, ī, m., *messenger; command, order; despatch.*

nūper, adv., *lately, recently.*

nūptiae, ārum, [nupta, *bride*], f. *marriage, wedding.*

nūsquam, [ne+usquam], adv. *nowhere.*

nūtus, ūs, [nuo, *nod*], n., *nod will, command.*

Ō, interj., *O! oh!*

ob, prep. with acc., *on account of, for.* quam ob rem, rel., *for which reason, wherefore;* interrog., *why? wherefore?*

obeō, īre, iī, itus, [ob+1. eo], *go to meet; undertake; attend to.*

obiciō, ere, jēcī, jectus, [ob+jacio], *throw before; expose, present; reproach, taunt.*

oblectāmentum, ī, [oblecto], n., *solace, comfort, delight.*

oblectō, 1, [ob+lacto, *allure*], *delight, please, cheer.*

obligō, 1, [ob+ligo, *bind*], *put or lay under obligation; mortgage.*

oblinō, ere, lēvī, litus, [ob+lino, *smear*], *smear over, cover.*

oblitus, a, um, perfect passive participle of oblino.

oblītus, a, um, [perfect passive participle of obliviscor], *forgetful, unmindful.*

oblīviō, ōnis, [cf. obliviscor], f., *forgetting, forgetfulness, oblivion.*

oblīviōsus, a, um, [oblivio], *forgetful.*

oblīvīscor, ī, lītus, *forget.*

obmūtēscō, ere, [ob+mutus], *become dumb; pause, stop.*

oboediō, īre, īvī, ītum, [ob+audio], *obey, give heed to, consult.*

obrēpō, ere, psī, ptum, [ob+repo, *creep*], *creep upon.*

obruō, ere, uī, ŭtus, [ob+ruo], *overwhelm, bury.*

obscūrē, [obscurus], adv., *darkly, secretly; in riddles.*

obscūritās, ātis, [obscurus], f., *darkness, obscurity; uncertainty.*

obscūrō, 1, [obscurus], *obscure, shroud, conceal, hide.*

obscūrus, a, um, *obscure, hidden, secret, concealed; unknown.*

obsecrō, 1, [ob+sacro, *consecrate*], *beseech, entreat, implore.*

obsecundō, 1, [ob+secundo, favor], favor.

observāns, antis, [observo], attentive, devoted.

observantia, ae, [observans], f., devotion, attachment.

observō, 1, [ob+servo], observe, keep up.

obses, idis, c., hostage; pledge.

obsideō, ēre, ēdī, essus, [ob+ sedeo], besiege, beset; look out for, consummate.

obsidiō, ōnis, [obsideo], f., a siege; attack, invasion.

obsistō, ere, stitī, stitum, [ob+ sisto, cause to stand], stand in the way of, block, thwart, withstand.

obsolēscō, ere, lēvī, lētus, [obs=ob+olesco, grow], grow old, become obsolete.

obstrepō, ere, uī, [ob+strepo, rattle], drown with noise, drown.

obstruō, ere, ūxī, ūctus, [ob+ struo], block up.

obstupefaciō, ere, fēcī, factus, [ob+stupefacio, stun], stun astound, amaze.

obstupēscō, ere, puī, [ob+stupesco, be stunned], be stunned; be astounded at, be amazed at.

obsum, obesse, obfuī, [ob+sum], be a disadvantage to, injure, harm.

obtemperō, 1, [ob+tempero], obey, comply with, conform to, follow, consult.

obtineō, ēre, tinuī, tentus, [ob+ teneo], hold, possess; maintain; make out, prove.

obtingō, ere, tigī, [ob+tango], happen, befall.

obtrectō, 1, [ob+tracto], disparage, oppose, make opposition.

obtūsus, a, um, [obtundo, beat], blunted, dim.

obviam, [ob+viam], adv., towards, to meet.

occaecō, 1, [ob+caecus], conceal, hide.

occāsiō, ōnis, [occido], f., opportunity.

occāsus, ūs, [occido], m., going down, downfall, destruction.

occātiō, ōnis, [occo, harrow], f., harrowing.

occīdō, ere, cīdī, cīsus, [ob+ caedo, cut], cut down; kill, slay, murder.

occidō, ere, cidī, cāsūrus, [ob+ cado], fall; perish; disappear, pass away; set. occidens (sol), the setting sun, the west.

occlūdō, ere, sī, sus, [ob+ claudo], shut up, close.

occultē, [occultus], adv., secretly, in secret.

occultō, 1, [occulo, conceal], conceal, hide.

occultus, a, um, [occulo, conceal], secret, hidden.

occupō, 1, [ob, cf. capio], seize, take possession of; occupy. occupatus, a, um, invested in; busy, occupied.

occurrō, ere, currī, cursūrus, [ob+curro, run], run to meet; occur, come to mind; oppose; attend to.

Oceanus, ī, [Gr. Ὠκεανός, Oceanus], m., the ocean.

Octāvius, ī, m., Octavius, a Roman gentile name.

octingentēsimus, a, um, eight hundredth.

Octōber, bris, re, of October.

octōgēsimus, a, um, eightieth

octōgintā, indecl., eighty.

oculus, ī, m., eye.

ōdī, ōdisse, ōsūrus, *hate.*

odiōsus, a, um, [odium], *hateful.*

odium, ī, [cf. odi], n., *hatred.*

odor, ōris, m., *fragrance.*

Oeconomicus, ī, m., *the Oeconomicus,* a work of Xenophon.

Oedipūs, ipodis, m., *Oedipus.*

offendō, ere, fendī, fēnsus, [ob+ obsolete fendo, *strike*], *strike against; wound, offend.* offensus, *an object of offence, offensive, odious.*

offēnsiō, ōnis, [offendo], f., *a striking against, stumbling; misfortune, disaster; offence.*

offēnsus, a, um, see offendo.

offerō, offerre, obtulī, oblātus, [ob+fero], *expose; present, offer, afford; confer, bestow.*

officium, ī, [for opificium, ops +FAC, *do*], n., *service, kindness; duty, obligation.*

offundō, ere, ūdī, ūsus, [ob+ 2. fundo], *pour over, fill.*

oleārius, a, um, [oleum], *of oil.* cella olearia, *oil room.*

oleum, ī, [oliva, *olive*], n., *oil.*

ōlim, adv., *at that time; formerly, once.*

olīvētum, ī, [oliva, *olive*], n., *olive orchard.*

Olumpius, a, um, see Olympius.

Olympia, ae, f., *Olympia,* in Elis.

Olympius, or Olumpius, a, um, *of Olympia;* n. pl. as subst., Olumpia, orum, *Olympic victory.*

ōmen, inis, n., *omen.*

omittō, ere, īsī, issus, [ob+ mitto], *let go; throw aside; pass by, omit, neglect, disregard.*

omnīnō, [omnis], adv.. *entirely,* *altogether, in all, only;* with negatives, *at all.*

omnis, e, *all, every.*

onus, eris, n., *a load, burden; cargo.*

opera, ae, [2. opus], f., *exertion, pains; service; help, assistance.* operae pretium est, *it is worth while.*

operiō, īre, uī, rtus, *cover.*

operōsus, a, um, [opera], *active, busy.*

Opīmius, ī, m., *Opimius,* a Roman gentile name.

opīmus, a, um, [ops], *rich, productive.*

opīniō, ōnis, [opinor], f., *conception, notion, belief, opinion; impression, imagination; expectation.*

opīnor, 1, *think, believe, imagine, judge.*

opitulor, 1, *bring aid, help, assist, succor.*

oportet, ēre, uit, impers., *it behooves, it is fitting, it is necessary; ought.*

oppetō, ere, īvī, ītus, [ob+peto], *go to meet, meet.*

oppidō, adv., *very.*

oppidum, ī, n., *walled town, town.*

Oppius, ī, m., *Oppius,* a Roman gentile name.

oppōnō, ere, posuī, positus, [ob+pono], *set against, oppose to, match against, compare.*

opportūnitās, ātis, [opportunus, *opportune*], f., *opportunity; advantage.*

(oppositus, ūs), [oppono], m., *a setting against; protection.* Used only in the abl. sing. and acc. pl.

opprimō, ere, essī, essus, [ob+premo], *press against; repress, hold in check; overthrow, overwhelm, crush, overpower; put out, smother.*

oppugnō, 1, [ob+pugno], *attack, assault.*

ops, opis, (nom. and dat. sing. not in use), f., *help, assistance;* pl., **opes**, um, *resources, wealth; interest; power, influence.*

optābilis, e, [opto], *desirable.*

optimās, ātis, [optimus], *of or belonging to the best or noblest, aristocratic;* pl., **optimatos**, ium, m., *the op-ti-má-tes, the aristocrats.*

optimē, superl. of **bene**.

optimus, superl. of **bonus**.

optō, 1, *choose; wish, desire.*

1. **opus**, [ops], n., used only in nom. and acc., *necessity, need.* **opus est**, *there is need, it is necessary.*

2. **opus**, eris, n., *work; occupation, profession.* **magno opere**, *greatly.* **tanto opere**, *so greatly.*

ōra, ae, f., *coast, shore; district.*

ōrāculum, ī, [oro], n., *oracle.*

ōrātiō, ōnis, [oro], f., *speech, utterance, remarks, representations, words, plea; oration; eloquence; subject, theme, topic.*

ōrātor, ōris, [oro], m., *orator.*

orbis, is, m., *circle.* **orbis terrae** or **terrarum**, *the earth, world.*

orbō, 1, *deprive, bereave.*

ōrdior, īrī, ōrsus, *begin.*

ōrdō, inis, m., *line, row; rank, order, body, class; arrangement, position, status.*

oriēns, entis, [orior], m., (supply **sol**), *the East.*

orīgō, inis, [orior], f., *origin;* pl., **Origines**, *title of a work.*

orior, īrī, ortus, *rise.*

ōrnāmentum, ī, [orno], n., *equipment; distinction, badge, token;* pl., *supplies; graces, glories; treasures; honor.*

ōrnātē, [1. ornatus], adv., *gracefully.*

1. **ōrnātus**, a, um, [orno], *supplied, equipped, provided, furnished; honored, honorable; embellished.*

2. **ōrnātus**, ūs, [orno], m., *outfit, dress.*

ōrnō, 1, *fit, equip; honor, do honor to, celebrate; grace, adorn, embellish.*

ōrō, 1, [os], *speak; pray, entreat, beg.*

Orpheus, ī, m., *Orpheus*, a slave of Cicero.

ortus, ūs, [orior], m., *rising.*

ōs, ōris, n., *mouth; face, features, countenance.*

Osacēs, is, m., *Osaces*, a Parthian chieftain.

ostendō, ere, dī, tus, [obs=ob+tendo], *show, exhibit; give promise of; prove.*

ostentō, 1, [ostendo], *show, exhibit, display.*

Ōstiēnsis, e, *of Ostia*, the port of Rome.

ōstium, ī, [cf. **os**], n., *mouth, entrance.*

Othō, ōnis, m., *Otho*, a man's name.

ōtiōsus, a, um, [otium], *at leisure; quiet, peaceful, tranquil.*

ōtium, ī, n., *leisure, rest, repose, peace, quiet, tranquillity.*

P. = **Pūblius.**

pābulum, ī, [pasco, *feed*], n., *fodder, food.*

pācātus, a, um, [paco], *subdued, reduced to peace, at peace, peaceful.*

pācificātiō, ōnis, f., [pax+facio], *pacification.*

pacīscor, ī, pactus, *bargain, agree, stipulate.*

pācō, 1, [pax], *reduce to peace, pacify.*

pactum, ī, [cf. **paciscor**], n., *agreement;* in abl., *way, manner.*

paene, adv., *almost, nearly.*

paenitet, ēre, uĭt, impers., *it causes repentance* or *regret.*

palam, adv., *openly.*

Palātium, ī, n., *the Palatine Hill.*

palma, ae, f., *palm; crown of victory.*

Pamphȳlia, ae, f., *Pamphylia,* a district lying on the southern coast of Asia Minor.

pampinus, ī, m., *vine-leaf.*

Panathēnāicus, a, um, *Panathenaic.*

Pāpius, a, um, *of Papius, Papian.*

pār, paris, adj., *equal, alike, comparable; adequate, that does justice.*

parātus, a, um, [paro], *prepared, ready.*

parcō, ere, pepercī or parsī, parsūrus, *spare, consider, consult for.*

parēns, entis, [pario], c., *parent.*

pāreō, ēre, uī, pāritūrus, *appear; obey, heed, yield to consult.*

pariēs, etis, m., *wall* (of a building).

pariō, ere, peperī, partus, *bring forth, bear; secure, win, gain, incur.*

pariter, [par], adv., *equally.*

parō, 1, *prepare, get ready; destine; ordain.*

parricīda, ae, [obsolete parus, *relative,*+caedo, *cut*], c., *one who slays a relative* or *kinsman* especially *one who murders a parent; parricide, murderer*

parricīdium, ī, [parricida], n. *parricide, murder.*

pars, partis, f., *part, portion, share; direction, side; party, faction, rôle.*

Parthī, ōrum, m., *Parthians,* an eastern nation.

particeps, cipis, [pars+cap̃:ɔ], *sharing, participating;* as noun, *partner, participant.*

partim, [acc. of **pars**], adv., *partly, in part.* **partim . . . partim,** *some . . . others.*

partus, a, um, see **pario.**

parum, [cf. **parvus**], adv., *too little.*

parvolus (-ulus), a, um, [parvus], *little.*

parvus, a, um, *small, slight, little, petty, unimportant.* **parvī,** *of small account.* **parvī rēfert,** *it matters little.*

passus, ūs, [pando, *spread out*], m., *a stretching; stride, a step.*

pāstiō, ōnis, [pasco, *feed, graze*], f., *a pasturing, pasturage.*

pāstor, ōris, [pasco, *feed*], m. *shepherd.*

pāstus, ūs, [pasco, *feed*], m., *pasturage.*

patefaciō, ere, fēcī, factus, [pateo+facio], *lay open, open, reveal, lay bare, disclose, expose.*

pateō, ēre, uī, *lie open, be open; be exposed, be revealed; extend.*

pater, tris, m., *father.*

patientia, ae, [cf. **patior**], f., *patience, endurance; forbearance.*

patior, ī, passus, *suffer, endure; permit, allow.*

patria, ae, [originally an adj., limiting *terra*], f., *native country, native land.*

patricius, a, um, [pater], *patrician.*

patrimōnium, ī, [pater], n. *patrimony, estate.*

patrius, a, um, [pater], *of one's father; of one's ancestors, ancestral.*

patruus, ī, [pater], m., *father's brother, uncle.*

paucī, ae, a, (sing. rare), *a few.*

paulisper, [paulum+per], adv., *for a little while, for a short time.*

paulō, [paulus, *little*], adv., *by a little, a little.*

paulum, [paulus, *little*], adv., *a little, somewhat.*

Paulus, ī, m., *Paulus*, a Roman family name.

paupertās, ātis, [pauper, *poor*], f., *poverty.*

pāx, pācis, f., *peace.* **pace tua**, *with your permission.*

peccātum, ī, [pecco], n., *sin, error, fault.*

peccō, 1, [pes, ped-is], *stumble; blunder, do wrong, err, make a mistake.*

pectō, ere, pexī, pexus, *comb.*

pectus, oris, n., *breast; heart.*

pecuāria, ae, [pecu, *cattle*], f., *cattle-raising.*

pecūnia, ae, [pecu, *cattle*], f., *property, money.*

pecus, udis, f., *beast, brute; sheep.*

pedester, tris, tre, [pes], *on foot, of foot-soldiers, infantry; on land.*

pejor, ōris, *worse.* Comp. of **malus.**

Peliās, ae, m., *Pelias*, a mythological character.

pellō, ere, pepulī, pulsus, *beat, drive, strike; drive out, expel, rout, defeat.*

penārius, a, um, [penus, *provisions*], *pertaining to provisions.* **cella penaria**, *pantry, storeroom.*

Penātēs, ium, [penus, *pantry, storeroom*], m., *gods of the storeroom, the Penates, household gods.*

pendeō, ēre, pependī, *hang; depend.*

pendō, ere, pependī, pēnsus, *weigh out, pay,*

penetrō, 1, *reach, penetrate.*

penitus, adv., *inwardly, within; deeply, carefully; entirely, wholly.*

pēnsitō, 1, [penso, *weigh*], *to weigh out, pay.*

per, prep. with acc., *through; over, along, among; throughout, during, in the course of; by, through the instrumentality of; because of; by way of.*

peracerbus, a, um, [per+acerbus], *very sour.*

perāctiō, ōnis, [perago], f., *completion.*

peradulēscēns, entis, [per+adulescens], *very young.*

peragō, ere, ēgī, āctus, [per+ago], *act through, finish.*

peragrō, 1, [per+ager], *wander over, traverse.*

perbenevolus, a, um, [per+benevolus, *well-wishing*], *very kind.*

perbrevis, e, [per+brevis], *very short.*

percellō, ere, culī, culsus, [per+cello, *strike*], *strike down, overwhelm, overthrow.* **perculsus**, *downcast, depressed.*

percipiō, ere, cēpī, ceptus, [per+capio], *attain; reap; enjoy; apprehend, learn, perceive, understand.*

percontor, 1, *ask, inquire.*

percutiō, ere, cussī, cussus, [per+quatio, *shake*], *strike, smite, hit.*

perditus, a, um, [perdo], *lost, abandoned, depraved, wicked.*

perdō, ere, didī, ditus, [per+do], *destroy; lose.*

perdūcō, ere, dūxī, ductus, [per+duco], *lead through; conduct, bring; keep up, continue.*

peregrīnor, 1, [peregrinus], *go abroad.*

peregrīnus, a, um, [peregre, *abroad*], *foreign, outlandish, provincial.*

pereō, īre, iī, itūrus, [per+ 1. eo], *perish, die.*

perfectiō, ōnis, [perficio], f., *completion.*

perfectus, a, um, [perficio], *perfect, ideal.*

perferō, ferre, tulī, lātus, [per+fero], *endure, suffer, tolerate, bear; convey, bring;* of laws, *pass, enact.*

perficiō, ere, fēcī, fectus, [per+facio], *accomplish; perfect, elaborate, finish; bring to pass, cause, make.*

perfringō, ere, frēgī, frāctus, [per+frango], *break through, break down.*

perfruor, ī, ūctus, [per+fruor], *enjoy to the full, enjoy.*

perfugium, ī, [perfugio, *flee for refuge*], n., *place of refuge, refuge, shelter.*

perfungor, ī, fūnctus, [per+fungor], *get through with, finish, perform.*

pergō, ere, perrēxī, perrēctus, [per+rego], *proceed, continue.*

perhorrēscō, ere, ruī, [per+horresco, *bristle up*], *shudder at, tremble at the thought of.*

perīclitor, 1, [periculum], *endanger, jeopardize.*

perīculōsus, a, um, [periculum], *dangerous, perilous, hazardous.*

periculum, ī, n., *trial; danger, risk, peril; suit, lawsuit.*

perillūstris, e, [per+illustris], *very famous, very distinguished.*

perinde, adv., *in the same manner, precisely.* **perinde ac**, *precisely as.*

perinīquus, a, um, [per+iniquus], *very unjust.*

perītus, a, um, *experienced, skilled, familiar with.*

permagnus, a, um, [per+magnus], *very great, very large.*

permaneō, ēre, mānsī, mānsūrus, [per+maneo], *remain.*

permittō, ere, mīsī, missus, [per+mitto], *entrust, commit; permit, allow.*

permodestus, a, um, [per+modestus], *very modest, shy, shrinking.*

permoveō, ēre, mōvī, mōtus, [per+moveo], *move deeply, move, influence, impel.*

permulceō, ēre, mulsī, mulsus, [per+mulceo, *smooth*], con- *sole, soothe.*

permultus, a, um, [per+multus], *very much, very many.*   **per- multum valere**, *be very strong.*

perniciēs, ēī, [per, cf. **nex**], f., *de- struction, ruin.*

perniciōsus, a, um, [pernicies], *ruinous, fatal, pernicious.*

pernoctō, 1, [per+nox], *pass the night.*

perpetuō, [perpetuus], adv., *per- petually, permanently.*

perpetuus, a, um, [per+peto], *continuous, uninterrupted, un- broken; permanent, perpet- ual.*   **in perpetuum**, *perma- nently.*

Persae, ārum, m., *Persians.*

persaepe, [per+saepe], adv., *very often.*

perscrībō, ere, īpsī, īptus, [per+ scribo], *write out, copy, tran- scribe, engross.*

persequor, ī, cūtus, [per+se- quor], *follow up; follow out; finish; punish, prosecute, take vengeance on; go through, enumerate.*

Persēs, ae, m., *Perses* or *Perseus*, king of Macedonia.

persevērantia, ae, [persevero, *persist*], f., *steadfastness, per- sistence, perseverance.*

Persicus, a, um, *Persian.*

persōna, ae, f., *mask, rôle; character; person.*

perspiciō, ere, spexī, spectus, [per+specio, *gaze*], *perceive, see through; discern; ob- serve, see, note.*

perspicuus, a, um, [perspicio], *clear.*

perstudiōsus, a, um, [per+stu-

dium], *very eager for, very fond of.*

persuādeō, ēre, suāsī, suā- sūrus, [per+suadeo], *per- suade, convince.*

perterreō, ēre, uī, itus, [per+ terreo], *terrify, alarm.*

pertimēscō, ere, muī, [per+ timeo], *become afraid, be alarmed; fear, dread.*

pertinācia, ae, [pertinax, *per- severing*], f., *persistence; ob- stinacy, stubbornness.*

pertineō, ēre, uī, [per+teneo], *pertain, concern, bear on, be- long; tend.*

perturbō, 1, [per+turbo, *agitate*], *confuse, disturb, agitate.*   **per- turbatus**, *disturbed, agitated, confused.*

perūtilis, e, [per+utilis], *very useful.*

pervādō, ere, sī, sum, [per+ vado, *go*], *go through; reach, extend, fill.*

pervagātus, a, um, [pervagor, *spread through*], *widespread.*

perveniō, īre, vēnī, ventum, [per+venio], *come, arrive; reach, attain to.*

perversitās, ātis, [perverto, *cor- rupt*], f., *perversity.*

pervolō, velle, voluī, [per+ volo], *wish very much.*

pēs, pedis, m., *foot.*

Pescennius, ī, m., *Pescennius*, a Roman gentile name.

pestifer, a, um, [pestis+fero], *baneful, ruinous.*

pestis, is, f., *plague, pestilence; pest, curse, bane; ruin, de- struction.*

petītiō, ōnis, [peto], f., *attack; thrust, aim; canvass, candi- dacy.*

petō, ere, īvī or iī, petītus, *seek,
beg, request; aim at, attack.*
petulantia, ae, [petulans, *impudent*], f., *wantonness, impudence.*
Philhetaerus,   ī, m.,   *Philhetaerus,* a Roman name.
Philippus, ī, m., *Philip,* king of
Macedon ; also *Philippus,* a
Roman family name.
Philomēlium,   ī,   n.,   *Philo-
melium,* a town in Asia
Minor.
philosophia, ae, [Gr. φιλοσοφία,
philosophy], f., *philosophy.*
philosophus, ī, [Gr. φιλόσοφος,
philosopher], m., *philosopher.*
Philotīmus, ī, m., *Philotimus,* a
freedman.
Picēns, entis, *Picenian.*
Picēnum, ī, n., *Picenum,* a district of eastern Italy.
Picēnus, a, um, *Picenian, of
Picenum.*
piē, [pius, *dutiful*], adv., *loyally.*
pietās, ātis, [pius, *dutiful*], f.,
*devotion,   loyalty;   upright-
ness.*
pila, ae, f., *ball, ball-playing.*
pīlus, ī, m., *a section* of a cohort.
Pindenissītae, ārum, m., *inhabitants of Pindenissus.*
Pindenissus, ī, m., *Pindenissus,* a town in Cilicia.
pinguis, e, *fat, heavy, dull.*
piscis, is, m., *fish.*
Pīsistratus ī, m., *Pisistratus.*
Pīsō, ōnis, m., *Piso,* a Roman
family name.
Pius, ī, m., *Pius,* a Roman
surname.
placeō, ēre, cuī, citūrus, *please.*
placet, *it pleases, it is one's
pleasure, it seems best, it is
determined.*

placidus, a, um, [placeo], *pleasing, peaceful.*
plācō, 1, *appease; satisfy, con-
ciliate,   reconcile.*   placatus,
tranquil, gentle.
plāga, ae, f., *blow.*
plānē,   [planus,   *level*],   adv.,
plainly, clearly, entirely.
planta, ae, f., *cutting, slip.*
Platō, ōnis, m., *Plato,* Athenian
philosopher.
plaudō, ere, ausī, ausus, *clap,
applaud.*
plausus, ūs, [plaudo], m., *ap-
plause.*
Plautus, ī, m., *Plautus,* Roman
poet.
plēbēs, ĕī, see plebs.
plēbs, plēbis, (or plēbēs, ĕī or
ī), f., *common people, people,
populace.*
plēnus, a, um, *full.*
plērumque, [plerusque], adv.,
*generally, mostly, for the most
part.*
plērusque,   raque,   rumque,
[plerus, *very many*], chiefly
in pl., *very many, most.*
Plōtius, ī, m., *Plotius,* a Roman
gentile name.
plūrēs, plūrimus, comp. and superl. of multus.
plūrimum,   [plurimus],   adv.,
most, very much. plurimum
posse, *be very strong.*
plūs, comp. of multus.   plus
valere,   *be   more   powerful.*
pōculum, ī, n., *cup.*
poena, ae, [cf. punio], f., *punishment, penalty.*
Poenī, ōrum, m., *the Carthaginians.*
poēta, ae, [Gr. ποιητής, *poet*].
m., *poet.*

polio, īre, īvī, ītus, *polish; finish, embellish.*

polliceor, ērī, itus, *promise, pledge.*

pōmārium, ī, [pomum], n., *apple orchard.*

Pompejus, eī, m., *Pompey,* a Roman gentile name.

Pompōnia, ae, f., *Pomponia,* sister of Atticus.

Pompōnius, ī, m., *Pomponius,* Roman gentile name; especially T. Pomponius Atticus.

Pomptīnus, ī, m., *Pomptinus,* a Roman family name.

pōmum, ī, n., *apple.*

pondus, eris, n., *weight.*

pōnō, ere, posuī, positus, *place, put, set, pitch; reckon; stake, hazard; lay down.* positus, *placed, located, situated; dependent upon.*

pōns, ontis, m., *bridge.*

pontifex, ficis, m., *priest, pontiff, pontifex.* Pontifex Maximus, *high priest.*

pontificius, a, um, [pontifex], *priestly, pontifical.*

Pontius, ī, m., *Pontius,* a Samnite.

Pontus, ī, m., *Pontus,* a district in northern Asia Minor, on the coast of the Euxine Sea; it was the kingdom of Mithridates.

popīna, ae, f., *a cook-shop, tavern, dive.*

populāris, e, [populus], *of the people, popular, democratic.*

populus, ī, m., *people, tribe, nation.*

porcus, ī, m., *swine; pork.*

porrō, adv., *further, in turn.*

porta, ae, f., *gate, entrance.*

portus, ūs, [cf. porta], m., *harbor, port.*

possessiō, ōnis, [possideo, possess], f., *possession, occupation; lands, property, estate*

possum, posse, potuī, ['potis, able, +sum], *be able, can, have influence, avail, be powerful.* plurimum posse, *be very powerful.*

post, adv. and prep. with acc., *after, afterwards; behind; since; within.*

posteā, adv., *afterwards.*

posteāquam, conj., *after.*

posteritās, ātis, [posterus], f., *the future, future time; posterity.*

(posterus, a, um), [post], nom. sing. not used; *following, next.* in posterum, *for the futurs.* posteri, m. pl., *descendants, posterity; future generations.*

posthāc, adv., *hereafter, in future, henceforth.*

postrēmō, [postremus], adv., *finally, at last, lastly.*

postrēmus, a, um, [superl. of posterus], *last; lowest.*

postrīdiē, [for posteridie], adv., *on the following day.*

postulō, 1, *demand, ask; beg, request.*

Postumius, ī, m., *Postumius,* a Roman gentile name.

potēns, entis, [possum], *able, powerful, influential.*

potentia, ae, [potens], f., *power.*

potestās, ātis, [potis, able], f., *power; office, authority; opportunity, possibility; permission, privilege.*

pōtiō, ōnis, [poto, *drink*], f., *drinking.*

potior, īrī, ītus, [potis, *able*], *become master of; obtain possession of, secure, obtain control.*

potissimum, [superl. of **potius**], adv., *especially, in particular.*

potius, [potis, *able*], comp. adv., *rather.*

prae, prep. with abl., *before; in comparison with.*

praebeō, ēre, uī, itus, [prae+habeo], *offer, furnish, afford; exhibit, show.*

praeceps, cipitis, [prae+caput], *headlong; headstrong, rash.*

praeceptum, ī, [praecipio], n., *precept, instruction, teaching.*

praecīdō, ere, cīsī, cīsus, [prae+caedo, *cut*], *cut short.*

praecipiō, ere, cēpī, ceptus, [prae+capio], *enjoin upon, give a precept.*

praecipuē, [praecipuus], adv., *especially.*

praecipuus, a, um, [prae+CAP, *take*], *especial.*

praeclārē, [praeclarus], adv., *admirably, finely.*

praeclārus, a, um, [prae+clarus], *distinguished, famous, illustrious, glorious, noble; excellent, admirable, fine.*

praecō, ōnis, [prae, cf. **voco**], m., *herald.*

praecōnium, ī, [praeconius, *of a herald*], n., *heralding, celebration.*

praecurrō, ere, cucurrī, cursum, [prae+curro, *run*], *run before; outstrip.*

praeda, ae, [prae+HED, *grasp*], f., *plunder, booty.*

praedātor, ōris, [praedor, *plun-*der], m., *a plunderer, robber.*

praedicātiō, ōnis, [praedico], f., *praising, praise.*

praedicō, 1, [prae+dīco, *proclaim*], *proclaim, declare, boast, assert, say; celebrate.*

praedīcō, ere, dīxī, dictus, [prae+dico], *say before; predict, foretell; say at the outset, say first.*

praeditus, a, um, [prae+datus, *given*], *gifted, endowed, honored.*

praedium, ī, n., *farm, estate.*

praedō, ōnis, [praeda], m., *robber, pirate, freebooter.*

praefectūra, ae, [praefectus], f., *praefecture.*

praefectus, ī, [praeficio], m., *commander, praefect.*

praeferō, ferre, tulī, lātus, [prae+fero], *bear before, carry before; put before, set before, prefer.*

praeficiō, ere, fēcī, fectus, [prae+facio], *set over, put in charge of.*

praemittō, ere, mīsī, missus [prae+mitto], *send on ahead, send in advance.*

praemium, ī, [prae+emo, *take*], n., *first choice; prize, reward, recompense.*

Praeneste, is, n. and f., *Praeneste*, a Latin town; the modern *Palestrina.*

praepōnō, ere, posuī, positus, [prae+pono], *set over, put in charge of.*

praescrībō, ere, īpsī, īptus, [prae+scribo], *prescribe, enjoin upon, direct, command; write out, expound.*

praesēns, entis, [praesum]. *at*

*hand, in person, present;
providential.*

praesentia, ae, [praesens], f.,
presence.

praesentiō, īre, sēnsī, sēnsus,
[prae+sentio], *see in advance,
look forward.*

praesertim, adv., *especially, particularly.*

praesideō, ēre, sēdī, [prae+
sedeo], *preside over, watch
over.*

praesidium, ī, [praeses, *guard*],
n., *protection, defence, assistance, support; guard, garri-
son, post; force.*

praestābilis, e, [praesto, *surpass*],
excellent, superior.

praestāns, antis, [praesto, *surpass*], *eminent; preëminent,
superior.*

1. **praestō**, adv., *present, at hand.*
2. **praestō**, āre, itī, itus, *surpass,
exhibit, show; render, vouch-
safe, guarantee, assure.*

praestōlor, 1, *wait for.*

praestringō, ere, īnxī, ictus,
[prae+stringo, *graze*], *dazzle,
blind.*

praesum, esse, fuī, [prae+sum],
*be before; be in command of,
be in charge; preside over.*

praeter, prep. with acc., *past,
beyond; contrary to, besides,
except.*

praetereā, adv., *besides, moreover.*

praetereō, īre, iī, itus, [praeter+
1. eo], *pass over, omit.*

praeteritus, a, um, [praetereo],
past. **praeterita**, n. pl., *the
past.*

praetermittō, ere, mīsī, missus,
[praeter+mitto], *let go, let
pass, pass over, omit.*

praeterquam, [praeter+quam],
adv., *further than, beyond, besides, except.*

praetextātus, a, um, [prae-
texta, *bordered toga* of chil-
dren], *wearing the toga praetexta; in childhood.*

praetextus, a, um, [praetexo,
weave a border], *bordered,
edged.* As noun, f., *toga
praetexta*, or toga bordered
with a purple stripe, the
dress of curule magistrates
and of children up to the
seventeenth year.

practor, ōris, [prac | 1. eo], m.,
praetor, a Roman judicial
officer.

praetōrius, a, um, [praetor], *of
the praetor, praetorian.* **cohors praetoria**, *bodyguard.*

praetūra, ae, [praetor], f., *praetorship, office of praetor.*

prandeō, ēre, —, prānsus, *lunch.*

prandium, ī, n., *lunch.*

prātum, ī, n., *meadow.*

prāvitās, ātis, [pravus, *crooked*],
f., *crookedness; depravity,
wickedness.*

precor, 1, [prex], *pray, entreat.*

premō, ere, essī, essus, *press, op-
press;* pass., *be hard pressed,
be burdened, be beset.*

pretium, ī, n., *price; reward;
money, bribe.* **operae pretium**, *worth while.*

(**prex**, precis), f., nom. and gen.
obsolete; used mostly in pl.,
prayers, entreaties.

prīdem, adv., *long ago.* **jam
pridem**, *now for a long time.*

prīdiē, adv., *on the day before,
the previous day.*

prīmārius, a, um, [primus],
of first rank, leading.

prīmō, [primus], adv., *at first.*

prīmum, [acc. neut. of primus], adv., *first, at first, in the first place.* **quam primum**, *as soon as possible.* **ut primum, cum primum**, *as soon as.*

prīmus, a, um, [superl. of prior], *first, first part of; foremost, front, beginning of.* **in primis,** *especially.*

prīnceps, cipis, [primus+CAP, take], *first, foremost, chief;* as noun, *leader, chief;* pl., *leading men.*

prīncipātus, ūs, [princeps], m., *lead, preëminence, precedence.*

prīncipium, ī, [princeps], n., *beginning.*

prior, us, comp., [cf. **pro**], *former, first.*

prīstinus, a, um, *former, previous.*

prius, [prior], adv., *before, sooner, previously, earlier.*

priusquam, conj., *before.*

prīvātus, a, um, [privo], *private, in unofficial station, in private life; personal, individual.* As noun, *a private citizen.*

prīvō, 1, *deprive.*

1. **prō**, interj., *O! By!*

2. **prō**, prep. with abl., *before, in front of, on the front part of; in behalf of, for; instead of, in place of; as; in return for; in proportion to, in comparison with; according to; in consideration of; in view of.* **pro consule,** *as consul, proconsul.*

proavus, ī, m., *great-grandfather.*

probē, [probus], adv., *well, excellently.*

probitās, ātis, [probus], f., *uprightness.*

probō, 1, [probus], *approve, prove, commend.*

probrum, ī, n., *disgrace.*

probus, a, um, *good, worthy.*

prōcēdō, ere, cessī, cessūrus, [pro+cēdo], *advance, proceed.*

procella, ae, f., *storm, tempest; tumult.*

prōcēritās, ātis, [procerus, *tall, lofty*], f., *height, loftiness.*

prōcessiō, ōnis, [procedo], f., *an advance.*

prōcreō, 1, [pro+creo], *produce.*

procul, adv., *far off, at a distance.*

prōcūrātiō, ōnis, [procuro, *take care of*], f., *caring for, charge.*

prōdeō, īre, iī, itūrus, [pro+1. eo], *go forth; appear.*

prōdigium, ī, n., *omen, portent; monster.*

prōdigus, a, um, *lavish, openhanded.*

prōditiō, ōnis, [prodo], f., *treason.*

prōdō, ere, didī, ditus, [pro+do], *hand down, commit, transmit; betray.* **memoriae proditum,** *handed down by tradition.*

prōdūcō, ere, dūxī, ductus, [pro+duco], *prolong, continue.*

proelium, ī, n., *battle, fight.*

profectiō, ōnis, [proficiscor], f., *setting out, departure.*

profectō, [=pro facto], *for a fact; actually, surely, certainly, assuredly.*

prōferō, ferre, tulī, lātus, [pro+fero], *bring forth, bring forward, produce.*

professiō, ōnis, [profiteor], f., *declaration, registration.*

prŏficiō, ere, fēcī, fectus, [pro+
iacio], accomplish, achieve.

proficīscor, ī, fectus, [prŏ, col-
lateral form of prō,+FAC,
make], set forth, depart, march
out, proceed.

proŭteor, ērī, fessus, [prŏ, col-
lateral form of prō,+fateor],
declare, make declaration; give
notice, announce; offer. se
profiteri, volunteer.

prōflīgō, 1, [pro+fligo, strike],
strike down, prostrate, overwhelm. profligatus, a, um,
unprincipled, abandoned, prof-
ligate.

profugiō, ere, fūgī, [prŏ, collat-
eral form of prō, +fugio], flee
forth, flee.

prōfundō, ere, fūdī, fūsus, [pro
+fundo, pour], pour forth;
squander; offer up, sacrifice.

prōgredior, ī, gressus, [pro+
gradior, step], go forth, advance, proceed.

prohibeo, ēre, uī, itus, [pro+
habeo], keep from, keep off;
check; protect, defend; prevent.

prōiciō, ere, jēcī, jectus, [pro+
jacio], cast forth, cast out, expel.

proinde, adv., therefore, accordingly.

prōlātō, 1, [prolatus, postponed],
postpone, put off, procrasti-
nate.

prōlixus, a, um, obliging, courteous.

prōmittō, ere, mīsī, missus,
[pro+mitto], promise.

prōmulgō, 1, announce, pub-
lish, give notice of.

prōpāgātiō, ōnis, [propago], f.,
propagation; training.

prōpāgātor, ōris, [propago], m.,
continuer, extender.

1. prōpāgō, 1, [pro+PAG, fasten],
establish; propagate, rear; add;
extend, prolong.

2. prōpāgō, inis, [pro+PAG, fas-
ten], f., layer, shoot (of a
plant).

prope, adv., near, almost, well-
nigh.

propediem, [prope+dies], adv.,
at an early day.

properō, 1, hurry, hasten.

propinquitās, ātis, [propin-
quus, near], f., nearness.

propius, adv., comp. of prope.

prōpōnō, ere, posuī, positus, [pro
+pono], set before, propose.

proprius, a, um, one's own, peculiar, special, characteristic, belonging to; in accordance with.

propter, [prope], adv. and prep.
with acc.: 1) Adv., near,
near at hand. 2) Prep. with
acc., on account of.

proptereā, adv., on that account. propterea quod, because.

prōpugnāculum, ī, [propugno,
fight before], n., bulwark.

prōpulsō, 1, [propello, drive
away], avert, ward off.

prōrsus, [pro+versus, straight
on], absolutely, very, entirely.

prōscrīptiō, ōnis, [proscribo, ad-
vertise], f., notice of sale, sale;
proscription, confiscation.

prōsequor, ī, cūtus, [pro+se-
quor], escort, attend.

prōsperē, [prosperus, favor-
able], adv., fortunately, successfully.

prōspiciō, ere, exī, ectus, [pro+
specio, look], look out for, provide for; foresee.

prōsternō, ere, strāvī, strātus [pro+sterno, *stretch out*], *throw down, overthrow; ruin, destroy.*

prōstrātus, a, um ; see **prosterno.**

prōsum, prōdesse, prōfuī, [pro+sum], *be of advantage, assist, benefit.*

prōvehō, ere, vexī, vectus, [pro+veho, *carry*], *carry forward, prolong, advance.*

prōveniō, īre, vēnī, ventum, [pro+venio], *come forward.*

prōverbium, ī, n., *proverb.*

prōvidentia, ae, [provideo], f., *foresight, forethought.*

prōvideō, ēre, vīdī, vīsus, [pro+video], *foresee; look out, provide, arrange, take precaution, make provision; look out for, guard against.*

prōvincia, ae, f., *province.*

prōvinciālis, e, [provincia], *of a province, provincial.*

prōvocō, 1, [pro+voco], *call out, challenge; assail.*

proximē, [proximus], adv., *most nearly; recently.*

proximus, a, um, superl. of propior, *nearer*, [cf. **prope**]; *nearest, next, following, last.*

prūdēns, entis, [for providens], *foreseeing, wise;* with adverbial force, *purposely, consciously.*

prūdentia, ae, [prudens], f., *foresight, wisdom; knowledge.*

pruīna, ae, f., *frost.*

Pseudolus, ī, m., *" The Cheat,"* a play of Plautus.

pūbēscō, ere, pūbuī, [pubes, *youth*], *have the down of youth.*

pūblicānus, a, um, [publicus], *of the public revenue.* As noun,

m., *publican, farmer of the revenues.*

pūblicātiō, ōnis, [publico], f., *confiscation.*

pūblicē, [publicus], adv., *publicly, officially.*

Pūblicius, ī, m., *Publicius,* a Roman gentile name.

pūblicō, 1, [publicus], *make belong to the people, confiscate.*

pūblicus, a, um, [pubes, *youth, able-bodied young men, citizens*], *of the citizens* or *state, public.* res publica, *the state, government, commonwealth; common weal.*

Pūblius, ī, m., *Publius,* a Roman praenomen.

pudet, ēre, uit or puditum est, impers., *it causes shame; one is ashamed.*

pudīcitia, ae, [pudicus, *modest*], f., *chastity, purity, modesty.*

pudor, ōris, [cf. **pudet**], m., *shame, sense of shame, honor.*

puer, erī, m., *boy.*

puerīlis, e, [puer], *of boys, of boyhood.*

pueritia, ae, [puer], f., *boyhood.*

pugna, ae, f., *fight, battle.*

pugnō, 1, [pugna], *fight, engage in combat; contend.*

pulcher, chra, chrum, *beautiful, fair, glorious, noble.*

pulchrē, [pulcher], adv., *beautifully, admirably, well.*

pulchritūdō, inis, [pulcher], f., *beauty.*

pulvīnar, āris, [pulvinus, *cushion*], n., *a couch of the gods; shrine.*

pūnctum, ī, [pungo, *prick*], n., *puncture; point; instant.*

Pūnicus, a, um, *Punic, Carthaginian.*

pūniō, īre, īvī, ītus, [poena], *punish.*

puppis, is, f., *stern.*

pūrē, [purus], adv., *purely; in refined pursuits.*

pūrgō, 1, [purus], *make clean cleanse, purify; acquit.*

purpura, ae, [Gr. πορφύρα, *purple fish*], f., *purple; purple garments.*

purpurātus, a, um, [purpura], *clad in purple.* As noun, *courtier, prime minister.*

pūrus, a, um, *pure, clean.*

putō, 1, [putus, *clear*], *clear up, think, deem, regard, consider, believe.*

Pylae, ārum, f., *the Gates* (a mountain pass).

Pyrrhus, ī, m., *Pyrrhus,* king of Epirus.

Pȳthagorēus, a, um, *Pythagorean, pertaining to Pythagoras.*

Pȳthagorās, ae, m., *Pythagoras,* Greek philosopher.

Q. = Quīntus.

quā, [abl. of qui], adv., *where.*

quadrāgintā, indecl., *forty.*

quadriennium, ī, [quattuor + annus], n., *four years.*

quaerō, ere, sīvī, sītus, *seek; ask, inquire; aim at.*

quaesītor, ōris, [quaero], m., *an investigator, examiner.*

quaesō, defective, *I beg, I beseech, I entreat; please.*

quaestiō, ōnis, [quaero], f., *investigation; question; court.*

quaestor, ōris, [for quaesitor], m., *quaestor,* a Roman financial officer.

quaestus, ūs, [quaero], m., *gain, profit, advantage.*

quālis, e, [cf. qui], interrog. and rel. adj.: 1) Interrog., *of what sort? of what nature?* 2) Rel., *such as, as.* talis . . . qualis, *such . . . as.*

quam, 1) Interrog., *how?* 2) Rel., *as much as, as;* with comparatives, *than;* with superlatives, *as . . . as possible.*

quamdiū, [quam + diu], adv., *as long as.*

quamquam, (quam + quam), conj., *though, although; and yet.*

quamvīs, [quam + vis, from volo], adv. and conj., *however, however much, though, although.*

quandō, [cf. quis], indef. adv., *at any time.* Interrog., *when?*

quantus, a, um, [quam], interrog. and rel. adj., *how greatly? how much? as great as, as much as;* with tantus, *as.* quanto opere, *how greatly? how much?* quantum, acc. as adv., *how much, how greatly.*

quantuscumque, tacumque, tumcumque, rel. adj., *however great.*

quāpropter, adv., *on account of which, wherefore.*

quārē, or quā rē, interrog. and rel. adv., *wherefore, why, on account of which.*

quārtum, [quartus], adv., *for the fourth time.*

quārtus, a, um, [quattuor], *fourth.*

quasi, [quam + si], adv., *as if, just as.*

quassō, 1, [quatio, *shake*], *shake violently; shatter.*

quattuor, indecl., *four.*

-que, conj., *and.*

quemadmodum, [quem ad modum], adv., *how? as.*

queō, īre, īvī, itum, *can; am able.*

querēla, ae, [queror], f., *complaint.*

querimōnia, ae, [queror], f., *complaint.*

queror, ī, questus, *complain, complain of.*

1. quī, quae, quod, rel. pron., *who, which, that, what.*

2. quī, quae, quod, interrog. adj., *what? what sort of?*

3. quī, [1. quis], adv., *how?*

quia, conj., *because.*

quicquam, see quisquam.

quicquid, see quisquis.

quīcumque, quaecumque, quodcumque, indef. rel. pron. and adj., *whoever, whatever, whichever.*

quid, see quis.

quīdam, quaedam, quiddam and quoddam, indef. pron. and adj., *a certain.*

quidem, adv., *indeed, to be sure, at least.* nē . . . quidem, *not even.*

quiēs, ētis, f., *rest, quiet, repose.*

quiēscō, ere, ēvī, ētus, [quies], *keep quiet, be still; remain neutral.*

quiētē, [quietus], adv., *in tranquillity, quietly.*

quiētus, a, um, [quiesco], *tranquil, undisturbed.*

quīn, [abl. qui+ne], conj., *by which not, that not, that, from: without.*

quīncūnx, ūncis, [quinque+ uncia, *twelfth*], m., *five twelfths; arrangement by fives.*

quīndecim, indecl., *fifteen.*

quīngentī, ae, a, *five hundred.*

quīnquāgēsimus, a, um, *fiftieth.*

quīnque, *five.*

quīnquennium, ī, [quīnque+ annus], n., *space of five years.*

Quīntus, ī, m., *Quintus,* a Roman praenomen.

quīntus, a, um, [quinque], *fifth.*

Quirīs, ītis, m., generally in pl., *Quirites, fellow-citizens.*

1. quis, quid, interrog. pron., *who? what? which?* quid, *why?*

2. quis or quī, qua or quae, quid or quod, indef. pron. and adj., *any one, anything, any.*

quisnam or quīnam, quaenam, quidnam or quodnam, interrog. pron. and adj., *who, pray? what, pray?*

qu'spiam, quaepiam, quidpiam or quodpiam, indef. pron. and adj., *any one, anything, any; some one.*

quisquam, quicquam (quidquam), indef. pron., *any one; anything.*

quisque, quaeque, quidque or quodque, indef. pron. and adj., *each.*

quisquis, quicquid (quidquid), indef. pron., *whoever; whatever.*

quīvīs, quaevīs, quidvīs, indef. pron., *any one you please; any one.*

1. quō, [2. qui], interrog. and rel. adv., *whither, to what place*

where. **quo usque,** *how far?*

2. **quō,** [1. qui], conj., *in order that, that.* **quo minus,** *by which the less, by which not, in order that not, from.*

quoad, [quo+ad], adv. and conj., *as long as; as far as.*

quōcircā, adv., *wherefore; on which account.*

quōcumque, adv., *whithersoever.*

quod, [1. qui], conj., *because, since, on the ground that; that, in that; as to the fact that.* **quodsi,** *but if.*

quō minus, (**quōminus**), see 1. quō; *in order that.*

quondam, adv., *formerly, once.*

quoniam, [quom (=cum)+jam], conj., *inasmuch as, since, because.*

quōquam, adv., *anywhither, to any place, to anything.*

quoque, adv., *also, too.*

quōrsus, [quo+2. versus], *to what end, why?*

quot, indecl., *how many? as many as, as.*

quotannīs [quot+annus], adv., *every year, yearly.*

quotiēns, [quot], adv., *how often? as often as.*

quotiēnscumque, adv., *as often as, however often.*

rāmus, ī, m., *branch, bough.*

rapīna, ae, [rapio], f., *robbery, plunder, rapine.*

rapiō, ere, puī, raptus, *seize, snatch; hurry, hurry away, hurry along.*

ꝛatiō, ōnis, [reor, reckon], f., *a reckoning; account; consideration; interest; method, system, systematic pursuit;*

theory, theoretical knowledge; plan, policy, purpose; character, nature, tenor; way, manner, course; means; reason; view; relation. **rationem habere,** *have regard.*

Reātīnus, a, um, *of Reate, a* Sabine town.

recēdō, ere, cessī, cessum, [re-+cēdo], *retire, leave, depart.*

recēns, entis, *fresh, recent.*

recessus, ūs, [recedo], m., *retired spot, nook, corner.*

recipiō, ere, cēpī, ceptus, [re-+capió], *take back, retake, recover; receive; take upon oneself, undertake.* **se recipere,** *betake oneself, retire.*

recitō, 1, [re-+cito, urge on], *read aloud, read.*

reclāmō, 1, [re-+clamo], *cry out against, object, protest.*

recognōscō, ere, gnōvī, gnitus, [re-+cognosco], *recognize; go over, review.*

recolō, ere, coluī, cultus, [re-+colo], *cultivate again, revive, review.*

reconciliātiō, ōnis, [reconcilio, reëstablish], f., *reëstablishment.*

recondō, ere, didī, ditus, [re-+condo], *hide away, conceal.*

recoquō, ere, coxī, ctus, [re-+coquo], *boil again, boil over.*

recordātiō, ōnis, [recordor], f., *recollection, memory.*

recordor, 1, [re-+cor, heart], *recall, call to mind.*

recreō, 1, [re-+creo], *make anew, restore.* **se recreare,** *recover oneself;* pass., *be born again.*

rēctā, [rectus], adv., *straightway.*

rēctē, [rectus], adv., *rightly, fittingly, properly, with reason.*

rēctus, a, um, [rego], *straight; right; upright.*

recuperō, 1, [re-+capio], *recover, regain.*

recūsātiō, ōnis, [recuso], f., *refusal, objection.*

recūsō, 1, [re-+causa], *object, refuse.*

redāctus, see **redigo**.

reddō, ere, didī, ditus, [red-+do], *give back, return, restore; render, make; bestow; deliver.*

redeō, īre, iī, itūrus, [red-+1. eo], *to go back, return.*

redigō, ere, ēgī, āctus, [red-+ago], *force back; reduce.*

redimiō, īre, ītus, *encircle, crown.*

redimō, ere, ēmī, ēmptus, [red-+emo], *buy back; ransom; buy up, farm.*

reditus, ūs, [redeo], m., *return.*

redūcō, ere, dūxī, ductus, [re-+duco], *lead back.*

redundō, 1, [red-+undo, *surge*], *to run over, overflow, be drenched, swim; redound; fall upon.*

refellō, ere, ellī, [re-+fallo], *refute, disprove.*

referō, referre, rettulī, relātus, [re-+fero], *bear back, carry back; report, refer, lay before; requite, repay.* **gratiam referre**, *show gratitude, make a return.* **se referre**, *go back, return.*

rēfert, ferre, tulit, [res+fero], impers., *it concerns, it is of advantage.*

refertus, a, um, [refercio, *stuff full*], *filled, full.*

reficiō, ere, fēcī, fectus, [re-+facio], *make over; revive, refresh, make.*

refrīgerātiō, ōnis, [re-+frigus], f., *coolness; cool apartment.*

refrīgerō, 1, [re-+frigus], *cool, refresh.*

refūtō, 1, [re-+FUD, *pour*], *refute, disprove.*

rēgālis, e, [rex], *of a king, princely.*

rēgiē, [regius], adv., *tyrannically.*

Rēgīnī, ōrum, m., *the Regians,* inhabitants of Regium, in southern Italy.

regiō, ōnis, [rego], f., *a direction, line; region, quarter, district, tract, country.*

rēgius, a, um, [rex], *of a king, of the kings; royal.*

rēgnō, 1, [regnum], *reign.*

rēgnum, ī, [cf. rego], n., *royal power, rule, sway, mastery; kingdom.*

regō, ere, rēxī, rēctus, *make straight; guide, direct; govern, control.*

reiciō, ere, rejēcī, jectus, [re-+jacio], *hu l back; reject, spurn.*

relaxō, 1, [re-+laxo], *relieve, relax, release.*

relevō, 1, [re-+levo], *lighten, relieve.*

religātiō, ōnis, [religo, *tie up*], f., *a tying up.*

religiō, ōnis, f., *religion; uprightness, conscientiousness, scrupulousness; scruple.*

religiōsus, a, um, [religio], *sacred, holy, revered.*

relinquō, ere, līquī, līctus, [re-+linquo, *leave*], *leave, leave behind, abandon; leave undone; omit, pass over; overlook, disregard.*

reliquiae, ārum, [reliquus], f., *remains, remainder, what is left: wreck.*

reliquus, a, um, [cf. **relinquo**], *remaining, remainder of, the rest; future.* **reliquum est,** *it remains.*

remaneō, ēre, mānsī, [re-+maneo], *remain, stay behind; continue.*

rēmex, igis, [remus, *oar,*+ago], m., *rower, oarsman.*

reminīscor, ī, *remember, recall.*

remissiō, ōnis, f., [cf. **remissus**], *relaxation; mildness.*

remissus, a, um, [remitto], *relaxed; released; indulgent, mild, gentle.*

remittō, ere, mīsī, missus, [re-+mitto], *send back; give back, restore.*

remoror, 1, [re-+moror], *delay; fail to overtake.*

remōtus, a, um, [removeo], *removed from, at variance with.*

removeō, ēre, mōvī, mōtus, [re-+moveo], *remove, banish; do away with, set aside.*

renovō, 1, [re-+novo, *make new*], *renew, revive.*

renūntiō, 1, [re-+nuntio], *report, announce; declare elected.*

repastinātiō, ōnis, [repastino, *dig up*], f., *a digging up again.*

repellō, ere, reppulī, repulsus, [re-+pello], *drive back, drive away, repel; ward off.*

repente, [repens, *sudden*], adv., *suddenly.*

repentīnus, a, um, [repens, *sudden*], *sudden, unexpected.*

reperiō, īre, repperī, repertus, [re-+pario], *discover, find.*

repetō, ere, īvī, ītus, [re-+peto], *ask back, demand, claim, ask; retrace, go back* (in thought).

reportō, 1, [re-+porto, *bear*], *bring back; win.*

reprehendō, ere, endī, ēnsus, [re-+prehendo, *seize*], *lay hold of; censure, blame.*

reprimō, ere, pressī, pressus, [re-+premo], *press back; repress, check.*

repudiō, 1, [re-+pes], *trample on, spurn, reject.*

repuerāscō, ere, [re-+puer], *become a child again.*

repugnō, 1, [re-+pugno], *fight against, oppose, resist.*

requiēs, ētis, [re-+quies], f., *rest, repose.*

requīrō, ere, sīvī, sītus, [re-+quaero], *ask, ask for, seek, inquire; demand, require, need; long for, desire; note the absence of, miss; seek in vain.*

rēs, reī, f., *thing, matter, affair; situation, consideration, fact; circumstance; property.*

rescrībō, ere, īpsī, īptus, [re-+scribo], *write back, answer, reply.*

resecō, āre, cuī, ctus, [re-+seco, *cut*], *cut back; cut off.*

reservō, 1, [re-+servo], *save, preserve.*

resideō, ēre, sēdī, [re-+sedeo], *settle down, remain behind; reside.*

resignō, 1, [re-+signo, *seal*], *break the seal; destroy.*

resistō, ere, stitī, [re-+sisto, *cause to stand*], *resist, withstand; survive.*

respectō, 1, [respicio], *look back, look back upon.*

respiciō, ere, spexī, spectus, [re-+specio, *gaze*], *look back, look back upon.*

respondeō, ēre, spondī, spōnsus, [re-+spondeo, *promise*], *answer, reply; be a match for*

respōnsum, ī, [respondeo], n., *an answer, reply, response.*

restinguō, ere, īnxī, īnctus, [re-+stinguo, *put out*], *quench, extinguish, put out.*

restituō, ere, uī, ūtus, [re-+statuo], *set up again; restore.*

restitūtiō, ōnis, [restituo], f., *restitution, restoration.*

restō, āre, stitī, [re-+sto], *remain, be left.* **restat,** *it remains.*

retardō, 1. [re-+tardo], *retard, hinder, check, delay.*

reticeō, ēre, cuī, [re-+taceo], *be silent, keep silence, keep silent about.*

retineō, ēre, tinuī, tentus, [re-+teneo], *hold, retain, maintain, preserve, keep.*

retorqueō, ēre, sī, tus, [re-+torqueo, *twist*], *twist back, turn back.*

retrahō, ere, trāxī, trāctus, [re-+traho], *drag back.*

retundō, ere, rettudī, tūsus, [re-+tundo, *beat*], *beat back, dull, blunt.*

reus, ī, m., *one accused, defendant.*

revellō, ere, ellī, ulsus, [re-+vello, *pluck*], *pluck out; take out the sting.*

revertor, ī, versūrus, (perf., revertī), [re-+verto, *turn*], *turn back, return, come back.*

revincō, ere, vīcī, victus, [re-+vinco], *defeat; refute.*

revocō, 1, [re-+voco], *call back, recall, encore; revive; call away.*

rēx, rēgis, [cf. **rego**], m., *king.*

Rhēnus, ī, m., *the Rhine.*

Rhodius, a, um, *Rhodian, of Rhodes,* an island in the Aegean Sea; m. pl. as noun, *the Rhodians.*

rīdeō, ēre, rīsī, rīsum, *laugh.*

rīdiculus, a, um, [rideo], *laughable, ridiculous, absurd.*

rīte, adv., *rightly, duly.*

rōbur, oris, n., *oak; vigor, strength.*

rōbustus, a, um, [robur], *strong, hardy.*

rogātiō, ōnis, [rogo], f., *bill, law.* (**rogātus,** ūs), [rogo], m., used only in abl. sing., **rogatu,** *at the request.*

rogō, 1, *ask, request;* of a bill, *propose, enact.*

Rōma, ae, f., *Rome.*

Rōmānus, a, um, [Roma], *of Rome, Roman;* m. pl. as noun, *Romans.*

Rōmulus, ī, m., *Romulus,* the mythical founder of Rome.

rōrō, 1, [ros, *dew*], *drop dew; yield drop by drop.*

Rōscius, ī, m., *Roscius,* a Roman family name; especially, *Quintus Roscius Gallus,* a celebrated actor at Rome.

Rōstra, ōrum, [rodo, *gnaw*], n., lit. *beaks; the Rostra* in the Forum at Rome, decorated with ships' beaks.

Rudīnus, a, um, *of Rudiae,* a town in Calabria.

rudis, e, *rude; ignorant, inexperienced.*

rūga, ae, f., *wrinkle.*

ruīna, ae, [ruo], f., *fall, collapse, ruin.*

rūmor, ōris, m., *rumor, hearsay, report.*

rumpō, ere, rūpī, ruptus, *break.*

ruō, ere, ruī, *fall; rush; plunge headlong; run amuck.*

rûrsus, [for revorsus, from re-
and vorsus=versus], adv.,
again; on the other hand.

rūsticor, 1, [rusticus], *go to the
country.*

rûsticus, a, um, [rus, *country*],
of the country, rustic, rude

Sabīnī, ōrum, m., *Sabines.*

sacer, sacra, sacrum, [cf. sancio],
sacred; n. pl. as noun, sacra,
ōrum, *sacred rites, ceremonies.*

sacerdōtium, ī, [sacerdos,
priest], n., *priestly office,
priesthood.*

sacrārium, ī, [sacer], n., *chapel,
sanctuary, shrine.*

sacrōsānctus, a, um, [sacer+
sanctus], *consecrated by religious rites, sacred, holy.*

saeculum, ī, n., *age, generation.*

saepe, [abl. of saepēs, *density,
thickness, frequency*], adv.,
often, frequently.

saepiō, īre, psī, ptus, [saepes,
hedge], *hedge in; surround,
protect, guard.*

sagāx, ācis, *sharp, keen, alert.*

sagittārius, ī, [sagitta, *arrow*],
m., *archer, bowman.*

Salamīniī, ōrum, m., *the people
of Salamis,* in Cyprus.

Sallustius, ī, m., *Sallustius,*
a Roman gentile name.

saltō, 1, [salio, *leap*], *dance.*

1. saltus, ūs, m., *woodland
pasture, pasture.*

2. saltus, ūs, [salio, *leap*], m.,
leaping.

salūbris, e, [salus], *wholesome,
beneficial.*

salūbriter, [salubris], adv.,
healthfully.

salūs, ūtis, [cf. salvus], f.,
health, welfare, prosperity, pres-

ervation, safety, deliverance.

Salus, *Safety,* goddess of
safety or health.

salūtāris, e, [salus], *wholesome,
beneficial.*

salūtō, 1, [salus], *greet, salute,
pay one's respects to.*

salvus, a, um, [cf. salus], *safe,
sound, saved, preserved, unharmed; secure.*

Samnīs, ītis, m., *Samnite.*

Samos or Samus, ī, f., *Samos,* an
island in the Aegean Sea.

sanciō, īre, sānxī, sānctus, *make
inviolable, enact, ordain; approve, sanction.*

sānctus, a, um, [sancio], *made
sacred; sacred, hallowed, holy,
inviolable; upright, conscien-
tious.*

sānē, [sanus], adv., *indeed, certainly, surely; to be sure; con-
fessedly, admittedly; for ought
I care.*

sanguis, inis, m., *blood; murder,
bloodshed.*

sānitās, ātis, [sanus], f., *soundness; sanity, sense.*

sānō, 1, [sanus], *make sound,
heal, cure, remedy; restore.*

sānus, a, um, *sound, healthy;
sane, sober.*

sapiēns, entis, [sapio, *be pru-
dent*], *sensible, wise, discreet;
conscious.* As noun, *wise man,
philosopher.*

sapienter, [sapiens], adv.,
wisely, judiciously, discreetly.

sapientia, ae, [sapiens], f., *wisdom, insight, judgment, discretion, prudence.*

Sardēs, ium, f., *Sardis,* capital
of Lydia.

Sardinia, ae, f., *Sardinia,* an island in the Mediterranean Sea.

sarmentum, ī, [sarpo, *cut*], n., *twig, cutting, shoot.*

sat = satis.

satelles, itis, c., *an attendant; henchman, minion, accomplice.*

satietās, ātis, [satis], f., *sufficiency, satiety.*

satiō, 1, [satis], *satisfy, glut, satiate.*

satis, adv. and noun, *enough, sufficiently, sufficient, quite, altogether, somewhat, rather.*

saturitās, ātis, [satur, *full*], f., *fulness, abundance.*

Sāturnālia, iōrum, [Saturnus, *Saturn*], n., *the festival of the Saturnalia, in December.*

Sāturnīnus, ī, m., *Saturninus,* a Roman family name.

satus, ūs, [sero], m., *planting.*

saucius, a, um, *wounded.*

saxum, ī, n., *rock, stone.*

scaena, ae, [Gr. σκηνή, *stage*], f., *stage, theatre.*

scaenicus, a, um, [scaena], *of the stage, theatrical.*

scandō, ere, scandī, scānsum, *climb.*

Scapula, ae, m., *Scapula,* a Roman family name.

Scapulānus, a, um, *belonging to Scapula.*

scelerātē, [sceleratus], adv., *criminally, wickedly.*

scelerātus, a, um, [scelero, *pollute*], *wicked, impious, accursed, infamous, vicious.*

scelus, eris, n., *a wicked deed, crime, sin, enormity, wickedness.*

sciēns, entis, [scio], *knowing, aware; skilled, skillful;* with adverbial force, *purposely, consciously.*

scientia, ae, [sciens], f., *knowledge, skill, familiarity.*

scīlicet, [scī+licet], *you may know; in fact, of course, to be sure.*

sciō, īre, īvī, ītus, *know, be aware, understand.*

Scīpᵢō, ōnis, m., *Scipio,* a Roman family name.

scortum, ī, n., *harlot, prostitute, favorite.*

scrība, ae, m., *clerk, secretary.*

scrībō, ere, scrīpsī, scrīptus, *write; describe, commemorate; compose; enroll.*

scrīptor, ōris, [scribo], m., *writer, author, historian.*

scrīptūra, ae, [scribo], f., *writing, recording; pasture tax.*

sēcēdō, ere, cessī, cessūrus, [se-, *apart,* +cēdo], *withdraw, depart.*

sēcernō, ere, crēvī, crētus, [se-, *apart,* +cerno], *separate, sever; distinguish; exclude.*

secundum, [secundus], prep. w. acc., *after, next after; according to.*

secundus, a, um, [sequor], *following, next; second; favorable, successful.* res secundae, *good fortune, prosperity.*

secūris, is, [seco, *cut*], f., *axe.*

sed, conj., *but, yet.*

sedeō, ēre, sēdī, sessūrus, *sit.*

sēdēs, is, [cf. sedeo], f., *a seat; dwelling-place, home, habitation, abode; centre, headquarters.*

sēditiō, ōnis, [sed-, *apart,* +ire, *go*], f., *dissension, revolt, insurrection, riot.*

sēdō, 1, *settle, put down, stop.*

sēdulitās, ātis, [sedulus, *busy*],

f., *persistency; officious- ness; importunity; zeal.*

seges, itis, m., *corn-field, crop.*

sēgregō, 1, [se-, *apart,* +grex], *separate; exclude.*

sējungō, ere, jūnxī, jūnctus, [se-, *apart,* +jungo], *separate, dissociate.*

sella, ae, [cf. sedeo], f., *seat, chair, bench.*

sem:l, adv., *once.*

sēmen, inie, [cf. sero], n., *oood.*

sēminārium, ī, [semen], n., *a nursery; hot-bed.*

semper, [sem-, *one,* +per, *through; in one continuous act*], adv., *ever, always, continually.*

sempiternus, a, um, [semper], *everlasting, eternal, imperishable, perpetual.*

Semprōnius, a um, *Sempronian.*

senātor, ōris, [senex], m., *senator.*

senātōrius, a, um, [senator], *of a senator, senatorial.*

senātus, ūs, [senex], m., *senate.*

senecta, ae, [senex], f., *old age.*

senectūs, ūtis, [senex], f., *old age.*

senēscō, ere, senuī, [senex], *grow old, age, wane.*

senex, senis, m., *old man.*

senīlis, e, [senex], *belonging to old men, senile, characteristic of old men.*

senium, ī, [senex], n., *old age; feebleness.*

sēnsim, [sentio], adv., *imperceptibly, gradually.*

sēnsus, ūs, [sentio], m., *feeling, perception, sensation, consciousness; purpose.*

sententia, ae, [sentio], f., *opinion, view, conviction; purpose; proposition, motion, proposal; verdict, decision; meaning, purport.*

sentīna, ae, [SEM, *draw out;* cf. simplum, *bailer*], f., *bilgewater; dregs, refuse.*

sentiō, īre, sēnsī, sēnsus, *perceive, note, mark; think, feel, be conscious; understand; intend; cherish or entertain oontimonto.*

sepeliō, īre, pelīvī, pultus, *bury; ruin, overwhelm.*

septem, *seven.*

September, bris, bre, *of September.*

septimus, a, um, *seventh.*

septuāgintā, indecl., *seventy.*

sepulcrum, ī, [cf. sepelio], n., *grave, tomb.*

sepultūra, ae, [sepelio], f., *burial.*

sequor, ī, secūtus, *follow; engage in; pursue; comply with.*

Serīphius, a, um, *Seriphian,* inhabitant of the islet of Seriphos.

sērius, comp. of sērō.

sermō, ōnis, [sero, *weave*], m., *conversation, talk, discourse, words, utterance, speech; report.*

sērō, [serus, *late*], adv., *late.*

serō, ere, sēvī, satus, *sow, plant.*

serpō, ere, serpsī, *creep; extend, spread.*

Sertōriānus, a, um, *of Sertorius, Sertorian.*

sertum, ī, [sero, *twine*], n., *garland.*

servīlis, e, [servus], *of a slave, of the slaves, servile.*

Servīlius, ī, m., *Servilius*, a Roman gentile name.

serviō, īre, iī, ītum, [servus], *be a slave; yield to, pander to; follow, obey; be made subject; subserve.*

servitium, ī, [servus], n., *slavery;* pl., *bands of slaves.*

servitūs, ūtis, [servus], f., *slavery, servitude.*

servō, 1, *save, rescue; preserve, maintain; watch.*

servus, ī, m., *a slave.*

sēstertius, ī, m., *sestertius,* sum of money, — about 5 cents; abbreviated **HS**.

Sēstius, ī, m., *Sestius,* name of a Roman gens.

seu, see sīve.

sevērē, [severus], adv., *strictly, harshly, severely.*

sevēritās, ātis, [severus], f., *strictness, sternness; harshness, severity.*

sevērus, a, um, *strict, severe, stern; dignified, august.*

Sex. = Sextus.

sex, *six.*

sexāgintā, indecl., *sixty.*

Sextīlis, e, [sextus, originally *sixth month*], *of August.*

Sextus, ī, m., *Sextus,* a Roman praenomen.

sextus, a, um, *sixth.*

sī, conj., *if.*

Sibyllīnus, a, um, *of a Sibyl, Sibylline.*

sīc, adv., *so, thus, in this manner; such* (= tālis).

sīca, ae, [cf. seco, *cut*], f., *dagger.*

sīcārius, ī, [sica], m., *assassin, murderer.*

Sicca, ae, m., *Sicca,* a Roman family name.

siccitās, ātis, [siccus, *dry*], f., *dryness, toughness.*

Sicilia, ae, f., *Sicily.*

sīcut or sīcutī, adv., *just as, as.*

Sicyōn, ōnis, f., *Sicyon,* city in Greece.

Sīgēum, ī, n., *Sigeum,* a promontory in the Troad near the Hellespont.

significātiō, ōnis, [significo], f., *indication, sign, portent.*

significō, 1, [signum+facio], *indicate, mean, typify.*

signum, ī, n., *mark, sign; seal; statue; standard, ensign.*

Sīlānus, ī, m., *Silanus,* a Roman family name.

silentium, ī, [silens, *still*], n., *silence, stillness.* silentio, *silently.* tanto silentio, *so quietly.*

sileō, ēre, uī, *be silent; leave unmentioned.*

silva, ae, f., *woods, forest.*

Silvānus, ī, m., *Silvanus,* a Roman family name.

silvēscō, ere, [silva], *grou to wood.*

silvestris, e, [silva], *wooded, woody.*

similis, e, *like, similar.*

similiter, [similis], adv., *similarly, in like manner.*

Sīmōnidēs, is, m., *Simonides,* a Greek poet.

simplex, icis, [sem, *one,*+plico, *fold*], *simple.*

simpliciter, [simplex], adv., *simply, in simple fashion.*

simul, adv., *at the same time, at once.* simul atque or ac, *as soon as.*

simulācrum, ī, [simulo], n., *a likeness, image, portrait statue.*

simulātiō, ōnis, [simulo], f., *pretence, guise.*

simulō, 1, [similis], *pretend, feign.*

simultās, ātis, [simul], f., *hostility, animosity.*

sīn, [si+affirmative -ne], conj., *but if.*

sine, prep. with abl., *without.*

singulāris, e, [singuli], *single; singular, special, unique, matchless, extraordinary.*

singulī, ae, a, [sem, *one*], distributive, *one apiece, one each; single, separate, each, several.*

sinō, ere, sīvī, situs, *set, place; permit, suffer, allow.*

Sinōpē, ēs, f., *Sinope*, a city of Asia Minor on the Euxine Sea.

sinus, ūs, m., *curve, hollow; bosom; bay, gulf.*

siquidem, *if indeed; since indeed.*

sitis, is, f., *thirst.*

situs, a, um; see sino.

sīve or seu, [si+-ve], conj., *or if.* sive (seu) . . . sive (seu), *if . . . or if, whether . . . or, either . . . or; or.*

Smyrnaeus, a, um, *of Smyrna.* As noun, m. pl., *the inhabitants of Smyrna.*

sōbrius, a, um, *not drunk, sober.*

socer, ī, m., *father-in-law.*

societās, ātis, [socius], f., *partnership, union, alliance; companionship; league.*

socius, a, um, [cf. sequor], *sharing, associated with;* as noun, *partner, associate, ally, accomplice, confederate;* pl., *the provincials.*

Sōcratēs, is, m., *Socrates*, Greek philosopher.

sodālis, is, [cf. sedeo], m., *seat-mate, table companion, companion, comrade, boon companion, crony.*

sodālitās, ātis, [sodalis], f., *club, social club.*

sōl, sōlis, m., *sun.*

sōlācium, ī, [solor, *console*], n., *solace, comfort, consolation, relief.*

soleō, ēre, itus sum, semi-dep., *be wont, be accustomed.*

sōlitūdō, inis, [solus], f., *loneliness, solitude; wilderness, desert.*

sollers, ertis, [sollus, *all,*+ars], *skilful.*

sollertia, ae, [sollers], f., *skill, cleverness.*

sollicitātiō, ōnis, [sollicito], f., *instigation, tampering with.*

sollicitō, 1, [sollicitus], *rouse, incite, instigate, tamper with; distress, harass.*

sollicitūdō, inis, [sollicitus], f., *disquiet, concern, anxiety, solicitude.*

sollicitus, a, um, [sollus, *all,*+ citus, *agitated*], *agitated, disturbed, troubled, concerned, solicitous, anxious.*

Solōn, ōnis, m., *Solon*, Athenian statesman.

solum, ī, n., *ground, soil, earth.*

sōlum, [solus], adv., *only, alone.* non solum . . . sed or verum etiam, *not only . . . but also.*

sōlus, a, um, *only, alone.*

solūtiō, ōnis, [solvo], f., *payment.*

solūtus, a, um; see solvo.

solvō, ere, solvī, solūtus, *loose, release, set free, exempt; pay.*

somniculōsus, a, um, [somnus], *sleepy, drowsy.*

somnus, ī, m., *sleep.*

sonō, āre, uī, itus, [sonus], *sound, utter.*

sonus, ī, m., *a noise, sound.*

Sophoclēs, is, m., *Sophocles,* Greek poet.

soror, ōris, f., *a sister.*

sors, tis, f., *lot, allotment, destiny.*

spargō, ere, sī, sus, *scatter; mix; spread abroad, extend.*

spatium, ī, n., *a space, extent; span, time, period; course, race-course.*

speciēs, ēī, f., *sight, appearance, beauty.*

spectō, 1, [specio, *look*], *look, look at, look on, behold.*

speculātor, ōris, [speculor], m., *spy, scout.*

speculor, 1, [specula, *watch-tower*], *keep watch, observe.*

spernō, ere, sprēvī, sprētus, *spurn, despise.*

spērō, 1, [spes], *hope, hope for, expect.*

spēs, spĕī, f., *hope, expectation.*

spīcum, ī, n., *ear, head* (of wheat).

spīritus, ūs, [cf. spiro, *breathe*], m., *breathing, breath; air, spirit; inspiration, afflatus;* pl., *arrogance, pride.*

splendēscō, ere, [splendeo, *shine*], *shine, grow bright; improve.*

splendidē, [splendidus], adv., *splendidly, finely.*

splendidus, a, um, *splendid, glorious; distinguished.*

splendor, ōris, [cf. splendeo, *shine*], m., *radiance, splendor; glory, honor.*

spoliō, 1, [spolium], *strip; plunder, despoil, rob.*

spolium, ī, n.: usually spolia, ōrum, pl., *spoils, booty, plunder.*

sponte, abl. of an obsolete spōns, f., *of one's own accord, on one's own initiative, voluntarily.*

Spurius, ī, m., *Spurius,* a Roman praenomen.

stabiliō, īre, īvī, ītus, [stabilis], *establish, make secure.*

stabilis, e, [cf. sto], *stable, fixed, secure.*

stabilitās, ātis, [stabilis], f., *stability, security.*

stadium, ī, [Gr. στάδιον, *race-course*], n., *stadium, race-course.*

Statilius, ī, m., *Statilius,* name of a Roman gens.

statim, [sto], adv., *on the spot, forthwith, straightway, immediately, at once*

statiō, ōnis, ₁sto], f., *post, station.*

Stātius, ī, m., *Statius,* a Roman family name.

Stator, ōris, [sto], m., *stay, guardian, support, protector;* epithet of Jupiter.

statua, ae, [sto], f., *image, statue.*

statuō, ere, uī, ūtus, [statu-], *set, place, put, establish; set up, erect; decide, determine, resolve.*

status, ūs, m., *standing, condition, status.*

stercorō, 1, [stercus, *dung*], *manure, fertilize.*

Stēsichorus, ī, m., *Stesichorus,* a Greek poet.

stimulus, ī, [STIG, *prick*], m., *goad; stimulus, incentive.*

stīpō, 1, *crowd, surround, accompany.*

stippendium, ī, [stips, *coin,* + pendo], n., *pay, wages* (of soldiers), hence *military service, campaign.*

stirps, pis, f., *stock, stem; source, root.*

stō, āre, stetī, stātūrus, *stand.*

Stōicus, a, um, *Stoic.*

stomachor, 1, [stomachus], *be angry, be indignant.*

stomachus, ī, m., *gullet; anger, resentment, indignation.*

strepitus, ūs, [strepo, *rattle*], m., *noise, din, rattle.*

struō, ere, strūxī, strūctus, *build, construct; arrange.*

studeō, ēre, uī, [cf. **studium**], *bo zealous, be eager, desire.*

studiōsē, [studiosus], adv., *eagerly, carefully.*

studiōsus, a, um, [studium], *fond of, eager, desirous; a connoisseur of.*

studium, ī, [cf. studeo], n., *zeal, interest, effort; study, pursuit; desire, eagerness; sympathy, devotion, loyalty, support, partisanship.*

stultitia, ae, [stultus], f., *folly, foolishness.*

stultus, a, um, *foolish, silly, stupid.*

stuprum, ī, n., *uncleanness, debauchery, lewdness.*

Suāda, ae, [suadeo], f., *Persuasion* (as a goddess).

suādeō, ēre, sī, sūrus, *advise, recommend; persuade.*

suāsor, ōris, [suadeo], m., *adviser, advocate.*

suāvis, e, *sweet, agreeable.*

suāvitās, ātis, [suavis], f., *sweetness, charm.*

sub, prep. with acc. and abl., *under.*

subeō, īre, iī, itus, [sub+1. eo], *undergo, incur, meet; suffer.*

subiciō, ere, jēcī, jectus, [sub+jacio], *place under; apply to; offer, submit.*

subigō, ere, ēgī, āctus, [sub+ago], *subdue, vanquish;* of soil, *prepare, make mellow.*

subitō, [subitus, *sudden*], adv., *suddenly.*

subjector, ōris, [subicio], m., *forger.*

sublātus, see **tollō.**

subolēs, is, f., *offspring.*

subsellium, ī, [sub+sella], n., *bench.*

subsidium, ī, [subsīdo, *remain behind*], n., *reserve, reinforcement, support, resource, assistance.*

subsum, esse, [sub+sum], *be under, be concealed.*

suburbānus, a, um, [sub+urbs], *suburban.*

subveniō, īre, vēnī, ventum, [sub+venio], *come to the aid of.*

succēdō, ere, cessī, cessūrus, [sub+cēdo], *come under; succeed, take the place of.*

succidia, ae, [sub+ caedo, *cut*], f., *flitch* (of bacon).

succumbō, ere, cubuī, cubitum, [sub+CUB, *lie*], *succumb, give way to.*

sūcus, ī, [cf. **sugo,** *suck*], m., *juice, sap.*

sufferō, sufferre, sustulī, sublātus, [sub+fero], *suffer.*

suffrāgium, ī, n., *voting-tablet, vote, ballot.*

suī, reflexive pron., *himself, herself, itself; themselves; him, her, it; them.*

Sulla, ae, m., *Sulla*, a Roman family name; especially *Lucius Cornelius Sulla*, the dictator.

Sulpicius, ī, m., *Sulpicius*, name of a Roman gens.

sum, esse, fuī, futūrus, *be.*

summa, ae, [summus], f., *pre-eminence, leadership.*

summittō, ere, mīsī, missus, [sub+mitto], *submit, yield.*

summus, a, um, superl. of **superus,** *highest, greatest, very great, most distinguished, most important, complete, supreme.*

sūmō, ere, sūmpsī, sūmptus, [sub+emo, *take*], *take, take on oneself, assume; appropriate.*

sūmptuōsē, [sumptuosus], adv., *lavishly, extravagantly.*

sūmptuōsus, a, um, [sumptus], *costly, sumptuous.*

sūmptus, ūs, [sumo], m., *expense, expenditure, cost, outlay.*

superbē, [superbus], adv., *haughtily, insolently, arrogantly.*

superbus, a, um, [super, *above* +BHU, *be*], *proud, haughty, insolent, arrogant.*

superficiēs, ēī, [super+facies], f., *surface, ground; building.*

superior, ius, [comp. of **superus**], *upper, higher; former, preceding, past.*

superō, 1, [superus], *be superior to, conquer, defeat, overcome; surpass, exceed.*

supersum, esse, fuī, futūrus, [super, *above*+sum], *be left over, survive, remain.*

superus, a, um, [super, *above*], *higher, upper.*

supervacāneus, a, um, [super, *above*+vaco], *superfluous, of leisure hours.*

suppeditō, 1, [sub+pes], *furnish, supply.*

suppetō, ere, īvī, ītus, [sub+peto], *be at hand, be in store.*

supplex, icis, [sub+plico, *fold*], *kneeling, suppliant.* As noun, *suppliant.*

supplicātiō, ōnis, [supplico, *kneel*], f., *kneeling, supplication; thanksgiving.*

supplicium, ī, [supplex], n., *kneeling; punishment, penalty, torture.*

suprēmus, a, um, [superl. of **superus**], *last.*

surgō, ere, surrēxī, surrēctus, [sub+rego], *arise.*

suscēnseō, ēre, suī, [succensus, *angry, excited*], *be angry, be incensed.*

suscipiō, ere, cēpī, ceptus, [subs =sub+capio], *take up, undertake; incur, suffer.*

suscitō, 1, [subs=sub+cito, *set in motion*], *stir up, rouse, incite.*

suspectus, a, um, [suspicio], *suspected, an object of suspicion.*

suspīciō, ōnis, [cf. **suspicor**], f., *suspicion, mistrust.*

suspicor, 1, [sub+specio, *look*], *mistrust, suspect.*

sustentō, 1, [cf. **sustineo**], *support, maintain; defer, put off, delay; feed, nourish, maintain.*

sustineō, ēre, tinuī, tentus, [subs =sub+teneo], *sustain; endure.*

sustulī, see **tollo.**

suus, a, um, [sui], poss. **pron.**

his, her, its, one's, their; his own, her own, etc.

symposium, ī, [Gr. συμπόσιον, *drinking party*], n., *symposium, drinking-party.*

Synephēbī, ōrum, m., *the Synephebi,* title of a play by Caecilius.

Synnada, ōrum, n., *Synnada,* a town in Asia Minor.

Syria, ae, f., *Syria,* a district of Asia.

T. = Titus.

tabella, ae, [dim. of tabula], f., *little board, waxed tablet* for correspondence; pl., *letter, document.*

tabellārius, ī, [tabellae], m., *letter-carrier.*

taberna, ae, f., *booth, shop.*

tābēscō, ere, tabuī, [tabeo, *melt away*], *waste away, pine away.*

tabula, ae, f., *board, tablet* for writing; *document, record;* pl., *archives.* **tabulae novae,** *new accounts.*

tabulārium, ī, [tabula], n., *record office.*

taceō, ēre, cuī, citus, *be silent, be silent about, leave unmentioned.*

tacitē, [tacitus], adv., *silently, in silence.*

taciturnitās, ātis, [taciturnus, *silent*], f., *silence.*

tacitus, a, um, [taceo], *silent, speechless.*

taeter, tra, trum, [cf. **taedet,** *it disgusts*], *foul, loathsome, disgusting; abominable.*

tālāris, e, [talus, *ankle*], *reaching to the ankles.*

tālis, e, *such.*

tālus, ī, m., *knuckle-bone;* pl., *dice.*

tam, adv., *so, so much, so very.*

tamen, adv., *yet, nevertheless, still, however.*

tametsī, [tamen+etsi], conj., *although, though.*

tamquam or **tanquam,** adv., *as if, as though, as it were, as.*

tandem, [tam], adv., *at length, at last;* in questions, *pray.* **tandem aliquando,** *finally.*

tangō, ere, tetigī, tāctus, *touch, strike, hit.*

tantopere, or **tantō opere,** adv., *so greatly, so much.*

tantulus, a, um, [tantus], *so little, tiny.*

tantum, [tantus], adv., *only,* **tantum modo,** *only, merely.*

tantus, a, um, [tam], *so great, so much; as great, as much.* **tanti est,** *it is worth while.* **tanti facere,** *prize so highly.*

tardē, [tardus], adv., *slowly.*

tarditās, ātis, [tardus], f., *slowness, delay.*

tardō, 1, [tardus], *delay, hinder.*

tardus, a, um, *slow.*

Tarentīnus, a, um, *belonging to Tarentum, Tarentine.*

Tarentīnī, ōrum, m., *the inhabitants of Tarentum.*

Tartessiī, ōrum, m., *Tartessians,* a Spanish tribe.

taurus, ī, m., *bull.*

Taurus, ī, m., *the Taurus Mountains,* in Asia Minor.

tēctum, ī, [tego], n., *roof, shelter, dwelling, house, abode; building.*

tegō, ere, tēxī, tēctus, *cover; protect, guard.*

tēlum, ī, n., *missile, weapon; spear, dart.*

temere, [loc. of obsolete **temus,** *darkness;* lit. *in the dark*], adv., *blindly, rashly, hastily, easily, recklessly.*

temeritās, ātis, [temere], f., *rashness, heedlessness, thoughtlessness.*

temperantia, ae, [temperans, restrained], f., *self-restraint, self-control, moderation.*

temperō, 1, [tempus], *restrain oneself; moderate, temper.*

tempestās, ātis, [tempus], f., *weather; bad weather, storm, tempest; fair weather.*

tempestīvitās, ātis, [tempestivus], f., *seasonableness, timeliness.*

tempestīvus, a, um, [tempus], *timely, suitable; early.*

templum, ī, n., *consecrated place; temple.*

temptō, 1, *test, try, make trial of; tempt; attack, assail; attempt.*

tempus, oris, n., *time, period, season; moment, occasion, juncture; circumstances; need, necessity.* **ex tempore,** *extemporaneously.*

tendō, ere, tetendī, tentus, *stretch, stretch out.*

tenebrae, ārum, f., *darkness, shades, obscurity.*

Tenedos, ī, f., *Tenedos,* an island near the Troad.

teneō, ēre, tenuī, *hold, keep, maintain; hold fast; detain; check;* pass., *be caught, be involved, be guilty; be troubled.* **memoria tenere,** *remember.*

tenuis, *thin; poor, humble, weak, slight, slender.*

tepefaciō, ere, fēcī, factus, [tepeo, *be warm,*+facio], *make warm.*

tepor, ōris, m., *warmth.*

ter, adv., *three times.*

Terentia, ae, f., *Terentia,* the wife of Cicero.

terminō, 1, [terminus], *bound, limit; end.*

terminus, ī, m., *boundary, limit.*

terra, ae, f., *earth, ground; land, country, region.* **orbis terrarum** or **orbis terrae,** *the world.*

terreō, ēre, uī, itus, *terrify, frighten.*

terror, ōris, [terreo], m., *fear, terror, fright, alarm, dread.*

tertius, a, um, [ter], *third.*

tertius decimus, *thirteenth.*

tessera, ae, [Gr. τέσσαρα, *four*], f., *a die.*

testāmentum, ī, [testor], n., *will.*

testimōnium, ī, [testis], n., *testimony, evidence, proof.*

testis, is, c., *witness.*

testor, 1, [testis], *invoke, call to witness.*

Teutonēs, um, m., *the Teutons,* a Germanic people.

theātrum, ī, [Gr. θέατρον, *theatre*], n., *theatre.*

Thermopylae, ārum, f., *Thermopylae.*

Themistoclēs, ī, (is), m., *Themistocles,* the famous Athenian statesman.

Theophanēs, is, m., *Theophanes,* of Mytilene in Lesbos, who wrote an account of Pompey's exploits.

thēsaurus, ī, [Gr. θησαυρός, *treasure*], m., *treasure.*

Thessalus, a, um, *Thessalian.*

Thūrium, ī, n., *Thurium* (or *Thurii*), a city in S. Italy.

Ti. = **Tiberius.**

Tiberīnus, a, um, adj., *of the Tiber.*

Tiberis, is, m., *the Tiber.*

tībīcen, inis, [tibia, *flute,* + CAN, *play*], m., *flute-player.*

Tigrānēs, is, m., *Tigranes,* king of Armenia.

timeō, ēre, uī, *fear, be afraid, be afraid of; be concerned.*

timidē, [timidus], adv., *timidly, modestly, with reserve.*

timidus, a, um, [cf. **timeo**], *timid, shrinking.*

timor, ōris, [cf. **timeo**], m., *fear, dread, alarm, apprehension.*

T.thōnus, ī, m., *Tithonus,* a mythical character.

tītillātiō, ōnis, [titillo, *tickle*], f., *a tickling, tingling.*

Titus, ī, m., *Titus,* a Roman first name.

toga, ae, f., *toga,* the distinctive dress of the Roman citizen; *peace.*

togātus, a, um, [toga], *wearing the toga; in the garb of peace.*

tolerābilis, e, [tolero], *endurable, tolerable.*

tolerō, 1, *bear, endure.* **tolerandus,** a, um, *endurable.*

tollō, ere, sustulī, sublātus, *lift up, raise up, exalt; take away, remove, carry off, steal.*

Tongilius, ī, m. *Tongilius,* a Roman gentile name.

tormentum, ī, [torqueo, *twist*], n., *engine* for hurling missiles.

Torquātus, ī, m., *Torquatus,* a Roman family name.

tot, indecl., *so many.*

totiēns, (totiēs), [tot], adv., *so often, so many times.*

tōtus, a, um, *the whole, entire, all.*

trāctō, 1, [traho], *haul, handle; treat, manage, conduct;* pass., *be engaged in, involved in.*

trādō, ere, didī, ditus, [trans+do], *to give up, turn over, hand over, surrender, deliver; hand down, transmit, teach.*

trādūcō, ere, dūxī, ductus, [trans+duco], *lead across; spend.*

tragoedia, ae, [Gr. τραγῳδία, *tragedy*], f., *tragedy.*

trahō, ere, trāxī, trāctus, *draw; draw on; impel, influence; involve.*

tranquillitās, ātis, [tranquillus], f., *quiet, peace, tranquillity.*

tranquillus, a, um, *calm, tranquil, peaceful.*

trāns, prep. w. acc., *across.*

Trānsalpīnus, a, um, *beyond the Alps, Transalpine.*

trānscendō, ere, dī, [trans+scando], *climb over, cross.*

trānsferō, ferre, tulī, lātus, [trans+fero], *bear across, transport, transfer.*

trānsigō, ere, ēgī, āctus, [trans +ago], *finish, consummate, complete.* **transactum est,** *it is all over.*

trānsmarīnus, a, um, [trans+ mare], *across the sea.*

trānsmittō, ere, mīsī, missus, [trans+mitto], *send across; cross over; hand over, entrust, commit; devote.*

trānsversus, a, um, [trans+ verto, *turn*], *going across, transverse, crosswise.*

Trebātius, ī, m., *Trebatius,* a Roman gentile name.

trēs, tria, *three.*

tribūnal, ālis, [tribunus], n., *platform, judgment-seat, tribunal.*

tribūnus, ī, [tribus, *tribe*], m., *tribune,* officer of the plebs, or military tribune.

tribuō, ere, uī, ūtus, *assign, allot; allow; pay, award; attribute; entrust, confer.*

trīcēsimus, a, um, [triginta, *thirty*], *thirtieth.*

trīduum, ī, [cf. tres+dies], n., *three days.*

trīste, [tristis, *sad*], adv., *sadly; severely.*

triumphō, 1, [triumphus], *triumph, celebrate a triumph; rejoice.*

triumphus, ī, m., *triumph, triumphal procession.*

Trōja, ae, f., *Troy.*

tropaeum, ī, [Gr. τρόπαιον, *trophy*], n., *trophy.*

trucīdō, 1, *butcher, murder, slaughter; execute.*

Truculentus, ī, m., " *The Churl,*" a play of Plautus.

truncus, ī, m., *trunk* (of a tree).

tū, tuī, *thou, you.*

tuba, ae, f., *trumpet.*

Tuditānus, ī, m., *Tuditanus,* a Roman family name.

tueor, ērī, *watch over; secure, maintain, protect, guard, defend; take care of.*

Tullia, ae, f., *Tullia,* daughter of Cicero.

Tulliola, ae, f., *affectionate designation of Tullia.*

Tullius, ī, m., *Tullius,* a Roman gentile name.

Tullus, ī, m., *Tullus,* a Roman family name.

tum, adv., *then, at that time; thereupon; further, besides.*

tumeō, ēre, uī, *swell, be in a ferment.*

tumultus, ūs, [tumeo], m., *uprising, revolt, insurrection; uproar, tumult, confusion, excitement.*

tumulus, ī, [tumeo], m., *mound, hillock.*

tunc, [tum+ce], adv., *then, at that time.*

tunica, ae, f., *tunic,* a garment worn beneath the toga.

turba, ae, f., *crowd; confusion, disturbance.*

turbulentus, a, um, [turba], *disorderly; confused, chaotic.*

turma, ae, f., *troop* of cavalry.

Turpiō, ōnis, m., *Turpio,* a Roman actor.

turpis, e, *ugly; shameful, disgraceful, base, infamous.*

turpiter, [turpis], adv., *shamefully, basely, disgracefully.*

turpitūdō, inis, [turpis], f., *baseness, dishonor, disgrace, shame.*

turris, is, f., *tower.*

Tusculānum, ī, n., *Tusculan villa.*

Tusculum, ī, n., *Tusculum,* a Latin town.

tūte, emphatic for **tu.**

tūtō, [tutus], adv., *safely, in safety.*

tūtor, 1, [tueor], *guard, protect, defend.*

tūtus, a, um, [tueor], *safe, protected, secure.*

tuus, a, um, [tu], poss. pron., *thy, your.* **tuī, ōrum,** m. pl., *your followers.*

tyrannus, ī, [Gr. τύραννος, *tyrant*], m., *tyrant, despot.*

1. ūber, eris, n., *udder, breast.*

2. ūber, eris, *fruitful.*

ūbertās, ātis, [uber, *rich*], f., *richness, fertility.*

ubi, relative and interrog. adv., *where; when,* as. **ubi primum,** *as soon as.*

ubicumque, adv., *wherever.*

ubinam, interrog. adv. of place, *where? where, pray?* **ubinam gentium,** *where in the world?*

ubīque, adv., *anywhere, everywhere.*

ulcīscor, ī, ultus, *punish, avenge.*

ūllus, a, um, [dim. of **unus**], *any, any one.*

ulterior, ōris, [cf. **ultra**], *farther.*

ultimus, a, um, [cf. **ultra**], superl. of **ulterior**, *farthest, remotest, most distant, last.*

ultrā, prep. w. acc., *beyond.*

ultrō, adv., *beyond; of one's own accord, voluntarily.*

umbra, ae, f., *shade, shadow.*

Umbrēnus, ī, m., *Umbrenus,* a Roman family name.

umerus, ī, m., *shoulder.*

umquam (**unquam**), adv., *at any time, ever.*

ūnā, [unus], *together with, along with, at the same time.* **una cum,** *together with, along with.*

unde, rel. and interrog. adv., *whence, from which.*

ūndēquīnquāgēsimus, a, um, [undequinquaginta, *forty-nine*], *forty-ninth.*

ūndēvīcēsimus, a, um, [undeviginti, *nineteen*], *nineteenth.*

undique, adv., *from all sides, on all sides, everywhere.*

unguentum, ī, [unguo, *anoint*], n., *unguent, perfume.*

ūnicē, [unicus], adv., *singularly, especially.*

ūnicus, a, um, [unus], *unique, unexampled.*

ūniversus, a, um, [unus+versus, *turned*], *all together, whole, entire.*

ūnus, a, um, *one, only one, only, alone, sole, single; same.*

urbānus, a, um, [urbs], *of the city, in the city, city.*

urbs, urbis, f., *city; the City* (Rome).

urgeō, ēre, ursī, *press upon.*

ūsquam, adv., *anywhere.*

ūsque, adv., *as far as, even.* **usque ad,** *up to, until.* **usque eo,** *to such an extent, to such a degree.*

ūsūra, ae, [utor], f., *use, privilege; interest.*

ūsūrpō, 1, [usus+RAP, *seize*], *use, employ, practice; mention.*

ūsus, ūs, [utor], m., *use, practice, experience; advantage.*

ut or utī, adv. and conj. : 1) Interrog. adv., *how?* 2) Rel. adv., *as, just as.* 3) Conj., *when, as; that, in order that; so that; though;* with verbs of fearing, *that not.* **ut . . . sic,** *as . . . so; though . . . yet.* **ut primum,** *as soon as.*

uter, tra, trum, rel. and interrog., *which of two.*

uterque, utraque, utrumque, [uter+-que], *each; both.*

utervīs, utravīs, utrumvīs, [uter+vis (volo)], *whichever of the two you wish.*

ūtilis, e, [utor], *useful, effective, advantageous, expedient.*

ūtilitās, ātis, [utilis], f., *usefulness, advantage.*

utinam, [uti+nam], adv., *oh that! would that!*

ūtor, ī, ūsus, *use, employ, make use of; avail oneself of, take advantage of; enjoy, indulge in; exercise, observe; find; treat.*

utrum, [uter], conj., *whether.*

ūva, ae, f., *grape.*

uxor, ōris, f., *wife.*

vacillō, 1, *waver, totter, stagger.*

vacō, 1, *be without, be exempt from; be at leisure.*

vacuēfaciō, ere, fēcī, factus, [vacuus+facio], *empty, make empty, clear, vacate.*

vacuus, a, um, [cf. vaco], *empty, vacant, free, lacking.*

vadimōnium, ī, [vas, *pledge*], n., *security, bail.*

vāgīna, ae, f., *scabbard, sheath.*

vāgiō, īre, īvī, ītum, *cry, wail.*

vagor, 1, [vagus, *strolling*], *stroll, wander about, rove.*

valdē, [for validē; cf. validus, *strong*], adv., *greatly, completely, thoroughly.*

valēns, entis, [valeo], *strong, stout, vigorous, powerful.*

valeō, ēre, uī, itūrus, [cf. validus, *strong*], *be strong, be powerful, have influence, avail; be well; care for the health.* vale, valete, *farewell!* ad laudem valere, *to redound to one's glory.* plus valere, *to have more influence, have greater weight.*

Valerius, ī, m., *Valerius, a Roman gentile name.*

valētūdō, inis, [valeo], f., *health; ill health, illness.*

vāllō, 1, [vallum], *intrench, fortify.*

vāllum, ī, n., *rampart.*

vapor, ōris, m., *warmth, heat.*

varietās, ātis, [varius], f., *variety, difference.*

varius, a, um, *varied, various, diverse.*

vāstātiō, ōnis, [vasto], f., *devastation, destruction.*

vāstitās, ātis, [vastus, *waste*], f., *destruction, desolation.*

vāstō, 1, [vastus, *empty*], *lay waste, ravage, desolate.*

vātēs, is, c., *seer, prophet.*

-ve, enclitic conj., *or.*

vectīgal, ālis, [cf. veho, *carry*], n., *impost on goods carried; tax, tribute; revenue.*

vectīgālis, e, [vectigal], *paying tribute, tributary.* As noun, m., pl., *tributaries.*

vehemēns, entis, [veho, *carry*], *eager, earnest, vigorous, vehement, impetuous, imperative.*

vehementer, [vehemens], adv., *eagerly, earnestly, vigorously, severely, vehemently, impetuously, violently; greatly, very, extremely.*

vel, [volo], conj., originally, *if you wish; or.* vel . . . vel, *either . . . or.* Adv., *even, very.*

vēlōcitās, ātis, [velox, *swift*], f., *swiftness.*

vēlum, ī, n., *sail; awning.*

vēna, ae, f., *vein.*

vēnātiō, ōnis, [venor, *hunt*], f., *hunting.*

vēndō, ere, didī, ditus, [venum, *sale*,+do], *sell.*

venēficus, a, um, [venenum+ FAC, *make*], *poisonous.* As noun, m., *poisoner.*

venereus, a, um, [Venus, *goddess of love*], *pertaining to love.*

venēnum, ī, [Venus, goddess of love], n., *love-charm, philter; drug; poison.*

vēneō, īre, iī, vēnitūrus, [venum, sale,+1. eo], *go to sale, be sold.*

veneror, 1, *pray, pray to; adore, worship.*

venia, ae, f., *indulgence; pardon.*

veniō, īre, vēnī, ventum, *come.*

ventus, ī, m., *wind.*

venustās, ātis, [Venus, the goddess], f., *loveliness; charm, grace.*

vēr, is, n., *spring.*

(verber), eris, n., *lash;* mostly in pl., *flogging, scourging.*

verbum, ī, n., *a word.* **verba facere,** *speak.*

vēιē, [verus], adv., *truly, really; rightly, with reason.*

verēcundia, ae, [verecundus, modest], f., *modesty.*

vereor, ērī, itus, *reverence, respect; fear.*

vēritās, ātis, [verus], f., *truth.*

vērnus, a, um, [ver], *of spring, vernal.*

vērō, [verus], adv., *in truth, in fact, really; but, but in truth, but in fact.* **jam vero,** *further, furthermore.* **immo vero,** *nay rather.*

versiculus, ī, [versus, line], m., *verse, couplet; line.*

versō, 1, [freq. of verto, turn], *turn about, torment;* pass., **versor,** *be employed, engage, be engaged; move about; dwell, linger; be rampant, run riot; find oneself; be involved.*

1. versus, ūs, [verto, turn], m., *line, verse.*

2. versus, [verto, turn], prep., w. acc., *towards.*

vērum, [verus], *but, but in truth, but yet.*

vērus, a, um, *true, genuine, real; well-founded.* **verum,** ī, n., as noun, *the truth.* **veri simile,** *probable.*

vesper, ī and is, m., *evening;* loc. **vesperī,** *at evening.*

vespera, ae, f., *the evening, eventide.*

Vesta, ae, [Gr.Ἑστία, Hestia], f., *Vesta,* goddess of the hearth.

Vestālis, e, *of Vesta, Vestal.* As noun, **Vestalis,** f., *Vestal, Vestal Virgin.*

vester, tra, trum, [vos], *your, yours, of you.*

vēstīgium, ī, [cf. vestigo, track], n., *foot-print, trace;* pl., *vestiges, remains, ruins.*

vestiō, īre, īvī, ītus, *clothe.*

vetō, āre, uī, itus, *forbid.*

Veturius, ī, m., *Veturius,* a Roman gentile name.

vetus, eris, *old, former, ancient; veteran; of long standing.*

vetustās, ātis, [vetus], f., *length of time, lapse of time; antiquity; long standing.*

vexātiō, ōnis, [vexo], f., *harassing; trouble, distress, outrage.*

vexō, 1, [veho, carry], *shake, agitate; annoy, distress, plague, trouble, harass, disturb.*

via, ae, f., *way, road; course, path.*

viāticum, ī, [via], n., *provisions or funds* (for a journey).

viātor, ōris, [via], m., *traveller.*

Vibō, ōnis, f., a town in the country of the Bruttii.

vibrō, 1, *shake, brandish.*

vīcēsimus, a, um, [viginti], *twentieth.*

96 VICINUS — VIS

vīcīnus, a, um, [vicus], *neighboring.* As noun, vīcīnus, ī,
m., *neighbor.*

vicissim, [vicis, *turn*], adv., *by
turns, in turn.*

victor, ōris, [vinco], m., *victor.*
As adj., *victorious.*

victōria, ae, [victor], f., *victory.*

vīctus, ūs, [vivo], m., *food,
sustenance.*

vīcus, ī, m., *village; street,
quarter.*

vidēlicet, [vide+licet], adv., *one
may see, of course, obviously,
manifestly, I fancy, I suppose;*
often with ironical force.

videō, ēre, vīdī, vīsus, *see, note,
perceive, observe; understand;
see to it, look out, take care;
arrange for, provide.* pass.,
*be seen; seem, appear; seem
best.*

viētus, a, um, [vieo, *curl* or
shrivel up], *shrivelled; with-
ered.*

vigeō, ēre, uī, *thrive, flourish.*

vigilāns, antis, [vigilo], *watchful, vigilant, attentive, alert.*

vigilantia, ae, [vigilans], f.,
watchfulness, vigilance.

vigilia, ae, [vigil, *watchful*], f.,
*watch, keeping awake, vigil;
watch,* as a fourth part of the
night; *night watch, guard,
sentinel.*

vigilō, 1, [vigil, *watchful*], *watch,
remain awake, sit up; lie
awake; watch for.*

vīgintī, *twenty.*

vīlis, e, *cheap, paltry.*

vīlitās, ātis, [vilis], f., *cheap-
ness.*

vīlla, ae, f., *a country-house,
farm-house.*

vīnāceus, a, um, [vinum], *per-*

taining to wine; vīnāceum, ī,
n., *grape-stone; grape-seed.*

vīnārius, a, um, [vinum], *belonging to wine.* cella vinaria,
wine-room.

vinciō, īre, vinxī, vinctus, *bind,
fetter; restrain.*

vincō, ere, vīcī, victus, *conquer,
be victorious; overcome, overpower, defeat, subdue, vanquish; prevail over; exceed,
surpass.*

vinculum, ī, [vincio], n., *bond,
fetter, chain;* pl., *chains,
imprisonment, confinement,
prison.*

vindex, icis, c., *avenger, pun-
isher.*

vindicō, 1, [vindex], *claim, lay
claim to; punish; defend,
rescue.*

vīnea, ae, [vinum], f., *vineyard;
siege-shed.*

vīnulentia, ae, [vinum], f.,
drunkenness.

vīnum, ī, n., *wine.*

violō, 1, [cf. vis], *injure, harm,
wrong, violate.*

vir, virī, m., *man; hero; husband.*

virgō, inis, f., *a maid, maiden,
virgin.*

viriditās, ātis, [viridis, *ver-
dant*], f., *greenness, verdure.*

virītim, [vir], adv., *man by
man; individually.*

virtūs, ūtis, [vir], f., *manliness;
character; bravery, courage,
heroism, valor, endurance;
ability, energy; worth; excellence; virtue;* pl., *merits,
heroic deeds.*

vīs, vis, f., *strength, power,
might; violence, force; weight,
influence; number, quantity.*

multitude; pl., *strength, power.*

vīscera, um, n. pl., *vital organs, vitals.*

vīsō, ere, sī, sus, [video], *to go to see, visit, witness.*

vīta, ae, [cf. **vīvo**], f., *life.*

vitiōsus, a, um, [vitium], *vicious, faulty.*

vītis, is, f., *vine.*

vitium, ī, n., *a fault, defect, failing; vice.*

vītō, 1, *avoid, shun, evade, escape.*

vituperātiō, ōnis, [vitupero], f., *blame, censure, charge.*

vituperō, 1, *censure, blame, scold.*

vīvirādīx, īcis, f., [vivus+radix, root], *quick-set, division* (in gardening).

vīvō, ere, vīxī, vīctūrus, *live.*

vīvus, a, um, [cf. **vivo**], *alive, living.*

vix, *hardly, scarcely, barely, with difficulty.*

vixdum, adv., *scarcely yet.*

vocō, 1, [cf. **vox**], *call, summon.*

Vocōnius, a, um, *of Voconius, Voconian.*

volitō, 1, [volo, *fly*], *fly about, flit about.*

volō, velle, voluī, *be willing, wish, desire; purpose, intend.*

Volturcius, ī, m., *Volturcius,* one of the Catilinarian conspirators.

voluntārius, a, um, [voluntas], *voluntary.*

voluntās, ātis, [volo], f., *will, desire, wish, choice, preference; disposition, inclination, purpose; good will, loyalty, support; assent, consent.*

voluptās, ātis, [volo], f., *pleasure, satisfaction, delight.*

vōsmet, emphatic for **vōs,** *you.*

vōtum, ī, [voveo, *vow*], n., *vow, prayer.*

vōx, vōcis, f., *voice, utterance, command.*

vulgō, [vulgus, *common people*], adv., *generally, usually.*

vulnerō, 1, [cf. **vulnus**], *wound, offend.*

vulnus, eris, n., *wound, affliction, grievance.*

vultus, ūs, [volo], m., *expression; countenance, features, looks.*

Xenocratēs, is, m., *Xenocrates,* a Greek philosopher.

Xenophōn, ōntis, m., *Xenophon,* Athenian general and man of letters.

Zēnō, ōnis, m., *Zeno,* Stoic philosopher.